La Diversidad de Lenguas en España

Maitena Etxebarria

La Diversidad de Lenguas en España

ESPASA

ESPASA FÓRUM

© Maitena Etxebarria, 2002
© Espasa Calpe, S. A., 2002

Diseño de colección: Tasmanias
Imagen de cubierta: Fernando Vicente, *Torre de Babel*
Realización de cubierta: Ángel Sanz Martín

Depósito legal: M. 44.444-2002
ISBN: 84-670-0313-8

Espasa, en su deseo de mejorar sus publicaciones, agradecerá cualquier sugerencia que los lectores hagan al departamento editorial por correo electrónico: sugerencias@espasa.es

Impreso en España/Printed in Spain
Impresión: Huertas, S. A.

Editorial Espasa Calpe, S. A.
Carretera de Irún, km 12,200. 28049 Madrid

ÍNDICE

PRÓLOGO

Cuando tratamos de pensar en el conjunto de pueblos que configuran la escena internacional, extraordinariamente compleja y diversificada, se nos hace evidente la presencia de las diferentes lenguas en el mundo, su pluralidad, su enorme diversificación, su vitalidad y la gran identidad sociocultural que se da entre sus hablantes y los pueblos o las comunidades para quienes la posesión de su lengua les hace «distintos» al resto de las comunidades lingüísticas del mundo.

Nos encontramos ante la necesidad imperiosa de plantear los problemas de comunicación intercultural que se suceden en nuestro entorno. El problema de los inmigrantes en los distintos Estados europeos, en este momento, permite medir la gravedad de una crisis común —cultural y lingüística— a otras sociedades del mundo occidental, a pesar de que la historia haya sido, en ocasiones, una historia integradora y asimiladora de pueblos de orígenes muy diversos que han convivido y se han respetado. La Unión Europea, por ejemplo, comporta un gran número de nacionalidades y de minorías territoriales y no territoriales que reivindican su libertad lingüística y cultural, y la posibilidad de conducir su futuro. Creemos que el desarrollo óptimo de la riqueza lingüística y cultural constituida por esta diversidad es una condición básica para la articulación de una sociedad igualitaria capaz de garantizar la convivencia en este espacio geopolítico.

En definitiva, la historia de la Humanidad debe verse no solo como una historia de pueblos o naciones, sino también como «la historia de las lenguas que estos hablan. Una historia de cinco mil lenguas que conviven en este planeta en continua interacción. Imaginemos el Tratado de Versalles no como un acontecimiento de la diplomacia internacional, sino como un grupo de personas que hacen uso de sus más precisos conocimientos de la lengua francesa para hacerse entender y lograr con ello las mayores ventajas» (R. Appel y P. Muysken, 1988-1996, pág. 9). Estos hechos, con el tiempo, generaron variedades lingüísticas propias que provocaron el surgimiento de lenguas criollas y otras variedades de *pidgins* que funcionaron como *linguas francas* entre diversos pueblos.

Al pensar en este tipo de situaciones se nos plantean varias cuestiones: en primer lugar, «hasta qué punto la historia de las lenguas está imbricada en la historia de los pueblos y de las naciones y es un reflejo suyo» (ibídem); en segundo lugar, el grado de diversificación de las lenguas naturales hace que se produzca, con gran frecuencia, la presencia de varias lenguas distintas en un territorio común, es decir, las situaciones de lenguas en contacto, ya que en el mundo son mucho más numerosas de lo que imaginamos.

Nuestro propósito en este libro es mostrar, a través del reconocimiento de la gran diversidad lingüística en el mundo, las distintas situaciones de lenguas en contacto, en las diversas comunidades plurilingües en España: su frecuencia, sus relaciones, cómo se desenvuelven los hablantes manejando simultáneamente dos o más lenguas, sus usos y contextos comunicativos diferenciados, etc. Asimismo, trataremos de explicar, más adelante, las consecuencias que tienen estos hechos para cada una de las lenguas implicadas, su variación y, en definitiva, las características que presenta el *bilingüismo/plurilingüismo* abordado desde sus diferentes facetas. Y es que el *bilingüismo* es el resultado de la propia convivencia humana a lo largo de los tiempos, como ha ocurrido en nuestro país.

La obra se articula en nueve capítulos: el primero, cuyo contenido queda configurado a partir de la descripción y reconocimiento de la diversidad social y lingüística en el mundo, con atención especial al marco europeo.

Al estudio del bilingüismo, su tipología, su carácter —individual y/o colectivo— y de las comunidades bilingües o plurilingües y a la diversidad de estas, en relación a las lenguas y funciones que ocupan, está dedicado el segundo.

En el tercer capítulo, que trata de la situación de las lenguas en España, tras la exposición de algunos precedentes histórico-lingüísticos que nos permiten abordar el reconocimiento de la diversidad de lenguas actual, producido tras la aprobación de la Constitución Española de 1978, se analiza el conocimiento y uso del español en las Comunidades Autónomas con lengua propia y se expone el marco legal en materia lingüística de las Comunidades bilingües.

Del capítulo cuarto al noveno se aborda el estudio y descripción de cada una de las Comunidades con lengua propia, es decir, el análisis de las diversas situaciones de bilingüismo en Cataluña, Islas Baleares, Valencia, Galicia, País Vasco y Navarra, además del aranés del Valle de Arán, las lenguas de Aragón y el asturiano o bable, en el Principado de Asturias.

La explicación de su evolución permitirá evaluar el desarrollo sociolingüístico de cada Comunidad y de su lengua. Y es que nuestro objetivo responde, también, a un propósito desmitificador, referido a la situación de bilingüismo o plurilingüismo que, lejos de constituir una anomalía, es y ha sido una constante histórica en la mayor parte del mundo, y también en España, lo que viene a demostrar que no tiene por qué suponer motivo de conflicto en el plano social, al tiempo que en el plano individual supone una fuente indudable de riqueza. Así, constituyendo la lengua un elemento de identidad de la persona y de su enraizamiento más profundo, la situación bilingüe o plurilingüe de algunas Comunidades bajo el prisma del reconocimiento y la normalización de las lenguas propias supone la manifestación del respeto a los derechos colectivos de los pueblos.

1
DIVERSIDAD SOCIAL Y DIVERSIDAD LINGÜÍSTICA

> «Es una ilusión imaginar que esencialmente nos adaptamos a la realidad sin la utilización del lenguaje, y de que este es un mero instrumento incidental de solucionar problemas determinados en la comunicación o en la reflexión. El hecho es que el "mundo real" está en gran medida inconscientemente construido sobre los hábitos lingüísticos de un grupo. No hay dos lenguas que sean lo bastante similares para que se considere que representan la misma realidad social. Los mundos que habitan las distintas sociedades son mundos distintos, no un mismo mundo con diferentes rótulos.»
>
> (E. SAPIR [1929], 1949, pág. 162)

Conocen ustedes que cada año mueren en torno a veinticinco lenguas por término medio? Hoy en el mundo podemos decir que existen unas cinco mil lenguas vivas. En unos cien años más, si no tratamos de impedirlo, la mitad o más de estas lenguas habrá muerto. A finales de este siglo, recientemente inaugurado, quedarán unas dos mil quinientas y serán quizá muchas menos aún, al ritmo de aceleración que los fenómenos de globalización nos imponen en nuestros días. (Véase C. Hagège, 2000-2002, pág. 11.) Semejante cataclismo viene produciéndose de manera continuada y, al parecer, en medio de la indiferencia general de los Estados, las naciones y, en definitiva, de los hombres.

Además de las 5.000-6.000 que, como decimos más arriba, existen actualmente en el mundo, «no deben pasar de 400 las que tienen un uso escrito habitual y no pasan de 600 las que tienen más de 100.000 hablantes. La mayoría, más de 4.000, no llegan a 10.000 hablantes» (M. Siguán, 2001, pág. 349). Cada lengua presenta una estructura tan compleja como la que posee la nuestra; además, al igual que ella, supone una determinada percepción del mundo, también distinta a la nuestra, permite establecer y concretar las diversas necesidades comunicativas y culturales que la hacen ser propia y diferente a las demás, con una transmisión y uso únicamente oral, lo que las distingue también mucho de las nuestras, inmersas desde antiguo en sistemas de escritura, lo que hace que nos resulten —las otras lenguas— muy difíciles de imaginar. Pues bien: aun con toda clase de diversidades entre ellas, todas las lenguas tienen el mismo derecho a seguir viviendo y representando la cultura y la forma de vida de su comunidad (ibídem).

Cuando tratamos de pensar en el conjunto de pueblos que configuran la escena internacional, extraordinariamente compleja y diversificada, se nos hace evidente de inmediato la presencia de las lenguas en el mundo, su pluralidad, su enorme diversificación, su vitalidad y la gran identidad sociocultural que se da entre sus hablantes y los diversos pueblos y las diversas comunidades para quienes la *posesión de su lengua* les hace «distintos» al resto de las comunidades lingüísticas del mundo.

Nos encontramos ante la necesidad imperiosa de plantear, prioritariamente, los problemas de comunicación intercultural que se suceden en nuestro entorno. Comenzamos a entrever que los sistemas de valores sobre los que hemos venido apoyándonos se han limitado a asegurarnos determinadas certidumbres que han permitido asentar jerarquías establecidas por una instancia reguladora —una autoridad superior o, para algunos, un «orden natural»— que, precisamente, es puesto en cuestión por estos movimientos. Estos hechos nos hacen percibir, de manera más o menos confusa, que nuestros valores no resultan de la suma de estas diferencias culturales y lingüísticas que constituyen nuestras sociedades actuales, sino que más bien son una parte del resto de peculiaridades culturales igualmente legítimas en el marco de un relativismo cultural absoluto. Vivimos en el seno de sociedades multiculturales y multilingüísticas. Desde el punto de vista de la política lingüística, nos encontramos en una situación análoga: percibimos la importancia de reactivar la noción de solidaridad, al mismo tiempo que los cuadros políticos en los que históricamente se ha configurado y asentado dicha noción se revelan como «incapaces» de asegurarla en el futuro. El problema que los inmigrantes norteafricanos y subsaharianos plantean al Estado español actual permite medir la gravedad de una crisis común —cultural, lingüística— a otras sociedades del mundo occidental, a pesar de que la historia ha sido, en ocasiones, integradora y asimiladora, como la nuestra, de pueblos de orígenes muy diversos que han convivido y se han respetado. No debemos olvidar que la integración de un Estado legítimamente constituido implica que aceptamos sus leyes, nos beneficiamos de sus derechos y cumplimos con los deberes que implica. La integración sociolingüística y socioeconómica tiene que estar necesariamente acompañada de una integración cultural.

La asunción de problemas teóricos y prácticos de orden social que, en ocasiones, plantean las llamadas minorías y los diversos pueblos determinará el futuro de las sociedades y su papel en el orden mundial. Se trata de reconducir, simplemente, el llamado Estado de Derecho hacia una sociedad de derecho, reactivando la noción de ciudadanía y solidaridad en un nuevo marco político. Se trata de tener en cuenta las particularidades nacionales, culturales, étnicas, religiosas y lingüísticas que, al fin, condicionan nuestro común modo de vida. La Unión Europea, por ejemplo, comporta un gran número de nacionalidades y de minorías territoriales y no territoriales que reivindican su libertad lingüística y cultural y la posibilidad de conducir su futuro. Creemos que el desarrollo óptimo de la riqueza lingüística y cultural constituida por esta diversidad es una condición básica para la articulación de una sociedad igualitaria capaz de garantizar la paz en este espacio geopolítico.

LA DIVERSIDAD DE LAS LENGUAS DEL MUNDO

La facultad única y específica que poseemos los humanos para transmitir comunicación hace que el lenguaje, como medio general y universal de hablar, de relacionarse, resulte el elemento caracterizador, por excelencia, del ser humano frente a otros seres vivos, cercanos a nosotros, como lo son algunas de las especies de homínidos. Este hecho podría hacernos pensar que, dado este carácter común, y a la vez específico, los hombres utilizaríamos una misma lengua, es decir, una lengua común. Pero nada más lejos de la realidad: en el mundo existen más de cinco mil lenguas distintas. Este hecho, el reconocimiento de la diversidad lingüística, es explicado, desde antiguo, «a través de distintos mitos [...] en los relatos de los primeros libros de la Biblia, escritos muchos siglos antes de nuestra era, se propone el mito de la Torre de Babel como justificación de la diversidad de las lenguas a partir de una lengua única» (M. Siguán, 2001, pág. 13). Con todo, cualquiera que sea la interpretación simbólica que se acepte del relato bíblico, no parece que esta diversidad lingüística resulte, actualmente, tan difícil de justificar.

Los lingüistas contemporáneos que trabajan en clasificación de lenguas coinciden en partir de la hipótesis de una primera lengua originaria: al igual que existió un «tronco biológico común», así «los miembros de *este grupo originario,* igual que los miembros de cualquier grupo humano, no solo hablarían una lengua común, sino que la transmitirían a sus descendientes» (ibídem, pág. 14). Y es que el niño va aprendiendo a hablar y a utilizar su primera lengua a través de la transmisión de sus padres; de todo esto, con el paso del tiempo, resulta que en la lengua se van produciendo ligeros cambios y variaciones que tienden a consolidarse y se configuran, primero, como «variedades espaciales o dialectales»; después estas van adquiriendo la suficiente diversificación como para convertirse en lenguas distintas, aunque puedan proceder de un tronco común (véase, por ejemplo, la configuración —paralelismos y diversidades— de las lenguas románicas, todas ellas procedentes del latín).

Por otra parte, como es sabido, en las lenguas, junto al fenómeno de cambio, se producen otras fuerzas que actúan en sentido contrario a las anteriores que favorecen y provocan la unificación, es decir, que tienden hacia la cohesión interna, hacia la unidad del sistema lingüístico. Por ello, en las lenguas existen, a la vez, dos fuerzas de signo contrario que operan en todos los tiempos sobre el lenguaje. Ambas fuerzas presentes en las lenguas provocan evoluciones diferenciadas y, en último término, pueden conllevar la fragmentación del sistema lingüístico. A lo largo de la historia de la humanidad «aunque sea de maneras muy diversas, continúa siendo cierto que es la tensión mantenida a lo largo del tiempo, entre fuerzas conservadoras de la unidad y la coherencia de la lengua y fuerzas disruptivas de esta unidad lo que explica la pluralidad de las lenguas existentes y la incomunicabilidad entre los que las hablan [...]» (M. Siguán, 2001, pág. 15).

El contacto y la convivencia social de los pueblos ha generado el contacto y la convivencia de las lenguas, lo que ha contribuido a que se produjera esta, en razón de su proximidad geográfica, de la conquista y colonización de otros grupos, de las relaciones comerciales, de la extensión de diversos credos religiosos, etc. El profesor Siguán nos indica a propósito de estos hechos que en todos los casos «la relación implica esfuerzo de los interlocutores por comprenderse mutuamente, un esfuerzo que, si se repetía a lo largo del tiempo, llegaba a producir o que los comerciantes llegasen a dominar la lengua de los indígenas con los que traficaban, o que estos aprendiesen la lengua de los comerciantes, o incluso que del contacto repetido surgiese una nueva lengua que servía, precisamente, para facilitar las relaciones. Pero cualquiera que fuese el resultado lingüístico, significaba que algunos o muchos individuos se hacían capaces de comunicar, además de en su lengua propia, en una nueva lengua, y se convertían así en bilingües» (ibídem).

EL RECONOCIMIENTO DE LA DIVERSIDAD LINGÜÍSTICA

El avance de la cuestión de los Derechos lingüísticos con la aprobación en el seno de la Unesco de la Declaración Universal de Derechos Lingüísticos (Barcelona, 1998) y la adhesión de un número elevado de países, y de su articulación en la construcción de una sociedad realmente diversificada, depende de la evolución en la percepción que los hombres tienen de sí mismos y de su entorno. Para comprender mejor el carácter de esta evolución del Derecho y para evaluar las posibilidades de éxito de este proceso, conviene evocar algunos de los principales temas de reflexión que nos permitirán poner en evidencia aquellos factores que han hecho y harán posibles las realizaciones efectivas de estos principios en nuestra sociedad.

La vinculación de los pueblos a sus lenguas y a sus culturas particulares nos sitúa ante una tendencia muy general que se caracteriza por una valoración creciente de la diferenciación de las sociedades. Así, conviene abordar las cuestiones planteadas por las nacionalidades y las minorías, a través de ciertas pautas antropológicas que nos sitúen ante la diversidad humana, con el fin de comprender la medida de los valores que esta aglutina. Este proceso nos provee de ciertos instrumentos que, creemos, impedirán caer en excesos de uno u otro tipo.

Lo universal no es una realidad trascendentalmente revelada, ni una misteriosa norma fundamental que pueda ser aplicada a cualquier sociedad. Solo los hombres, las sociedades y el devenir histórico pueden configurar lo universal, su aplicación al hecho social, con la finalidad de producir un fenómeno de uniformación. Por otro lado, la agudización de la diferencia, el repliegue injustificado y frívolo hacia una exaltación absurda de los particularismos que pueden proceder de minorías, o de Estados-nación, constituye, igualmente, un *impasse* que, en determinadas ocasiones, conduce a enfrentamientos, a veces trágicos, ya que ninguna sociedad detenta el estándar de lo universal ni tampoco existe el «pueblo elegido».

Este modo de abordar el tema nos permite situar la causa de las comunidades plurilingües en el propio movimiento vital y social. Resulta claro que la vinculación de un número creciente de nuestros contemporáneos a ciertas especificidades lingüísticas y culturales muestra el hecho cada vez más evidente de que la humanidad es, a la vez, diferente y una. La Biología molecular actual nos permite percibir la necesidad fundamental de la diferenciación de los seres vivos. De algún modo, la diversidad cultural y lingüística es, al igual que la diversidad fisiológica, indispensable para el mantenimiento de la vida humana (J. Dausset, 1988).

En el mismo orden de cosas, la evolución de la teoría lingüística, desde hace más de treinta años, nos invita a reconsiderar el valor de un gran número de lenguas que no son las denominadas de gran difusión y que no poseen el estatus de ser lenguas oficiales de Estados poderosos. En los años sesenta un grupo de lingüistas creyó poder predecir el advenimiento de una lengua universal, más semejante y mejor adaptada al procesamiento de las computadoras, a través de procesos de simulación de la denominada «Inteligencia Artificial», que pudiera ser ofrecida como un lenguaje universal para toda la Humanidad (C. Hagège, 1985, pág. 34). Pero los hechos desmintieron la utopía: el desarrollo de la función instrumental de las lenguas y su adaptación a los procesos formales permite conocer, con la aplicación de una metodología absolutamente precisa, las unidades físicas que configuran la función básica de transmisión de información de las lenguas naturales. Al mismo tiempo, conocemos mejor la función social de las lenguas naturales y su carácter irreemplazable e insustituible, pero idéntico, tanto en grandes lenguas muy extendidas, en cuanto a su número de hablantes, como en lenguas de minorías, el modo en el que los individuos y los grupos se integran e identifican con ellas, así como su función de instrumento de comunicación y su importancia como vehículo de expresión de sus anhelos, sueños y creencias. Este descubrimiento del valor simbólico de las lenguas naturales pone en evidencia una de sus funciones más primarias relacionada con la capacidad de articular la creatividad del hombre.

El destino de la lengua no depende, pues, únicamente del peso de sus intereses políticos, económicos y científicos, puestos de relieve por la acción de una planificación y una política lingüísticas puestas al servicio de la expansión en tal o cual país. Obedece, además, a otros factores, en ocasiones, difíciles de evaluar. La condición esencial para que una lengua que posee vitalidad se convierta en lengua viva de una comunidad tiene mucho que ver con el rango básico que se produce, por el mismo hecho de su utilización, en el seno de una comunidad lingüística, que no es otro que su valor simbólico. En otras palabras, es indispensable que esté enraizada en la propia historia de la comunidad y en su mismo futuro. No es suficiente, para asegurar la vida y, en ocasiones, para la revitalización de una lengua, que haya poseído un pasado glorioso; lo indispensable es que dicha lengua forme parte del futuro de su propia comunidad. Frente a este hecho, siempre que una comunidad humana dota a una lengua de un valor íntimamente ligado al destino que persigue, esta, la lengua, puede renacer incluso tras un «eclipse» de varios siglos.

Así, por ejemplo, cuando hacia 1880 los nacionalistas judíos propusieron que el hebreo se convirtiera en la lengua de la nación judía, esta había desaparecido del uso hablado (M. Masson, 1983, pág. 449). Antes incluso de que fuera creado el Estado de Israel, el hebreo contemporáneo había devenido, de un modo progresivo, la lengua usada por la gran mayoría de aquellos que se identificaban con el ideal sionista de vuelta a la tierra en la que había sido hablada hacía más de dos mil años. Igualmente, el córnico, que se dejó de usar en Cornuailles después del siglo XVIII, conoce actualmente un uso todavía débil, pero real (H. Abalain, 1989, págs. 172-176, y L. Fleuriot, 1983, pág. 47).

Por el contrario, la relativa falta de éxito de las lenguas artificiales, como el esperanto, muestra, de un modo evidente, que la acepción de una lengua, en la que el uso no obedece a motivaciones políticas, económicas, profesionales o científicas, no logra generalizar su uso si no posee un valor simbólico enraizado en la historia del grupo (C. Hagège, 1983, pág. 20). El derecho a una lengua no es una fantasía absurda: los individuos que sueñan con hacer vivir una lengua no pueden crear, sin embargo, una comunidad: el latín, por ejemplo, ha sido una lengua culta; el esperanto ha podido ser una bella idea, muy generosa; pero todo esto no es suficiente para «crear» una comunidad identificada con su historia y con voluntad de conseguir un futuro común.

Estos hechos nos permiten tomar conciencia de que uno de los más graves cometidos del Derecho lingüístico, en la medida en que tratemos de caracterizarlo como un instrumento al servicio del hombre, es el de evitar encerrarse en ser la traducción jurídica de las relaciones de fuerza instituidas en un momento dado de la historia, es decir, de convertirse en la expresión de poder de los Estados o de los Imperios. A nuestro entender, su objetivo sería más el de reconocer y garantizar la libertad que tienen los hombres de elegir la comunidad con la cual tienen la voluntad de identificarse, sea cual sea su situación, comunidad que puede gozar de condiciones normales de existencia y, si fuera el caso, comunidad en lucha por conquistar el derecho a una vida digna. Reflejando la necesidad de libertad de los hombres y registrando esta voluntad esencial, el Derecho lingüístico ocupa un lugar esencial entre los Derechos fundamentales del hombre. Toda lengua representa algo de lo humano que no puede ser sustituido; comprometer la libertad de uso de una lengua es, de algún modo, conservar íntegra la personalidad del hombre.

DERECHOS LINGÜÍSTICOS Y CONSERVACIÓN DEL PATRIMONIO LINGÜÍSTICO UNIVERSAL

El reconocimiento internacional de los Derechos lingüísticos y la multiplicación reciente de legislaciones y de medidas de política lingüística (la Carta Europea de las Lenguas Regionales o Minoritarias, Estrasburgo, 1992) en torno a la situación de determinadas lenguas son, sin duda, manifestaciones positivas de la progresión de nuestras sociedades hacia una definición explícita de los Derechos humanos, cada vez mejor y más adaptada al reconocimiento del valor que tiene la diversidad y diferenciación humanas. Con todo, creemos que la tarea no está concluida; al mismo tiempo, conviene no confiar únicamente en las medidas legislativas para solucionar todos los problemas relacionados con el reconocimiento y desarrollo de las lenguas que se encuentran en una situación precaria, minorizadas, en muchas ocasiones, desde hace siglos.

Por ello, nos ha parecido indispensable en este trabajo señalar algún principio básico de carácter jurídico antes de describir propiamente las diversas realidades sociolingüísticas en España. Este hecho nos permitirá distinguir, además, aquellas realidades sociolingüísticas que pueden desarrollarse, a través de avances jurídicos, de otras, en las que las condiciones concretas de las comunidades no permiten siquiera ejercer el propio Derecho lingüístico. Y es que, como veremos, no es suficiente con poseer marcos jurídicos amplios para poder determinar el porvenir lingüístico de tal o cual lengua. En este sentido, resulta significativo recordar aquí los tres principios básicos que, en opinión de Corbeil (1987, pág. 556), determinan la fuerza de reafirmación relativa a una lengua:

1. La lengua debe ser lengua propia de una comunidad unida por un fuerte sentimiento de identidad cultural.

2. Esta comunidad debe poseer los medios de afirmarse ante otras comunidades que constituyen una nación.

3. Esta afirmación de la comunidad debe poseer alguna forma de legitimidad, reconocida por otras comunidades lingüísticas.

En definitiva, abordar el tema de las lenguas supone poner en cuestión determinados poderes políticos muy precisos, lo que quizá explica que el tema de la protección de lenguas amenazadas no sea muy popular.

El tratamiento democrático de estos problemas, liberado de posiciones y de mitos engendrados, en ocasiones, por simplificaciones, se enfrenta todavía con una serie de obstáculos que revelan la importancia de la representación social que los grupos humanos tienen los unos de los otros. Así, la Carta de Lenguas de la Europa Occidental y Meridional, publicada en 1992, sorprendió, sin duda, a todos aquellos que no concebían que «el suelo sagrado de la patria podía verse ocupado por lenguas ajenas» (véase H. Giordan, 1992). La resistencia a las representaciones colectivas, el desprecio al conocimiento objetivo de las realidades sociolingüísticas diversas constituye la base sobre la que se puede desarrollar una situación conflictiva.

EL EJERCICIO DE LA DIVERSIDAD LINGÜÍSTICA: «GRANDES LENGUAS» FRENTE A «LENGUAS MINORITARIAS»

En Europa disponemos de una abundante variedad de lenguas a partir de la cual estamos en condiciones de proyectar el futuro de una civilización caracterizada por la profundización en la democracia. En este territorio, junto a las grandes lenguas nacionales y oficiales —inglés, francés y español—, podemos distinguir tres grandes realidades lingüísticas, con una representación marcada:

1. Los dialectos: su número es muy elevado y su determinación varía en función de los criterios de variedades de diferenciación que se utilicen. Lo importante es considerar aquí que todas las lenguas minoritarias, nacionales, de pequeña o gran extensión, poseen una diferenciación, una variación dialectal más o menos diversificada.

2. Las lenguas en situación de minorización: existen colectivos situados en razón de la evolución de su historia interna, asentados en el interior de las fronteras de un Estado, que usan, generalmente, la lengua de un Estado vecino o más alejado en el espacio. Es el caso de la población de Alsacia y Lorena, que utilizan variedades del alemán. Es el caso, también, de los habitantes del valle de Aosta, en Italia, que utilizan un dialecto franco-provenzal y que adoptaron el francés como lengua oficial desde 1561. Estas situaciones aparecen, en muchas ocasiones, bajo aspectos muy diversos.

3. Las lenguas minoritarias: son aquellas que en ninguna parte —en Europa o en otra parte del mundo— ocupan una posición dominante en la sociedad donde se encuentran. En este grupo existen lenguas que poseen un estatus de lengua oficial (irlandés, vasco o catalán) o nacional (el romanche en el cantón italiano en Suiza) y no están, sin embargo, en situación de dominante. Si no contamos las lenguas de los grupos de emigrantes en Europa, podemos enumerar hasta diecinueve lenguas minoritarias: bretón, catalán, córnico, corso, escocés, feroés, frisón, gallego, galés, irlandés, yiddish, judeoespañol, occitano, romanche —con sus variedades ladino y friulano—, romaní, saami, sardo, sorabo y vasco (véase Carta de Lenguas de la Europa Occidental y Meridional y Carta Europea de Lenguas Regionales o Minoritarias, 1992).

Una vez establecido este inventario, debe llevarse a cabo un programa de Ecología lingüística que permita operar y que pueda avanzar hacia el desarrollo de un proyecto colectivo. Si concebimos la cultura en un sentido amplio, podemos plantear medidas que permitan avanzar. Y es que para que una lengua tenga posibilidades reales de vida es necesario que sea utilizada por una sociedad dinámica. A partir del momento en el que la lengua ocupa un lugar importante en el proceso de desarrollo de una sociedad, su futuro se encuentra prácticamente asegurado. El porvenir de las lenguas minoritarias es prioritario en la medida en que no se trata solo de salvaguardar los lazos con el pasado, sino que se persiga y se cumpla con la libertad de acceso de una comunidad dada al uso de su lengua.

La primera de las tareas de un programa de Ecología lingüística debiera ser operar para que las lenguas minoritarias que están en situación de desarrollarse lo hagan, siempre y cuando existan comunidades en número suficiente para decidir libremente sobre su situación. Lo que es necesario, siempre, es asegurar la libertad de acceso de las poblaciones a su lengua. A partir del cumplimiento de esta primera condición, debe poder evaluarse la situación, de manera especial, en aquellos casos en los que se ha producido un reconocimiento de estatus de cooficialidad con la otra lengua en presencia, de tal manera que pueda desarrollarse un bilingüismo, si fuera el caso, que responda a las necesidades económicas, sociales y culturales de una sociedad moderna (véase *Las comunidades con lengua propia en España*).

La suerte de las lenguas hoy día es la de representar determinados vectores de identificación social. Pero para que asuman este rol es imprescindible que estas se encuentren en condiciones de desarrollarse. Y desde este punto de vista el porvenir de las lenguas minoritarias es muy incierto. En situaciones sociológicas determinadas, caracterizadas por una ruptura irreversible de la comunicación tradicional, el futuro de una lengua minoritaria depende de la posibilidad de provocar un impulso de valoración sobre sí misma y de cómo pueden las lenguas responder a estas exigencias. Un análisis sociolingüístico preciso, en torno al desarrollo de las lenguas, permitirá conocer los elementos sobre los que puede construirse una política lingüística a favor de las lenguas minoritarias. Actualmente conocemos las medidas precisas que resultan imprescindibles para permitir el desarrollo de las lenguas. De forma esquemática diremos que estas medidas esenciales conciernen a la creación de un espacio social para las lenguas, por una parte, y, por otra, al equipamiento científico y a la producción cultural de las lenguas.

Ciertamente, puede no resultar suficiente la disposición de medidas jurídicas que configuren la obligatoriedad de su uso. Las lenguas solo se imponen en la medida en que ellas mismas estén dotadas de cierta capacidad de adaptación a los cambios producidos en su entorno. Esta adaptación de la lengua a los cambios económicos y culturales le permiten acceder a posiciones sociales más dominantes.

Está claro que si queremos afrontar las situaciones de este tipo no es suficiente con configurar, a nivel internacional, la existencia de legislaciones a favor de las lenguas minoritarias. Tampoco es suficiente con concebir y llevar a cabo una reorganización del poder que concilie los intereses de Estado con la identidad del grupo minoritario. Es indispensable afrontar los procesos de unificación lingüística a nivel internacional. Por ello, es necesario suscitar acuerdos entre los diferentes poderes políticos y administrativos concernidos —en el caso del catalán, por ejemplo, cuatro Estados y seis administraciones regionales— para crear un espacio lingüístico homogéneo. El papel de los organismos internacionales podría ser, por ejemplo, el de suscitar la creación de una Agencia, sostenida por los diferentes Estados y regiones afectados, que se encargara de la definición y puesta a punto de una política lingüística para el conjunto de la lengua minoritaria en cuestión. En segundo lugar, una política lingüística adecuada debería poner una atención particular en el desarrollo de acciones que permitiesen dotar a la lengua de un número determinado de instrumentos que constituyesen lo que podríamos llamar el «equipamiento científico» de una lengua. Sin este bagaje, la lengua no puede pretender, en un futuro próximo, utilizar las técnicas más modernas de tratamiento de textos, traducción automática, programas de reconocimiento automático de voz, etc.

A partir de estas pautas teóricas, pasaremos a evaluar algunas propuestas diferenciadas en materia de política lingüística, así como los Estados y sus lenguas en el marco europeo, lo que nos permitirá abordar la configuración y examen de las comunidades con lengua propia del país.

LENGUAS Y COMUNIDADES PLURILINGÜES: EL EJEMPLO DEL MARCO EUROPEO

El proceso de construcción europea ha sido protagonizado casi en exclusiva por los Estados, y podemos decir que está muy asentada la doctrina de que la Unión Europea no debe significar la disolución de los Estados miembros a favor de un poder europeo central (M. Bilbao y J. López, 1994, págs. 74-90). Los Estados están en el origen y en la base de las instituciones europeas actuales y, a lo sumo, ceden competencias propias a favor de las instancias comunitarias, pero de ninguna manera se cuestiona su viabilidad, su estructura jurídico-político-administrativa interna ni su territorio. Su progresiva incorporación al proceso europeo se ha realizado aportando su personalidad íntegra, incluyendo la(s) lengua(s) que lo definen como Estado.

Por esta razón, el peso de las lenguas de Estado sigue siendo decisivo en cada uno de los Estados miembros y, como consecuencia, en todas las instituciones europeas. La realidad demuestra que la pugna lingüístico-política entre los Estados, dentro de los Estados y en las instituciones europeas afecta principalmente a las lenguas de Estado y, en mucho menor grado, a las lenguas minoritarias cuyo ámbito de acción raramente sobrepasa el de su Estado.

El cuadro lingüístico actual es el fruto de la larga evolución histórica experimentada por cada Estado, en la que han participado distintos elementos, desde militares hasta culturales, pasando por los legislativos y religiosos. En casi todos los casos, la lengua ha constituido un factor clave en la formación del Estado, ha servido para definirlo y distinguirlo de los otros y se ha convertido en una de las bases de los nacionalismos de Estado contemporáneos. Estas lenguas son las que a lo largo de la unificación europea se trasladaron, automáticamente, a sus instituciones, creando un modelo nuevo y distinto de relación institucional, política y lingüística.

En los quince Estados miembros de la Unión Europea existen trece lenguas que gozan del estatuto de oficialidad o, por lo menos, del rango de lengua de Estado en uno o en varios de ellos. Son el alemán, el danés, el español, el finlandés, el francés, el griego, el inglés, el irlandés, el italiano, el luxemburgués, el neerlandés, el portugués y el sueco.

El alemán es el único idioma declarado oficial en solitario en más de un Estado miembro (RFA y Austria) y hay cinco declarados de oficialidad única en, al menos, un Estado comunitario y a la vez cooficial en otro(s) Estado(s), en todo o parte de su territorio (inglés, francés, sueco, alemán y neerlandés).

El francés es la única lengua oficial de Francia y del área valona de Bélgica y cooficial en situación predominante en la región de Bruselas y en el Gran Ducado de Luxemburgo. También es cooficial en la región del valle de Aosta, en Italia. El inglés es oficial en todo el Reino Unido y es cooficial, junto al gaélico o irlandés, en situación predominante, en la República de Irlanda. El neerlandés es oficial en los Países Bajos y en la parte flamenca de Bélgica y es cooficial en la región de Bruselas. El alemán es oficial en la RFA y en Austria y en la zona germanófona de Bélgica, así como oficial en Luxemburgo, junto con el francés y el luxemburgués. El sueco es oficial en toda Suecia y en las islas Aland (Finlandia) y cooficial en algunas comunidades de Finlandia.

Hay otras seis lenguas oficiales en un solo Estado comunitario: el castellano o español en España, el portugués en Portugal, el danés en Dinamarca, el griego en Grecia, el finlandés en Finlandia y el italiano en Italia.

Todos los Estados comunitarios han logrado que todos sus ciudadanos conozcan la lengua oficial. Según datos de la Comisión Europea anteriores a la ampliación de 1995, el alemán es la lengua materna más usada dentro de la Unión, con el 24 por 100 de hablantes (a partir de 1995 hay que añadirle la población de Austria). El italiano y el inglés se sitúan en segundo lugar, con el 17 por 100 de la población comunitaria cada uno, mientras que el francés les sigue de cerca con el 16 por 100.

Si no se distingue entre la lengua materna y una segunda lengua, resulta que el 42 por 100 de los ciudadanos comunitarios se consideran capacitados para hablar inglés, el 31 por 100 alemán y el 29 por 100 francés. La población comunitaria que habla alemán, inglés y francés suma más que la que utiliza las otras diez lenguas. El inglés es la única lengua que puede ser utilizada por más europeos que no la tienen por lengua materna (25 por 100) que por aquellos que la usan como primera lengua (17 por 100). El 41 por 100 de los ciudadanos de la Unión Europea han realizado estudios de inglés como segunda lengua, mientras que el 28 por 100 lo han hecho de francés y el 15 por 100 de alemán.

El 14 por 100 de los españoles declaran que su lengua materna no es la oficial del Estado, es decir, el catalán, el euskera o el gallego. También en Irlanda el gaélico es la lengua materna del 10 por 100 de la población estatal. El 94 por 100 de los luxemburgueses afirman tener como lengua materna una distinta de las trece lenguas de trabajo de la Unión Europea, el luxemburgués. En ningún otro Estado la población que declara tener como lengua materna otra que no sea la oficial del Estado sobrepasa el 10 por 100.

Dejando aparte las lenguas de Estado, a principios del siglo XIX solo quince lenguas europeas tenían un nivel suficiente de desarrollo idiomático. A comienzos del XX hay que añadir a este primer grupo unas dieciocho más (noruego, finlandés, galés, flamenco, occitano, catalán, croata, rumano, búlgaro, etc.), muchas de ellas recuperadas por los movimientos románticos y nacionalistas de la segunda mitad del XIX. Después de la Primera Guerra Mundial se añadieron a la lista unas veinte más (feroés, irlandés, euskera, retorromano, bretón, albanés y otras de la antigua área soviética, como el bielorruso, moldavo, georgiano, etc.) (véase K. W. Deutsch, 1981, pág. 48).

Hacia 1980 darían el paso hacia su consolidación y/o reconocimiento el frisón, el corso, el groenlandés, el lapón o sami, y, en la actualidad, han acometido un esfuerzo de supervivencia lenguas como el sardo, el ladino, el friulano, el bable, el aragonés, etc., hasta el albanés y el croata de Italia hablados en comunidades agrícolas y pastoriles de zonas habitualmente subdesarrolladas. En nuestros días incluso se ha producido la resurrección de lenguas muertas. Dejando a un lado el caso del hebreo, cabe citar el del córnico, que, habiéndose perdido completamente a fines del siglo XIX, se vuelve a hablar gracias al idealismo y a la ilusión, muy utópica ciertamente, de un centenar de personas residentes en Cornualles (véase M. Stephens, 1978, págs. 218-220).

Según la distribución hecha por Miguel Siguán, los Estados europeos se agruparían de la siguiente manera, atendiendo a sus relaciones con las minorías lingüísticas:

— Países monolingües, como Portugal o Francia, hasta hace poco, que reconocen una sola lengua nacional y basan su política lingüística exclusivamente en la defensa de esta lengua. Esta política no obsta para que reconozcan la existencia de ciertas minorías e incluso toleren su defensa.
— Países que protegen determinadas minorías lingüísticas, aunque reconocen una sola lengua nacional y no conceden derechos políticos a las otras, que, no obstante, pueden gozar de ciertos beneficios legales. Este es el caso de Gran Bretaña con el galés o de los Países Bajos con el frisón.
— Países con autonomías lingüísticas, o sea, aquellos que tienen una sola lengua de Estado reconocida, pero que conceden autonomía a ciertos territorios con lengua propia para otorgarles derechos políticos e incluso la cooficialidad, así como la posibilidad de establecer una política lingüística. El mejor ejemplo de este grupo es la España actual y, para ciertos territorios, Italia.
— Países institucionalmente plurilingües, es decir, que reconocen dos o tres lenguas como propias del Estado y adoptan medidas para que todas ellas sean conocidas y utilizadas por la población en todo su territorio. Es el caso de Irlanda y, sobre todo, de Luxemburgo (véase M. Siguán, 1995, págs. 59-60).

Conectando el estatuto jurídico de cada lengua con las funciones instrumentales que cumple socialmente, Jordi Bañeres establece este otro esquema:

— Países con una lengua oficial que es conocida activa y pasivamente por toda la población de un determinado territorio. En particular, es el idioma en que funcionan los aparatos represivos, ideológicos y administrativos del Estado. Es necesario y suficiente para la actividad económica interna y para las actividades culturales. Es también necesario y suficiente para acceder y desempeñar la generalidad de los cargos, aunque puede no resultar adecuado para los de mayor rango representativo. Se identifica con una nación-Estado, y el Estado como tal la potencia. Sus máximos representantes la utilizan siempre para las relaciones políticas intraestatales.
— Países con una lengua cooficial dominante, o sea, con una lengua oficial que tiene que compartir algunas funciones limitadas con una segunda lengua (= cooficial secundaria).

— Países con lengua(s) cooficial(es) secundaria(s), es decir, lengua(s) con la que funciona algún que otro aparato ideológico y administrativo del Estado —junto con la lengua cooficial dominante—. Es necesaria, pero no suficiente, para algunas actividades culturales, y es necesaria, pero no suficiente, para acceder a algunos empleos. Relacionada con la Administración local que vela por ella, evitando que erosione la situación preponderante de la lengua oficial. Las máximas autoridades locales la utilizan, de vez en cuando, para las relaciones intrarregionales.

— Países con lengua(s) reconocida(s), en la que funcionan escasos y periféricos aparatos ideológicos y administrativos de Estado. Ni es necesaria, ni es suficiente.

— Países con lengua(s) tolerada(s) o consentidas, para la comunicación privada.

— Países con lengua(s) de uso obstaculizado, o dificultada(s), o reprimidas por parte de los aparatos estatales (J. Bañeres, 1986, págs. 228-229).

El *Bureau Européen pour les Langues Moins Rependues* (EBLUL) establece, a su vez, cinco categorías de lenguas minoritarias:

— Las lenguas nacionales de dos Estados pequeños miembros de la UE, que no son lenguas oficiales de trabajo de la Unión Europea, y que son menos utilizadas aún a escala internacional: el irlandés y el luxemburgués.

— Las lenguas de las pequeñas comunidades sin Estado, situadas en un Estado miembro, como el bretón en Francia, el sardo y el friulano en Italia, el frisón en los Países Bajos, o el galés en el Reino Unido.

— Las lenguas de las pequeñas comunidades sin Estado extendidas en dos o más Estados, como el euskera en España y Francia, el occitano en Francia, Italia y España.

— Las lenguas de los pueblos que constituyen una minoría dentro del Estado en la que residen, pero que son mayoritarias en otros países, como el alemán en Bélgica, el danés en Alemania, o el francés y el griego en Italia.

— Las lenguas no territoriales que fueron utilizadas tradicionalmente en algún Estado, pero que no pueden ser identificadas con una zona particular, como la lengua gitana o la de los judíos (el sinti, el romaní y el yiddish) [véase *Les Européens et les langues,* en Eurobaromètre (54 Special) realizado por INRA (Europe) para la Dirección General de la Educación y la Cultura de la UE].

LAS ONCE NUEVAS LENGUAS OFICIALES DE LOS CANDIDATOS A LA ADHESIÓN EN LA UNIÓN EUROPEA

La Unión Europea ha recibido la solicitud de adhesión de doce Estados: Bulgaria, Eslovaquia, Eslovenia, Estonia, Hungría, Letonia, Lituania, Malta, Polonia, Rumania, República Checa y Chipre. Todos ellos se incorporarán a la Unión en los próximos años.

Las lenguas oficiales en estos Estados son el búlgaro, el eslovaco, el esloveno, el estonio, el húngaro, el letón, el lituano, el maltés, el polaco, el rumano, el checo y el griego. En la UE ampliada habrá, por lo tanto, once nuevas lenguas, dado que el griego ya está presente en aquella.

A diferencia de los quince Estados que integran actualmente la Unión Europea, en algunos casos (Eslovaquia y los Estados bálticos) no toda la población del territorio sabe hablar la lengua oficial estatal.

Tabla 1

Las once nuevas lenguas oficiales de los Estados candidatos

Lengua	Población (millones de habitantes)
Polaco	38,7
Rumano	22,5
Húngaro	10,5
Checo	10,3
Búlgaro	8,3
Eslovaco	5,4
Lituano	3,7
Letón	2,4
Esloveno	2,0
Estonio	1,4
Maltés	0,4

Fuente: IDESCAT, INE, *Panorama de la UE,* 2000.

LAS LLAMADAS «LENGUAS MINORITARIAS Y/O REGIONALES» DE LA UNIÓN EUROPEA

En la UE actual hay 36 lenguas «regionales o minoritarias» y, en total, las hablan más de veinte millones de personas, además de la oficial del Estado en el que tienen la ciudadanía. Casi el 50 por 100 viven en España y el

23 por 100 en Francia. El resto está principalmente en Irlanda, Italia y los Países Bajos.

De las 36 lenguas minoritarias, solo seis superan el millón de personas que las hablan. Hay dos que superan el medio millón (euskera y galés), mientras que otras seis superan las 125.000 personas que las saben hablar sin llegar a 500.000 hablantes (frisón, friulano, luxemburgués, finés, bretón y corso).

Tabla 2

Hablantes de algunas lenguas minoritarias

Lengua	Hablantes	Estados
Catalán	7.200.000	España, Francia, Italia y Andorra
Gallego	2.420.000	España
Alemán*	2.220.000	Francia, Italia y Bélgica
Occitano	2.100.000	Italia, Francia y España
Sardo	1.300.000	Italia
Irlandés	1.240.000	Reino Unido e Irlanda
Euskera	683.000	España y Francia
Galés	508.000	Reino Unido

* El alemán es la lengua con más hablantes de la UE: en total, 92.420.000 hablantes. Fuera de Alemania y Austria tiene consideración de lengua minoritaria.

Fuente: IDESCAT, *Estudio Euromosaic* (UE).

2
BILINGÜISMO Y LENGUAS
EN CONTACTO

BILINGÜISMO INDIVIDUAL: ¿EN QUÉ CONSISTE SER BILINGÜE?

Qué es lo que permite calificar a un individuo como bilingüe?, ¿cuáles son las características de su comportamiento que autorizan a calificarlo como tal? Como es sabido, se han propuesto definiciones muy diversas que van desde el pleno dominio de dos lenguas (L. Bloomfield, 1933, pág. 56), «la posesión de una competencia de hablante nativo en dos lenguas», hasta el extremo opues-·to que propone que «el individuo bilingüe es aquel que posee una competencia mínima en, al menos, una de las cuatro habilidades lingüísticas, es decir, comprender, hablar, leer y escribir, en una lengua distinta a su lengua materna» (J. MacNamara, 1967, págs. 58-77). Entre estos dos puntos de vista opuestos, podemos encontrar toda una gama intermedia de expertos para quienes el bilingüismo consiste en «la capacidad de un individuo de expresarse en una segunda lengua, respetando los conceptos y las estructuras propias *de* esa lengua, más que parafraseando su lengua materna» (R. Titone, 1972, pág. 11). Todas estas definiciones escalonadas en un *continuum,* que va desde una competencia nativa en una segunda lengua, hasta una competencia mínima en esa lengua, conllevan una serie de dificultades. Por una parte, no resultan demasiado operativas, ya que no especifican qué es lo que debe entenderse por «competencia de hablante nativo», competencia que, como es sabido, varía notabilísimamente de unos hablantes a otros, en el interior de una comunidad monolingüe, ni por «competencia mínima de L_2», ni tampoco por «el respeto a los conceptos y las estructuras propias de esa lengua». En este sentido, «¿Podemos, por ejemplo, excluir de la definición de bilingüismo a aquel individuo que poseyendo una alta competencia en una segunda lengua no pasa por hablante nativo de esa lengua debido a su acento extranjero?, ¿es legítimo llamar bilingüe a un individuo que ha seguido cursos de lengua durante años, sin ser capaz de utilizarla en una situación comunicativa dada?» (J. F. Hamers y M. Blanc, 1983, pág. 22). En realidad, el problema básico está en que todas estas definiciones de bilingüismo individual se asientan, única-mente, en una dimensión; a saber: la competencia del hablante en ambas len-guas. La noción, en realidad, precisamente por su carácter multidimensional, debe ser estudiada y analizada en todas sus facetas.

Llamaremos bilingüe al individuo que, además de su propia lengua, po-see una competencia semejante en otra lengua y es capaz de usar una u otra en cualquier situación comunicativa y con una eficacia comunicativa idéntica. Aunque se trata de una situación ideal, ya que en la realidad «son individuos que se aproximan más o menos a este ideal, la definición es útil porque nos sirve de punto de referencia respecto al cual valoramos el bilingüismo de un individuo concreto» (M. Siguán y W. F. Mackey, 1989, pág. 18). Los individuos variarán por la forma en la que se acerquen o alejen de este teórico equilibrio. Aunque vamos a ocuparnos más adelante de los grados y variedades de bilin-güismo, plantearemos inicialmente algunos de los rasgos que constituyen sus caracteres básicos.

Autonomía de los códigos

El que el individuo bilingüe posea dos códigos y los utilice dependiendo de la situación comunicativa quiere decir que mantiene separados e indepen-dientes ambos códigos, de tal manera que «cuando utiliza la lengua A solo emite sonidos, produce palabras y construye frases según reglas pertenecien-tes a esta lengua sin que antes de emitir cada sonido, producir cada palabra o construir cada frase tenga que elegir entre las posibilidades que le ofrecen las dos lenguas, sino que espontáneamente solo tiene presentes las del sistema que está utilizando» (ibídem).

En este sentido, investigaciones recientes permiten saber que el niño que aprende dos lenguas y se convierte en lo que llamaríamos un «bilingüe pre-coz» inicia esta independencia de los dos códigos en época muy temprana y está plenamente establecida dicha independencia entre los tres y los cuatro años.

Es cierto, sin embargo, que la separación de las dos lenguas o autonomía de los códigos no es absoluta y total; por ello, todo bilingüe «al producir men-sajes o textos en la lengua A, en algún momento introduce elementos —foné-ticos, semánticos o sintácticos— de la lengua B, y a la inversa, cuando utiliza la lengua B introduce algún elemento de la lengua A» (ibídem).

Las transferencias de elementos de una lengua a otra se conocen como interferencias y son más frecuentes cuanto más imperfecto es el bilingüismo del individuo en cuestión. En realidad, las interferencias se producen, con frecuencia, en «bilingües desequilibrados» y es debido a que el individuo po-see una lengua predominante frente a la otra. Ahora bien: es precisamente la existencia de las interferencias lo que asegura la independencia de los códigos y no a la inversa, ya que el elemento extraño al código contrasta precisamente por eso. Si el individuo no mantuviera separados ambos códigos, sino que los mezclase en forma plena y continuada, las interferencias no se advertirían, pues los dos códigos se habrían llegado a convertir, de alguna manera, en uno solo.

Alternancia de códigos

La alternancia o el paso de un código a otro, en el bilingüe, se produce rápidamente y sin esfuerzo, en función de los cambios en la situación comunicativa. Así, dos personas que hablan en la lengua A, pero conocen también la lengua B, pueden pasar de manera automática a usar la lengua B, en el momento en que se incorpora a la conversación otra persona que solo conoce esta lengua. La alternancia puede darse, incluso, en la forma de paso continuado de un código a otro, como le ocurre al que está atendiendo a la vez a dos conversaciones en dos lenguas distintas, o con un ejemplo mucho más frecuente, al que actúa como traductor, sea sucesivo, sea simultáneo.

Al igual que ocurre con la independencia de los códigos, antes indicada, también el niño que aprende a hablar en dos lenguas, al mismo tiempo que mantiene autónomos los dos códigos, es capaz de alternar, rápidamente, el uso de una lengua a otra, si cambia de situación comunicativa o de interlocutor.

Traducción

Quizá la característica más importante del bilingüe es que no solo posee dos códigos independientes y alterna su uso en función del receptor y de la situación comunicativa, sino que, además, es capaz de expresar los mismos contenidos significativos en los dos sistemas lingüísticos, como lo demuestra el hecho de que sea capaz de expresar en B lo que anteriormente ha expresado en A, y viceversa. La capacidad del bilingüe de transferir o traducir un significado idéntico, en una lengua u otra, no quiere decir que todos los significados expresables en la lengua A, o en la lengua B, puedan ser comunes, ya que «las distintas lenguas en parte pueden expresar significados comunes, pero en parte también expresan significados propios e irreductibles de una lengua a otra. La traducción es siempre posible, pero nunca es fácil ni puede llegar a ser perfecta. La proporción de significados comunes y significados irreductibles es muy diversa según los mensajes y los textos, y su diversidad depende de las lenguas utilizadas y de los contenidos del significado» (M. Siguán y W. F. Mackey, 1989, pág. 20).

Por último, queremos indicar que la definición que hemos propuesto de bilingüismo, inicialmente, aun cuando resulte muy simple y, en sentido estricto, el término «bilingüismo» indique, etimológicamente, la referencia a dos lenguas, no tiene por qué aplicarse de forma única solo a dos lenguas, sino a más, es decir, va referido, asimismo, al plurilingüismo, aun cuando somos conscientes y es de todos sabido que alcanzar el dominio equilibrado de más de dos lenguas es posible aunque no frecuente.

TIPOS DE BILINGÜISMO

Los distintos tipos de bilingüismo están directamente relacionados con la dimensión en la que se asientan; por ello, comenzaremos por abordar las dimensiones psicológicas del bilingüismo individual.

Relación entre lenguaje y pensamiento

Ervin-Tripp y Osgood (1964, págs. 139-146) establecieron, en función de su comportamiento cognitivo, dos tipos de bilingües diferenciados: los *bilingües compuestos* y los *bilingües coordinados;* según su formulación original, el bilingüe coordinado dispone de dos sistemas verbales independientes, de modo que cuando recibe un mensaje en la lengua A, lo entiende en esta lengua, y en esta misma lengua produce y emite su respuesta, y cuando recibe un mensaje en la lengua B, lo entiende en la lengua B, y produce y emite la respuesta en esta misma lengua. En cambio, el bilingüe compuesto dispone de un sistema verbal predominante, de modo que cuando recibe un mensaje en la lengua A lo entiende y contesta en esta lengua, pero cuando lo recibe en la lengua B lo traduce a la lengua A para entenderlo, y produce en la lengua A la respuesta que luego traduce a la lengua B para emitirla (M. Siguán y W. F. Mackey, 1989, pág. 24).

Aunque esta clasificación ha sido muy debatida y, en ocasiones, mal interpretada, la abundante bibliografía sobre el tema se sustenta sobre una diferencia de organización cognitiva y no sobre una diferencia en el grado de competencia, como veremos más adelante, ni sobre la edad, o el contexto en el que se ha producido la adquisición de la segunda lengua. Aunque el tipo de organización cognitiva está estrechamente ligado a la edad, o el contexto de adquisición (un niño que haya adquirido las dos lenguas en una edad muy temprana, en el mismo contexto sociocultural, poseerá, más razonablemente, una representación cognitiva única con dos elementos equivalentes en cada lengua que otro niño que haya adquirido su segunda lengua en un contexto sociocultural diferente al de su lengua materna; este último poseerá más razonablemente que el otro dos representaciones cognitivas diferenciadas, es decir, será más bien un bilingüe coordinado); no hay una correspondencia biunívoca entre la forma de representación cognitiva y la edad de adquisición. Sin embargo, por razones prácticas se utiliza frecuentemente la edad y el contexto sociocultural de adquisición como elementos identificadores de los dos tipos de bilingües señalados. Esta interpretación, creemos que hasta cierto punto errónea, ha sido sostenida por algunos especialistas que, atendiendo a la relación entre edad y contexto de adquisición, por una parte, y modalidad de bilingüismo, por otra, olvidan que la noción se asienta sobre una distinción en la organización semántica del bilingüe (J. F. Hamers y M. Blanc, 1983, cap. IV). (Véase, en este sentido, J. A. Fishman, 1964, págs. 32-70; J. J. Gumperz, 1962, págs. 28-40, y K. Dodson, 1983, págs. 3-8.) Es necesario señalar también que esta distinción no es absoluta y las diferentes formas de bilingüismo deben situarse en un *continuum* en el que en un extremo se encontraría el bilingüe compuesto y en el otro el bilingüe coordinado; igualmente, un individuo bilingüe puede ser relativamente compuesto para determinados aspectos y coordinado para otros.

Competencia lingüística

La noción de competencia lingüística permite también dar cuenta del carácter relativo del bilingüismo, ya que pone en relación dos competencias lingüísticas diferenciadas, una en cada lengua. En esta dimensión se ha distinguido entre *bilingües equilibrados,* que son aquellos que poseen una competencia idéntica en ambas lenguas, y *bilingües dominantes,* para quienes la competencia en una de las dos lenguas, generalmente la materna, es superior a la que se posee en la otra lengua (W. E. Lambert, 1955, págs. 197-200). No debe confundirse bilingüismo equilibrado con la posesión de una competencia muy elevada en las dos lenguas; se trata, más bien, de un «estado de equilibrio» semejante entre los dos niveles de competencia en ambas lenguas (en el apartado siguiente tendremos ocasión de mostrar los problemas planteados por las pruebas de evaluación de la distinta competencia y sus equivalencias).

Edad de adquisición

La edad de adquisición juega un papel importante no solo en el plano de la representación cognitiva, tal como hemos indicado, sino también en otros aspectos del desarrollo del bilingüe; especialmente aquellos que se refieren a su evolución neuropsicológica, cognitiva y sociocultural. Así, una clasificación de los individuos bilingües muy útil y fácil de establecer es aquella que utiliza no solo, como veremos más adelante, la edad de adquisición, sino que combina esta dimensión con otras, que inciden en la historia lingüística del hablante, es decir, el contexto de adquisición y el contexto, también, de utilización de ambas lenguas. La edad y el contexto suelen estar relacionados con frecuencia: por ejemplo, una adquisición precoz de las dos lenguas está normalmente ligada a un contexto familiar común, mientras que una adquisición más tardía de la segunda lengua suele estar relacionada con un contexto escolar en oposición al contexto familiar en el que se adquiere la lengua materna.

Es necesario distinguir entre *bilingüismo de infancia, bilingüismo de adolescencia* y *de edad adulta,* ya que en el primer caso la experiencia bilingüe tiene lugar en el mismo momento en el que se está produciendo el desarrollo general del niño; en otras palabras, esta experiencia bilingüe se produce en un momento en el cual el niño no ha alcanzado aún la madurez en ninguna de las otras facetas de su evolución, y por ello este hecho, el bilingüismo, puede intervenir directamente en su desarrollo.

En el bilingüismo de infancia, también denominado *bilingüismo precoz,* podemos distinguir, a su vez, dos tipos: lo que denominamos *bilingüismo precoz simultáneo,* es decir, cuando el niño aprende dos lenguas maternas, que llamaremos A y B, a la vez, como por ejemplo ocurre entre los niños hijos de matrimonios mixtos, donde los padres utilizan con el niño cada uno su lengua materna, y el *bilingüismo precoz consecutivo,* que es aquel en el cual el niño adquiere una segunda lengua, en una edad muy temprana y muy próxima a la de su adquisición de la materna, pero siempre después de que ha adquirido su primera lengua. Mientras que el desarrollo del bilingüismo simultáneo se alcanza en un contexto de aprendizaje informal, el bilingüismo consecutivo, aunque puede producirse también en un contexto de aprendizaje informal, como sería el caso de un niño hijo de una familia de inmigrantes, suele ser el resultado o la consecuencia de una intervención de tipo pedagógico, como lo es, por ejemplo, en muchos programas de educación bilingüe.

Por último, señalaremos que lo que hemos llamado *bilingüismo de adolescencia* se produce cuando se realiza el aprendizaje de la segunda lengua entre los 10-11 años hasta los 16-17 aproximadamente; muchas veces este proceso se lleva a cabo en la escuela. Y reservaremos el término de *bilingüismo adulto* para cuando se lleva a cabo el aprendizaje, o la adquisición, en edades posteriores a las antedichas.

Estatus sociocultural

En ocasiones, el tipo de bilingüismo es tributario del entorno sociocultural y, de modo especial, del estatus relativo que posean ambas lenguas en la comunidad. Según que las dos lenguas estén valoradas o no en el entorno del niño, este desarrollará dos formas diferenciadas de bilingüismo: si las dos lenguas están suficientemente valoradas, el niño podrá beneficiarse al máximo en el plano de su desarrollo cognitivo y aprovecharse de una estimulación enriquecedora que le permitirá desarrollar una mayor flexibilidad cognitiva que el niño monolingüe, que no posee ni conoce esta experiencia; por el contrario, si el contexto sociocultural es tal que la lengua materna está desvalorizada en el entorno del niño, su desarrollo cognitivo podrá ser frenado y, en casos extremos, acusará un retraso en relación al desarrollo propio del niño monolingüe. El conjunto de elementos que producen esta gran ventaja cognitiva, de la que puede beneficiarse un niño que viva una experiencia bilingüe, ha sido denominado *bilingüismo aditivo,* mientras que el caso opuesto es llamado *bilingüismo sustractivo* (W. E. Lambert, 1974). Esta distinción, que entraña consecuencias conceptuales y lingüísticas, se asienta en el plano sociocultural de desarrollo del bilingüe.

PERTENENCIA E IDENTIDAD SOCIOCULTURALES

Los bilingües pueden, también, diferenciarse en el plano de su pertenencia y de su identidad culturales. Un bilingüe puede ser *bicultural,* cuando se identifica positivamente con uno y otro grupo cultural, es decir, con ambos, y pertenece y es reconocido como tal, por miembros de cada uno de los dos grupos, como uno de ellos. Esta identidad cultural adaptada a dos culturas es probablemente, en el plano afectivo, análoga al bilingüismo aditivo, en el plano cognitivo. El biculturismo equilibrado es frecuente que esté relacionado con el bilingüismo equilibrado, aunque, por supuesto, no es una condición imprescindible: en las sociedades multilingües la «múltiple pertenencia cultural» puede coexistir sin problemas con grados diversos de competencia bilingüe dominante. Pero la adquisición de una competencia bilingüe elevada no está en modo alguno ligada a una doble pertenencia cultural; un individuo puede ser, perfectamente, bilingüe siendo a la vez *monocultural,* y manteniendo la identidad cultural del grupo al que pertenece. El desarrollo bilingüe puede, asimismo, llevar a un individuo a renunciar a su identidad cultural y a adoptar la del grupo de L_2; en este caso estaríamos ante un *bilingüe aculturado en L_2.* Por último, el bilingüe puede tratar de no adoptar la cultura de L_2 en detrimento de la suya propia y no llegar a adquirirla completamente, de tal manera que se produzca una situación de *anomia (bilingüe acultural anómico),* es decir, que el individuo no podrá expresar su pertenencia ni su adecuación a ninguna de las dos culturas. No hay que perder de vista que el paso de una pertenencia cultural a otra es más fácil en tanto en cuanto los valores centrales —es decir, aquellos valores culturales que determinan a esa cultura— de la nueva cultura no estén predeterminados, como ocurre con los rasgos étnicos, como el color de la piel, por ejemplo. Si para formar parte de un grupo cultural es necesario poseer ciertos rasgos étnicos propios, resultará imposible para aquellos que no lo posean llegar a ser miembros de este grupo y ser reconocidos por el resto como tales. El tipo de aculturación dependerá, además, no solo del individuo, sino también del sistema de valores de la cultura del grupo que posee L_2.

Hasta aquí las dimensiones que podríamos llamar psicológicas o psicolingüísticas del bilingüismo.

Uso lingüístico

El bilingüismo individual puede ser también descrito en términos de *uso lingüístico*. Se define como el uso alternativo de dos o más lenguas por parte de un mismo individuo.

El bilingüismo individual es siempre relativo; por ello, su estudio implica la noción de *grado:* es necesario analizar y examinar la competencia del individuo en cada una de las lenguas. Este hecho implica el empleo y uso de tests diferenciados para la comprensión y la expresión de la forma oral y de la forma escrita de cada lengua, ya que puede suceder que el bilingüe no posea una competencia idéntica en las dos lenguas ni un manejo igual de las cuatro aptitudes lingüísticas básicas. Dado que las aptitudes lingüísticas del bilingüe pueden conllevar diferencias en la comprensión y la expresión de la forma escrita y del hecho hablado, es necesario examinar separadamente cada una de estas aptitudes para obtener una imagen exacta del grado de bilingüismo.

Además, la competencia que posee el bilingüe en cada una de estas aptitudes puede ser diferenciada también, atendiendo a los distintos niveles lingüísticos: poseer un vocabulario muy amplio, pero una pronunciación muy defectuosa, o una buena pronunciación, mas un desconocimiento de las reglas gramaticales, etc. Por esta razón, es necesario determinar, para cada aptitud, el manejo y conocimiento que posee el bilingüe de la fonología (o de la grafía), de la gramática, del vocabulario, de la semántica o de la estilística de cada lengua. En fin, para poder describir, de forma precisa, el grado de bilingüismo individual es necesario la aplicación de diferentes modelos de tests lingüísticos (W. F. Mackey, 1976, págs. 374 y sigs.).

Siguiendo el análisis de Mackey diremos que el grado de competencia en cada lengua depende de *la función* de ambas lenguas, es decir, de los distintos usos que el bilingüe haga de cada lengua y las condiciones en las cuales se utiliza. Las funciones pueden ser *externas* o *internas.*

Las funciones externas del bilingüismo están determinadas por el número y las zonas de contacto y por las variaciones de cada una de ellas en lo que concierne a la duración, la frecuencia y la presión de ambas: examinaremos en primer lugar los *tipos de contacto* que el bilingüe puede llevar a cabo en función de *la familia, la comunidad, la escuela, los medio de comunicación de masas* y *la correspondencia.*

Así, el individuo bilingüe puede ser el producto de un *medio familiar* monolingüe o bilingüe. En el caso de que la lengua del hogar no sea la de la comunidad, es decir, el medio familiar sea monolingüe, puede alcanzarse un bilingüismo conservando y manteniendo la diferenciación de cada uno de los dos medios. Es el caso, por ejemplo, de muchas familias de inmigrantes que han generado niños bilingües, manteniendo la distribución de funciones para cada una de las lenguas. Cuando el hogar del bilingüe, ya sea en razón de un matrimonio mixto, en el que se han mantenido ambas lenguas, o por otras razones, como por ejemplo el asentamiento temporal de la familia en un medio lingüístico diferente al de la lengua familiar, etc., se asegura también, en muchos casos, el comportamiento bilingüe con distribución de contextos y funciones.

El contacto con *la comunidad* incide también como factor externo en la función de las lenguas, de tal manera que variará el grado y tipo de bilingüe individual en función de las lenguas habladas en la vecindad del propio bilingüe por su grupo étnico, su grupo religioso, su grupo de trabajo o su grupo de ocio.

El *medio escolar* es otro factor de gran importancia dentro de las distintas funciones externas de cada lengua; así, la adquisición de una segunda lengua en el entorno de la escuela dependerá de la naturaleza de la propia escuela. Si se trata de una escuela monolingüe, la lengua de la escuela puede ser la misma que la del hogar y, en este caso, el individuo tendrá pocas ocasiones de aprender una segunda lengua; por el contrario, si, a pesar de ser la escuela monolingüe, como decimos, lo es en una lengua distinta a la del hogar del niño, devendrá bilingüe con gran facilidad. Cuando se trata, además, de una escuela bilingüe, la génesis del bilingüismo del individuo dependerá de las materias que se enseñan en una u otra lengua, e igualmente del tiempo consagrado a cada lengua. En la segunda parte de este texto analizaremos con más detenimiento la educación bilingüe y los distintos modelos de escuela y enseñanza bilingüe que, de alguna manera, caracterizan e inciden también en el grado y en la tipología del bilingüismo.

Los medios de comunicación de masas, como la radio, la televisión, el cine, etcétera, así como también los periódicos y publicaciones, son elementos que inciden de una manera decisiva y que contribuyen a mantener el bilingüismo. El hecho de tener acceso a distintos órganos de información puede constituir uno de los factores decisivos para que el individuo bilingüe pueda mantener una de sus lenguas, si se tratara, por ejemplo, de una lengua utilizada solo en una zona concreta del país.

Por último, es necesario considerar como elemento fundamental *la correspondencia:* la redacción regular de cartas constituye otro medio o tipo de contacto gracias al cual el bilingüe puede mantener su aptitud en la otra lengua. Puede suceder que, para sus negocios, emplee en casa o en el trabajo, o sin más, por razones familiares diversas, una lengua distinta y que este hecho le permita tener la ocasión de leer o escribir en la otra lengua, que no utiliza en alguno de esos medios. Así, por ejemplo, hoy sabemos que uno de los factores determinantes de la conservación de las distintas lenguas maternas de los inmigrantes en Estados Unidos consiste en el mantenimiento de una correspondencia regular con sus familiares y amigos.

En segundo lugar, es necesario considerar entre las funciones externas otro grupo de elementos que tienen que ver con la incidencia de los *efectos del entorno.* Así, por ejemplo, es de todos conocido la rapidez con la que los niños que residen en el extranjero adquieren la lengua de su entorno; es igualmente llamativo el hecho de la rapidez con la que estos niños «olvidan» esta lengua una vez que cambian de entorno. El cambio de medio puede provocar incluso, en un niño de corta edad, el olvido de su lengua materna. En una experiencia, citada por W. F. Mackey (1976, pág. 384), que se llevó a cabo en los años de la Guerra Civil española, se pudo observar que una niña española de seis años que fue llevada a Francia, es decir, a un entorno exclusivamente francés, dejó de utilizar la lengua española a los pocos meses; en un año esta misma niña había adquirido un conocimiento del francés idéntico al de los niños franceses de su entorno (D. D. Tits, 1948, pág. 36).

Con mucha frecuencia se ha opuesto la facilidad con la que los niños se convierten en bilingües en la calle, por decirlo así, frente a la dificultad de alcanzar este mismo grado de bilingüismo por los niños en la escuela. Podemos establecer, a partir de aquí, una primera gran distinción entre el medio escolar y el medio extraescolar o puramente social, para tratar de marcar las diferencias. Así, las diferencias lingüísticas establecidas a partir de la incidencia o del efecto del entorno pueden resumirse en cinco dominios: *integración social, intercomunicación, comportamiento, función semántica* y *sistema cultural.*

Aquel que se convierte en bilingüe por vinculación a un grupo que habla otra lengua, sobre todo si se trata de un entorno social o un trabajo en común, se encuentra cada vez más integrado en dicho grupo en tanto en cuanto utilice más esa lengua. Este proceso de *integración social* representa y produce una motivación psicológica muy positiva en el aprendizaje lingüístico. El bilingüe que aprende en este entorno la lengua dispone, además, de un grupo receptor, del sentimiento de que, progresivamente, va siendo aceptado por el grupo. Este hecho le permite identificarse como miembro del grupo y así se integra con más rapidez en la comunidad lingüística. Sin embargo, el medio escolar jamás podrá producir una integración de este tipo.

Otra motivación importante y primaria para el aprendizaje de una lengua en la comunidad es la de poder comunicarse con individuos que no comprenden más que esa lengua. De ahí que el proceso de *intercomunicación* juega un papel importantísimo en el aprendizaje de otra lengua y, por lo tanto, en la configuración del bilingüe.

En el contacto social la lengua funciona como *comportamiento social* global, mientras que en la clase de lengua —es decir, en el contexto escolar— adquiere un funcionamiento pura y estrictamente lingüístico. En el medio extraescolar el comportamiento lingüístico tiene con frecuencia un efecto social, ya que en ocasiones funciona incluso como sustituto de una acción física y, en esa medida, puede incidir y tener un efecto inmediato en la caracterización del bilingüismo.

Para aquel que llega a ser bilingüe en su entorno social los significados, es decir, *la función semántica* de la lengua que utiliza, se establecen en función de su experiencia. El bilingüe adquiere su segunda lengua en el interior de un tipo de situaciones naturales que poseen no solo un significado verbal, sino también un significado social, emotivo y cultural. Estas situaciones numerosas y variables se le presentan al bilingüe en la misma comunidad lingüística en la que este se desarrolla.

Por el contrario, es otro, bien distinto, el procedimiento a través del cual el alumno llega a adquirir y aprender los significados de los elementos de la lengua que estudia. En principio, depende del profesor, de un texto y no de una comunidad lingüística. Frente a la gran variedad de medios de aprendizaje que provee la comunidad, el alumno normalmente es «víctima» de un método único. De ahí que lo que aquí hemos denominado «función semántica» también configure al bilingüe y su entorno.

Por último, diremos que en tanto en cuanto se es miembro de una comunidad lingüística, el bilingüe aprende a estructurar su pensamiento, su sistema de valores, sus experiencias y sus actitudes para conformar el *sistema cultural* del grupo en el que quiere integrarse. Normalmente el bilingüe utilizará la otra lengua para reorganizar la concepción de la realidad y para reforzar su imagen del universo. Para el individuo que se convierte en bilingüe a través de su entorno social, cada una de las lenguas que maneja es a la vez un instrumento y un vehículo de su pensamiento, y al mismo tiempo, un medio de representar el universo. Si ha logrado ser bilingüe en una edad muy temprana de su vida, su desarrollo mental se produce al mismo tiempo y al mismo ritmo que su desarrollo lingüístico en las dos lenguas que posee, y que son, por decirlo así, dos instrumentos de pensamiento y dos sistemas culturales.

Hay que señalar que los contactos descritos en cada uno de los aspectos expuestos varían en duración, frecuencia y presión. Pueden variar también en cada lengua en comprensión, solamente, o, a la vez, en comprensión y expresión.

— *Duración*

La influencia de cualquier zona del contacto en el bilingüismo de un individuo depende de su duración. Un bilingüe de cuarenta años que ha pasado toda su vida en un entorno extranjero tiene todas las posibilidades de conocer más y mejor la lengua que aquel que no ha vivido en ese mismo entorno más de unos años. Igualmente, una lengua enseñada en la escuela, como materia, aportará, de modo razonable, menos horas de contacto que la lengua que es utilizada como vehicular, es decir, como instrumento de enseñanza.

— *Frecuencia*

La duración del contacto no tiene ningún significado, si no es a través de la frecuencia. Un individuo que, durante veinte años, ha hablado una lengua distinta con sus padres habrá podido verles como media algunas horas al mes, o al contrario, habrá podido hablarles una media de algunas horas al día. Para la lengua hablada, la frecuencia se mide en horas de contacto por semana o por mes, etc. Para la lengua escrita, se mide obteniendo la media de palabras en un texto dado.

— *Presión*

En cada una de estas zonas de contacto puede haber un cierto número de fuerzas que empujan al bilingüe a utilizar una lengua más que otra. Estas fuerzas pueden ser de orden económico, administrativo, cultural, político, militar, histórico, religioso o demográfico (W. F. Mackey, 1976, págs. 388 y 389).

Como ya hemos señalado en el inicio de esta exposición, el bilingüismo individual no está solo en relación con los factores externos que acabamos de examinar, sino también, e igualmente, con *los factores internos*. Estos últimos son aquellos que tienen que ver con las utilizaciones que no tienen como finalidad la comunicación en sí. En el aprendizaje de una segunda lengua hay tres factores que determinan la naturaleza y duración del bilingüismo individual, a saber, *la edad, la aptitud (inteligencia, memoria, actitud* y *motivación) y la utilización interior de una lengua.*

Ya hemos analizado la importancia de la *edad* en la adquisición de las lenguas. Asimismo hemos hablado de bilingüismo infantil y de bilingüismo adulto, y, por ello, únicamente recordaremos que se ha establecido una relación entre la facultad de adaptación del niño y la psicología del cerebro humano. Algunos neurólogos han avanzado teorías que explicitan la flexibilidad del niño desde el punto de vista lingüístico (W. Penfield y L. Roberts, 1959). Antes de los nueve años, el cerebro del niño parece particularmente bien adaptado al aprendizaje de lenguas, pero después de esta edad las zonas en las que se localiza el habla «se endurecen progresivamente» y la aptitud para aprender las lenguas comienza a decrecer.

Pueden establecerse también diferencias entre el bilingüe precoz (de infancia) y el adulto en relación al aprendizaje gramatical. La experiencia limitada del niño no le permite realizar tantas generalizaciones como el adulto. Su memoria lingüística es, por lo tanto, más sintáctica que la del adulto, que tiende hacia un aprendizaje paradigmático de las lenguas, apoyándose en categorías gramaticales y abstracciones rentables. En el niño, el aprendizaje gramatical se produce más en función de la frecuencia de aparición de los elementos gramaticales en el discurso. Desde el punto de vista léxico hay, también, al parecer, grandes diferencias entre el bilingüismo infantil y el del adulto: las necesidades del niño, como es sabido, son más restringidas y menos complejas que las del adulto. Ya que el adulto tiene más experiencia que el niño y le es necesario un vocabulario más rico, si quiere expresar en su segunda lengua todo aquello que es capaz de expresar en su lengua materna.

Se ha opuesto el bilingüe infantil al adulto como si se tratara de una diferencia dicotómica, pero en último término no es fácil establecer una línea demarcativa. Desde el punto de vista lingüístico, ¿cuándo nos convertimos en adultos?; desde el punto de vista fonético, el sistema fonológico de una lengua está bien anclado antes de los siete años de edad, pero no el sistema gramatical; mientras que el sistema semántico de la lengua lleva unos doce años de aprendizaje para que pueda ser equivalente al propio del adulto.

Para poder llegar a una descripción completa del bilingüismo individual es importante determinar todos los factores susceptibles de incidir en *la aptitud* del bilingüe al utilizar sus lenguas, factores que, a su vez, pueden ser modificados por el uso de esas dos lenguas. De todos es sabido que no todas las personas de la misma edad poseen idénticas aptitudes para las lenguas: los factores que hacen que dos personas diferentes —con la misma edad y de la misma familia— puedan alcanzar un grado diferente de bilingüismo son *la inteligencia, la actitud* y *la motivación.*

La relación entre el bilingüismo e *inteligencia* se ha analizado en distintos grupos de bilingües, a través del estudio de cierto número de características mentales mensurables, como la aptitud para agrupar cifras, la percepción de los números, del espacio, de las estructuras, etc. Las investigaciones experimentales en este dominio se han limitado a muestras seleccionadas de individuos con un mismo nivel intelectual y han estado basadas en la hipótesis de que la aptitud de hablar no era más que una capacidad motriz, medida con la ayuda de tests de imitación y de lectura en voz alta. Asimismo, se ha atendido al hecho de que la inteligencia juega un papel importante en la comprensión o en la capacidad de razonamiento y en el conocimiento general del bilingüe.

La *memoria* es un factor que incide en la imitación y juega un importante papel en el bilingüismo, ya que la facultad que posee la memoria auditiva de retener los sonidos, después de haberlos oído, está ligada a la aptitud para aprender las lenguas. Puede encontrarse una analogía en el aprendizaje de los códigos sonoros con los códigos empleados en el telégrafo. Se ha podido mostrar que a medida que la competencia aumenta, el bilingüe guarda más y más palabras en su memoria antes de descubrir el significado total del enunciado. Al mismo tiempo, hay teorías contradictorias en torno a la función exacta de la memoria «mecánica» en el aprendizaje de las lenguas.

La *actitud* del bilingüe frente a las lenguas y a los individuos que las hablan influye en su comportamiento lingüístico. Su actitud puede, a su vez, estar influenciada por las reacciones que sus receptores tengan frente a él, como hablante extranjero. En determinadas situaciones se evita utilizar la lengua por vergüenza, por tener mal acento, etc. En otras ocasiones se puede preferir utilizar la segunda lengua, si la primera se encuentra entre las lenguas mal vistas de un país. Se ha dicho, en ocasiones, que ciertas personas hablan una lengua minoritaria, justamente, como testimonio de rechazo hacia una primera lengua y de admiración hacia una segunda. En función de influencias de este tipo se considera que la actitud del hablante es un factor importante en la descripción de su bilingüismo.

Parece evidente que la *motivación* para adquirir la primera lengua sea más fuerte que la motivación para aprender la segunda. Ya que una vez que los fines vitales de comunicación están resueltos, las razones de recomenzar los esfuerzos para realizar el aprendizaje de una segunda lengua se supone que son menores. Por ello, en el caso del bilingüismo simultáneo en el niño, la necesidad de aprender las dos lenguas puede ser igualmente motivada; no suele ser la misma en el bilingüe de edad adulta: en él, la necesidad o el deseo de utilizar una segunda lengua pueden ser bastante potentes y suficientes como para permitirle consagrar el tiempo y la energía necesarios para llegar a ser bilingüe.

Por último, el bilingüismo de un individuo se refleja en *las utilizaciones interiores* de ambas lenguas. Algunos bilingües pueden emplear una sola lengua y siempre la misma para todo tipo de expresión interior. Se ha dicho, también, que esta lengua es entonces la dominante en el bilingüe, pero no siempre es así. Otros bilingües utilizan diferentes lenguas para distintos tipos de expresión interna. Algunos cuentan en una lengua y rezan en otra. Otros cuentan en las dos lenguas, pero solo pueden calcular mentalmente en una de ellas, etc.

Para finalizar, señalaremos que las funciones de cada lengua en el comportamiento global y el grado de competencia de ambas lenguas del bilingüe determinan el ritmo de paso de una lengua a otra, es decir, la *alternancia.* La facilidad con la que un bilingüe cambia de una lengua a otra depende del uso que haga de cada una de ellas y de las funciones externas o internas de cada lengua. Por ejemplo, parece haber una diferencia de alternancia entre los bilingües escolares y los bilingües habituados tempranamente a usar las dos lenguas diferentes con la misma persona como interlocutor. Las condiciones fundamentales que inciden en la alternancia de códigos del bilingüe tienen que ver con el tema, el interlocutor y la tensión de la situación comunicativa en la que se encuentre.

Las características precedentes, *grado, función* y *alternancia,* en el comportamiento lingüístico del bilingüe determinan las *interferencias* de una lengua en la otra. La interferencia se caracteriza, como es sabido, por la utilización de elementos pertenecientes a una lengua, cuando se habla o escribe otra lengua. Aunque no trataremos aquí, con detenimiento, la noción y los tipos de interferencia, sí es necesario señalar que para describir y analizar las interferencias es necesario, en primer lugar, descubrir exactamente cuál es el elemento extraño a la lengua que el hablante introduce en su discurso, analizar cuál es la función —si es de sustitución o modificación— y establecer en qué medida los elementos extraños a la lengua reemplazan totalmente o no a los propios de la lengua receptora. Es necesario, asimismo, determinar a qué nivel afecta, lo que nos permitirá establecer una tipología diferenciada según que se trate de interferencia *cultural, léxica* o *fonológica* (W. F. Weinreich, 1953; W. F. Mackey, 1976, y M. van Overbeke, 1971, págs. 43-59).

Los sociolingüistas han mostrado que el comportamiento lingüístico del monolingüe varía según la incidencia de un cierto número de parámetros tales como el dominio, las relaciones de estatus, las diferencias en la identidad social, el contenido de la comunicación, etc. Puede decirse que estas variables van a jugar un importante papel en los casos de situación de lenguas en contacto, y el individuo bilingüe, lógicamente, tendrá un comportamiento específico que estará, en parte, determinado por su propio estado de bilingüe (W. F. Mackey, 1962, págs. 51-85; S. M. Ervin-Tripp, 1964, págs. 50-60; J. A. Fishman, 1966 y 1972).

Las dimensiones del bilingüismo individual que hemos examinado hasta aquí nos han permitido mostrar los tipos de bilingüismo y el carácter multidimensional del fenómeno como tal. En los apartados siguientes trataremos de analizar las medidas del bilingüismo y la ontogénesis del individuo bilingüe, es decir, su desarrollo cognitivo, lingüístico y neuropsicológico, así como también el comportamiento del individuo bilingüe.

BILINGÜISMO SOCIAL: ¿POR QUÉ SE PRODUCEN LAS SITUACIONES DE BILINGÜISMO EN EL MUNDO?

Lo expuesto hasta aquí nos muestra que no es posible estudiar el bilingüismo en el individuo sin tener en cuenta la función de las lenguas que usa en la comunidad a la que pertenece y, por lo tanto, sin tener en cuenta el bilingüismo de la sociedad.

A primera vista, «la manera más simple de definir una sociedad bilingüe es decir que una sociedad bilingüe es aquella en la que una parte más o menos grande de sus miembros son bilingües. Desde esta perspectiva, lo primario serían los individuos bilingües y la sociedad bilingüe sería el resultado de la acumulación de individuos bilingües». Igualmente, e invirtiendo los términos, hay que hacer notar que un individuo no se hace bilingüe porque sí, o por casualidad, sino porque necesita o desea comunicarse con personas que hablan otra lengua, sea en un entorno familiar, sea en los distintos ámbitos sociales en los que se desenvuelve. Desde ese punto de vista, lo primario sería el hecho de que en un medio social determinado se utilizan diversas lenguas, y el que ciertos individuos se conviertan en bilingües sería su consecuencia.

La perspectiva individual o la colectiva, es decir, la psicológica o la sociológica, se condicionan mutuamente, ya que no es posible entender el comportamiento de un individuo olvidándonos de su contexto social, que es, en definitiva, donde se produce ese comportamiento, y tampoco es posible dar cuenta de los acontecimientos sociales olvidando que son el resultado de comportamientos de individuos concretos. «Bilingüismo individual y bilingüismo social son dos hechos totalmente distintos que pertenecen a órdenes de realidad diferentes y que requieren definiciones también distintas. Incluso alguna vez se ha insinuado la conveniencia de designarlos con denominaciones distintas para evitar confusiones. Pero al mismo tiempo bilingüismo individual y bilingüismo social están estrechamente relacionados y no es posible estudiar el uno sin tener en cuenta el otro [...]. Cualquier intento de hablar sobre la competencia, los usos lingüísticos, o la personalidad del bilingüe, o de clasificar las modalidades del bilingüismo, o la manera de convertirse en bilingüe, conduce inevitablemente a referirse a la situación de las lenguas en la estructura social» (M. Siguán y W. F. Mackey, 1989, pág. 38).

Llamaremos bilingüismo social o colectivo al hecho de que en una sociedad o en un grupo o institución social determinado se utilicen dos lenguas como medio de comunicación. La existencia de dos lenguas en un mismo contexto social implica que parte de los individuos sean bilingües, aunque el bilingüismo social no depende ni del número de bilingües ni de la intensidad del bilingüismo. El bilingüismo social es muy frecuente y extremadamente variado en el mundo, tanto, que suele decirse que no hay dos situaciones bilingües iguales. Trataremos de identificar las dimensiones de las comunidades bilingües, los factores que las determinan y las causas por las que pueden configurarse sociedades bilingües. En un primer acercamiento, diremos que el análisis de una comunidad bilingüe debe o, mejor, puede observarse desde dos puntos de vista: uno es el del grupo que habla cada una de las lenguas en presencia y otro es el de las funciones que cumplen cada una de dichas lenguas en la comunidad.

En la mayor parte de las situaciones bilingües existentes actualmente en el mundo se trata de la coexistencia, en una misma área geográfica, de personas que tienen, como primera lengua, lenguas distintas. «Podemos hablar, por lo tanto, de coexistencia de grupos lingüísticos distintos, aunque el grado de cohesión y de autoconciencia de estos grupos pueda ser muy distinto según los casos y aunque en unos casos los grupos lingüísticos coincidirán con grupos étnicos, raciales y culturales, en otros no» (ibídem, pág. 39). Al mismo tiempo, y como resultado del lugar que ocupa cada grupo lingüístico en la estructura social, las lenguas de cada grupo tienen diferente estatus y, por ello, cumplen funciones distintas en el conjunto de la sociedad. Así, la descripción de la comunidad bilingüe debe incluir los dos ámbitos antes citados: número de hablantes de cada lengua y/o de ambas, prestigio, estatus y funciones de estas. Antes de analizar las principales dimensiones y la tipología de las situaciones bilingües intentaremos mostrar las razones históricas, o causas, de una situación bilingüe.

Causas del bilingüismo social en el mundo

¿De dónde procede el bilingüismo? Existen muchas causas, aunque, inicialmente, el hecho se ha asociado siempre a los movimientos de los pueblos, ya que, cuando las gentes que hablan una lengua se encuentran en presencia de otras gentes que usan otra lengua, la situación es propicia para la eclosión del bilingüismo. Todos hemos oído hablar de grandes épocas, en la historia de la humanidad, ligadas a situaciones de bilingüismo, en razón de las migraciones de los pueblos, que jugaron un papel esencial, por ejemplo, en la caída del Imperio romano. De los años 1880 a 1920 se han conocido grandes corrientes de emigración europea y la configuración de comunidades bilingües en Estados Unidos. Más cercana a nosotros, en los años cuarenta, y como resultado de la Segunda Guerra Mundial, miles de personas evacuadas, refugiadas o hechas prisioneras de guerra se han encontrado en la necesidad de hacerse bilingües para poder sobrevivir (W. F. Mackey, 1976, pág. 28). Igualmente, un gran número de personas deben aprender una lengua con el fin de poder trabajar en los países adonde han emigrado, etc.

Los hechos históricos pueden conllevar alteraciones en la distribución geográfica del bilingüismo. Los acontecimientos de este tipo tienen, como consecuencia, la modificación de las fronteras nacionales y de las agrupaciones políticas; de ahí que resulten factores esenciales en la configuración de las comunidades bilingües. Siguiendo a Mackey (1976, págs. 27-35), diremos que las causas del bilingüismo pueden ser: la ocupación o colonización, el comercio, la superioridad demográfica, el poder y el prestigio, la expansión, la educación, la influencia económica, la religión, los medios de difusión, etc.

— *Ocupación o colonización*

La ocupación militar ha conllevado siempre un determinado grado de bilingüismo, incluso en aquellos casos en los que el poder del ocupante no se acompañaba de la imposición de su civilización.

Aun cuando uno de los efectos de las ocupaciones militares conlleve un rápido desarrollo del bilingüismo, es de la colonización que sigue a una ocupación de donde proceden los efectos más duraderos del bilingüismo. Así, durante la conquista del Imperio romano, en torno a las fortalezas, se iban asentando antiguos soldados que organizaban comunidades con sus propias escuelas, mercados, lugares de esparcimiento, etc., y todo ello administrado según las leyes romanas. Para los otros pueblos la civilización romana representaba un nivel de vida superior; es por ello por lo que las poblaciones locales, con el fin de beneficiarse de los avances de la civilización romana, llegan a alcanzar un cierto grado de bilingüismo. Este bilingüismo sobrevivió a lo largo de cientos de años hasta que, finalmente, el latín reemplazó a las lenguas indígenas en todo el Imperio, excepto en la periferia. Los británicos romanizados, que componían la clase media de los hombres de negocios y de la administración, debían hablar celta y latín, ya que toda la instrucción se daba en latín. Mucho más tarde, en la Galia, cuando los francos, de lengua germánica, ocuparon lo que actualmente es Francia, encontraron allí asentados a los galorromanos con un rango superior al suyo, en la iglesia, el mercado, el ejército, etc., dándose así todas las condiciones favorables a una situación de bilingüismo, lo que conllevó, con el tiempo, la asimilación lingüística del conquistador (ibídem, pág. 29).

— *Comercio*

Otras causas del bilingüismo están provocadas por los intercambios y el comercio que lleva a los pueblos a abandonar las regiones rurales monolingües, para asentarse en las ciudades, donde se habla otra lengua. Asimismo, un nivel de vida superior puede, igualmente, hacer que las gentes se asienten en otros lugares; pero, desde el punto de vista lingüístico, producirá un grado mayor de bilingüismo el hecho de que todas las transacciones comerciales se realicen en otra lengua diferente (W. F. Mackey, 1976, pág. 29).

— *Superioridad demográfica*

Las proporciones en las que una lengua domina a otra dependen de su importancia respectiva, de su duración y de su declive. Analizaremos, inicialmente, las razones por las cuales una lengua se expande en detrimento o a expensas de otra: el número de monolingües, en cada una de las comunidades lingüísticas, es un factor determinante en el grado de bilingüismo. «Si el caso de Irlanda, a pesar de los esfuerzos desarrollados, representa siempre uno de los países menos bilingües de entre los bilingües, es, sobre todo, porque los monolingües anglófonos están, en relación a los bilingües anglo-irlandeses, en una relación de 50 a 1. Por el contrario, en Sudáfrica, donde hay un 70 por 100 de la población que puede utilizar las dos lenguas, el grado de bilingüismo es uno de los mayores, y lo es porque la población monolingüe, para cada una de las dos lenguas, es aproximadamente la misma (15 por 100 de inglés y 11 por 100 de afrikáans)» (ibídem, págs. 29-30).

— *Poder y prestigio*

Existen, además, ciertos factores que tienden a acrecentar la presión demográfica de un grupo, sobre todo. Estos factores están estrechamente ligados a la riqueza, al poder y al prestigio de cada uno de los grupos lingüísticos. Así, por ejemplo, los ejércitos árabes que invadieron Europa, a comienzos del siglo VIII de nuestra era, contaban solo con unos cientos de árabes, frente a los millares de coptos y bereberes. A pesar de todo, fue el árabe la lengua segunda de aquellos territorios conquistados y no el bereber, ni el copto. En torno al año 740 d. C., los esclavos de los ejércitos árabes fueron obligados a aprender la lengua árabe (ibídem, pág. 30).

— *Expansión y ascendencia*

El grado y tipo de bilingüismo depende de la época histórica en la que se encuentren cada una de las lenguas afectadas. Una de las lenguas puede encontrarse en el comienzo de un período de ascendencia en el mundo, mientras que la otra puede hallarse en una fase de declive. Uno de los rasgos más llamativos en el ascenso de una lengua en el panorama mundial es, a veces, a través de un inicio insignificante. ¿Quién podía imaginar que el inglés fuera hablado por un mayor número de personas que el italiano, el español, el francés y el alemán juntos? En 1582, Richard Mulcaster, del que fue discípulo Edmund Spencer, consideraba que «el inglés es una lengua de poca envergadura, que no sobrepasará la isla e incluso que no es hablada en toda ella». Una generación más tarde, Francis Bacon declaraba —en su obra *Novum Organum*— que cuando los hombres fueran más instruidos el inglés quedaría como lengua completamente en desuso. Ya que el latín fue, durante largo tiempo, la lengua del saber universal y todos los eruditos eran bilingües en la medida en que podían leer y escribir en esta lengua (W. F. Mackey, 1976, pág. 33).

Incluso los orígenes del latín, en tanto que lengua internacional, fueron muy humildes. Lengua de una pequeña tribu, en un lugar retirado del Lacio, ocupado por los etruscos y bajo su dominación, el latín hubiera podido desaparecer, como lo hicieron otras lenguas habladas en Italia en el siglo VII a. C. Ya que en esta época el persa era la lengua internacional y no el latín.

¿De dónde procede que determinadas lenguas se expandan tan ampliamente, en detrimento de otras? No parece que las causas de esta expansión estén ligadas a la lengua en sí misma. De hecho, no parece que ningún factor, interno o externo, pueda explicar la ascensión y la dominación de una lengua internacional. El fenómeno, en parte, tiene que ver con el número de hablantes, con la conquista militar o política, etc. Pero estos factores no explican el porqué completo de situaciones lingüísticas como las que describimos. Así, por ejemplo, los francos y los vikingos, que conquistaron ciertas regiones francesas, adoptaron la lengua del país conquistado. En África, los vándalos perdieron su lengua, a favor del latín. Los visigodos, iletrados, adquirieron la lengua romance y perdieron la suya propia. Por el contrario, en el año 2000 a. C., los sacerdotes caldeos, sobrepasados en número por los hititas, asirios, persas y medos, que reinaron sucesivamente en Babilonia, pudieron llevar a los invasores bárbaros hacia la civilización del país conquistado gracias a la utilización de su lengua como medio de comunicación internacional.

Vemos, pues, en consecuencia, que ni la conquista militar ni el número de hablantes de una lengua determinada son causas, en sí mismas, suficientes para la expansión; no se trata solo de estos factores, sino de la «calidad» de los hablantes que la utilizan. En Europa, durante largo tiempo, después de la desaparición del griego y del latín, como lenguas imperiales, o incluso nacionales, los eruditos en derecho, literatura, etc., pensaban y escribían en griego y en latín. Hoy día un gran número de extranjeros utilizan el inglés, en los negocios, en los estudios, etc., leen y escriben en esa misma lengua, y estas actividades tienden a desarrollar la zona de influencia de esa lengua. Las relaciones internacionales entre los individuos juegan un papel primordial en el paso de una lengua de nivel nacional a nivel internacional.

— *Educación*

La enseñanza puede, igualmente, estar en el origen de la dominación de una lengua. Puede acrecentarse la influencia de una lengua incluyéndola en los programas escolares. La centralización de la enseñanza en los países y los imperios reposa siempre en el conocimiento de una lengua estándar. Este fue el caso del griego y el latín clásicos. En todas las comunidades griegas existía un cierto número de escuelas elementales privadas. Se buscaba, en las diferentes regiones del Imperio romano, escuelas para los hijos de la élite bilingüe. En el Imperio romano, asimismo, había un gran número de conferenciantes latinos que iban de ciudad en ciudad. E incluso ciertas universidades extranjeras, como la de Cartago, por ejemplo, enseñaban el arte de la oratoria en latín. El hecho de que la enseñanza superior o la formación técnica no fuera accesible más que en una lengua favorece la expansión de esta: a mayor formación técnica, mayor necesidad de bilingüismo (W. F. Mackey, 1976, pág. 33).

— *Influencia económica*

Hay que admitir que los factores económicos juegan un papel importante en el dominio de una lengua. En las islas británicas, la industrialización, llevada a cabo por los jefes de empresa, ingenieros y técnicos anglófonos, ha conllevado al establecimiento de la población en las zonas donde reinaba el inglés, en las ciudades de forma particular. En algunas regiones del País de Gales, por ejemplo, más de la mitad de la población ha cambiado de lengua, en menos de una generación, como reflejo del desarrollo de la industrialización que provocó una mejora en el nivel de vida. Si la prosperidad puede destruir una lengua, en un momento dado, la pobreza puede tener ese mismo efecto. Así, un período de recesión económica en la región de la lengua minoritaria puede tener un efecto desastroso sobre ella. Durante la segunda mitad del siglo XIX, casi todo el *Gaeltacht* irlandés (región de Irlanda donde se habla irlandés) fue alcanzada por el hambre que provocó una migración en masa. En una generación, la lengua que era hablada por la mitad de los habitantes del país se convirtió en una débil minoría (ibídem, pág. 34).

— *Religión*

También la religión puede jugar un importante papel en la expansión de una lengua. Así, el cristianismo favoreció el desarrollo del latín, el griego y el sirio; el hinduismo, el estudio del sánscrito, y el islamismo, la propagación del árabe. En España, después de la invasión en el 711, la gran mayoría de los musulmanes, ya fueran peninsulares, árabes o bereberes, eran bilingües: hablaban árabe y romance. Si el latín eclesiástico estaba más extendido que el latín imperial era, en parte, por el gran celo y las facultades de organización que ejercían los monasterios, quienes entre el siglo VI al IX crearon un lazo amplísimo de relaciones entre las órdenes monásticas, unidas por una misma lengua y una misma cultura. Pero el imperio lingüístico latino entró enseguida en conflicto con el avance de las lenguas nacionales. Se ha dicho que las guerras de religión han sido, en gran medida, guerras de lenguas (ibídem).

— *Medios de difusión*

Los medios de expresión que domina una lengua —escritura, publicaciones y radiodifusión— son un factor extremadamente importante en la expansión de una lengua mayoritaria. La invención de la escritura impulsa la difusión del egipcio y del babilonio, que, a su vez, favorece la creación de sus respectivos imperios. Pero sus correspondientes sistemas jeroglíficos y caracteres cuneiformes representaban una expresión lenta y poco eficaz. La invención del alfabeto ayuda a la expansión de las lenguas que lo adoptaron, y la escritura cursiva, más práctica, provocará la propagación de lenguas tales como el fenicio, el griego y el arameo. El caso del arameo demuestra que un medio de comunicación eficaz puede favorecer la influencia de una lengua. Los nómadas arameos acudieron a Mesopotamia, adoptaron una escritura parecida a la del fenicio, escritura cursiva y eficaz, lo que produjo como resultado el establecimiento del arameo como lengua internacional en todo el Oriente, fuera de la esfera de influencia de aquellos que hablaban esta lengua (W. F. Mackey, 1976, pág. 35). La invención de la imprenta permitió difundir no solo las obras escritas en las lenguas clásicas, sino también las escritas en las lenguas nacionales emergentes, lo que conllevó la estabilización de estas, la estandarización, la unidad simbólica y el sentimiento nacional, creando así la unidad entre diferentes grupos. Para que resulte rentable la edición exige, evidentemente, un vasto público. Esta necesidad favorece la publicación de libros en la lengua vulgar y su número sobrepasa al de la lengua antigua, lo que provoca un avance en el estudio de las lenguas modernas tales como el italiano, el francés y el inglés, a expensas del latín y el griego. Con la mejora del grado de instrucción, las gentes estudian la lengua en la que encuentran un mayor número de publicaciones. Lo que favorece, actualmente, también la difusión de las grandes lenguas del mundo, como es el caso del inglés, por ejemplo.

LAS COMUNIDADES BILINGÜES

Comenzaremos por indicar los tipos de comunidades, en función de las relaciones lingüísticas entre los grupos de una comunidad bilingüe, para analizar, de inmediato, la lengua como símbolo de identidad étnica de un grupo y las relaciones que conllevan los contactos entre diferentes grupos. Examinaremos seguidamente la noción de «vitalidad etnolingüística» como tentativa de explicación del papel de los factores socioestructurales en las relaciones intergrupales y la supervivencia de una lengua. Dado que los lazos entre la lengua y la etnicidad no son ni necesarios ni unívocos, veremos cómo para que una lengua represente una identidad de grupo es necesario que sea percibida como «valor central» por los miembros del grupo. Consideraremos, también, un cierto número de situaciones bilingües donde las relaciones de los grupos etnolingüísticos son muy complejas y varían en el espacio geográfico y social, así como en el tiempo. Para finalizar esta primera parte examinaremos las relaciones entre los diversos grupos y las lenguas, a nivel nacional, y más particularmente los problemas de la planificación lingüística.

En la segunda parte, tres tipos de fenómenos, relativos al contacto de lenguas de las comunidades bilingües, serán expuestos con detalle: la *diglosia,* es decir, el uso lingüístico complementario y relativamente estable de dos o más lenguas; el *desplazamiento lingüístico (language shift),* donde un grupo abandona el uso de una lengua, en beneficio de la otra, y, por último, el desarrollo de una nueva lengua que resulta de la necesidad de comunicación entre hablantes de lenguas mutuamente ininteligibles, es decir, el fenómeno del *pidgin* y el criollo.

Tipos de comunidades bilingües en el mundo

En una comunidad bilingüe existen normas que regulan el uso de ambas lenguas. Para que exista una comunidad bilingüe es necesario que haya, al menos, dos grupos que no hablen la misma lengua y que un cierto número de miembros en cada uno de los grupos sean bilingües (es decir, que hablen una lengua distinta a su lengua materna), ya sea porque usen una lengua de «otro grupo» de la comunidad, ya sea porque hablen una tercera lengua utilizada como *lingua franca;* además, una o más de una de estas lenguas deben ser lenguas oficiales de la comunidad.

Las relaciones lingüísticas entre los grupos de una comunidad bilingüe varían sobre un *continuum:* en un polo, ningún miembro de cada grupo habla la lengua del otro grupo, ni una tercera lengua común; en realidad, en este extremo, se trataría de una comunidad bilingüe pero no articulada a partir de dos comunidades monolingües diferenciadas; en el otro polo, todos los miembros de la comunidad hablan las dos lenguas, y si las dos lenguas cumplen, ambas, las mismas funciones, una de ellas resulta redundante. En realidad, toda comunidad bilingüe se sitúa en algún punto del *continuum* entre estos dos extremos límite. Así, podemos distinguir los tipos siguientes:

1. Los dos grupos están distribuidos territorialmente; la mayoría de un grupo se asienta en una zona territorial y la mayoría del otro grupo se asienta, a su vez, en otra zona del territorio; las dos lenguas poseen un estatus oficial igual, al menos, en cada uno de los territorios. Hay que citar aquí los ejemplos de Canadá, de Bélgica y de Suiza, cada uno de ellos muy diferente. En Canadá, donde Quebec es en su mayoría área francófona, el resto de las provincias son mayoritariamente anglófonas, pero en cada una de las dos grandes áreas del país un gran número de habitantes hablan las dos lenguas —aunque hay más bilingües en el área de Quebec que en otras provincias—. También,

en el caso de Bélgica, la región valona es, oficialmente, monolingüe y francófona, y la región flamenca es, oficialmente, monolingüe en lengua neerlandesa; pero una proporción variable de la población de cada región habla también la otra lengua (aunque hay mayor número de bilingües en Flandes que en Valonia). Pues bien: entre las dos áreas monolingües se encuentra la región de Bruselas, que es, oficialmente, bilingüe. Por último, está el caso de Suiza, que se encuentra repartida en cuatro regiones, cada una con su lengua oficial —alemán, italiano, francés y romanche—, pero donde una parte de la población es bilingüe, trilingüe o incluso cuatrilingüe, y donde existen toda una serie de cantones limítrofes en los cuales los habitantes son bilingües.

2. Otro tipo de relaciones son las que existen en una comunidad multilingüe, como en muchos países de África y de Asia, donde, junto a las lenguas autóctonas propias de los grupos étnicos o de los Estados, existe una, o dos, grandes lenguas de comunicación habladas por un número variable de miembros de cada grupo: por ejemplo, en África oriental son el swahili y/o el inglés las lenguas que cubren este doble papel. En la antigua Unión Soviética, la lengua rusa se hallaba superpuesta a la lengua, o a las lenguas, de las otras repúblicas y nacionalidades (salvo en la República Rusa): en estas repúblicas los hablantes son todos ellos, prácticamente, bilingües.

3. Por fin, el tercer tipo de relaciones es el bilingüismo de carácter diglósico, donde las dos lenguas son habladas por una parte variable del grupo, pero estas lenguas se encuentran en una distribución con uso complementario en la comunidad; es decir, cada lengua tiene reservados determinados dominios, funciones y situaciones, y, además, una está generalmente considerada como poseedora de un estatus superior a la otra en la comunidad: por ejemplo, las relaciones diglósicas entre el guaraní y el español, en Paraguay, o entre el criollo y el francés, en Haití.

Hay que precisar, además, que en una comunidad bilingüe puede haber individuos monolingües, es decir, que no pertenecen más que a un solo grupo, pero que viven en contacto con los miembros de la otra comunidad: es el caso, por ejemplo, de la gran mayoría de anglófonos del Canadá, fuera de Quebec, que viven, a veces, en contacto con grupos francófonos, pero que no comunican nunca con ellos. «Generalmente el monolingüismo de los individuos se encuentra en el grupo dominante que tiene el control económico de la comunidad y no en la *minoría* donde existe un mayor número de bilingües. Notemos que el grupo minoritario (o *dominado)* no lo es, necesariamente, en número, sino que el término se refiere, esencialmente, a una relación de fuerzas entre los dos grupos; un grupo mayoritario o dominante puede ser numéricamente menor (por ejemplo, la minoría blanca de Sudáfrica)» (J. F. Hamers y M. Blanc, 1983, pág. 30). Esta relación demográfica es uno de los componentes que pueden intervenir en la modificación de esta relación de fuerzas y suele ser, o puede ser, utilizada por la minoría para formular reivindicaciones lingüísticas. En este caso, la minoría puede imponer una *planificación lingüística* que tendrá como finalidad el poner fin a su situación de minoría etnolingüística (este fue el caso de las reivindicaciones lingüísticas de los flamencos, en Bélgica, en la primera mitad del siglo pasado, y de las más recientes de los habitantes de Quebec, en Canadá). La planificación lingüística puede tener como finalidad imponer el uso de una lengua y prohibir otra en determinados dominios (por ejemplo, el trabajo o la enseñanza), de manera que la lengua de la minoría se imponga a la de la mayoría; en este caso, esta última puede dejar de ser la del grupo dominante y sufrir un proceso de *minorización*. A medida que es reconocida la dualidad etnolingüística de una comunidad se van creando, progresivamente, las instituciones que van a cuidar la utilización de ambas lenguas; en estas instituciones, los miembros de los diferentes grupos pueden o bien utilizar una sola lengua de la comunidad, o bien una *lingua franca,* o bien las diversas lenguas de la comunidad pueden ser utilizadas en diversos grados; por ejemplo, cuando dos individuos se hablan cada uno en su lengua respectiva, que cada uno entiende, pero que no habla, necesariamente, bien.

En una comunidad bilingüe donde existen normas de comportamiento bilingüe, cuando dos individuos bilingües, que hablan las dos lenguas de la comunidad, se comunican entre ellos, tienen la posibilidad de elegir entre diversos comportamientos lingüísticos:

a)   Hablar en una *u* otra lengua.
b)   Hablar en una *y* en otra lengua.
c)   Hablar una «mezcla» de las dos lenguas; es decir, utilizar un código específico que se sirve de las reglas existentes en las dos lenguas, de manera simultánea.

Esta elección de lenguas está, además, sometida a un cierto número de reglas psicológicas y sociológicas, tales como una mayor familiaridad con un sujeto determinado, el tipo de interacción, la relación entre los otros grupos, el estatus relativo de las dos lenguas, la percepción de los interlocutores, etc.

La lengua y las relaciones entre los grupos

En la medida en que la lengua es una dimensión sobresaliente de la identidad étnica jugará un papel muy importante en las relaciones entre los grupos etnolingüísticos, en una situación de lenguas en contacto, no solo como símbolo, sino también como instrumento de defensa, de afirmación o de promoción de la identidad étnica de un grupo. Su papel variará dependiendo de su importancia como símbolo de identidad de un grupo, en función de las relaciones existentes entre los grupos presentes en la comunidad. Muchos investigadores desde puntos de vista teóricos y metodológicos diversos han estudiado las relaciones entre lengua y etnicidad, y trataremos de analizar aquí algunos de estos estudios.

Queremos indicar que cuando hablamos de un grupo no tiene que tratarse necesariamente de una entidad homogénea y puede referirse a otras categorías definidas en otras dimensiones, como, por ejemplo, la clase, la raza, la casta o la religión; además, los límites de un grupo no son siempre claros y varían notablemente, sin olvidar que un individuo puede pertenecer, asimismo, a diversos grupos etnolingüísticos, como es el caso de un bilingüe bicultural, por ejemplo. La noción de lengua hace referencia a realidades muy complejas: la descripción lingüística, aun cuando tenga en cuenta la variación, no se corresponde siempre con la percepción de los hablantes, justamente porque la lengua es un símbolo de identidad: así, algo que es definido como la «misma» lengua por los lingüistas puede ser percibido como diferente, y, por lo tanto, como perteneciente a dos lenguas distintas, por los hablantes. Por ejemplo, el indostaní es percibido como hindi, urdu o punjabi según los conceptos religiosos, culturales y políticos de sus hablantes. En determinados casos, la lengua puede ser un rasgo definitorio de un grupo, es decir, que para pertenecer a un grupo hay que conocer la lengua de ese grupo, mientras que en otros casos la lengua juega un papel puramente simbólico y su conocimiento no es indispensable para ser miembro de ese grupo.

— *La lengua, símbolo e instrumento de la identidad colectiva*

La relación entre la lengua y la identidad del grupo varía en función de sus múltiples formas y de sus diferentes niveles de desarrollo. Ross (1979) ha propuesto una taxonomía de diferentes modelos de identidad colectiva, que él denomina *comunal, minoritaria* y *nacional,* modelos que corresponden a estadios diferentes en el desarrollo económico, social y político e implican cambios en las relaciones de fuerza entre los grupos de la comunidad (J. A. Ross, 1979, págs. 1-13). Esta taxonomía ha sido retomada en parte por Taylor y Giles, que la integran en un nuevo marco teórico (D. M. Taylor y M. Giles, 1979, págs. 231-241).

El grupo *comunal* es característico de las sociedades tradicionales, que conllevan pocas relaciones con el mundo exterior. La identidad del grupo está implícita y la lengua es el receptáculo de la cultura y de sus tradiciones. Los grupos comunales, frecuentemente, se encuentran en un mismo territorio: el repertorio lingüístico de cada grupo permanece distinto y los miembros de un grupo no aprenden la lengua del otro grupo, con excepción de algunos que ocupan la función de intermediarios (J. Fishman, 1972, págs. 56-57). Un ejemplo de este tipo de comunidades coterritoriales discontinuas es el de los grupos árabes musulmanes, judíos y cristianos que han convivido en Bagdad descritos por M. Blanc (1964). Cada grupo habla un dialecto del árabe distinto en lo referente al nivel fonológico y, sobre todo, al morfológico, así como en sus particularidades sintácticas y léxicas; los cortes dialectales coinciden con las «afiliaciones comunales» de carácter religioso; las relaciones intercomunidades se realizan en el dialecto «musulmán», que es, más o menos, manejado por ciertos miembros de los otros grupos. El bilingüismo de tipo territorial será, en realidad, una tentativa de vuelta a las estructuras comunales (Suiza, Bélgica, etc.). La mayoría de los grupos comunales no se resisten a los contactos con el mundo moderno; por ello, suelen ser asimilados a los grupos dominantes, lo que conlleva la adopción de la lengua de estos (J. F. Hamers y M. Blanc, 1983, págs. 216-223).

Pero un grupo *comunal* puede no querer, o no poder, asimilarse: es entonces cuando se convierte en grupo *minoritario,* es decir, dominado en términos de relaciones de fuerza en la comunidad. Un grupo *minoritario* (o minorizado) es definido como tal por el grupo mayoritario (o dominante, o hegemónico) y se caracteriza por una falta de poder de decisión sobre su propia suerte; esta impotencia se extiende al uso de su lengua, restringido a ciertos dominios y excluido de otros importantes, como la economía, la administración y la educación. No teniendo el poder de determinar la naturaleza de sus relaciones con el grupo dominante, la minoría no puede, por supuesto, determinar la naturaleza de su propia identidad: por ello, con mucha frecuencia, los miembros de la comunidad tienen una percepción negativa de sí mismos, y esta percepción se extiende a la lengua. El mantenimiento o abandono de la lengua minoritaria, en muchas ocasiones, va a depender de los intereses del grupo dominante: ya sea porque la lengua dominada necesita ser mantenida para asegurar su propia segregación (por ejemplo, el caso de las lenguas bantúes en el sur de África), o porque es conveniente que los diferentes grupos dominados no se entiendan entre ellos (como es el caso de los antiguos esclavos de las plantaciones americanas), o incluso, en las sociedades industrializadas, las diferencias lingüísticas entre la mayoría y la minoría son mantenidas para perpetuar las divisiones étnicas del trabajo que se confunden e identifican con las divisiones sociales (E. C. Hughes, 1970, págs. 103-119). Si la sociedad posee una organización jerárquica estable, el grupo dominado se verá abocado a aceptar la responsabilidad de su estatus inferior y a desarrollar una ideología que pone el acento en el esfuerzo individual. Los miembros del grupo dominado aprenden y adquieren la lengua dominante con fines puramente funcionales, para poder sobrevivir, pero no desarrollan, necesariamente, su competencia nativa y no están «aculturados». No hay que olvidar, con todo, que si etnicidad y desigualdad se identifican y confunden, los conflictos pueden surgir y la lengua puede pasar a ser símbolo e instrumento de determinados conflictos (K. W. Deutsch, 1975, págs. 7-28, y L. Dion, 1981, págs. 13-35).

En las sociedades caracterizadas por la movilidad social ciertos miembros del grupo minoritario tratan de alcanzar el grupo mayoritario; son individuos de estatus superior los que inician estos procesos. Este «paso» va, normalmente, ligado a la aculturización, incluso aunque los tránsfugas tarden más o menos tiempo en llegar a ser bilingües. Pero otros individuos no son admitidos o rehúsan las ventajas personales asociadas al «paso» y toman conciencia de que el ascenso individual es inseparable del ascenso colectivo del grupo minorizado. Así, la solidaridad, en realidad, conlleva el estatus. Estos individuos tratan entonces de persuadir a los otros miembros del grupo de que su estatus está definido colectivamente y que se impone una acción colectiva. La solidaridad del grupo es así el resultado de la frustración sentida por los individuos que toman conciencia de que poseen intereses comunes, y la lengua, de este modo, puede llegar a ser el símbolo de esta toma de conciencia.

En fin, en una situación de desarrollo económico, social y político el grupo minoritario se moviliza sobre el principio de identidad étnica y entra en competición con el grupo dominante, por una redistribución de los bienes y por la participación en todas las actividades nacionales. La lengua puede, entonces, jugar un papel capital en el proceso de definición del propio grupo. El tipo y la amplitud de las reivindicaciones lingüísticas de un grupo étnico dependerán del grado de acomodación del grupo dominante. Si la élite del grupo hegemónico está dispuesta a un compromiso, las reivindicaciones pueden no ir más allá de una redefinición y redistribución de los roles en el sistema. Pero, a veces, los grupos en el poder pueden hacer de la lengua socialmente dominante la sola lengua legítima o nacional, impidiendo que la otra, o las otras, adquieran un estatus oficial. La lengua legítima es entonces símbolo de poder y de ascenso social o de exclusión.

Las diferencias lingüísticas están, sobre todo, íntimamente ligadas a las divisiones étnicas y a las desigualdades sociales, y es en ese momento cuando estas pueden convertirse en signos nacionalistas o secesionistas. En Quebec, por ejemplo, la defensa de la lengua francesa está en relación directa con las reivindicaciones por el poder económico del pueblo quebecois, mayoritario en la provincia, pero minoritario en América del Norte y dominado socioeconómicamente. Polarizando la lucha política sobre el capital cultural y político, los nuevos grupos ascendentes de la sociedad francófona se han ido haciendo con el capital económico y social de Quebec.

¿Qué papel juega la lengua en la movilización étnica? Podemos distinguir, al menos, cuatro formas de manipular una lengua en la movilización étnica. Inicialmente el grupo puede hacer revivir una lengua ancestral, como lo han hecho, por ejemplo, los judíos con el hebreo, o valorar una lengua hablada solamente hasta entonces por las comunidades rurales para convertirla en lengua nacional: las élites de Bohemia abandonaron el alemán, en el siglo XIX, y adoptaron como lengua el checo. Hay que subrayar, además, que no es necesario hablar una lengua para adoptarla como símbolo: después de sesenta años de independencia, los irlandeses de la República de Irlanda reafirmaron su vinculación al gaélico, lengua oficial, que la conocen un porcentaje de población muy pequeño y la usan aún menos (W. F. Mackey, 1979, págs. 257-284).

Otro papel de la lengua en el proceso de movilización étnica es la defensa de una lengua que el grupo juzga amenazada. Esta defensa se acompaña, a menudo, de una «purificación» de la lengua que es enriquecida con neologismos o terminologías nuevas en los dominios de uso en los que antes se utilizó la lengua dominante: es el caso del francés de Quebec después de la legislación que ha hecho del francés la lengua oficial de la provincia (*Charte de la Langue Française,* 1977). La «francofonía» de todas las instituciones se convierte a la vez en símbolo e instrumento del pueblo de Quebec y pierde el estigma de grupo minoritario que había soportado a lo largo de más de dos siglos.

Una tercera estrategia es la utilización por los grupos étnicos de la lengua dominante para hacerse oír por la mayoría, sobre todo si estos grupos no poseen una lengua común; en este caso la lengua dominante ocupa el papel de *lingua franca:* por ejemplo, los amerindios en Estados Unidos han mostrado que podían manejar el inglés como un instrumento eficaz en la lucha por el reconocimiento de sus derechos étnicos.

Por último, el cuarto modo de movilización etnolingüística consiste en redefinir, valorizándolas, la lengua y las características del grupo. Los afroamericanos en Estados Unidos y los afroantillanos en Gran Bretaña, por lo menos en las generaciones jóvenes, acentuaron su color (*Black is beautiful*) y su vernáculo (*Black English*) como «marca» de identidad y de distinción. El criollo de los adolescentes jamaicanos es, incluso, imitado por adolescentes ingleses de la clase obrera.

Vemos, pues, que la lengua no mantiene, de un modo unívoco, relaciones con la identidad colectiva, en general, y con la identidad étnica, en particular, ya que juega un papel diferente, según las formas diferenciadas de identidad colectiva. Además, la lengua puede ser una fuerza dinámica en las relaciones entre los grupos y la formación de la identidad étnica. En razón de todo ello, pasaremos, ahora, a examinar las diferentes tentativas de explicación del fenómeno de la *vitalidad etnolingüística* y el concepto de *valor central* y su validez.

— *La vitalidad etnolingüística*

¿Qué es lo que hace, en una situación de lenguas en contacto, que un grupo etnolingüístico sobreviva, manteniendo su lengua? M. Giles, R. Bourhis y D. H. Taylor (1977, págs. 307-348) han elaborado un cuadro teórico para tratar de explicar la «vitalidad etnolingüística» de un grupo (VEL). Estos investigadores definen la VEL como el conjunto de factores socioestructurales que hacen que un grupo sea susceptible de comportarse como una entidad distintiva y activa en sus relaciones con otros grupos étnicos. Se trata de un modelo probabilístico: a más vitalidad de un grupo, mayor posibilidad de sobrevivir como grupo distintivo; a menos vitalidad, menor posibilidad de sobrevivir, también. La vitalidad etnolingüística está en función de tres conjuntos de factores que tienen que ver con el «estatus», la «demografía» y el «apoyo institucional».

El primer conjunto de factores afecta a las variables ligadas al estatus del grupo y de su lengua en la sociedad. Hay que tener en cuenta el «estatus económico»: ¿qué control ejerce el grupo sobre el poder económico? Es evidente, por ejemplo, que los trabajadores inmigrantes en Europa occidental tienen poco poder económico, aun cuando contribuyan al desarrollo económico del país de acogida. El estatus social del grupo, ligado al estatus económico, es una segunda variable: ¿qué estima tiene un grupo de sí mismo? y ¿qué estima se tiene de él?; se trata de factores sociopsicológicos y sociológicos; la percepción negativa que un grupo dominante tiene de un grupo dominado puede, a veces, ser compartida por este último. Un tercer factor es el estatus sociohistórico del grupo: un pasado glorioso puede apoyar la imagen positiva que un grupo se forma de sí mismo, al igual que un pasado de desgracias y opresión. En fin, el estatus de la lengua del grupo es un elemento importante de su vitalidad etnolingüística; ¿la lengua hablada por el grupo es socialmente prestigiosa en la comunidad? Si no, ¿lo es fuera de la comunidad? El francés y el español, las lenguas de gran comunicación y cultura en el mundo, son poco valoradas en Luisiana (Estados Unidos), en el caso del francés, y en el sudoeste estadounidense, en el caso del español. A veces, una lengua puede utilizar su prestigio en una literatura del pasado que el grupo trata de hacer renacer (el occitano, por ejemplo, en Francia). Los cuatro factores ligados al estatus contribuyen, así, al grado de vitalidad del grupo y a la utilización que hace de su lengua.

Un segundo grupo de variables se refiere a la fuerza numérica y a la distribución de los miembros del grupo étnico. Parece que una lengua necesita de un número mínimo de hablantes para poder sobrevivir: el gaélico irlandés, una de las dos lenguas oficiales de la República de Irlanda, no es hablada, como primera lengua, más que por una minoría de individuos en los enclaves rurales del oeste del país *(Gaeltacht)*. Otro aspecto demográfico importante para la vitalidad de una lengua es la fertilidad del grupo: hasta los años sesenta, los francófonos de Quebec tenían una tasa de natalidad de las más altas del mundo; después de los años setenta la baja natalidad ha forzado a Quebec a hacer una llamada a la inmigración, es decir, a gentes que en el contexto norteamericano consideran al inglés y no al francés como la lengua del éxito social, y el gobierno provincial ha tenido que introducir una legislación especial para obligar a los inmigrantes a dar a sus hijos una educación en francés. La endogamia y la exogamia son también factores importantes en el mantenimiento o abandono de una lengua. Se ha demostrado que, entre las minorías francófonas del Canadá, fuera de Quebec, los matrimonios mixtos con anglófonos conllevan un riesgo, en cuatro sobre cinco casos, de pérdida de la lengua francesa en los hijos. Si a este fenómeno de exogamia se añade el de la entrada de los adultos jóvenes francófonos en un mercado de trabajo dominado por la economía anglocanadiense, se está asistiendo a un ascenso dramático de la asimilación lingüística en la generación de 18 a 30 años.

La emigración de una parte de la población, de un grupo, y/o la inmigración de otro grupo sobre el territorio del primero pueden «dar la vuelta» a las relaciones demográficas existentes. Históricamente, las migraciones voluntarias o forzadas han conducido a la pérdida, o incluso a la extinción total, de un gran número de lenguas: lenguas africanas de los esclavos negros, etc. El genocidio de las minorías puede reducir, seriamente, la vitalidad de una lengua: el yiddish en Europa, el armenio en Turquía, el igbo en Biafra, las diversas lenguas amerindias en los países americanos, etc.

La distribución de la población puede, también, influir en su vitalidad etnolingüística. Es más fácil, para un grupo, preservar su identidad étnica y su lengua si conserva una unidad territorial, como los catalanes, flamencos, valones, galeses, etc., en el interior de una entidad nacional más amplia. También la concentración de un grupo puede contribuir a su vitalidad. El aislamiento, asimismo, refuerza los contactos cara a cara y el sentimiento de la etnia y de la lengua. Por último, la proporción de hablantes endogrupos, en relación a los hablantes exogrupos, así como el número de bilingües, afecta, también, a la vitalidad etnolingüística relativa de los grupos en presencia.

Pero el concepto mismo de vitalidad etnolingüística ha sido criticado desde diversos puntos de vista. ¿Cuál es el estatus teórico de los factores de demografía y de apoyo institucional? ¿Tienen todas las variables la misma importancia? ¿Mantienen relaciones jerárquicas entre ellas? ¿Son independientes, o bien se encuentran en interacción las unas con las otras? Algunos autores muestran que esta dicotomía se desvanece si se analizan los procesos de interacción entre los grupos en presencia y se tienen en cuenta otras formas y niveles de organización social, tales como los grupos primarios, los recursos sociales, los grupos de interés y las clases sociales. Critican, también, la noción misma de «grupo», así como la de la «lengua», referida a un nivel muy elevado de abstracción. Sería mejor hablar de valores, de comunidad lingüística, definida en términos de normas sociales y lingüísticas. La lengua, en tanto que símbolo de identidad étnica, es un concepto multidimensional que varía en el espacio y en el tiempo. La noción de vitalidad etnolingüística parece, en principio, que no se da cuenta de esta dinámica de grupos en la comunidad multilingüe.

— La lengua como «valor central» del grupo étnico

Para que una lengua sea considerada como símbolo de etnicidad debe ser percibida como un «valor central» en la cultura de un grupo (J. J. Smolicz, 1979). Un valor central es un valor social o cultural gracias al cual un grupo étnico expresa su identidad y su cohesión, como, por ejemplo, la familia, la religión, la historia, etc. Estudiando un cierto número de grupos étnicos en Australia, Smolicz ha podido comprobar que, para los griegos, los ucranianos, la lengua no es un simple instrumento de comunicación, sino un elemento esencial de su herencia cultural y de su transmisión; mientras que para los italianos la familia prima sobre los otros valores, la lengua italiana estándar no está valorada, sino que lo está el dialecto asociado a la familia. Igualmente, aunque el hebreo o el yiddish hayan contribuido a la transmisión de la etnicidad judía, la lengua no es una característica definitoria de esta etnicidad. El valor central para los irlandeses es la religión, símbolo de su identidad étnica, y lo han llevado consigo en sus migraciones a América y a Australia. Pueden, incluso, perder el sentimiento de ser irlandeses, pero nunca dejan de ser católicos, para distinguirse de la mayoría protestante, ya sea en Irlanda del Norte, en Estados Unidos o en Australia. Para los puertorriqueños de Nueva York, la familia y el orgullo son los dos valores centrales, no la lengua española: el inglés no se percibe como una amenaza y se sienten como americanos y puertorriqueños a la vez (M. A. Carranza, 1982, págs. 63-83).

El valor dado a la lengua varía no solo de un grupo a otro, sino también de un mismo grupo en el espacio y en el tiempo. En el norte de la India existía en el siglo XIX una comunidad lingüística en la que varias etnias hablaban distintas variedades de una misma lengua, el indostaní, que era la *lingua franca* de esta amplia región; esta comunidad estaba dividida, sobre todo, por la religión: hinduismo, islamismo, sijismo. En 1947, una decisión política, basada en diferencias religiosas y no lingüísticas, dividió el continente en dos: India y Pakistán. Esta decisión ha tenido importantes repercusiones de orden lingüístico, ya que Pakistán ha adoptado el urdu, es decir, el indostaní hablado por los musulmanes que utilizan la escritura persoárabe, mientras que el indostaní hablado en la India, mayoritariamente, por los hindúes llega a convertirse en el hindi escrito, en el alfabeto *devanagari*. Actualmente el hindi y el urdu son percibidos, por sus hablantes, como dos lenguas distintas. Otra consecuencia de la decisión tomada en 1947 ha sido la división de Bengala en dos partes, una Bengala con mayoría hindi, que forma parte de la India, y otra Bengala con mayoría musulmana, que se convirtió en Pakistán oriental. En esa época los bengalíes del Pakistán oriental se sentían, primero, como paquistaníes; después, solo como bengalíes, ya que el adversario era el grupo hindú de Bengala occidental, aunque ambos grupos compartieran la misma lengua, el bengalí. Pero en 1972, fecha de la separación de Pakistán oriental, este se convierte en Bangladesh; la autodeterminación de este último se hizo sobre la base de la lengua bengalí, símbolo e instrumento de identidad étnica de los bengalíes-paquistaníes, en oposición al urdu, lengua que el Pakistán occidental trataba de imponerles. Hay que añadir que en Pakistán occidental los miembros del grupo shindi se alinean con el urdu contra Bangladesh, pero se afirman como hablantes del shindi contra el punjabi. Ya sea la lengua, o la religión, el símbolo característico de la etnicidad deja, sin embargo, de serlo cuando se convierten en problemas serios otros asuntos entre los Estados, como las divisiones de clases, castas, etc. Después del trabajo de Das Gupta vemos que la base étnica de las reivindicaciones lingüísticas en la India es menos significativa que la definición particular del interés lingüístico por las élites y el grado del éxito de estas en la movilización de los grupos y el papel de la política.

Un mismo grupo etnolingüístico, en situaciones diferentes, puede percibir de forma distinta el papel de su lengua en las relaciones interétnicas.

O. Patterson ha comparado el establecimiento de grupos chinos, llegados en la misma época, de una misma región de China, como trabajadores con contrato, los unos de Jamaica y los otros en la Guyana inglesa. Estos dos grupos han triunfado económica y socialmente, pero el primero lo ha logrado manteniendo y afirmando sus caracteres étnicos distintivos, incluyendo su lengua; el segundo, al contrario, se ha «criollizado» sistemáticamente, perdiendo su lengua y su cultura. El grupo chino de Jamaica se ha diferenciado, reforzando su identidad étnica, sobre todo a través de matrimonios endogámicos; el otro, sin embargo, se ha asimilado a través de su «criollización».

Generaciones diferentes de un mismo grupo étnico pueden tener reacciones diferentes hacia la lengua. J. Fishman (1966, págs. 32-70) cita correlaciones negativas entre el uso real de una lengua y la actitud hacia esa lengua de los polacos inmigrados en Australia. La generación más vieja se identificaba mucho con el inglés; después de algunos años de residencia, apenas lo comprendían y lo hablaban todavía menos; por el contrario, la segunda generación que hablaba inglés se identificaba plenamente con la lengua polaca, la cual no hablaban. La etnicidad muy a menudo está asociada al símbolo que representa la lengua, más que a su uso real. Un grupo étnico puede incluso abandonar su lengua sin perder su etnicidad ni su identidad de grupo.

En un estudio sobre lenguas nacionales frente a una lengua de gran comunicación, J. Fishman (1971, págs. 27-56) ha opuesto dos actitudes frente a la elección de la lengua; a saber, el «nacionalismo» y el «nacionismo». En el caso del nacionalismo, un grupo pone el acento en el valor de la lengua o las lenguas vernáculas como símbolos de la cultura y de la identidad étnica: es el caso del swahili en Tanzania (W. H. Whiteley, 1969).

Las actitudes de los grupos no son homogéneas, pero pueden variar siguiendo las dimensiones de estatus o de eficacia, o, por el contrario, hacerlo siguiendo las de solidaridad o lealtad. Los grupos de una comunidad bilingüe pueden tener actitudes muy diferentes frente a cada una de las lenguas de esta comunidad. En Perú, por ejemplo, individuos de lengua materna indígena quechua evalúan a los hispanohablantes, favorablemente, en la dimensión de estatus, aunque juzgan mejor a los hablantes de quechua, en la dimensión afectiva. Esto significa que el reconocimiento del español como lengua de promoción social no es incompatible con la lealtad hacia la lengua quechua. Igualmente, los paraguayos valoran las dos lenguas oficiales del Paraguay, pero por razones diferentes: el guaraní, lengua indígena, es la lengua de la intimidad, y el español lo es la del estatus (J. Rubin, 1968).

Podríamos multiplicar los casos de relaciones complejas entre la lengua y la etnicidad. Para dar por terminado este apartado expondremos una investigación que muestra la dinámica de los grupos etnolingüísticos en una comunidad multilingüe en transición entre el mundo tradicional y el mundo moderno. La investigación llevada a cabo por Parkin en 1977 es citada con detalle por J. F. Hamers y M. Blanc (1983, págs. 226-230).

En el primer caso, cada lengua está asociada de un modo inequívoco con un grupo étnico particular en el que la lengua es símbolo e instrumento; la lengua del grupo dominante es la lengua hegemónica en la sociedad. El inglés americano está situado frente al vernáculo amerindio o al español de los hablantes de origen hispano. Pero existen situaciones mucho más complejas que esta, especialmente en los países del denominado Tercer Mundo, a las que nuestro autor ha dado el nombre de «multilingüismo emergente». En las comunidades de reciente formación, muy mezcladas desde el punto de vista etnolingüístico, aparecen *linguas francas* junto con numerosas lenguas vernáculas; en el caso de las primeras suelen ser, por un lado, una *lingua franca* autóctona y otra colonial, como el inglés o el francés. Parkin ha comparado los comportamientos y las actitudes lingüísticas de los niños, de los adolescentes y de los adultos en una comunidad multilingüe de África, con los de una comunidad diglósica como los negros de Harlem y la comunidad bilingüe diglósica de los mexicanos de origen hispano.

En el caso de Harlem, W. Labov (1972) mostró cómo se desarrolló, entre los jóvenes negroamericanos, una especie de vernáculo, símbolo de la solidaridad étnica, social y cultural que se aleja de las normas sociolingüísticas del inglés estándar de la clase media blanca y contrasta, también, con el uso más normativo de los niños negros más jóvenes. La influencia de los grupos jóvenes *(gangs)* incide en la escuela y la familia: crea una polarización sobre un estilo de habla muy marcado, en relación a sus intereses étnicos y de clase, polarización que va acentuándose a medida que los negros pasan de la infancia a la adolescencia y de esta a la edad adulta. Un proceso de polarización asociado a las generaciones se halla entre los mexicanos en Estados Unidos, pero esta vez en una situación de bilingüismo diglósico: por un lado, el inglés estándar, lengua dominante, y, por otro, el español, lengua minorizada. J. J. Gumperz y C. E. Hernández (1971, págs. 111-125) han mostrado que los mexicanos preferían hablar inglés, entre ellos, en la adolescencia, pero volvían a utilizar el español, su lengua materna, una vez casados, asumiendo así su verdadera identidad étnica. En los dos casos, los miembros del grupo minoritario, después de haber tratado de utilizar e integrarse en las normas sociolingüísticas del grupo mayoritario, las abandonan para identificarse, fuertemente, con el grupo étnico.

En cuanto al bilingüismo emergente, la situación poscolonial ha desembocado, en muchos casos, en un complejo de alianzas, en la lucha de los distintos grupos étnicos para el acceso a los limitados recursos y al control del poder político. En este sentido, Parkin ha estudiado las relaciones entre cuatro grupos etnolingüísticos que habitan en Kaloleni, barrio de Nairobi, capital de Kenia:

1. Los niños kaloleni hablan su lengua vernácula: luo, luya, kamba o kikuyu (hay que hacer notar que el estatus de estos vernáculos es desigual: el luo es superior al luya, el kikuyu al kamba, y, además, el ki-

kuyu es la lengua numéricamente dominante en Nairobi y en el país), con sus padres y, entre ellos, en casa; pero en cuanto salen pasan a hablar la *lingua franca* vernácula, es decir, el swahili, en sus interacciones con los niños de otros grupos y entre ellos, como, por ejemplo, en los equipos deportivos que están mezclados etnolingüísticamente, etc.

2. Sin embargo, con la adolescencia, la composición de los grupos cambia: los grupos de muchachos jóvenes se polarizan en dos tipos: luo-luya, por una parte, y kamba-kikuyu, por otra, y este reagrupamiento refleja las divisiones y las alianzas de los adultos en el plano político y cultural. En el primer grupo el empleo del swahili disminuye en beneficio del luo; en el segundo, en beneficio del kikuyu. Todo adolescente se identifica, étnicamente, con uno u otro grupo, pertenecen a una «sociedad» o a un «grupo» definido sociocultural y sociolingüísticamente. Los adolescentes que se adhieren a «sociedades» formalmente constituidas están en su mayor parte escolarizados, continuando sus estudios o esperando seguirlos, valoran la educación y la lengua de la educación, es decir, el inglés. Los adolescentes que forman los otros grupos (*gangs*) están, por el contrario, poco escolarizados, pertenecen a sectores más desfavorecidos y valoran el swahili. Más importante, para nuestro propósito, es el hecho de que las «sociedades» se definan como anglófonas mientras que los «grupos» (*gangs*) rechazan el inglés y se identifican con el swahili. Pero en la realidad las «sociedades» utilizan el inglés, de un modo ritual, en los debates serios; por ejemplo, en los contextos menos formales usan el swahili como lengua de comunicación. Se trata, en los dos casos, de reivindicaciones simbólicas, de carácter ideológico, que reflejan el estatus, las aspiraciones y las lealtades de cada grupo. Pero las tres lenguas, el vernáculo étnico, la *lingua franca* autóctona y la *lingua franca* colonial, son necesarias para la supervivencia de los grupos. El inglés abre el paso a los empleos prestigiosos, el swahili es la lengua de los contactos interétnicos y el vernáculo es la lengua de la solidaridad y del poder político étnico.

3. Pasada la adolescencia los miembros de unos y otros colectivos eligen una pareja de la misma pertenencia etnolingüística que ellos (luo/luya o kikuyu/kamba). Los matrimonios endogámicos conducen a divisiones étnicas y sociales y a lealtades etnolingüísticas acrecentadas.

Si ahora comparásemos esta situación con la de los negros de Harlem, los «grupos» (*gangs*) de Kaloleni se les asemejan en que rechazan el inglés en beneficio del swahili, lengua de la solidaridad social, mientras que las «sociedades» valoran el inglés como un símbolo de estatus, incluso aunque lo hablen poco. Pero si el inglés en Nairobi es la lengua del ascenso social para todos, el vernáculo sigue siendo el símbolo de la pertenencia étnica, mientras que el swahili no está asociado a ningún grupo étnico en particular. Para que la situación cambie sería necesario que el grupo étnico dominante se convirtiera en una élite, como se ha producido en la mayoría de las antiguas colonias francesas de África, donde las élites han tomado el relevo al país colonizador, adoptando su lengua, y se identifican con la lengua inglesa (W. Bal, 1979, págs. 231-254).

— *La planificación lingüística*

Una mirada sobre la carta de las lenguas oficiales del mundo *(Commissaire aux Langues Officielles, 1980: Langues du Monde)* podría hacer creer que la gran mayoría de los países utilizan una sola lengua y que, entre las lenguas utilizadas, el inglés, el español, el francés, el árabe, el chino y el ruso cubren la casi totalidad del globo y son habladas por la mayoría de la humanidad. Pero nada más alejado de la realidad. La carta no recoge más que 56 lenguas, repartidas en 160 Estados; son aquellas que la Constitución o la legislación del país designa como lenguas oficiales, o las que el uso ha consagrado como principales lenguas de comunicación, a escala nacional. Se estima que los 6.000 millones de seres humanos que pueblan la Tierra utilizan más de cinco mil lenguas (de las que un gran número son habladas por pequeños grupos) y una mayoría de ellos son bilingües, en grados muy diversos. Raros son los países monolingües: la ecuación una nación = una lengua, muy expandida en Occidente, es una creencia legada por el romanticismo alemán del siglo XIX. Si observamos el caso de Francia, país oficialmente monolingüe en francés, vemos que otras lenguas son habladas por muchos de sus habitantes que son además bilingües: alsaciano, vasco, bretón, catalán, corso, flamenco y occitano son lenguas utilizadas en el territorio, además de las diferentes lenguas habladas por un gran número de inmigrantes en el país; hay que concluir que se trata de un país multilingüe, incluso aunque la mayoría de los franceses sean monolingües. No perdamos de vista, además, que estas lenguas son socialmente desvalorizadas en el «mercado lingüístico». En cuanto a la lengua francesa, es usada, colectivamente, fuera de Francia, en Bélgica, en Suiza, en Haití, en Luxemburgo, en Canadá y en los países africanos francófonos, donde, a menudo, posee un estatus oficial, pero no es la única lengua hablada en los distintos Estados.

Hay que distinguir entre bilingüismo individual, colectivo y oficial. Este último es instaurado no tanto para promover el bilingüismo individual como por asegurar el derecho al monolingüismo de los individuos en las situaciones de contacto de lenguas. Dos soluciones pueden ser aportadas al problema de los derechos lingüísticos de una comunidad: la «solución personal», donde el Estado garantiza al individuo el derecho, por ejemplo, de educar a sus hijos en la lengua de su elección, y la «solución territorial», por la cual el Estado separa a los hablantes de diferentes lenguas a través de fronteras lingüísticas.

A la hora de resolver los problemas de comunicación de un país, con lenguas diferentes, que son habladas fuera de sus fronteras, el Estado puede adoptar distintas soluciones. En primer lugar, el Estado puede imponer una lengua que es, generalmente, la del grupo dominante al conjunto de la población, suprimiendo, desvalorizando o abandonando las otras lenguas. Esta solución ha sido adoptada con mucha frecuencia a lo largo de la historia y ha conllevado la extinción de las lenguas minoritarias. Es, parcialmente, el caso de Francia, donde el Estado, en su búsqueda de la unidad nacional, por diferentes métodos, ha impuesto el francés como lengua oficial, después de la *Ordonnance de Villers-cotterêts* en 1539 hasta la alfabetización de los trabajadores inmigrados hoy, pasando por la «extirpación» de los dialectos, «idiomas groseros que prolongan la infancia» (cit. por J. L. Calvet, 1974; recogido en el *Rapport à la Convention* del Abbé Grégoire), y la escolarización obligatoria en francés, obra de la Tercera República (J. L. Calvet, 1974).

Pero el Estado puede aportar otras soluciones para una planificación lingüística. La planificación lingüística es una forma particular de la planificación económica y social. En efecto, la lengua puede ser considerada como un recurso humano, y la colectividad, donde un grupo, hablando en nombre de esta, toma en sus manos la organización de las relaciones lingüísticas interétnicas. Es siempre, por referencia, a las condiciones de la sociedad donde se aplica, donde se debe estudiar la planificación lingüística (J. F. Hamers y M. Blanc, 1983, págs. 230-237).

Podemos distinguir dos aspectos de la planificación lingüística, el interno y el externo:

1. *La planificación interna* (S. A. Wurm, 1977, págs. 333-357) afecta a las lenguas mismas y a los procesos dinámicos a los que toda lengua está sujeta, para modificarlas, retardarlas o acelerarlas, imponiéndoles una determinada dirección. Puede tratarse, por ejemplo, de poner por escrito una lengua transmitida oralmente hasta ahora, fijar su alfabeto, su ortografía, revisar un alfabeto inadecuado o alfabetos conflictivos (B. Comrie, 1981), paliar las insuficiencias de vocabulario, desarrollando terminologías científicas y técnicas, etc. (J. Fishman, 1977). Este tipo de planificación se realiza, sobre todo, cuando es necesario convertir una o más lenguas vernáculas en lenguas nacionales —estándar— o incluso resucitar una lengua antigua para convertirla en lengua oficial (el hebreo en Israel). Es lo que M. Kloss (1969) denomina «la codificación lingüística» *(language corpus planning).* Pero las razones de esta codificación no son puramente internas a la lengua, como lo demuestra, por ejemplo, la reforma lingüística en China. Ante los problemas planteados por los numerosos dialectos del chino, el Gobierno de la República Popular China ha procedido a la uniformación de la lengua hablada *(putonghua* o lengua común), incorporando la fonología del dialecto de Pekín, la gra-

mática del mandarín y el vocabulario de la literatura popular; igualmente, ha simplificado los caracteres chinos, tratando de crear un alfabeto nacional *(pinyin)*. Las razones señaladas para esta reforma son de tipo demográfico (el 70 por 100 de los chinos hablan el dialecto del norte), demográfico (este dialecto es hablado desde Manchuria a Yunan), lingüístico (los dialectos son mutuamente inteligibles), político (la diversidad es un obstáculo para la unidad política y el desarrollo económico), educativo (necesidad de alfabetizar a las masas campesinas) e ideológico (posición del marxismo-leninismo-estalinismo sobre la lengua nacional). Los dialectos continúan respondiendo a las necesidades locales y se advierte un crecimiento del bilingüismo nacional (D. Barnes, 1977, págs. 255-273).

2. *La planificación externa* tiene por finalidad modificar las relaciones entre las lenguas. Kloss (1969) ha nombrado este tipo de «planificación de estatus de lenguas» *(language status planning)*. Se trata de determinar el número y la distribución de las lenguas entre los individuos y los grupos, sobre la base de los censos y/o de las encuestas lingüísticas, de las lenguas habladas y escritas, y de fijar la utilización en el seno de las instituciones, en los territorios y dominios de actividad. Es, evidentemente, en el caso de los Estados multilingües donde los gobiernos están obligados a planificar las lenguas, determinando el estatus respectivo. Ahora bien: como ya se ha señalado, el estatus de las lenguas, en el seno de la comunidad, está ligado al estatus económico, social y demográfico, así como a las percepciones y a las ideologías de los colectivos que las utilizan. «Cuando los grupos discuten de política lingüística es el poder social y el poder económico el que, en realidad, se está negociando» (L. Dion, 1981, págs. 12-35).

Pasaremos, ahora, a examinar algunas soluciones aportadas por la planificación lingüística en algunas de las situaciones multilingües del mundo.

Una de las adoptadas es la solución federal o territorial. Tomaremos dos ejemplos: Canadá y Bélgica. En Canadá la ley sobre las lenguas oficiales estipula que el inglés y el francés son las lenguas oficiales del país y que, por ello, ambas poseen un estatus y una serie de derechos y privilegios idénticos, en cuanto a su empleo en todas las instituciones del Parlamento y del Gobierno. Prevé que los distritos bilingües puedan adquirir tal carácter, allí donde la lengua oficial minoritaria sea hablada por, al menos, un 10 por 100 de la población de una región. Hay que hacer notar que el objetivo de la política federal sobre las lenguas oficiales no es lograr que todos los canadienses se conviertan en bilingües, sino que más bien se trata de conseguir que en todo territorio donde el número de anglófonos o francófonos alcance una cifra razonable estos puedan utilizar su lengua propia en sus relaciones con las instituciones. A nivel provincial, Nouveau-Brunswick y, después de 1983, Manitoba son oficialmente bilingües, Quebec es oficialmente monolingüe, en francés, y las otras provincias son monolingües anglófonas. Pero los problemas lingüísticos aún no se han resuelto por completo, sobre todo por lo que se refiere a la enseñanza, tal como veremos más adelante.

En el caso de Bélgica, donde desde hace largo tiempo existe una polarización de la vida política sobre el problema de las lenguas, se ha realizado la división en tres comunidades culturales y cuatro regiones lingüísticas: neerlandesa al norte, francófona al sur, germanófona-francófona en los cantones del este, y Bruselas como territorio bilingüe, franco-neerlandés. Después de la legislación lingüística en 1963, la lengua materna de un ciudadano viene determinada por su lugar de residencia geográfico, independientemente de la lengua hablada en familia, o de su elección personal, en el caso de las regiones monolingües (principio de territorialidad); en la región metropolitana y en los cantones del este, el individuo puede elegir su lengua de la administración y de la escuela. La nación ha rechazado el bilingüismo oficial a favor de un unilingüismo territorial en Flandes y en Valonia, y el punto de contacto y en ocasiones de conflicto es Bruselas, donde se enfrentan los valones, francófonos de Bruselas, y flamencos. Un interesante desarrollo ha supuesto la *Convention sur l'Union de la langue néerlandaise,* realizado en Bélgica y los Países Bajos y la comunidad neerlandesa de Bélgica en el dominio de la lengua y de las letras (R. Willemyns, 1983).

Los problemas se plantean, de manera muy distinta, en los países multilingües del llamado Tercer Mundo, donde una solución territorial o federativa no es siempre aplicable. En estos casos, ¿es necesario elegir una o más lenguas?; ¿qué características debe poseer una lengua nacional? Una unidad lingüística es necesaria, así como una cierta riqueza de vocabulario, pero la característica más importante es el ser aceptada por el mayor número de gente posible. Así, una de las soluciones más extendidas es la elección de una *lingua franca,* es decir, una lengua de gran comunicación entre grupos que no poseen la misma lengua materna. La *lingua franca,* así, puede ser una lengua indígena, o una lengua exógena (como las antiguas lenguas coloniales, francés, inglés, etcétera), o pueden ser ambas.

Ejemplos de *lingua franca* indígena son el swahili en Tanzania, que ha llegado a ser la lengua nacional oficial y no el inglés (W. H. Whiteley, 1969), y el malayo *(bahasa indonesia),* convertido en lengua nacional estandarizada bajo el nombre de indonesio; era una lengua muy minoritaria, pero tenía a su favor el haber sido, desde hace mucho tiempo, la lengua del comercio en el sur de Asia y haber sido utilizada como lengua de la política y de la administración, e incluso como lengua literaria entre musulmanes y cristianos; ha sido aceptada, práctica y simbólicamente, por todos los grupos étnicos, incluidos los javaneses, que forman un 45 por 100 de la población. En Papúa-Nueva Guinea es un *pidgin* el tok-pisin, la principal *lingua franca,* intertribal, hablada por un millón y medio de personas, la que ha sido elevada al rango de lengua nacional. El tok-pisin se ha convertido en la lengua de los debates en el Parlamento, en los medios de comunicación y en la educación. Símbolo de la identidad nacional, es expresión de una nueva cultura que se ha desarrollado entre el mundo tradicional, que habla las casi 760 lenguas vernáculas de la isla, y el mundo moderno, de expresión inglesa. La función de *lingua franca* del tok-pisin está amenazada, actualmente, por el desarrollo de un sociolecto urbano «anglificado» que ha comenzado a distanciarse de la variedad rural sin que, por ello, resulte comprensible a los anglófonos (S. A. Wurm, 1977, págs. 333-357).

En ausencia de una tradición interna unificadora (J. Fishman, 1971, págs. 27-56, y W. H. Whiteley, 1969, págs. 1-23), países como Liberia y Sierra Leona han optado por el «nacionismo» y la lengua inglesa, al menos provisionalmente. Las élites de la mayoría de los países francófonos de África han elegido el francés como lengua nacional. En Senegal, sin embargo, el wolof, *lingua franca* del país, podría llegar a convertirse en lengua nacional oficial (G. Mansour, 1980, págs. 273-293). En Malí, una tentativa para alfabetizar las masas adultas en bombara/manding no ha producido los resultados esperados, y por esta razón no existe, prácticamente, nada que pueda leerse en esta lengua; el éxito social pasa, siempre, por la escuela francesa, y el conocimiento del francés es necesario en las relaciones con la Administración (J. L. Calvet, 1981, págs. 163-172). Mientras que la política francesa de asimilación lingüística, perpetuada por las élites negras, provoca después de los años sesenta reacciones nacionalistas, en Zaire, donde el colonialismo belga había instaurado un bilingüismo escolar (lenguas indígenas en primaria y, más tarde, francés), la reacción de las élites, inicialmente, fue a favor de un «nacionismo» en nombre del derecho de las masas a la cultura universal y a la técnica, es decir, al francés. Actualmente, sin embargo, se ha vuelto a la vieja fórmula, pero por razones diferentes la enseñanza de las lenguas zaireñas se percibe como indispensable para la independencia cultural y la afirmación étnica, mientras que el francés hablado y escrito sigue siendo una lengua de comunicación interregional, interafricana e internacional. En fin, países como Nigeria o Malasia han elegido una política de planificación mixta. En Nigeria, junto al inglés, lengua oficial, varias lenguas se disputan el papel de *lingua franca:* el hausa, el igbo y el yoruba, que están repartidas geográficamente y son habladas como primera lengua por más del 50 por 100 de la población y como segunda lengua por un 80 por 100: Nigeria cuenta con 368 lenguas diferentes (B. Osaji, 1979). En Malasia entran en concurrencia diversas *linguas francas:* el malayo (bahasa malaysia), primera lengua de la etnia más importante del país, con sus dialectos; más del 30 por 100 de la población utilizan diversos dialectos del chino; el 10 por 100 hablan lenguas «dravidianas» de la India, sobre todo el tamil, mientras que el inglés es la *lingua franca* de la gente cultivada. El inglés asociado al éxito en las profesiones liberales, el chino al comercio y el malayo, como lengua oficial, es exigido en la Administración. Si el inglés está asociado al éxito y es la lengua de las relaciones internacionales, el malayo es el idioma de la lealtad nacional (A. M. Omar, 1971, págs. 75-90). Singapur, que conoce el pluralismo étnico y lingüístico, ha elegido el malayo como lengua nacional, aunque los chinos representan el 75 por 100 de la población; pero hay tres lenguas oficiales más en el país, además del malayo: el mandarín, el tamil y el inglés, que testimonian el carácter internacional de Singapur (J. T. Platt, 1977, págs. 161-178). La planificación lingüística refleja la complejidad de los problemas lingüísticos, económicos, sociales y políticos de los países multilingües.

Para terminar este breve apartado sobre la planificación lingüística hay que reseñar el problema del desarrollo de una lengua auxiliar internacional y mostrar cómo y por qué el inglés hablado por 700 millones de personas, comprendido por 400 millones como segunda lengua, se ha convertido en una *lingua franca* en muchas partes del mundo, es utilizado como lengua de trabajo en todas las grandes instituciones internacionales y posee un auténtico monopolio como lengua de la ciencia y la tecnología.

Lenguas en contacto y estratificación sociolingüística

En una situación de lenguas en contacto el estatus de cada lengua varía según las relaciones de dominación entre los grupos que las usan y las percepciones que los individuos tengan de estas relaciones. Es sabido que los usos lingüísticos varían en el espacio social y geográfico en función de estas relaciones intergrupos; si estas relaciones cambian, las relaciones de estatus y, por lo tanto, los usos en sí mismos también variarán. Es a estos fenómenos de variación o estratificación sociolingüística a los que nos referiremos en este apartado. En primer lugar, examinaremos el fenómeno de *diglosia,* que resulta de una relación de estatus entre una lengua o variedad de lengua, A(lta), y otra lengua o variedad de lengua, B(aja), lo que conlleva que los usos respectivos están en distribución complementaria más o menos estable en una sociedad dada. Seguidamente, nos ocuparemos de la evolución de dos lenguas, cuando las relaciones entre los grupos que las hablan cambian y uno de los grupos deja de usar su lengua para pasar a utilizar la del grupo dominante: es el fenómeno de *desplazamiento lingüístico (language-shift).* Por último, analizaremos cómo el contacto entre una lengua hegemónica y las lenguas dominadas puede dar nacimiento a una nueva lengua que responde a las necesidades limitadas de comunicación entre los grupos: se trata del fenómeno de «pidginización». En todos los casos, trataremos de describir los fenómenos y de buscar sus causas, ya que hay que tratar de explicar el uso de las lenguas en la sociedad, la elección de una u otra, así como las variaciones y los cambios en el uso y en la elección.

— *Bilingüismo y diglosia*

Una sociedad en la que todos sus miembros fueran capaces de comprender, leer o hablar las dos lenguas utilizadas en ella, debería, sin duda, abandonar una de esas lenguas, ya que esto parecería redundante (W. F. Mackey, 1976). En otras palabras, para que dos o más lenguas sobrevivan en una sociedad es necesario que cubran funciones complementarias —ya sea porque sean utilizadas por todos los hablantes, para funciones y en dominios de uso diferenciados, ya sea porque sean utilizadas por hablantes pertenecientes a grupos etnolingüísticos diferentes—, o bien porque un grupo hable la lengua dominante y el otro la lengua dominada, aun cuando existan individuos bilingües en la comunidad que hablen una lengua y otra.

La diglosia es un concepto sociolingüístico desarrollado por C. A. Ferguson (1959, págs. 325-340) para describir toda situación en la que dos variedades de una misma lengua son empleadas en dominios distintos y con funciones también distintas y complementarias; además, una de estas variedades posee un estatus socialmente superior a la otra. En un sentido amplio, la diglosia existe en toda comunidad, en la medida en que el uso cotidiano difiere sensiblemente de la norma oficial. Ahora bien: para que pueda aplicarse este término a una comunidad lingüística, es necesario que cada variedad sea utilizada de manera sistemática en dominios complementarios: por ejemplo, una variedad es empleada en los dominios formales, como la administración, la religión, la poesía, etc., mientras que la otra está reservada para la conversación coloquial, para las discusiones informales, en la correspondencia no oficial e íntima, etc. Ferguson (1959) califica la variedad formal de «Alta» (A) y la informal de «Baja» (B).

El término de diglosia ha sido empleado por J. Fishman (1966, págs. 29-38) para describir el uso complementario e institucionalizado de dos lenguas distintas en una comunidad determinada. Por ejemplo, en Paraguay, la lengua A es el español y la lengua B el guaraní, lengua amerindia del sur de América. Puede decirse que todas las situaciones de bilingüismo regional en Francia son, en el límite, situaciones diglósicas: el francés en todos los casos es A, ya sea en el área de lengua occitana, en el Rosellón [francés (A)/catalán (B)], en Córcega [francés (A)/corso(B)], en Bretaña [francés (A)/bretón (B)], en Alsacia [francés (A)/alsaciano (B)] o en Flandes [francés (A)/flamenco (B)]. Pero debemos insistir en el hecho de que, para que haya diglosia, en sentido estricto, es necesario que el reparto de usos de A y B sea complementario e institucionalizado.

En efecto, la situación es mucho más compleja que una simple dicotomía entre una lengua, o variedad, B(aja). Por una parte, A y B pueden alternar en un mismo enunciado, como en el caso de las citas de los textos literarios (árabe clásico, alto alemán, etc.) comentados en el dialecto (árabe dialectal, germano suizo, etc.). Por otra parte, puede haber varias lenguas, o variedades, con función de A, como es el caso de Filipinas, donde una lengua internacional, como el inglés, y una lengua nacional, como el tagalo, son las dos lenguas oficiales, junto a una lengua B como el ilocano. Además, B puede conllevar distintas variedades socialmente jerarquizadas: en el caso del árabe egipcio actual puede distinguirse, sobre un *continuum* que va de A (árabe clásico) a B (árabe dialectal), el árabe clásico utilizado en la literatura, la prensa, los manuales escolares, las obras científicas, el habla de la población escolarizada y el habla de los no instruidos. Por una parte, las relaciones entre A y B evolucionan bajo la presión de los cambios sociales y las relaciones entre los grupos. En Grecia, el demótico se convirtió en lengua oficial en 1976, aunque sería más justo hablar, actualmente, de «griego moderno estándar», que combina una estructura gramatical y un vocabulario demóticos con elementos prestados de *katharevousa* (R. Browning, 1982, págs. 49-68). Parece que aquí hay cierto alejamiento de una situación absolutamente dicotómica para ir hacia una lengua nacional con variedades adaptadas a diversos contextos: dialectos regionales, registros sociales, etc.

Sobre el plano lingüístico las diferencias entre A y B pueden ser consideradas en estos niveles:

1. *Vocabulario:* Existencia de «dobletes» entre A y B; por ejemplo, en griego «casa» se dice *oikos* en (A) y *spiti* en (B).
2. *Morfología:* El *katharevousa* tiene seis (u ocho, según ciertos autores) participios declinables frente a un solo participio pasivo declinable y un gerundio indeclinable en demótico.
3. *Sintaxis:* El *katharevousa* emplea, todavía, el dativo, desaparecido en demótico (salvo en algunos clichés), y el acusativo, el genitivo y el dativo después de las preposiciones, mientras que en demótico estos están seguidos de acusativo.
4. Las dos fonologías pueden variar más o menos: en griego, las diferencias son mínimas; en el alemán de Suiza son considerables, etc.

El estatus y el papel respectivo de ambos códigos, A y B, pueden variar de una comunidad a otra, aun cuando sea el primero siempre más prestigioso que el segundo.

El concepto de diglosia fue ampliado por J. J. Gumperz (1971) y aplicado a las comunidades multilingües en el sentido de que en estas se pueden utilizar de forma diferenciada varios códigos (lenguas o dialectos) en dominios de uso y con funciones diferentes y complementarias. En el continente asiático, por ejemplo, en India y Pakistán, pueden distinguirse diversos niveles diglósicos según los dominios (L. M. Khubchandani, 1979, págs. 183-194). Localmente los dialectos varían de forma considerable de un lugar a otro, hasta el punto de ser mutuamente incomprensibles; siempre que un campesino visita el bazar de una villa comercial debe, si quiere comunicarse de manera eficaz, emplear un habla menos local, que resulte comprensible para sus interlocutores. Es así como se han ido desarrollando dialectos «intermedios» que, a lo largo del tiempo, se han transformado en dialectos regionales. Estos dialectos regionales se convierten en la lengua materna de los residentes en las pequeñas ciudades. Por encima de estos dialectos regionales hay hablas reconocidas como lenguas regionales por el Estatuto indio. Cada lengua regional conlleva, al menos, dos variedades, una forma familiar y una forma literaria. Esta última es utilizada en el discurso formal y en la escuela; es, también, la lengua en la que se escribe. Solo las gentes instruidas la conocen, aun cuando usan el dialecto regional en casa. Incluso los campesinos sin instrucción adquieren el estilo familiar de la lengua regional después de un período largo de residencia en la ciudad, pero es raro que lo hablen corrientemente. En algunas regiones el dialecto y la lengua regionales difieren hasta el punto de ser, mutuamente, ininteligibles. La situación se complica por el hecho de que en India, además de lenguas regionales, hay dos lenguas oficiales, como el inglés y el hindi (esta última es también una de las grandes lenguas regionales, se extiende por distintos estados y posee diversos dialectos, de los cuales la variedad estándar de Delhi, el khari-boli, es la base de la lengua oficial). El área lingüística del centro-norte de la India es un verdadero mosaico donde las lenguas y los dialectos se mezclan, se complementan o concurren, según las funciones, los dominios y las fidelidades de los diversos grupos. Entre los más de 123 millones que se declaran de lengua materna hindi, Khubchandani (1979) distingue cinco categorías principales:

1. Los bilingües de la región centro-norte, que conservan sus dialectos regionales (hindi occidental, punjabi, etc.) para las relaciones informales con los miembros de su grupo lingüístico, pero prefieren utilizar el hindi estándar para la comunicación formal. Estos hablantes consideran su dialecto como una variedad inferior del hindi.
2. Los bilingües que reservan su habla nativa para las relaciones con las generaciones de edad más avanzada y rurales, pero utilizan cada vez más el estándar que asocian con la modernidad.
3. Los bilingües que emplean sus dialectos para la comunicación oral formal pero se sirven del khari-boli en la escritura *devanagari* para la comunicación escrita entre los miembros de su grupo. Esta expresión de solidaridad entre los hindúes hablantes del hindi tiene su contrapartida entre los indios musulmanes de clases superiores que escriben en khari-boli pero con escritura persoárabe (urdu).
4. Los monolingües de las regiones rurales que hablan vernáculos u otras lenguas distintas al hindi, pero reivindican a este último como primera lengua, símbolo de identificación con la tradición hindú.
5. Los monolingües que hablan el khari-boli como lengua materna (región de Delhi).

La noción de una lengua estándar dominante A es relativamente reciente en el contexto de la India. Tradicionalmente diferentes lenguas cumplen con los roles diferenciados en el repertorio lingüístico de un ciudadano indio. P. B. Pandit (1979, págs. 171-182) ha descrito el comportamiento lingüístico típico de un hombre de negocios que va a comprar especias a Bombay: su lengua materna es el gujaratí; habla, probablemente, un dialecto kathiawari de la península de Gujarat en su vida doméstica. Siendo el marathi la lengua regional y la de los vendedores, utilizará una variedad familiar de esta en el mercado.

Habla una forma de indostaní en la estación de tren, todos los días cuando acude a Bombay (el indostaní es la *lingua franca* más utilizada en los contextos indios, salvo entre los miembros de la clase privilegiada, donde se emplea el inglés). En el lugar de trabajo, a veces, se sirve del kachchi, lengua de comercio de las especias. Por la noche irá a un cine a ver una película que estará, probablemente, en indostaní, leerá un periódico en gujaratí estándar no literario, y, si posee una educación secundaria, podrá ver una película en inglés, en la televisión, o escuchará en la radio un comentario en inglés de un partido de *cricket*. Si es bastante rico, enviará a sus hijos a una escuela donde la enseñanza se lleve a cabo en inglés (cit. por J. F. Hamers y M. Blanc, 1983, págs. 238-248).

La mayoría de los países europeos presentan fenómenos de bilingüismo diglósico nacional o regionalmente. H. Baetens Beardsmore (1982, págs. 1-14) ha descrito, por ejemplo, la situación de Bruselas, donde las lenguas A (francés, neerlandés) y los dialectos B de estas están en contacto; puede verse de forma resumida en la tabla siguiente:

Tabla 3
Bilingüismo y diglosia en Bruselas

	Diglosia	Bilingüismo
1. Monolingüe francófono autóctono............	A	—
2. Monolingüe francófono autóctono............	B/(A)	—
3. Bilingüe autóctono	A (francés) B (flamenco)	(+)
4. Monolingüe flamenco autóctono..............	B	—
5. Inmigrante valón	B (valón) A (francés)	—
6. Inmigrante flamenco	A/B (neerlandés) A (francés)	(+)
(Los paréntesis indican un fenómeno posible, pero no obligatorio.)		

Fuente: H. Baetens Beardsmore, 1982.

Los monolingües autóctonos flamencos del punto 4, subgrupo perteneciente a una categoría social inferior, utilizan un dialecto flamenco (B) del neerlandés (A); en la clase social superior habla una variedad A del francés. La categoría del punto 2, de clase social inferior, hablará una forma que varía de un francés B marcado por rasgos flamencos con una forma mixta de francés B/flamenco B en la comunicación familiar y una variedad que se aproxima al francés A para las transacciones oficiales; pero puede ocurrir que no maneje más que una forma de francés regional y que no posea más que una competencia receptiva en francés estándar A. En el caso del inmigrante valón citado en el punto 5, este hablará, probablemente, una forma B del francés, así como una forma A del francés. El bilingüe autóctono del punto 3 habla una forma B del flamenco, en las situaciones informales, y una forma A del francés, en los contextos formales. En fin, el inmigrante flamenco del punto 6 es diglósico en neerlandés/flamenco y quizá pueda ser bilingüe por su utilización del francés en situaciones formales, ya que la lengua francesa es la lengua dominante en la capital.

Luxemburgo conoce una situación de trilingüismo nacional con diglosia y elección/alternancia de códigos. La mayoría de los habitantes hablan un dialecto del alemán, el *letzeburgischl,* que es un símbolo de lealtad nacional, con un estatus bastante semejante al del *schwyzertüütsch* en la Suiza alemana. En efecto, muchos luxemburgueses lo consideran como distinto del alemán, pero dudan a la hora de darle un estatus de lengua nacional. Normalmente el dialecto no es escrito (salvo excepciones, como los libros infantiles, la literatura dialectal y los artículos periodísticos) y, de hecho, no ha habido todavía un acuerdo en la estandarización de la escritura. Aquellos niños que poseen el luxemburgués como lengua materna deben aprender a leer y escribir en alemán en la escuela. De forma gradual, el alemán se convierte en el vehículo de instrucción, pero en las clases superiores y, frecuentemente, en la universidad cede el lugar al francés, que es la tercera lengua de Luxemburgo. Las gentes instruidas son en su mayoría trilingües y tienen, también, acceso a dos grandes lenguas de cultura. El francés es la lengua oficial del Parlamento y de la enseñanza; la señalización y la publicidad, en general, están en francés; los libros, los periódicos y la correspondencia, en alemán. Los luxemburgueses cambian de código según el dominio y la situación de comunicación (J. R. Reimen, 1965, págs. 89-102). Este trilingüismo, a veces, plantea problemas para el desarrollo lingüístico y educativo de los niños, pero cuando alcanzan la edad adulta, en su mayoría, quedan solventadas.

Otras situaciones de bilingüismo nacional estable ilustran bien cómo dos lenguas totalmente diferentes pueden coexistir, cada una cumplimentando funciones diferentes y coexistiendo en una misma comunidad, y cómo los hablantes bilingües utilizan una u otra, siguiendo la situación y los grupos con los que se identifican. Hay que hacer notar que en una sociedad monolingüe estas diferentes funciones estarían expresadas por registros y estilos diferentes, y en una situación diglósica, pero monolingüe, por variedades dialectales y una lengua estándar. En el caso de América latina el bilingüismo es, generalmente, un estadio transitorio entre el monolingüismo en una lengua amerindia minorizada y un nuevo monolingüismo español (o en portugués, en el caso de Brasil). Hecha la excepción del caso de Paraguay, que posee dos lenguas nacionales, el guaraní, vernáculo amerindio hablado por el 90 por 100 de la población, y el español, lengua materna del 6 por 100 de los paraguayos, pero que es la lengua oficial de la educación y del Gobierno. La mitad de los hablantes comprenden y hablan ambas lenguas, en grados diversos. El factor determinante en el empleo de una u otra lengua es la situación geográfica o social. En las áreas rurales se utiliza el guaraní y, en realidad, el español no es necesario, salvo para dirigirse al maestro del pueblo que enseña en la escuela, etc. En la ciudad la situación es mucho más compleja. En las relaciones formales un bilingüe hará uso del español; también en las relaciones informales, pero de carácter íntimo, los hablantes emplearán el español: por ejemplo, al parecer, las jóvenes parejas, inicialmente, se cortejan en español. Si la situación es íntima, la elección de una lengua u otra va a depender del tema de conversación: los piropos y delicadezas son, siempre, en guaraní, mientras que para otros individuos es la lengua adquirida como primera la que será utilizada. Las diferencias de sexo pueden, también, incidir: los hombres que poseen el español como lengua materna emplearán, sin embargo, el guaraní al hablar a otras personas de su mismo sexo (J. Rubin, 1968). La situación diglósica del bilingüismo paraguayo ha creado numerosos problemas de orden social y educativo. Por una parte, los hablantes de las ciudades perciben a los monolingües de guaraní de una forma negativa, ya que son considerados como un freno para el desarrollo económico y social del país; por otra, los monolingües en guaraní están muy poco escolarizados y la enseñanza que les es ofrecida en español no está hecha para facilitar el aprendizaje de esta lengua.

Hemos dicho ya que la diglosia es un fenómeno comunitario, relativamente estable, pero este hecho no quiere decir que las diferencias de funciones entre los dos códigos no están ligadas a relaciones de dominio entre los grupos, es decir, estas diferentes funciones y dominios que están cubiertas por las dos variedades recubren muchas veces diferencias sociales. Es el caso, por ejemplo, del alemán y del *schwyzertüütsch,* en el que todas las clases sociales utilizan las dos. Pero si, como lo hemos visto para el caso del griego, la oposición diglósica refleja relaciones de fuerza entre el grupo dominante y el grupo dominado y se producen cambios sociales que ponen en cuestión las relaciones de dominación existentes, se sigue una redefinición del estatus de ambas lenguas y una redistribución de las funciones respectivas de cada una de ellas. Puede producirse, entonces, una revalorización de B que conlleva un conflicto sociolingüístico.

Ahora bien: ¿existe un equivalente étnico/cultural de la diglosia? M. Saville-Troike (1982) ha propuesto el concepto de *dinomia,* definida como la coexistencia en una misma sociedad de dos sistemas culturales, donde uno de ellos es la cultura dominante y el otro una subcultura dominada. Por ejemplo, una sociedad donde dos sistemas culturales diferentes rigieran, uno, la educación, y otro, la familia, sería dinómica: un caso típico fue el África colonial y poscolonial, incluso, donde un sistema de educación europea se superpone a una cultura comunitaria indígena, lo mismo que una lengua europea se superpone a una o más lenguas autóctonas con las que mantiene relaciones diglósicas. Pero diglosia y dinomia no tienen por qué, necesariamente, presentarse a la vez. En Paraguay, por ejemplo, el español y el guaraní cubren funciones y dominios complementarios, pero los paraguayos que hablan las dos lenguas no son percibidos, ni se sienten ellos mismos, como pertenecientes a dos culturas diferentes. Es que, como ya hemos señalado, la identidad del bilingüe debe asentarse sobre un equilibrio no conflictivo entre dos pertenencias culturales, aun cuando entre los dos grupos culturales puedan existir relaciones más o menos conflictivas.

3

LA SITUACIÓN DE LAS LENGUAS EN LA ESPAÑA ACTUAL

No es nuestra intención llevar a cabo aquí una exposición detallada de la historia del castellano en la Península, su expansión frente a otras lenguas románicas en nuestro territorio, ni tampoco la historia de las denominadas «lenguas propias» —con oficialidad en su territorio, compartida actualmente con el español—. Además existen varios trabajos, a nuestro juicio espléndidos y documentadísimos, a este respecto, sobre la oficialidad del español y la historia de las lenguas en España, del profesor F. González Ollé, «Tradicionalistas y progresistas ante la diversidad idiomática de España», en VV.AA., *Lenguas de España. Lenguas de Europa,* 1994, págs. 129-160. Del mismo autor, «El largo camino hacia la oficialidad del español en España», en *La lengua española, hoy* (coords. M. Seco y G. Salvador). Los diversos trabajos de A. López García, E. de Bustos, G. Salvador y F. Marcos Marín, A. Quilis y J. R. Lodares sobre la diversidad de lenguas en la España medieval, los Siglos de Oro, la España del XVIII, así como la época, que nos es más cercana, de los siglos XIX y XX.

Nuestro interés se centra en mostrar cómo en el territorio español han venido coexistiendo siempre muy diversas lenguas de procedencia también muy diversa y se ha producido tradicionalmente una convivencia lingüística entre ellas; lo que explica la relativa diversidad lingüística actual en España, como resultado de un proceso histórico donde siempre han convivido las lenguas distintas, y de este hecho no se puede concebir más que riqueza cultural y lingüística en la España actual.

Nos fijaremos únicamente en algunas cuestiones básicas que permitirán al lector seguir la historia y la diversidad de las lenguas en nuestros días.

ALGUNOS PRECEDENTES HISTÓRICO-LINGÜÍSTICOS

Las diversas lenguas habladas en la Península, antes de la entrada de los romanos en ella, fueron sustituidas, como es sabido, por el latín, y de la fragmentación del latín y la incidencia diversa de la acción de los sustratos lingüísticos se fueron configurando las diferentes lenguas románicas en la península Ibérica. La única excepción a este proceso fue el euskera —vasco—, resto de una lengua hablada ya en aquellos tiempos, antes de la entrada de los romanos, y en épocas previas, que ha pervivido hasta nuestros días como lengua viva.

Posteriormente, «en el siglo VIII los árabes ocuparon la Península y solo se mantuvo independiente una estrecha zona en el norte, en las montañas cantábricas y en los Pirineos. Y fueron las lenguas surgidas del latín en esta zona las que acabaron extendiéndose por toda la Península» (M. Siguán, 2001, pág. 231). Inicialmente, estos núcleos lingüísticos, que más tarde darían lugar a la diversidad de lenguas romances en nuestro territorio, fueron: *galaico-portugués, astur-leonés, castellano, navarro-aragonés, catalán* y *mozárabe*. En la segunda mitad del siglo XIII se consolidó un sistema de «Estados» en la Península que había de perdurar a lo largo de dos centurias. Se basaba en el equilibrio de cinco reinos: Portugal, Castilla, Aragón, Navarra y el enclave musulmán de Granada. «Pero solo los tres primeros estaban en condiciones de jugar un papel internacional y de protagonizar, de un modo u otro, la tan deseada y propugnada unidad peninsular» (J. M. Jover, 1985, pág. 5).

A lo largo de los siglos los pueblos cristianos, en el proceso de expansión hacia el sur —la llamada Reconquista, que conllevó al fin la expulsión de los árabes de la Península—, extendieron sus reinos, su poder y, con ellos, sus lenguas. El castellano, de ese modo, se propagó hacia el sur y, por razones sociopolíticas, impidió la expansión del asturiano y del aragonés. «Era la lengua de Castilla, pero lo fue también del reino de León, de Navarra y de Aragón, y pronto contó con una literatura brillante en todos los géneros. El catalán era la lengua de los condados catalanes, pero al unirse estos con el reino de Aragón se convirtió en la lengua principal del reino y así se extendió por Valencia y por las islas Baleares. Y pronto tuvo también un cultivo literario destacado. El gallego, en cambio, que no contaba con estructuras políticas propias, tuvo un cultivo literario exclusivamente lírico» (M. Siguán, 2001, pág. 232).

Al producirse la unión de los reinos de Castilla y Aragón en el siglo XV, se consumó la reconquista de los territorios ocupados, hasta ese momento, por los árabes, con lo que puede decirse que en esta época España comienza a adquirir cierta estructura de país unitario. Aunque, como es sabido, no ocupaba todo el territorio peninsular: enseguida, Portugal se convierte en reino autónomo independiente separado de la corona castellano-aragonesa; su lengua —el portugués— se configura, asimismo, como una lengua culta, políticamente poderosa y extendida por todo el mundo, como «una gran lengua», en razón de todos los territorios donde se instaura como lengua oficial de las colonias de ultramar que va conquistando el reino de Portugal.

«El matrimonio de Fernando e Isabel resolvió el largo pleito a favor de la unión castellano-aragonesa y ambos estados se lanzaron a una política de expansión territorial que no hacía sino culminar las tendencias desarrolladas a lo largo de la Baja Edad Media. Granada primero y luego Navarra desaparecieron como estados independientes y con ellos sus lenguas» (J. M. Jover, 1985, pág. 6).

El reinado de Carlos I de Habsburgo —emperador de Alemania con el nombre de Carlos V— representa un momento de «ruptura histórica» para los pueblos de la península Ibérica. Por primera vez se reúnen en una sola persona las coronas de Castilla y Aragón, consolidando la unidad dinástica propiciada por Fernando e Isabel y sentando las bases del Estado de los Austrias españoles. Por otra parte, Carlos encarna el viejo sueño de Alfonso X: unir al centro peninsular el Sacro Imperio Romano Germánico (ibídem). Al tiempo, y como hemos señalado, la reunificación de los reinos supuso la elección/imposición del castellano como lengua oficial del nuevo reino y, con el paso del tiempo, «justificó su denominación de "español"» (véase A. Alonso, Zamora Vicente, Lapesa, etc.). En palabras del profesor Siguán: «El catalán pasó a una situación subordinada porque los órganos decisivos del reino estaban en Castilla pero también porque el descubrimiento de América precipitó la decadencia económica del Mediterráneo y disminuyó —notablemente— el peso político de Cataluña» (M. Siguán, 2001, pág. 232).

El siglo XVIII y la instauración de los Borbones en el trono español estuvo a punto de representar, en cierto modo, el giro hacia la ideología unitaria del conocido y llamado «modelo de Estado francés», tanto por lo que se refiere a la Administración del reino, la modernización del Estado y el respeto a la ciudadanía, como a la defensa a ultranza de una política lingüística unitaria y monolingüe. En definitiva, «una política que de haber conseguido modernizar España —en el sentido arriba expuesto— habría quizá alcanzado sus objetivos; pero —como es sabido— a mediados del siglo XIX España parecía incapaz de superar su decadencia. Y fue entonces cuando surgieron los *nacionalismos periféricos* y se reformuló el nacionalismo español» (ibídem).

En Cataluña la difusión de las ideas del Romanticismo, de reivindicación de las lenguas y de las tradiciones populares, provocó un renacimiento literario y una recuperación de los usos cultos del catalán. Aun cuando no debe olvidarse que en Cataluña, aunque el castellano era la lengua de la Administración y del poder político —y, a cierto nivel, también la lengua escrita—, el catalán seguía siendo la lengua habitual de la población. «Paralelamente, en Cataluña se había producido un importante desarrollo industrial, y la conjunción entre los dos movimientos y la impresión de que España no estaba en condiciones de asumir ni su pluralidad ni los nuevos planteamientos económicos provocarán la eclosión de un nacionalismo que pronto contó con un amplio consenso social» (ibídem, págs. 232 y 255). En el resto de los territorios donde también se hablaban variedades del catalán, valenciano en los territorios del antiguo reino de Valencia y mallorquín e ibicenco en las islas Baleares, floreció un «cierto renacimiento literario» pero no un movimiento de reivindicación política, como sucedió en el resto de los territorios históricos con lengua propia.

En el País Vasco, en esta misma época, se produce la gran industrialización del territorio y la explicitación de lo que desde hace tiempo era una afirmación de la identidad colectiva, como en Cataluña, pero con una manifestación muy diferenciada a esta en lo político. Además, a diferencia de la lengua en los territorios catalanes, el euskera no poseía una sólida tradición literaria, era hablado por un pequeño número de habitantes, la regresión territorial y la tendencia a la pérdida manifestada por la lengua vasca a lo largo del tiempo seguía produciéndose, de modo que «la afirmación de la identidad se refería en primer lugar a la herencia étnica y cultural» (M. Siguán, 2001, pág. 233).

En Galicia el uso de la lengua gallega era todavía mucho más general que el del catalán en Cataluña. Pero Galicia era una región económicamente deprimida y la lengua para sus propios hablantes estaba ligada al entorno íntimo rural y a la población más ignorante y pobre. Con todo, también en este territorio se produjo un movimiento de renovación literaria notable; ahora bien: «como no coincidió con un desarrollo económico importante, ni surgió una clase burguesa capaz de apoyar los nuevos planteamientos, la reivindicación política de la identidad gallega quedó reducida a algunos grupos intelectuales» (ibídem).

En 1931 la República en España respondió, en buena medida, a estas aspiraciones y aprobó Estatutos de Autonomía para Cataluña, el País Vasco y Galicia, pero fueron, como es sabido, de muy corta duración. La sublevación del general Francisco Franco, la Guerra Civil de 1936 y el posterior régimen franquista, que adoptó «una política rígidamente centralista y unificadora en cuanto a la lengua» (ibídem): las lenguas propias de cada uno de los territorios —vasco, catalán con sus variedades, valenciano, mallorquín e ibicenco, y gallego— fueron prohibidas en todos los medios de comunicación, en cualquier manifestación pública y, por supuesto, en la enseñanza. La actitud represiva hacia las lenguas «acabó provocando un rechazo generalizado, de modo que la resistencia frente al régimen franquista pronto adoptó, como un objetivo ampliamente compartido, la defensa de las lenguas» (ibídem).

LA APROBACIÓN DE LA CONSTITUCIÓN ESPAÑOLA DE 1978 Y EL RECONOCIMIENTO DE LA DIVERSIDAD LINGÜÍSTICA

La Constitución Española de 1978 reconoce el carácter multilingüe y multicultural de España. Desde un punto de vista jurídico e institucional, el Estado español, utilizando la posibilidad que establece la propia Constitución, se ha estructurado en un conjunto de diecisiete Comunidades Autónomas. Con su configuración en Comunidades Autónomas, «España no se ha convertido en un Estado federal, pues el Gobierno central mantiene una plenitud de atribuciones en muchos aspectos, pero de todos modos las competencias de las Comunidades Autónomas, definidas por sus respectivos Estatutos de Autonomía, sobrepasan ampliamente los límites de una simple descentralización administrativa e incluyen competencias legislativas ejercidas por los respectivos Parlamentos autónomos. Pero además, y este es el punto que ahora interesa subrayar, los Estatutos de Autonomía de determinadas Comunidades —seis en total— reconocen la existencia de una lengua propia de la Comunidad, que en su ámbito comparte con el castellano el carácter de lengua oficial» (M. Siguán, 1992, pág. 174).

Los artículos y el texto de la Constitución que se refieren a la pluralidad lingüística y cultural de España son los siguientes:

> *Preámbulo.*—La Nación española [...] proclama su voluntad de: [...]. Proteger a todos los españoles y pueblos de España en el ejercicio de los derechos humanos, sus culturas y tradiciones, lenguas e instituciones.
> [...]
> *Artículo 2.*—La Constitución se fundamenta en la indisoluble unidad de la Nación española, patria común e indivisible de todos los españoles, y reconoce y garantiza el derecho a la autonomía de las nacionalidades y regiones que la integran y la solidaridad entre todas ellas.
> *Artículo 3.*—1.   El castellano es la lengua española oficial del Estado. Todos los españoles tienen el deber de conocerla y el derecho a usarla.
> 2.   Las demás lenguas españolas serán también oficiales en las respectivas Comunidades Autónomas de acuerdo con sus Estatutos.
> 3.   La riqueza de las distintas modalidades lingüísticas de España es un patrimonio cultural que será objeto de especial respeto y protección.

Otros artículos de la Constitución referidos al pluralismo cultural y lingüístico son los siguientes:

> *Artículo 20.*—[...] 3.   La ley regulará la organización y el control parlamentario de los medios de comunicación social dependientes del Estado o de cualquier ente público y garantizará el acceso a dichos medios de los grupos sociales y políticos significativos, respetando el pluralismo de la sociedad y de las diversas lenguas de España.

Asimismo, en cuanto a la naturaleza de las Comunidades Autónomas y a la forma de constituirse, la Constitución señala:

> *Artículo 137.*—El Estado se organiza territorialmente en municipios, en provincias y en las Comunidades Autónomas que se constituyan. Todas estas entidades gozan de autonomía para la gestión de sus respectivos intereses.
> [...]
> *Artículo 143.*—1.   En el ejercicio del derecho a la autonomía reconocido en el artículo 2 de la Constitución, las provincias limítrofes

con características históricas, culturales y económicas comunes, los territorios insulares y las provincias con entidad regional histórica podrán acceder a su autogobierno y constituirse en Comunidades Autónomas con arreglo a lo previsto en este Título y en los respectivos Estatutos.

Por último, y referido a las competencias que podrán asumir las Comunidades Autónomas, la Constitución indica:

> *Artículo 148.*—1. Las Comunidades Autónomas podrán asumir competencias en las siguientes materias [...].
> 17.ª El fomento de la cultura, de la investigación y, en su caso, de la enseñanza de la lengua de la Comunidad Autónoma.

Las distintas Comunidades Autónomas presentan diferencias, de distinta índole, muy significativas; entre ellas: extensión, población, volumen económico, grado de conciencia que tienen sus habitantes de constituir una identidad colectiva, etc. A todo esto hay que añadir las diferencias lingüísticas. En el Estatuto de Autonomía de cinco de estas Comunidades se establece que la lengua propia de la Comunidad es una lengua distinta del castellano, que tendrá, al igual que esta, carácter de lengua oficial. Y en una sexta Comunidad, Navarra, el carácter cooficial de la lengua propia se establece para una parte de su territorio, ratificada en el desarrollo de las leyes diferenciadas: la primera de 1994 y la última de 2001.

En la siguiente tabla se relacionan las Comunidades Autónomas en cuyo Estatuto se reconoce una lengua propia y se consigna su población y el porcentaje que representa respecto a la población total de España, según la información proporcionada por el último *Censo de población de 1991:*

Tabla 4

Comunidades Autónomas con lengua propia
(denominación de la lengua propia y población)

Comunidades Autónomas con lengua propia	Denominación de la lengua	N.º de habitantes	% sobre la población española
Cataluña...............	Catalán	6.147.610	15,42
Valencia	Valenciano	4.023.441	10,09
Islas Baleares	Catalán	796.483	2,00
Galicia	Gallego	2.724.544	6,84
País Vasco............	Euskera	2.098.628	5,26
Navarra................	Vascuence	530.819	1,33

Fuente: Población de hecho al 1 de marzo de 1996, M. SIGUÁN, 1999, pág. 7.

En las Comunidades Autónomas en las que sus respectivos Estatutos reconocen tener una lengua propia distinta de la castellana y establecen la cooficialidad de las dos lenguas, residen algo más del 40 por 100 del total de los habitantes de España. Incluso si se prescinde de los residentes en Navarra, donde la cooficialidad de las dos lenguas se limita a una pequeña zona, esta proporción continúa siendo relativamente importante.

En los apartados posteriores de este libro se describirán, con algún detalle, las características específicas de cada una de estas Comunidades Autónomas, así como la política lingüística que aplican. La visión general previa que ofrecemos en este primer apartado se reduce a algunos datos generales sobre la situación sociolingüística en cada una de ellas. Para ello adjuntamos una tabla recogida del texto de Siguán (2001, págs. 238-239), con los datos estadísticos sobre el conocimiento de las lenguas propias en las Comunidades, de acuerdo con las encuestas lingüísticas que acompañaron al *Padrón de habitantes de 1996*. Como ocurre siempre con este tipo de materiales, la precisión de las cifras es aproximada, pero ilustra bien sobre la dimensión de los hechos que aquí consideramos:

Tabla 5

Comunidades Autónomas: Evaluación del número de hablantes de las respectivas lenguas propias

Comunidad Autónoma	Población mayor de 2 años	Tiene la lengua propia como materna	Habla la lengua propia	Entiende la lengua propia
Cataluña..................	5.739 (100%)	2.846 (50%)	3.747 (65%)	5.287 (92%)
Islas Baleares	659 (100%)	421 (64%)	444 (67%)	560 (85%)
Valencia	3.732 (100%)	1.492 (40%)	1.780 (48%)	2.775 (75%)
País Vasco..............	2.070 (100%)	405 (20%)	476 (23%)	786 (38%)
Navarra...................	499 (100%)	45 (9%)	59 (12%)	77 (15%)
Galicia....................	2.756 (100%)	1.515 (55%)	2.480 (90%)	2.590 (94%)
Conjunto de Comunidades con lengua propia..........	15.455 (100%)	6.724 (43%)	8.986 (58%)	12.095 (78%)
Conjunto de España	37.281 (100%)	6.724 (18%)	8.986 (24%)	12.095 (32%)

(Las cifras aparecen en miles.)

Como ya hemos señalado, la realización de censos lingüísticos es una de las fuentes que, con mayor fiabilidad, se utiliza para conocer y describir la situación sociolingüística de una comunidad, así como para «el nivel de conocimiento» de una o más lenguas. En palabras del profesor Siguán en el caso de las Comunidades Autónomas con más de una lengua, desde hace algún tiempo «decidieron añadir a los *Censos de Población,* que se efectúan cada diez años, los terminados en 1, y a los *Padrones Municipales,* que se efectúan igualmente cada diez años, los terminados en 6, un *Censo Lingüístico.* La medida se inició en la ciudad de Barcelona, con el *Padrón de 1976;* en el *Censo de 1981* la adoptaron para Cataluña, la Comunidad Valenciana, las Islas Baleares y el País Vasco; en el *Padrón de 1986* se añadió Navarra, y en el *Censo de 1991,* Galicia» (M. Siguán, *Conocimiento y uso de las lenguas,* Centro de Investigaciones Sociológicas, Madrid, 1999).

A pesar de su enorme interés tienen ciertos inconvenientes, ya que se refieren a la competencia —al conocimiento— y no tanto al uso, y este último resulta totalmente necesario para medir la vitalidad de la lengua, situación de peligro de la propia lengua, proceso de pérdida, regresión, etc., y por ello es necesario realizar las llamadas encuestas sociolingüísticas, dirigidas a una muestra de población, representativa de la realidad sociológica de la Comunidad a estudio. Pues bien: el profesor Miguel Siguán realizó ya en 1993 una investigación con sistema de encuesta, que permitió conocer, completar y detectar los rasgos de vitalidad sociolingüística de las lenguas propias en las Comunidades bilingües de España. Recientemente volvió a realizar un nuevo trabajo, con las mismas pautas metodológicas del efectuado en 1993, que se ha publicado en 1999 (M. Siguán, *Conocimiento y uso de las lenguas,* CIS, Madrid), y al que vamos a atender en este apartado referido al «Conocimiento y uso del español y de la otra lengua propia en las Comunidades bilingües en España»[1].

En dicho trabajo se pretende cubrir los siguientes puntos clave:

- Conocimiento del español y de la lengua de la Comunidad.
- Edad y forma de adquisición de la segunda lengua.
- Lengua principal o habitual de los sujetos.
- Transmisión de la primera lengua.
- Usos lingüísticos, etc. (ibídem, págs. 9 y 10).

CONOCIMIENTO Y USO DEL ESPAÑOL EN LAS COMUNIDADES AUTÓNOMAS CON LENGUA PROPIA

Conocimiento de la lengua española

Prácticamente la totalidad de los encuestados entienden el castellano. La proporción de los que se declaran analfabetos, incapaces de leer o de escribir

---

[1] Sus datos permiten, además, contrastar y/o corroborar los datos de cada uno de los censos lingüísticos llevados a cabo en las Comunidades. La encuesta se realizó a un total de 4.000 individuos: Baleares (473), Cataluña (1.007), Galicia (681), Navarra (453), País Vasco (615) y Valencia (771), con un margen de error muy pequeño, de ± 3.

en esta lengua, es también muy pequeña. Las diferencias entre las distintas Comunidades Autónomas no son estadísticamente significativas.

Tabla 6

Competencias lingüísticas en castellano
(¿Cuál es el nivel de conocimiento del castellano?)

	Cataluña	Comunidad Valenciana	Baleares	Galicia	País Vasco	Navarra
Lo entiende, lo habla, lo lee y lo escribe.............................	97	96	95	93	98	99
Lo entiende, lo habla y lo lee.	1	1	1	2	1	—
Lo entiende y lo habla...........	2	2	3	3	1	1
Solo lo entiende.....................	—	1	1	2	—	—
NS/NC....................................	—	—	—	—	—	—
TOTAL....................................	100	100	100	100	100	100
(N)...	1.004	771	473	680	609	449

Fuente: M. SIGUÁN, *Conocimiento y uso de las lenguas,* CIS, Madrid, 1999.

Tabla 7

Competencias lingüísticas en castellano en función del nivel de estudios (%)

	Sin estudios	Primarios	Secundarios	FP	Universitarios medios	Universitarios superiores
CATALUÑA						
Lo escribe......	75	97	100	100	100	100
Lo lee.............	3	2	—	—	—	—
Solo lo habla..	22	1	—	—	—	—
TOTAL.............	100	100	100	100	100	100
(N)	93	256	327	170	74	69
PAÍS VASCO						
Lo escribe......	84	98	99	100	98	100
Lo lee.............	3	1	—	—	2	—
Solo lo habla..	13	—	—	—	—	—
NC..................	—	1	1	—	—	—
TOTAL.............	100	100	100	100	100	100
(N)	31	181	158	129	53	48

Fuente: M. SIGUÁN, *La España plurilingüe,* Alianza, Madrid, 1992, pág. 13.

La pequeña proporción de los que se declaran incapaces de escribir o de leer en castellano corresponde a personas de muy bajo nivel de instrucción. En las restantes Comunidades los resultados son parecidos.

Conocimiento de la lengua propia de la Comunidad

Tabla 8

Competencias lingüísticas en la lengua de la Comunidad (%)
(¿Cuál es su nivel de conocimiento de... [lengua de la Comunidad]?)

	Cataluña	Comunidad Valenciana	Baleares	Galicia	País Vasco	Navarra
Lo entiende, lo habla, lo lee y lo escribe.....	48	19	31	53	16	7
Lo entiende, lo habla y lo lee........................	23	19	25	15	4	4
Lo entiende y lo habla.	8	17	16	21	8	5
Solo lo entiende..........	8	17	16	21	8	5
No lo entiende............	18	37	21	10	15	7
TOTAL......................	100	100	100	100	100	100
(N).............................	1.006	771	473	679	613	449

Fuente: M. SIGUÁN, *Conocimiento y uso de las lenguas,* CIS, Madrid, 1999, pág. 14.

Las cinco categorías pueden reducirse a tres: lo habla, solo lo entiende y no lo entiende.

Tabla 9

Competencias lingüísticas en la lengua de la Comunidad (%)

	Cataluña	Comunidad Valenciana	Baleares	Galicia	País Vasco	Navarra
Lo habla..........	79	55	72	89	28	16
Lo entiende.....	18	34	21	10	15	7
No lo entiende	3	11	7	1	57	77
TOTAL	100	100	100	100	100	100
(N)	1.004	771	473	680	609	449

Fuente: Ibídem.

Los niveles más altos de conocimiento se dan en Galicia y en Cataluña, seguidos de las Islas Baleares y Valencia. Los más bajos, en el País Vasco y Navarra. El menor conocimiento en las Comunidades en las que se habla euskera ha de atribuirse a un proceso histórico de pérdida de la lengua en ciertas zonas geográficas, un proceso especialmente acusado en Álava y en Navarra. Pero influye también la distancia lingüística entre las lenguas en presencia, que hace que la adquisición del euskera desde el castellano sea mucho más dificultosa que la de otra lengua latina, como son el catalán o el gallego.

En las Islas Baleares, al responder a esta pregunta y también en otras referidas a la lengua hablada en la infancia o la lengua principal de los sujetos, aproximadamente un 40 por 100 de los encuestados prefieren la denominación de mallorquín, un 8 por 100 la de menorquín y un 2 por 100 la de ibicenco.

Competencia lingüística según los censos lingüísticos

Para valorar la fiabilidad de la encuesta es posible comparar sus resultados en cuanto a conocimiento de las lenguas con los datos ofrecidos por los censos lingüísticos elaborados por las distintas Comunidades Autónomas. A continuación se presentan resumidos estos datos según los últimos censos:

Tabla 10

**Competencias lingüísticas en la lengua de la Comunidad
(datos de los censos lingüísticos)**

	Cataluña	Comunidad Valenciana	Baleares	Galicia	País Vasco	Navarra
Lo hablan..........	74,75	51,09	66,73	91,3	25,3	10,2
Solo entienden..	19,70	32,15	22,40	5,5	16,3	6,4
No entienden....	5,55	16,76	9,85	3,2	58,4	83,4
Sin información	—	—	1,02	—	—	—
TOTAL	100	100	100	100	100	100

Fuente: M. SIGUÁN, *Conocimiento y uso de las lenguas,* CIS, Madrid, 1999, pág. 14.

Los datos de Cataluña y del País Vasco corresponden al *Censo de 1996;* los de las Islas Baleares, Galicia y Navarra, al *Censo de 1991,* y los de la Comunidad Valenciana, al *Censo de 1986,* que son, en todos los casos, los últimos publicados.

La comparación entre esta tabla y la anterior muestra que las diferencias entre la encuesta y los censos son pequeñas y escasamente significativas, y en todos los casos los resultados de la encuesta son más favorables a las lenguas vernáculas que los propios censos.

Competencia lingüística en función de la edad

Dado que entre los datos de la encuesta figura la edad de los encuestados, es posible comparar las competencias lingüísticas en la lengua vernácula de los sujetos agrupados por grupos de edad.

En todas las Comunidades se observa una relación directa entre la capacidad de leer y escribir en la lengua de la Comunidad y la edad. Cuanto más jóvenes son los sujetos, más frecuente es esta capacidad. La razón evidente es la progresiva presencia de la lengua en el sistema educativo.

En Cataluña el 90 por 100 de la población más joven, y en Galicia el 80 por 100, poseen esta capacidad, mientras que los mayores de sesenta años solo en una tercera parte. En el País Vasco, la mayor competencia de los más jóvenes en parte consiste en saber leer y escribir y en parte en entender la lengua, aunque sin ser capaz de leer y escribir.

Tabla 11

Competencias lingüísticas en las lenguas propias[2] en función de la edad

	18-24	25-34	35-44	45-54	55-64	65 +
CATALUÑA						
Lo entiende, lo habla, lo lee y lo escribe..............	88	66	36	38	29	33
Lo entiende, lo habla y lo lee...................................	3	14	35	31	28	28
Lo entiende y lo habla.....		3	10	9	12	11
Solo lo entiende..............	6	16	19	21	28	21
No lo entiende.................	1	1	—	1	3	7
TOTAL...............................	100	100	100	100	100	100
(N)......................................	143	198	171	160	134	199
COMUNIDAD VALENCIANA						
Lo entiende, lo habla, lo lee y lo escribe..............	48	22	10	17	12	10
Lo entiende, lo habla y lo lee...................................	9	21	25	17	24	20
Lo entiende y lo habla.....	4	8	15	21	24	30
Solo lo entiende..............	33	39	42	31	28	26
No lo entiende.................	6	10	8	14	12	14
TOTAL...............................	100	100	100	100	100	100
(N)......................................	118	158	134	116	103	144

---

[2] Hemos sustituido la denominación «lenguas propias» por «lenguas vernáculas» por parecernos más apropiada.

Tabla 11 (continuación)

	18-24	25-34	35-44	45-54	55-64	65 +
ISLAS BALEARES						
Lo entiende, lo habla, lo lee y lo escribe.............	67	42	31	23	14	12
Lo entiende, lo habla y lo lee	11	13	23	40	29	33
Lo entiende y lo habla	—	12	13	14	24	30
Solo lo entiende	16	24	25	19	25	15
No lo entiende	6	9	8	4	8	10
TOTAL..............................	100	100	100	100	100	100
(N)	69	91	88	74	59	92
GALICIA						
Lo entiende, lo habla, lo lee y lo escribe.............	81	72	50	45	35	37
Lo entiende, lo habla y lo lee	5	14	16	22	26	13
Lo entiende y lo habla	5	8	20	19	29	39
Solo lo entiende	9	5	13	14	8	9
No lo entiende	—	1	1	—	2	2
TOTAL..............................	100	100	100	100	100	100
(N)	97	125	113	98	95	150
PAÍS VASCO						
Lo entiende, lo habla, lo lee y lo escribe.............	35	20	16	11	10	9
Lo entiende, lo habla y lo lee	9	5	—	2	2	3
Lo entiende y lo habla	10	12	10	4	5	8
Sólo lo entiende	25	22	11	15	11	5
No lo entiende	21	41	53	68	71	75
No contesta	—	—	—	—	1	—
TOTAL..............................	100	100	100	100	100	100
(N)	87	125	107	97	83	113
NAVARRA						
Lo entiende, lo habla, lo lee y lo escribe.............	19	10	6	3	2	3
Lo entiende, lo habla y lo lee	5	2	7	3	—	4
Lo entiende y lo habla	3	3	4	4	6	8
Solo lo entiende	5	7	12	10	4	5
No lo entiende	68	78	71	80	88	80
TOTAL..............................	100	100	100	100	100	100
(N)	62	91	81	71	53	91

Fuente: M. SIGUÁN, *Conocimiento y uso de las lenguas,* CIS, Madrid, 1999, pág. 16.

Conocimiento de la lengua de la Comunidad y nivel de instrucción

Tabla 12

Competencias lingüísticas en función del nivel de instrucción

	Sin estudios	Primarios	Secundarios	FP	Universitarios medios	Universitarios superiores
CATALUÑA						
Lo entiende, lo habla, lo lee y lo escribe.............	13	26	51	71	81	72
Lo entiende, lo habla y lo lee.................................	12	37	24	17	9	15
Lo entiende y lo habla	12	12	6	6	3	6
Solo lo entiende..............	45	23	18	6	7	7
No lo entiende	18	2	1	—	—	—
TOTAL.............................	100	100	100	100	100	100
(N)...................................	93	258	327	170	79	69
COMUNIDAD VALENCIANA						
Lo entiende, lo habla, lo lee y lo escribe.............	8	10	25	29	43	20
Lo entiende, lo habla y lo lee.................................	14	22	20	19	17	29
Lo entiende y lo habla	29	25	11	8	8	—
Solo lo entiende..............	29	32	36	38	23	44
No lo entiende	20	11	8	6	9	7
TOTAL.............................	100	100	100	100	100	100
(N)...................................	133	200	24	101	474	
ISLAS BALEARES						
Lo entiende, lo habla, lo lee y lo escribe.............	7	11	40	40	52	52
Lo entiende, lo habla y lo lee.................................	14	31	27	22	22	12
Lo entiende y lo habla	38	23	10	7	7	8
Solo lo entiende..............	23	27	17	22	19	24
No lo entiende	18	8	6	9	—	4
TOTAL.............................	100	100	100	100	100	100
(N)...................................	56	10	213	45	27	25
GALICIA						
Lo entiende, lo habla, lo lee y lo escribe.............	38	39	61	62	82	59
Lo entiende, lo habla y lo lee.................................	12	22	16	12	4	12
Lo entiende y lo habla	38	30	12	14	8	6
Solo lo entiende..............	9	8	10	10	6	20
No lo entiende	3	1	1	2	—	3
TOTAL.............................	100	100	100	100	100	100
(N)...................................	108	188	213	85	50	34

Tabla 12 (continuación)

	Sin estudios	Primarios	Secundarios	FP	Universitarios medios	Universitarios superiores
País Vasco						
Lo entiende, lo habla, lo lee y lo escribe............	10	8	14	14	33	38
Lo entiende, lo habla y lo lee................................	7	1	4	6	2	4
Lo entiende y lo habla....	—	9	8	9	18	4
Solo lo entiende..............	—	8	23	20	15	14
No lo entiende................	83	74	51	51	32	40
Total..............................	100	100	100	100	100	100
(N)..................................	30	182	159	129	54	50
Navarra						
Lo entiende, lo habla, lo lee y lo escribe............	5	3	7	9	12	10
Lo entiende, lo habla y lo lee................................	2	4	4	6	5	10
Lo entiende y lo habla....	5	6	4	6	5	—
Solo lo entiende..............	2	4	9	16	5	8
No lo entiende................	86	83	76	65	76	74
Total..............................	100	100	100	100	100	100
(N)..................................	63	122	114	68	41	39

Fuente: M. SIGUÁN, *Conocimiento y uso de las lenguas,* CIS, Madrid, 1999.

En la mayoría de las Comunidades se observa alguna correlación entre entender la lengua (suma de las cuatro primeras filas en las tablas anteriores) o hablarla (suma de las tres primeras filas de dichas tablas) y el nivel de instrucción, aunque la mayor familiaridad con la lengua se corresponde con los estudios medios y no con los superiores. La correlación es relativamente alta en Cataluña y País Vasco, más ligera en Baleares y casi nula en Galicia, donde la familiaridad con la lengua parece independiente del nivel de instrucción (M. Siguán, 1999).

Pero si se atiende solo a las competencias referidas a la lengua escrita: lectura y escritura, la correlación entre estas competencias y el nivel de instrucción es fuerte en todas las Comunidades.

Conocimiento de la lengua propia (de la Comunidad) en función del tamaño del municipio

Es posible también poner en relación la competencia lingüística de los sujetos con el tamaño del municipio en el que residen.

Tabla 13

Competencias lingüísticas en función del tamaño del municipio

	Hasta 2.000	2.001-10.000	10.001-50.000	50.001-100.000	100.001-400.000	400.001-1.000.000	Más de 1 millón
CATALUÑA							
Lo habla	97	87	78	76	72	—	79
Lo entiende	3	12	18	23	23	—	20
No lo entiende .	—	1	4	1	5	—	1
TOTAL	100	100	100	100	100	—	100
(N)	68	137	222	105	208	—	269
COMUNIDAD VALENCIANA							
Lo habla	73	62	60	58	37	51	—
Lo entiende	12	32	26	25	48	47	—
No lo entiende .	15	6	14	17	15	2	—
TOTAL	100	100	100	100	100	100	—
(N)	48	114	275	65	116	153	—
ISLAS BALEARES							
Lo habla	100	90	73	—	62	—	—
Lo entiende	—	7	21	—	27	—	—
No lo entiende .	—	3	6	—	11	—	—
TOTAL	100	100	100	—	100	—	—
(N)	11	85	172	—	202	—	—
GALICIA							
Lo habla	100	95	89	78	85	—	—
Lo entiende	—	5	11	13	14	—	—
No lo entiende .	—	—	—	9	1	—	—
TOTAL	100	100	100	100	100	—	—
(N)	25	215	197	83	159	—	—
PAÍS VASCO							
Lo habla	53	28	47	16	17	—	—
Lo entiende	10	13	17	19	13	—	—
No lo entiende .	37	59	36	65	70	—	—
TOTAL	100	100	100	100	100	—	—
(N)	30	82	169	86	246	—	—

Fuente: M. SIGUÁN, *Conocimiento y uso de las lenguas,* CIS, Madrid, 1999.

Prácticamente en todas las Comunidades, a medida que aumenta el tamaño del municipio, disminuye el nivel de competencia en la lengua de la Comunidad. En Cataluña, sin embargo, los menores índices de conocimiento del catalán se dan en las poblaciones entre 100.000 y 400.000 habitantes (M. Siguán, 1999, pág. 20).

Presentamos estos datos con la finalidad de dar a conocer la realidad sociolingüística de las Comunidades y, asimismo, de plantear el marco del estudio de cada una de ellas que analizaremos más adelante.

Como resumen de lo expuesto hasta aquí, en las tablas precedentes, diremos:

a) Todos los hablantes de esas Comunidades hablan, entienden, leen, escriben el castellano, naturalmente (más del 97 por 100 de la población).

b) Aquellos que declaran que no saben escribirlo o leerlo pertenecen a niveles socioculturales muy bajos.

c) Los niveles más altos, comparativamente, de conocimiento de la lengua propia frente al castellano se dan en las Comunidades de Cataluña y Galicia, seguidas de las Islas Baleares y Valencia; los más bajos, en el País Vasco y Navarra, donde la lengua en Álava y Navarra, por ejemplo, ha sufrido un proceso de regresión espacial y de hablantes histórico. Además del hecho de la enorme «distancia lingüística» de dos lenguas tipológicamente tan diferenciadas como el castellano y el euskera (M. Siguán, 1992, 1999, y M. Etxebarria, 1995).

d) En las grandes poblaciones de más de 50.000 habitantes se usa poco, o menos, la lengua propia, y este hecho es común a todas las Comunidades Autónomas con lengua propia en España.

e) Por último, en nuestras Comunidades bilingües, seguramente, cada una de las lenguas propias está aún en peligro de cara a su mantenimiento y dado su carácter minoritario frente al castellano, inglés, francés, etc., es decir, frente a cualquiera de las grandes lenguas europeas.

En suma, creemos que la diversidad lingüística en España y sus respectivas situaciones de «bilingüismo» han resultado en el pasado muy peculiares y, aunque muy diferenciadas de la actual, lo siguen siendo. De ahí que determinados autores prefieran no hablar de «pluralidad» lingüística en el Estado español y prefieran el término «diversidad» como algo más cercano a la realidad sociolingüística actual (J. R. Lodares, 2002, pág. 11 y nota 4).

— *Cataluña*

La lengua catalana, como es sabido, ha gozado de un brillante pasado y su recuperación, llevada a cabo en el siglo XIX, no se limitó a un renacimiento literario, sino que fue símbolo de un gran movimiento cultural y político. Actualmente el catalán es una lengua conocida y prestigiosa, con una presencia importante en el sistema educativo, en los medios de comunicación, en la Administración y en la vida pública. Pero al mismo tiempo hay que tener presente que en el territorio catalán casi la mitad de sus habitantes proceden de otros territorios del Estado español, lo que explica que, tal como puede verse en la tabla anterior, una parte muy importante de la población, casi la mitad, no tiene el catalán como lengua materna. Con todo, y tal como se advierte, una proporción muy importante de esta población, de lengua materna castellana, entiende e incluso habla el catalán (M. Siguán, 1992, y M. Etxebarria, 1995, pág. 230).

— *Islas Baleares*

La lengua propia de las Islas Baleares es el catalán, tal y como se dice en el Estatuto de Autonomía de las Islas Baleares, aunque la lengua hablada en las Baleares presenta variedades locales muy marcadas, caracterizadas y, además, diferentes en cada isla. La mayor parte de la población ha mantenido su uso y es lengua materna de un porcentaje de población muy alto. En los últimos años, a pesar de todo, está decreciendo esta cifra debido a la gran cantidad de inmigrantes y extranjeros residentes que se asientan en el territorio de las islas (M. Etxebarria, 1995, pág. 230).

— *Valencia*

Sin entrar en los problemas que se han planteado sobre la naturaleza del valenciano como lengua, y su identificación como una variante o no del catalán, diremos que la proporción tan baja de los que la tienen como lengua materna responde al hecho de que ha representado un bajo prestigio social en las ciudades y en los niveles altos de la sociedad, además de que en una zona del territorio de la Comunidad Autónoma Valenciana ha sido el castellano la lengua principal desde sus orígenes. Ahora bien: muchos de los individuos que declaran no poseerla como lengua materna señalan, sin embargo, que son capaces de entenderla, y su valor social también se va modificando (ibídem).

— *Galicia*

Galicia es la Comunidad Autónoma en la que existe una proporción mayor de habitantes que tienen la lengua propia de la Comunidad como lengua materna. Esto supone un alto grado de conocimiento y uso de la lengua gallega. Pero aunque el número de personas que declaran conocer la lengua es muy elevado, también es cierto que, tradicionalmente, el prestigio social de la lengua ha sido mínimo y, por ello, su uso ha estado asociado a la pobreza y al ámbito rural, situación que, por fortuna, ha ido modificándose poco a poco (M. Siguán, 1992, y M. Etxebarria, 1995, pág. 231).

— *País Vasco*

Según los datos del *Censo* y de la *Encuesta sociolingüística II,* Euskadi es la Comunidad en la que el conocimiento de la lengua propia es proporcionalmente menor. Este hecho es debido a que, a lo largo de la historia, el ámbito geográfico del euskera se fue reduciendo y en el propio País Vasco hay zonas donde dejó de hablarse hace ya varios siglos. Además, hay que añadir que al ser el euskera una lengua tipológica y genéticamente tan diferenciada del castellano, la distancia lingüística entre ambas lenguas es muy grande y, por lo tanto, su aprendizaje y/o adquisición para aquellos que no la poseen como lengua materna requiere un esfuerzo importante, y el proceso de recuperación resulta más lento. A pesar de todo, se ha producido, en los últimos tiempos, un avance importantísimo en el número de hablantes (M. Etxebarria, 1995, pág. 231).

— *Navarra*

En la Comunidad Navarra el euskera se ha mantenido en la zona norte del territorio y este hecho explica la escasa proporción de hablantes expresada en el *Censo.* Los esfuerzos por llevar a cabo el proceso de recuperación lingüística han incidido en el conocimiento y uso de la lengua, lo que ha provocado un aumento considerable en el número de hablantes vascos en todo el territorio navarro, pero de una manera muy especial en la ciudad de Pamplona.

Marco legal en materia lingüística de las Comunidades Autónomas bilingües

De acuerdo con los principios de la Constitución, en los que nos hemos fijado antes, referidos al reconocimiento de la pluralidad lingüística y cultural de España, donde se reconoce y establece que en las Comunidades Autónomas en las que se hablen lenguas distintas del castellano estas serán también lenguas oficiales, los Estatutos de Autonomía de las respectivas Comunidades dedican una serie de disposiciones que hacen referencia a la lengua.

Aunque en los distintos Estatutos, que analizaremos monográficamente en cada una de las Comunidades bilingües, estas disposiciones aparecen expuestas de manera diferenciada, prácticamente todas coinciden en los siguientes aspectos básicos:

1. La denominación de la lengua respectiva y su calificación de lengua propia.
2. Su carácter de lengua oficial al mismo tiempo que el castellano.
3. El derecho de todos los miembros de la Comunidad a conocer y utilizar la lengua propia. En la Constitución figura ya la obligación de

conocer el castellano y el derecho a utilizarlo para todos los españoles (M. Siguán, 1992).

Puesto que las Comunidades Autónomas tienen facultades legislativas, todas han promulgado leyes, aprobadas en los Parlamentos respectivos, que han desarrollado los artículos de sus Estatutos referentes a las lenguas. Todas estas leyes tienen como objetivo la defensa y promoción de la lengua propia de cada territorio, así como la expresión de los fundamentos y finalidades de sus respectivas políticas lingüísticas. La relación de las distintas Leyes de Normalización Lingüística, por orden cronológico, es la siguiente:

— País Vasco: Ley Básica de Normalización del Uso del Euskera (noviembre, 1982).
— Cataluña: Ley de Normalización Lingüística de Cataluña (junio, 1983) y Ley de Política Lingüística (enero, 1998).
— Galicia: Ley de Normalización Lingüística de Galicia (junio, 1983).
— Valencia: Ley Sobre Uso y Enseñanza del Valenciano (noviembre, 1983).
— Islas Baleares: Ley de Normalización Lingüística de las Islas Baleares (junio, 1986).
— Navarra: Ley Foral del Vascuence de Navarra (diciembre, 1986) y Decreto de Uso del Vascuence en las Administraciones Públicas de Navarra (2001).

La mayor parte de estas leyes presentan una estructuración y unos contenidos muy semejantes. Todas ellas comienzan con un Preámbulo, donde se señala su fundamentación jurídica en los respectivos Estatutos de Autonomía y expresan la justificación de sus finalidades e intencionalidad. El cuerpo básico de las leyes se ocupa de ratificar y ampliar los puntos, ya señalados en los Estatutos, sobre denominación y carácter de la lengua propia, la cooficialidad con la lengua española, el derecho a conocer y usar la lengua propia y la declaración de la no discriminación en razón del uso de la lengua (M. Etxebarria, 1995).

Aunque nos ocuparemos, monográficamente, del contenido de cada una de ellas al analizar y exponer la situación lingüística en cada una de las Comunidades bilingües, señalaremos ahora algunas de sus características comunes.

Prácticamente todas señalan y matizan, con precisiones, la delimitación del ámbito geográfico al que se refieren y en el que se aplican: así, la de Navarra, que se aplica en áreas restringidas, distingue tres zonas: vascófona, mixta y castellana, según su predominio lingüístico, previniendo una aplicación diferenciada de la ley según las zonas; también la Comunidad Valenciana delimita la zona castellanohablante donde la ley se aplica de un modo restringido. Por otra parte, «la ley de Cataluña dedica un capítulo a definir la política lingüística que se aplicará en el Valle de Arán, donde se habla el aranés, dialecto gascón de la familia occitana» (M. Siguán, 1992 y 2001).

Todas las leyes confían a los respectivos gobiernos la promoción del conocimiento y uso de la lengua propia para tratar de superar la situación de minoración en que la encuentran, impulsando el uso de la lengua propia en la Comunidad y asegurando el derecho a su utilización en cualquier situación comunicativa.

En cuanto a sus disposiciones, todas las leyes de normalización lingüística abordan tres aspectos básicos: la Administración, la enseñanza y los medios de comunicación.

Por lo que se refiere a la Administración, hay que señalar que, aunque de manera diversa, todas las leyes establecen que todas las disposiciones legales deben publicarse en las dos lenguas. Asimismo, todos los actos administrativos que se lleven a cabo, lo mismo que los jurídicos, serán igualmente válidos, sea cual sea la lengua oficial que se utilice. «La ley del País Vasco y la de Navarra para asegurar esta posibilidad prevén la existencia de servicios de traducción al servicio de los administrados y de la propia Administración, dando por supuesto que no todos los funcionarios conocerán la lengua. La ley catalana señala que por ser el catalán la lengua propia de Cataluña debe ser también la lengua usual del funcionamiento administrativo» (M. Siguán, 1992). Los preceptos se refieren, en primer lugar, a la propia Administración autonómica, es decir, la que depende de los respectivos gobiernos autónomos, pero también incluyen recomendaciones referidas a la Administración local (ayuntamientos y diputaciones) (M. Etxebarria, 1995, pág. 234).

Por lo que se refiere a la enseñanza, en todas las leyes ambas lenguas deben ser enseñadas, obligatoriamente, en todos los niveles y grados de enseñanza no universitaria, aunque con formulaciones más o menos diversas y con limitaciones en Navarra, según las áreas, y en Valencia, en el área castellanohablante. Asimismo, figura en todas ellas la competencia lingüística del profesorado en ambas lenguas, regulando y estableciendo los mecanismos y las condiciones necesarias para dar cumplimiento a dicha exigencia. La lengua propia podrá ser utilizada también como vehículo de enseñanza, al igual que el español. Ahora bien: aunque todas las leyes enuncian de distintas formas la misma intención, «estas distintas formulaciones presentan una diferencia importante de la que no es seguro que sus redactores fuesen conscientes; en unas se habla del derecho a recibir la enseñanza en la lengua materna o habitual, y en otras, simplemente, del derecho a elegir la lengua de enseñanza. Aunque dado que el derecho a recibir la enseñanza en una lengua solo se hace efectivo si el padre o el propio alumno lo reclama y, evidentemente, puede renunciar a reclamarlo, lo que queda en definitiva es la libertad de elección» (M. Siguán, 1992 y 2001).

En el País Vasco se reconoce la existencia de «modelos» de enseñanza, según la lengua que se utilice como vehículo didáctico; en las otras Comunidades, sin embargo, no se encuentra este reconocimiento.

En cuanto a la presencia de la lengua en los medios de comunicación, todas las leyes incluyen artículos de contenido muy semejante, referidos a la presencia de la lengua propia en los medios de comunicación, en las actividades culturales y, en general, en la vida pública. Así aparecen reflejados artículos en los que se encarga a los respectivos gobiernos el fomento de la lengua propia en la producción teatral, cinematográfica y editorial. Se insiste, con mayor detalle, en la presencia de la lengua en las emisoras de radio y de televisión gestionadas por el Gobierno autónomo (M. Etxebarria, 1995, pág. 235).

Asimismo, en lo referido a la propia «norma lingüística» de cada lengua: en el caso del País Vasco es la Real Academia de la Lengua Vasca (*Euskaltzaindia*) la institución consultiva oficial en lo referente al euskera; la Ley de Normalización Lingüística de Navarra, a pesar de que denomina a la lengua propia vascuence, y no vasco o euskera, en su artículo 3.3, reconoce a la Real Academia de la Lengua Vasca (*Euskaltzaindia*) como institución consultiva oficial a los efectos de elaboración de las normas lingüísticas. La ley catalana no hace referencia al tema de la norma lingüística, ni a la autoridad que la define, aunque parece dar por supuesto que esta función corresponde al Institut d'Estudis Catalans. La Ley de Normalización de las Islas Baleares se refiere a la Universidad balear como institución oficial consultiva. La Ley de la Comunidad Valenciana no hace referencia al tema de la norma lingüística, y en la de Galicia tampoco aparece ninguna referencia a la norma, ni al organismo responsable de ella, pero poco antes de aprobarse la ley el Gobierno autónomo había publicado una disposición sobre la normativización de la lengua gallega (Decreto 173/1982, de 17 de noviembre), donde la Real Academia de la Lengua Gallega y el Instituto da Lingua Galega quedan como organismos competentes para la unificación morfológica y ortográfica de la lengua gallega (ibídem, pág. 236).

Por último, todas las leyes de normalización incluyen artículos referidos a la planificación y política lingüística y a sus instrumentos.

Los textos legales que inciden sobre la situación lingüística en las Comunidades Autónomas con lengua propia no se limitan a las leyes de normalización; cada Comunidad ha producido disposiciones de distinto rango, como decretos, órdenes, reglamentaciones, etc. Igualmente, el Gobierno central ha promulgado disposiciones sobre el tema, en las esferas de su competencia. Más adelante, en los apartados referidos a la situación lingüística de cada una de las Comunidades Autónomas con lengua propia, analizaremos, más detalladamente, algunos de estos textos legales.

COMUNIDADES AUTÓNOMAS QUE CONTEMPLAN LEGALMENTE LA PROTECCIÓN DE LAS LENGUAS

El Estatuto de Autonomía de Asturias, aunque no reivindica para el bable el carácter de lengua propia de Asturias y oficial con el castellano, tampoco desconoce su existencia. En el artículo 4 se indica:

El bable gozará de protección. Se promoverá su uso, su difusión en los medios de comunicación y su enseñanza, respetando, en todo caso, las variantes locales y voluntariedad de su aprendizaje.

En el artículo 10, donde se detallan las competencias del Principado de Asturias, en su párrafo *n)* se dice literalmente:

Fomento y protección del bable en sus diversas variedades que como modalidades lingüísticas se utilizan en el Principado de Asturias.

A partir de estas afirmaciones del Estatuto, el Gobierno de Asturias, impulsado por los defensores del bable y estimulado por las actuaciones de otras «Comunidades Autónomas a favor de sus lenguas respectivas, ha establecido en su Consejería de Cultura una Oficina de Política Lingüística cuya finalidad es promover y difundir el conocimiento del bable. La oficina, además de efectuar o patrocinar encuestas, ha preparado programas de enseñanza de la lengua para las escuelas y ha contratado maestros dispuestos a hacerse cargo de esta enseñanza. Pero quizá la realización más ambiciosa haya sido la creación de la Academia de la Llingua Asturiana, que tiene entre sus objetivos el llegar a formular una norma lingüística común» (M. Siguán, 1992, y X. L. García Arias, 1981 y 1983).

Asimismo, en el Estatuto de Autonomía de Cataluña, en su artículo 3, se recoge:

El habla aranesa será objeto de enseñanza y de especial respeto y protección.

La Ley de Normalización Lingüística de Cataluña, aprobada por el Parlamento catalán en abril de 1983, y la Ley de Política Lingüística de 1998, tuvo en cuenta la peculiaridad lingüística del Valle, y en el texto de la ley su capítulo quinto se refiere a la «normalización» del aranés. Sus preceptos más destacables son:

Artículo 28.—1. El aranés es la lengua propia del Valle de Arán. Los araneses tienen el derecho de conocerlo y de expresarse en las relaciones y los actos públicos dentro de este territorio.

2. La Generalitat, junto con las instituciones aranesas, debe tomar las medidas necesarias para garantizar el conocimiento y el uso normal del aranés en el Valle de Arán y para impulsar su normalización.

3. Los topónimos del Valle de Arán tienen como forma oficial la aranesa.

4. El Consell Executiu debe proporcionar medios que garanticen la enseñanza y el uso del aranés en los centros escolares del Valle de Arán.

5.   El Consell Executiu debe tomar las medidas necesarias para que el aranés sea utilizado en los medios de comunicación social en el Valle de Arán.

6.   Cualquier reglamentación sobre uso lingüístico consiguiente a esta ley debe tener en cuenta el uso del aranés en el Valle de Arán.

Cataluña ha aprobado una Ley del Valle de Arán (1994) que restablece una institución tradicional del Valle, el *Consell Generau* (Consejo General), al que se atribuyen ciertas competencias de gobierno y, entre ellas, la de promover el uso del aranés en la Administración del Valle y en la enseñanza.

Por último, el Estatuto de Autonomía de Aragón, en su artículo 7, nos dice:

Las diversas modalidades lingüísticas de Aragón gozarán de protección, como elementos integrantes de su patrimonio cultural e histórico.

No conocemos que haya habido ningún esfuerzo por definir oficialmente estas diversas modalidades lingüísticas, pero hay que entender que «básicamente son dos: el antiguo aragonés conservado en los valles pirenaicos y el catalán hablado en territorios limítrofes con Cataluña, la llamada "franja oriental" o de "ponent" según el lugar desde donde se contempla» (M. Siguán, 1992).

Añadiremos un apartado dedicado a la diversidad lingüística, una vez expuesta la situación de las Comunidades Autónomas con lengua propia, en el que trataremos de describir algunos datos referidos al bable, el aranés y las lenguas de Aragón.

En la *Llei de Política Linguística de Catalunya* de 1998 se especifica mucho más el capítulo de la normativa, referida al aranés, que explicaremos más adelante.

4

LA LENGUA CATALANA

EL CATALÁN: LENGUA DE ONCE MILLONES DE HABLANTES

La lengua catalana es un patrimonio cultural y un elemento de identidad de Cataluña, Islas Baleares, Comunidad de Valencia, El Alguer (Cerdeña), Andorra, Franja de Poniente (Aragón) y Cataluña Norte (Francia).

ORIGEN, TERRITORIO Y POBLACIÓN

La lengua catalana, del grupo de las neolatinas, se formó entre los siglos VII y X a caballo de los Pirineos, en los territorios del imperio carolingio que formaban los condados de la Marca Hispánica. En los siglos XII y XIII se expandió hacia el sur y hacia el este con las conquistas territoriales de la corona catalanoaragonesa, y la frontera lingüística quedó establecida al final del reinado de Jaime I.

Tabla 14

Distribución del territorio y la población de lengua catalana (1996)

Territorio	Estado	Superficie (km²)	Población
Andorra.....................................	Andorra	48	64.311
Cataluña.................................	España	31.895	6.090.040
Islas Baleares...........................	España	5.014	760.379
Comunidad Valenciana..........	España	23.291	4.009.329
Franja de Poniente (Aragón)...	España	3.672	50.000
Cataluña Norte (Francia)........	Francia	4.162	369.479
El Alguer (Cerdeña)	Italia	224	38.316
TOTAL......................................		68.730	11.381.851

Fuente: «Territorios españoles, estadística de población de 1996. Andorra y estadística del Gobierno de 1994. El Alguer y Cataluña Norte», *Enciclopedia Catalana* para 1994.

El dominio lingüístico de la lengua catalana se extiende sobre 68.000 km², en los cuales viven 11.380.000 personas. Actualmente está dividido en siete territorios distribuidos en cuatro Estados: Andorra, España, donde está situada la mayor parte de la población y superficie, Francia e Italia.

Como en la mayoría de las lenguas, en catalán se pueden distinguir variedades geográficas: noroccidental, valenciano, central, septentrional o rosellonés y balear, además del alguerés. Es frecuente que en las Baleares la denominación popular del catalán que se habla en este territorio haga referencia a cada una de las islas (mallorquín, menorquín, ibicenco y formenterano); en la Comunidad Valenciana la denominación popular ha sido recogida en el Estatuto de Autonomía como valenciano.

EL CONOCIMIENTO DE LA LENGUA CATALANA

El conocimiento de la lengua catalana en los territorios que la tienen como lengua propia es desigual debido a la diversidad de realidades históricas y políticas. Las renovaciones de censos y padrones de 1986, 1991 y 1996 han sido aprovechadas para la obtención de información sobre el grado de conocimiento lingüístico. De estas se deduce que, en conjunto, el número de personas capaces de hablarla es de unos 7.300.000, y el de las que pueden entenderla, de más de 9.800.000. Además, fuera de los territorios de habla catalana hay, distribuidas por todo el mundo en comunidades catalanas o baleáricas, más de 200.000 personas que conservan el catalán como lengua familiar.

La tabla 15 presenta los datos de forma más detallada. Con el fin de poder leerlos adecuadamente, es necesario tener en cuenta que los porcentajes que figuran no se corresponden directamente con los totales de población: en Cataluña se efectúan sobre personas de más de dos años; en la Comunidad Valenciana, de más de tres años, y en las Islas Baleares, de más de cinco años.

Además, mientras que los de Cataluña derivan de la *Encuesta Oficial de Población de 1996,* los de la Comunidad Valenciana y los de las Islas Baleares se han obtenido aplicando los porcentajes de competencia del año 1991 a los efectivos de población de 1996.

LENGUA DEL PUEBLO, LA CULTURA Y LA ADMINISTRACIÓN

Los primeros textos escritos en catalán conocidos, actualmente, son fragmentos de la versión catalana del *Forum Iudicum* y el sermonario *Les Homilies d'Organya,* los dos del siglo XII. El catalán tuvo una considerable expansión como lengua de creación y de gobierno (Concellería Real) entre los siglos XIII y XVI, tiempo en que la corona castellano-aragonesa extendió sus dominios por el Mediterráneo a Sicilia, Cerdeña, Nápoles e incluso a Atenas. Entre las obras literarias de relieve universal de este período se pueden citar

Tabla 15

El conocimiento del catalán por territorios (1996)

Territorio	Población	Lo hablan	Lo entienden
Andorra...............................	64.311	49.519 (77,0%)	62.381 (97,0%)
Cataluña.............................	60.900.040	4.506.512 (75,3%)	5.683.237 (95,0%)
Islas Baleares.......................	760.379	473.322 (66,7%)	629.641 (88,8%)
Comunidad Valenciana.......	4.009.329	1.969.703 (50,6%)	3.199.085 (82,1%)
Franja de Poniente (Aragón)	50.000	45.000 (90,0%)	47.250 (94,5%)
Cataluña Norte (Francia)....	369.476	125.622 (34,0%)	203.211 (55,0%)
El Alguer (Cerdeña)............	38.316	17.625 (46,0%)	20.000 (52,2%)
TOTAL.................................	11.381.851	7.187.303 (63,1%)	9.844.805 (86,5%)

Fuente: Para Cataluña, IDESCAT. Para las Islas Baleares y la Comunidad Valenciana, *Censo Lingüístico de 1991 y Población (1996).* Para Andorra, *Encuesta del Gobierno, 1994.* Para Aragón y El Alguer, estimaciones. Para Cataluña Norte, *Encuesta Media-Pluriel (1997),* elaboración propia. (Véase *El catalán, lengua de Europa,* Generalidad de Cataluña, pág. 10.)

las de Ramon Llul, contemporáneo de Dante; las cuatro *Cròniques;* las obras de Francesc Eiximenis, Anselm Turmueda, Bernat Metge, Ausias March, o el *Tirant lo Blanc,* considerada como la primera novela moderna de la literatura occidental.

También están en catalán los grandes textos legislativos de esa época, como son *Furs de Valencia, Costums de Tortosa, Usatges,* o *Llibre del Consolat de Mar,* recopilación de leyes de comercio marítimo que se aplicaron en todo el Mediterráneo hasta el siglo XVIII. La relación con Italia conllevó que una de las primeras traducciones conocidas de la *Divina Comedia* fuese la catalana de Andreu Febrer y que también se tradujeran al catalán grandes obras de la literatura del momento, como es el caso del *Decamerón.* (Véase Generalidad de Cataluña y Gobierno de las Islas Baleares, *El catalán, lengua de Europa,* 2001, pág. 9.)

El período de la decadencia literaria

A pesar de que la lengua catalana tuvo un acceso precoz a la imprenta —como lo demuestra el hecho de que en 1474 aparece el primer libro impreso en catalán, *Les Trobes en llaors de la Verge María*—, en los siglos del Renacimiento y el Barroco vivió una etapa de decadencia en cuanto a la literatura culta. No obstante, se mantuvo como lengua de la Administración y como única lengua popular. De este período se puede destacar la obra de Josep Vicenç García y Francesc Fontanella, en Cataluña; Joan Ramis, en Menorca, y Lluís Galiana, en Valencia.

Después de la «Guerra de los Segadores» (1640-1659), las tierras del norte de Cataluña fueron cedidas a la corona francesa e inmediatamente el catalán fue prohibido en la educación y en los usos oficiales. En la Guerra de Sucesión a la corona de España (1704-1714) los territorios de la antigua corona de Aragón tomaron partido a favor del archiduque Carlos y lucharon al lado de las potencias aliadas. Por eso, después de la derrota de Almansa (1707) y la toma de Barcelona (1714) y de Mallorca (1715), los territorios de habla catalana perdieron las instituciones propias y el catalán fue excluido de la legislación y de la Administración de justicia y municipal, de la enseñanza y de la documentación notarial y de comercio (Generalidad de Cataluña y Gobierno de las Islas Baleares, ob. cit., pág. 11).

La Renaixença y la recuperación de la lengua

Coincidiendo con los movimientos del Romanticismo y del Nacionalismo en toda Europa, la lengua catalana vivió una rica Renaixença literaria, cuyo inicio se suele situar simbólicamente con la publicación de la oda *La Pàtria* (1833), de Bonaventura Carles Aribau, y que tuvo continuidad con la producción poética, teatral y narrativa de muchos autores de Cataluña, las Islas Baleares y el País Valenciano.

En la segunda mitad del siglo XIX, este movimiento dio obras de nivel universal y de un gran éxito popular, como son las de Jacint Verdaguer, autor de los poemas épicos *L'Atlàntida* y *Canigó;* Ángel Guimerà, que otorgó nivel literario al teatro nacional con obras como *Terra Baixa;* Narcís Oller, autor de novelas de una gran modernidad, como es el caso de *La febre d'or.* Santiago Rusiñol, Joan Maragall, Ignasi Iglesias, Víctor Català, Miquel Costa i Llobrera, Joan Alcover, Joan Salvat-Papasseit, que incorporó el uso de los caligramas, Josep Sebastià Pons y Bartomeu Rosselló Pòrcel son algunos de los autores más populares del primer tercio del siglo XX.

Paralelamente, se iniciaron estudios sobre la lengua y se elaboraron diccionarios (como los de Pere Labèrnia, Pere Antoni Figuera, Josep Escrig o Marià Aguiló), tratados de barbarismos y ortografías (como los de los mallorquines Antoni Cervera y Joan Josep Amengual o el barcelonés Josep Balari), que son el precedente inmediato de la normativización moderna iniciada a comienzos del siglo XX.

Coetáneamente, el catalán se introduce en la prensa diaria y periódica de todo el territorio, tanto de difusión nacional como local y comarcal, con periódicos como *La Renaixença, El Poble Català, La Veu de Catalunya* y, más tarde, *La Publicitat* y *El Matí,* y revistas como *La Ignorancia, El Mole, L'Avenç* y otras.

La institucionalización del catalán

A comienzos del siglo XX, en Cataluña, el «catalanismo político» reivindicó la enseñanza de la lengua catalana y su uso en la Administración. Desde las instituciones del poder local que controló y, muy especialmente, desde la Mancomunidad de Cataluña, Enric Prat de la Riba dio un gran apoyo institucional al catalán, con la creación del *Institut d'Estudis Catalans* (1907) y de su Sección Filológica, cuyo primer presidente fue el mallorquín Mn. Andoni M. Alcover, el impulsor del *Primer Congreso Internacional de la Lengua Catalana* (1906) y del *Diccionario Català-Valencià-Balear* (1926-1962), principal obra de la lexicografía catalana.

El apoyo de Prat de la Riba y del *Institut* permitieron la institucionalización de la tarea realizada por Pompeu Fabra entre 1913 y 1930 *(Normas ortográficas, Gramática, Diccionario)* con la que el catalán se dotó de una normativa unificada y moderna.

La Constitución republicana de 1931 y el Estatuto de Autonomía de 1932 permitieron a Cataluña recuperar la Generalidad, que el catalán fuese declarado lengua oficial y la realización de una activa política de apoyo a su enseñanza. Las Islas Baleares y las tierras valencianas, por el contrario, no llegaron a ver aprobados sus Estatutos de Autonomía (Generalidad de Cataluña y Gobierno de las Islas Baleares, ob. cit., pág. 13).

La dictadura franquista y la persecución de la lengua

Entre los años 1939 y 1975, durante la dictadura subsiguiente a la Guerra Civil, la persecución del catalán fue intensa y sistemática, sobre todo hasta 1962. Se prohibió la edición de libros, periódicos o revistas, la transmisión de telegramas y las conversaciones telefónicas en catalán. La exhibición de películas era forzosamente en castellano y el teatro se podía representar tan solo en esta lengua. Las emisiones de radio y de televisión únicamente podían ser en castellano. La documentación administrativa, notarial, judicial o mercantil era exclusivamente en castellano y la que se realizaba en catalán se consideraba nula de pleno derecho. La señalización viaria y la comercial, la publicidad y, en general, toda la imagen exterior del país era en castellano. Una fuerte inmigración procedente del resto de España, en unos momentos en que ningún territorio de lengua catalana podía ofrecer estructuras urbanísticas y educativas adecuadas, hizo más difícil aún la situación del catalán.

A pesar de todo, la lengua catalana se mantuvo como lengua de transmisión familiar tanto en Cataluña y las Islas Baleares como en el resto de territorios de habla catalana. En este tiempo muchos escritores formados en la época anterior, algunos de ellos desde el exilio, como Josep Carner, Carles Riba, Josep María de Sagarra, Josep Vicenç Foix, Josep Pla, Salvador Espriu, Mercè Rodoreda, Pere Calders, Joan Fuster, Vicent Andrés Estellés o Llorenç Villalonga, escribieron obras de gran relieve (ibídem, pág. 14).

Hacia la normalidad

Una vez recuperadas las libertades democráticas, la Constitución de 1978 reconoce la pluralidad lingüística y establece que las lenguas españolas distintas del castellano pueden ser oficiales de acuerdo con los Estatutos de Autonomía. Los Estatutos de Cataluña (1979) y de las Islas Baleares (1983) reconocen el catalán como lengua propia de estos territorios y la declaran lengua oficial junto con el castellano, y también lo ha hecho, con la denominación legal de valenciano, el de la Comunidad Valenciana (1982). Paralelamente, la Constitución de Andorra (1993) establece que el catalán es la lengua oficial del Estado.

Al amparo de los Estatutos, los Parlamentos autónomos de Cataluña, las Islas Baleares y la Comunidad Valenciana aprobaron, entre 1983 y 1986, leyes de apoyo a la lengua, que la introdujeron en la escuela, la Administración y los medios de comunicación institucionales. En 1998, el Parlamento de Cataluña aprobó una nueva ley con el objetivo de promover el uso del catalán en el mundo económico, las industrias culturales y los medios de comunicación privados.

En estos años se han creado medios de comunicación entre los cuales cabe destacar, por su elevado grado de aceptación popular, TV3 y Catalunya Ràdio, en Cataluña, o el Canal 9 en Valencia y, últimamente, un gran número de radios y televisiones locales en los tres territorios.

En este período el catalán ha ido recuperando presencia en la prensa, de forma que actualmente hay diez diarios en lengua catalana: *Avui, El Punt, Regió 7, Diari de Girona* y *El Nou 9,* en Cataluña; *Diari de Balears,* en Mallorca, y *Diari d'Andorra,* en el Principado de Andorra, y las versiones catalanas de los rotativos *El Periódico* y *Segre.* También están en catalán treinta semanarios, un centenar de revistas y más de doscientas publicaciones de ámbito local.

La edición en lengua catalana ha llegado a cotas muy altas por lo que respecta al número de títulos editados, que cada año se ha ido incrementando de forma constante. En el año 1999, por ejemplo, se editaron 7.492 títulos en lengua catalana, con un total de más de veinte millones de ejemplares. A finales de este mismo año, el total de títulos disponibles en lengua catalana, según los registros del ISBN, superaba los 75.000. En el año 1994, según un informe de la Unesco, la lengua catalana era la décima más traducida del mundo, por lenguas de partida.

El catalán: un caso específico en la UE

El catalán tiene algunas características de las llamadas lenguas minoritarias, como son la práctica inexistencia de personas monolingües y, por lo tanto, población «bilingualizada»; la pertenencia de los territorios de su dominio lingüístico a Estados más extensos, donde la lengua de la mayoría es otra, o la falta de presencia en algunos sectores de la vida social.

No obstante, el catalán no puede ser considerada, totalmente, una lengua minoritaria, ya que se diferencia de estas lenguas por varios motivos que la sitúan entre las lenguas europeas de demografía media.

- *Por su estatuto jurídico:* Es oficial en un Estado soberano (Andorra) y, junto con el castellano, en tres Comunidades Autónomas españolas, lo que comporta una presencia significativa en la Administración pública y su enseñanza es obligatoria en el sistema educativo.
- *Por su demografía:* El catalán es la séptima lengua de la Unión Europea. El número de personas que lo hablan es superior al de las que hablan finés o danés y equiparable al de las que hablan sueco, griego o portugués en Europa. Por otra parte, según el estudio *Euromosaic,* encargado por la Unión Europea en 1991, los hablantes de lengua catalana —en esa fecha— son más de la tercera parte de las personas que hablan lenguas consideradas minoritarias (33,5 por 100). Son seguidos, a distancia, por los hablantes de gallego (13 por 100) y occitano (11 por 100).
- *Por su situación sociolingüística:* No ha sido abandonado por sus hablantes y se transmite de forma intergeneracional con normalidad. Lo entiende el 95 por 100 de los ciudadanos de Andorra, Cataluña y las Islas Baleares y más del 80 por 100 de los del País Valenciano. Además, los que fijan su residencia en estos territorios tradicionalmente tienden a aprenderlo y utilizarlo en las relaciones públicas e incluso familiares. Queda muy lejos de cifras de reconocimiento inferiores a la cuarta parte de la población que se dan, por ejemplo, en todo el dominio occitano o en Bretaña.
- *Por su tradición y vitalidad literarias:* Cuenta con textos escritos, ininterrumpidamente, desde el siglo XII y cuenta con más de 1.200 autores literarios vivos (*Institució de les Lletres Catalanes,* <www.cultura.gencat.es/ilc>, en la actualidad).
- *Por su equiparamiento lingüístico:* Es un idioma plenamente codificado, normativizado y estandarizado con un total consenso académico y ciudadano, tiene una autoridad lingüística reconocida (el *Institut d'Estudis Catalans,* <www.iec.es>) y sus recursos lingüísticos y estudios sobre gramática, lexicografía, etimología, dialectología, terminología, historia de la lengua u onomástica son comparables con los de las grandes lenguas latinas. Cuenta con un diccionario normativo (el del *Institut d'Estudis Catalans)* y con un gran número de diccionarios de definiciones, así como diccionarios de equivalencias con las lenguas de más difusión del mundo, como el inglés, el castellano, el francés, el alemán, el ruso o el chino. Además, el catalán tiene una notable capacidad de elaboración y difusión de neologismos de todo tipo y un sistema organizado para su normalización por medio del Termcat (<www.termcat.es>).

EL CATALÁN Y LAS ONCE LENGUAS OFICIALES DE LA UE

En la Unión Europea son oficiales las lenguas que decide el Consejo por unanimidad, y, por lo que respecta a los Estados miembros en los que existen varias lenguas oficiales, el uso de la lengua se tiene que determinar a solicitud del Estado interesado, en función de las reglas generales de la legislación de este Estado.

Actualmente, en la Europa de los Quince existen once lenguas oficiales: *alemán* (Alemania, Austria y Bélgica), *inglés* (Reino Unido e Irlanda), *español, danés, finés* y *francés* (Francia y Bélgica), *holandés* (Países Bajos y Bélgica), *griego, italiano, portugués* y *sueco* (Suecia y Finlandia).

Las lenguas oficiales lo son de trabajo. Al ser lenguas oficiales, se publican en ellas los tratados y todas las normas comunitarias. Al ser lenguas de trabajo, se publican en ellas todos los documentos internos y de trámite, y las sesiones de órganos colegiados gozan de traducción simultánea en aquellas.

Los Estados de la Unión cuentan con más de una lengua oficial en todo su territorio: Irlanda (inglés e irlandés), Luxemburgo (luxemburgués, francés y alemán) y Finlandia (finés y sueco). España, que cuenta con cuatro lenguas oficiales, solo solicitó para el castellano el *estatuto de lengua oficial de la Unión.*

En relación con las once lenguas oficiales de la UE, los territorios de la Unión donde el catalán es oficial (Cataluña, Islas Baleares y Comunidad Valenciana) tienen más población que los territorios en los que son oficiales cinco de las lenguas mencionadas, anteriormente (Generalidad de Cataluña y Gobierno de las Islas Baleares, ob. cit., pág. 18).

Tabla 16

El catalán y las once lenguas oficiales de la Unión Europea

Lengua	Habitantes
Alemán	90,2
Francés	62,7
Inglés	62,2
Italiano	57,4
Español	39,8
Neerlandés	21,2
Catalán	**10,8**
Griego	10,6
Portugués	9,8
Sueco	9,3
Danés	5,2
Finés	5,1

Fuente: IDESCAT, INE, *Panorama de la UE,* 2000.

CATALUÑA/CATALUNYA

CARACTERIZACIÓN GENERAL: DATOS MORFOLÓGICOS, DEMOGRÁFICOS Y ESTRUCTURA POLÍTICA

Cataluña ocupa un territorio situado en el extremo oriental de la Península. Tiene una extensión de 31.930 km² y, según el *Padrón de 1996,* una población de 6.147.610 habitantes.

Administrativamente, Cataluña se divide en cuatro provincias: Barcelona, Girona (Gerona), Tarragona y Lleida (Lérida). La ciudad de Barcelona es, al mismo tiempo, la capital administrativa del conjunto de Cataluña.

Políticamente, Cataluña forma parte del Estado español, pero su Estatuto de Autonomía le concede un margen de autogobierno relativamente amplio. De acuerdo con este Estatuto, Cataluña dispone de un órgano legislativo —Parlamento— y de un Gobierno propio —Generalitat de Catalunya—, del que depende la Administración de las transferencias y servicios asumidos en virtud del propio Estatuto.

LA LENGUA CATALANA: NORMA LINGÜÍSTICA Y VARIEDADES

En el siglo XIX se produce la renovación de la lengua en el uso literario atendiendo a los modelos ofrecidos por los clásicos medievales. Al mismo tiempo se observa una gran preocupación por la lengua y su conservación, frente a la fragmentación dialectal que había venido sufriendo, que cristaliza en la elaboración de grandes diccionarios como el de Alcover. Pero la gran distancia entre los clásicos y el uso moderno, la gran variedad de formas dialectales, las disparidades en la escritura, al no existir una norma ortográfica única, etc., conduce a plantear la necesidad de elaboración de una norma lingüística unificada. Así, a comienzos del siglo XX, se configuran determinadas instituciones que promueven el uso formal del catalán en distintos ámbitos: enseñanza, administración, etc. Todo esto provoca, junto con el ejemplo proporcionado por algunas lenguas vecinas, como el español y el francés, que disponían de instituciones creadas para este fin, que en 1907 Prat de la Riba, político nacionalista, «presidente de la Diputación de Barcelona y más tarde de la Mancomunidad de Diputaciones de Cataluña, fundara el Institut d'Estudis Catalans que en 1911 establecía una sección de Filología con el cometido prioritario de formular la normativa lingüística del catalán en sus diversos aspectos léxicos y sintácticos» (M. Siguán, 1992, y M. Segarra, 1986).

La tarea básica de normalización fue llevada a cabo por Pompeu Fabra con notable acierto. En 1913 se publican las *Normes Ortogràfiques,* que resultaron ser los aspectos más conflictivos del proceso, y en 1917 se publica la *Gramática Catalana* y un *Diccionari Ortografic* (1917), anticipo del *Diccionari*

General de la Llengua Catalana, que aparece en 1932. En su obra, Pompeu Fabra consigue conjugar las diversas variedades dialectales con el respeto a las normas antiguas de la esplendorosa literatura catalana medieval; asimismo, consigue dotar a la lengua de modernidad, de tal modo que el catalán estuviese en condiciones de cubrir cualquiera de las funciones que debe cumplir una lengua en nuestro tiempo (M. Segarra, 1986). Puede decirse que aunque en un primer momento pudieron plantearse algunas discusiones, en torno a la aceptación de la norma, básicamente, fueron superadas, y es evidente que la codificación temprana y su aceptación generalizada ha dado al catalán cierta «ventaja» respecto a otras lenguas minoritarias en España y, tal como se ha señalado, le ha permitido resistir los largos años de prohibición durante el período franquista prácticamente sin deteriorarse (ibídem).

Actualmente, «la responsabilidad de la normativa lingüística sigue correspondiendo al Institut d'Estudis Catalans, que cumple, para la lengua catalana, un papel similar al que cumplen para otras lenguas sus respectivas Academias. Su autoridad no ha sido nunca discutida y probablemente esta es la razón por la que en la Ley de Normalización Lingüística de Cataluña (1983) no se le atribuye esta autoridad, dándosela por supuesta» (M. Siguán, 1992).

Al igual que otras lenguas, el catalán, a pesar de su unidad interna, presenta distintas variedades dialectales a lo largo de las distintas regiones y zonas por las que se extiende. Básicamente puede decirse que existen dos grandes variedades, o dos grupos de dialectos: el oriental y el occidental.

El catalán oriental incluye el catalán central, el insular (mallorquín, menorquín e ibicenco), el septentrional (Rosellón, Francia) y el alguerés (Alguer, Sicilia, Italia). El catalán central se habla en el área oriental de Cataluña, que corresponde a las provincias de Girona, Barcelona y Tarragona. En todo este territorio pueden distinguirse, a su vez, distintas variedades locales. Quizá el dato principal sea que es en el área del catalán central, donde se incluye Barcelona y su área metropolitana, en la que residen casi la mitad de los habitantes de Cataluña. El habla de Barcelona, aunque, como decimos, pertenece a la variedad central, presenta los caracteres típicos de un habla urbana y ejerce una gran influencia, a través de su capitalidad y en los medios de comunicación; este hecho provoca que determinadas características de esta variedad tienden a preponderar, de manera clara, sobre el resto de las variedades del catalán en el conjunto de Cataluña (J. Veny, 1986).

Los dialectos occidentales están conformados por el catalán noroccidental, hablado en las cuencas de los ríos Segre y Ebro, en las provincias de Lérida y Tarragona, y el catalán meridional, más conocido como valenciano. Aunque hay que indicar que en el sur de Cataluña y el norte de Valencia hay amplias zonas de transición entre los dialectos central y nororiental y valenciano. Fonéticamente, como es sabido, el valenciano difiere de manera notable del catalán central, presenta modalidades propias en la morfología y en la sintaxis y varía bastante, también, en el léxico. A pesar de todo, y sin querer entrar en la polémica, nos parece que la unidad de la lengua resulta indiscutible.

Para Siguán, «el problema surge cuando se entiende que llamar catalán a la lengua común implica reconocer una dependencia respecto a la modalidad de lengua hablada en Cataluña o, peor todavía, una subordinación política respecto a Cataluña. Y es en esta perspectiva de rechazar toda posible subordinación a Cataluña donde hay que entender la reivindicación de la singularidad del valenciano como lengua distinta» (M. Siguán, 1992).

MARCO LEGAL: ESTATUTO DE AUTONOMÍA (1979), LEY DE NORMALIZACIÓN LINGÜÍSTICA (1983) Y LEY DE POLÍTICA LINGÜÍSTICA (1998)

El Estatuto de Autonomía de Cataluña, en los artículos referidos a la lengua, indica explícitamente:

> *Artículo 3.*—1.   La lengua propia de Cataluña es el catalán.
> 2.   El idioma catalán es el oficial de Cataluña, así como también lo es el castellano, oficial en todo el Estado español.
> 3.   La Generalidad garantizará el uso normal y oficial de los dos idiomas, adoptará las medidas necesarias para asegurar su conocimiento y creará las condiciones que permitan alcanzar su plena igualdad en lo que se refiere a los derechos y deberes de los ciudadanos de Cataluña.

Tras el reconocimiento del catalán como lengua oficial, junto con el castellano, en el territorio catalán, se aprueba, por el Parlamento, el 18 de abril de 1983, la Ley de Normalización Lingüística de Cataluña. En el Preámbulo de la ley se indica que «la lengua catalana, elemento fundamental de la formación de Cataluña, ha sido siempre su lengua propia, como instrumento natural de comunicación y como expresión y símbolo de una unidad cultural con profundo arraigamiento histórico. Forjada en su territorio y compartida luego con otras tierras, con las que forma una comunidad lingüística que ha aportado a lo largo de los siglos una valiosa contribución a la cultura, la lengua catalana se halla desde hace años en una situación precaria (1983), caracterizada principalmente por su escasa presencia en los ámbitos de uso oficial, de la enseñanza y de los medios de comunicación social».

Entre las causas y los condicionantes de esta situación se pueden enumerar algunos que son decisivos. En primer lugar, la pérdida de oficialidad del catalán hace dos siglos y medio, a raíz de los decretos de Nueva Planta, los cuales impusieron el castellano como único idioma oficial, medida que se reforzó en pleno siglo XX con las prohibiciones y las persecuciones contra la lengua y la cultura catalanas desatadas a partir de 1939. En segundo lugar, la implantación, a mediados del siglo XIX, de la enseñanza obligatoria comportó que el catalán se viera desterrado de las escuelas de Cataluña, en las que hasta 1978, y excepto algunos cortos períodos, solo se enseñó preceptivamente el castellano y en castellano. En tercer lugar, el establecimiento en Cataluña de un gran número de personas mayoritariamente castellanohablantes se ha producido durante muchos años sin que Cataluña pudiese ofrecerles estructuras socioeconómicas, urbanísticas, escolares y de otro tipo, las cuales les habrían permitido una incorporación y una aprobación plenas a la vida catalana, desde sus propias identidades culturales, que la Generalidad reconoce y respeta. Y, por último, la aparición de los modernos medios de comunicación de masas en lengua castellana, entre los que hay que mencionar por su papel preponderante la televisión, contribuyó a la erradicación casi total del catalán del ámbito público.

Tras esta extensa exposición de motivos y, en alguna forma, también, declaración de intenciones, se fija como objetivo de la ley el restablecimiento del catalán en el lugar que le corresponde como lengua propia de Cataluña, lo que se considera un derecho y un deber irrenunciables del pueblo catalán. De ahí que esta ley se propone superar la, en ese momento, desigualdad lingüística impulsando la normalización del uso de la lengua catalana en todo el territorio de Cataluña. En este sentido la ley garantiza el uso oficial de ambas lenguas para asegurar a todos los ciudadanos la participación en la vida pública; asimismo, señala como objetivo de la enseñanza el conocimiento de ambas lenguas, el equilibrio entre ellas, en los medios de comunicación social; erradica cualquier discriminación por motivos lingüísticos y especifica las vías de impulso institucional en la normalización lingüística de Cataluña.

En diciembre de 1997 se aprueba en el Parlamento catalán la Ley de Política Lingüística (*BOE* de 7 de enero de 1998), y en ella se desarrolla el artículo 3 del Estatuto de Autonomía, antes examinado, en su totalidad, no solo para establecer las medidas necesarias para garantizar el uso oficial y normalizado de las dos lenguas oficiales, asegurando su conocimiento a todos los ciudadanos, sino también para establecer las líneas básicas del modelo lingüístico que configura el Estatuto. En este sentido, la ley constituye una auténtica «legislación lingüística general». Por una parte, formula los conceptos jurídicos de *lengua propia* y de *lengua oficial*. La noción de *lengua propia* aplicada al catalán es configurada como un concepto colectivo con consecuencias básicamente institucionales y territoriales que compromete a los poderes públicos y a las instituciones de Cataluña a protegerla —a la lengua propia—, a usarla de manera general y a promover su uso público en todos los niveles. El concepto de *lengua oficial* aplicado a la lengua castellana y a la catalana es configurado como un concepto básicamente personal que garantice a los ciudadanos y ciudadanas sus derechos subjetivos, que son proclamados explicativamente, a aprender las dos lenguas y a poder usarlas con libertad en todas sus actividades públicas y privadas con plena validez y eficacia jurídicas. (Véase J. Jou i Mirabent, 1998, págs. XIII y XIV.)

Por otro lado, la Ley 1/1998, de 7 de enero, en coherencia con los dos principios antes expuestos, establece el uso del catalán de manera general en las Administraciones propias, en la enseñanza y en los medios de comunicación institucionales, le asegura una presencia adecuada en las industrias culturales y de la lengua, en los medios de comunicación privados, en el mundo socioeconómico y garantizando el uso de todos los ámbitos oficiales. (J. Jou i Mirabent, 1998, págs. XIII y XIV.)

La Ley de 1998, por su propio carácter de Legislación General Catalana, se atiene a los principios generales de la legislación lingüística de Cataluña y presupone la vigencia previa o posterior a otras disposiciones lingüísticas de tipo especial o sectorial. Por último, hay que señalar que la ley se compone de un preámbulo, un capítulo preliminar; cap. I, sobre «El uso institucional»; cap. II, «La onomástica»; cap. III, «La enseñanza»; cap. IV, «Los medios de comunicación y las industrias culturales»; cap. V, «La actividad socioeconómica»; cap. VI, «El impulso institucional», y Disposiciones adicionales, transitorias y finales. (Véase *Legislació Lingüística*, 6, Departament de Cultura, Generalitat de Catalunya, Barcelona, 1998.)

En el preámbulo de la ley se explicita el «Significado i situació de la llengua catalana», en el siguiente sentido: «La lengua catalana es un elemento fundamental de la formación y la personalidad nacional de Cataluña, un instrumento básico de comunicación, de integración y de cohesión social de los ciudadanos y ciudadanas, con independencia de su origen geográfico, y el vínculo privilegiado de Cataluña con las otras tierras de habla catalana, con las que forma una comunidad lingüística que ha aportado a lo largo de los siglos [...] una valiosa contribución a la cultura universal. Además, ha sido el testimonio de fidelidad del pueblo catalán hacia su tierra y su cultura específica» (véase *Llei 1/1998, de 7 de gener, de Política Lingüística,* 1998, pág. 3) [1].

Asimismo, nos dice que la lengua catalana forjada originariamente en el territorio de Cataluña, compartida con otras tierras en las que sus variedades son también «legales» en sus territorios, se ha visto afectada negativamente por acontecimientos diversos en la historia de Cataluña que la han llevado —a la lengua— a una situación precaria. «Esta situación ha sido debida a diversos factores, como son la persecución política que ha padecido y la imposición del castellano durante más de dos siglos y medio; las condiciones políticas y socioeconómicas en las que se produjeron los cambios demográficos de las pasadas décadas [...]. Como resultado de todas estas circunstancias, la situación sociolingüística es muy compleja. La realidad de una lengua propia que no ha alcanzado la plena normalización y que tiene un número de hablantes relativamente pequeño en el contexto internacional convive con el hecho de que muchos ciudadanos y ciudadanas catalanes tienen la lengua castellana como lengua materna, en la cual se expresan perfectamente...» (ibídem, págs. 3-4).

El marco legal anterior, es decir, la Ley de Normalización Lingüística (1983) *(Llei 7/1983, de 18 de abril),* que ha tenido catorce años de vigencia, antes de la aprobación de la actual *(Llei de Política Lingüística de 1998),* ha supuesto cambios trascendentes, no solo en el aumento de hablantes bilin-

---

[1] La traducción es nuestra.

gües, sino en la utilización del catalán en el ámbito tecnológico, cultural, comercial y, en general, en el mundo de las comunicaciones del sector audiovisual; por otra parte, en el ámbito político, la total incorporación de España a la Unión Europea, regida por el principio de la aceptación del multilingüismo, junto con otras circunstancias sociolingüísticas (véanse Resolución del Parlamento Europeo de 30 de noviembre de 1987, sobre las lenguas y las culturas de las minorías regionales y étnicas de la Comunidad Europea; Resolución del Parlamento Europeo de 11 de diciembre de 1990, sobre la situación de las lenguas en la Comunidad y la de la lengua catalana, en particular; Resolución de 9 de febrero de 1994, sobre las minorías culturales y lingüísticas de la Comunidad Europea; Carta Europea de las Lenguas Regionales y Minoritarias, adoptada como la convención por el Comité de Ministros del Consejo de Europa el 5 de noviembre de 1992, y la Declaración Universal de los Derechos Lingüísticos, aprobada por la Conferencia Mundial de los Derechos Lingüísticos de 6 de junio de 1996, en Barcelona), hicieron, al fin, aconsejable la modificación y actualización de la ley de 1983 y de renovar el acuerdo político y social anterior para poder consolidar dicho proceso impulsado por una nueva ley que permitiera adaptar la nueva realidad al ámbito de la Administración, de la enseñanza, de los medios de comunicación y de las industrias culturales del momento.

Finalmente, la nueva Ley de Política Lingüística, aprobada en 1998, reconoce, ampara y fomenta la *enseñanza* y el *uso* del *aranés* en el Valle de Arán, con referencia a la Ley 16/1990, de 13 de julio, sobre el régimen especial del Valle de Arán, y, también, con pleno respeto por las competencias de las instituciones propias del Valle de Arán.

En definitiva, esta ley (1998) consta de 39 artículos, ocho Disposiciones adicionales, tres transitorias y tres finales. El articulado se distribuye como hemos señalado más arriba, y regula los principios generales y los aspectos específicos de cada capítulo. (Véase «Legislació lingüística», en *Legislació Básica,* 6, Departament de Cultura, Generalitat de Catalunya, Barcelona, 1998.)

SITUACIÓN SOCIOLINGÜÍSTICA: CONOCIMIENTO Y USO DE LA LENGUA CATALANA

El catalán, que el Estatuto (1979), la Ley de Normalización (1983) y la Ley de Política Lingüística (1998) califican de lengua propia de Cataluña, fue proscrito, tal como se ha señalado, durante el régimen de Franco (1939-1975). Su casi total desaparición de ámbitos de importancia para el desarrollo de la lengua, como la Administración, la enseñanza y los medios de comunicación, provocó que quedase reducida al ámbito doméstico (donde nunca se dejó de usar) y al de algunas manifestaciones clandestinas. Paralelamente a este período histórico, tuvo lugar la llegada de numerosos contingentes de trabajadores inmigrados castellanohablantes (solo en la década de los años cincuenta llegaron unos 450.000 inmigrantes procedentes del sur y centro de la península Ibérica). Este hecho provocó un fuerte retroceso de la población de habla catalana en términos absolutos (se pasó del 75 por 100 en 1940 al 68 por 100 en 1968, y al 60 por 100 en el año 1975). Además, en el mismo período, los catalanes se acostumbraron a utilizar el castellano como la lengua de las relaciones formales con los desconocidos y, cada vez más, también con conocidos, al tiempo que los factores sociopolíticos continuaban siendo desfavorables al uso de la lengua catalana (M. Etxebarria, 1995, pág. 246).

Estos hechos que relatamos son primordiales para entender la situación lingüística actual en Cataluña, donde hay muchos habitantes que tienen el castellano como primera lengua porque aprendieron a hablarla y porque la siguen utilizando como lengua principal. Muchos de estos entienden también el catalán y una parte importante de ellos son capaces de hablarlo e incluso de escribirlo.

«Esta alta proporción de castellanohablantes solo en una muy pequeña proporción puede atribuirse a una diglosia prolongada que ha llevado a ciertos catalanes a abandonar su lengua en favor de otra más prestigiosa, pero en su mayor parte es el resultado de una inmigración voluminosa y prolongada en el tiempo, que tiene causas muy diversas [...]. Pero la inmigración más voluminosa ha estado provocada por la industrialización que ha traído hacia Cataluña, y especialmente a ciertas zonas, mano de obra procedente de otras regiones del sur de España. Estos inmigrantes además se han distribuido muy desigualmente en el conjunto de Cataluña, concentrándose en sus áreas más industrializadas. En resumen, puede decirse que la mitad de los habitantes de Cataluña son inmigrantes o hijos de inmigrantes y que este hecho es la explicación principal de su diversidad lingüística» (M. Siguán, 1992).

Los intentos de evaluar con alguna precisión el nivel de conocimiento del catalán por parte de los habitantes de Cataluña son antiguos, pero las cifras que se manejaban, extraídas de muestras arbitrarias y relativamente representativas, tenían escaso valor. La situación cambió cuando en el *Censo de 1975* se introdujeron unas preguntas de orden lingüístico, aunque limitadas a Barcelona. En el de 1981 se ampliaron a toda Cataluña, y en el *Padrón de 1986* y *Censo de 1991* han vuelto a repetirse, lo mismo que en el *Padrón de 1996* que vamos a mostrar aquí.

La estadística de población, que técnicamente es un censo (realizado cada diez años, en los acabados en 1, frente a los padrones de habitantes, realizados en 1986, y el último en 1996), se puede definir como el conjunto de operaciones de recogida exhaustiva, elaboración, valoración y análisis de los datos de carácter demográfico, cultural, económico y social de todos los habitantes de Cataluña con referencia a un momento o período determinado. En este caso, «la estadística de la población se ha llevado a término, conjunta y simultáneamente, con el *Padrón Municipal* de habitantes, con referencia al 1 de mayo de 1996, y comprende todas las personas que tenían fijada su vecindad en Cataluña en la fecha de referencia» (*Estadística de Població 1996,* vol. 5:

Cens Lingüístic Dades comarcales i municipales, Institut d'Estadística de Catalunya, Barcelona, 1999, pág. 7).

La información que se incluye en este texto de *Estadística de población de 1996,* para poder continuar las series estadísticas municipales y comarcales iniciadas en el año 1981, corresponde a las áreas siguientes:

1) Datos de estructura demográfica: sexo, edad, lugar de nacimiento y nivel de instrucción.
2) Datos socioeconómicos: relación con la actividad, rama de actividad, profesión u ocupación y situación profesional.
3) Flujos de movilidad espacial entre el lugar de residencia y el de trabajo o estudio. Medio de transporte utilizado, localización territorial del lugar de trabajo.
4) Datos de estructura de los hogares y familias.
5) Conocimiento del catalán. Información sobre comprensión, habla, lectura y escritura de la lengua catalana. En el caso del Valle de Arán, idénticos contenidos referidos al aranés.

Conocimiento de la lengua catalana (datos del Padrón de 1996)

El Instituto de Estadística de Cataluña presenta los datos correspondientes a la distribución de la población según su nivel de conocimiento, información fundamental para analizar la evolución de la comprensión, el habla, la lectura y la escritura de la lengua propia de Cataluña en el decurso del último quinquenio, y para poder continuar las series estadísticas iniciadas ya en el año 1981. La disponibilidad de estos datos de la *Estadística de Población de 1996* permite constatar un aumento continuado en el grado de conocimiento del catalán para el conjunto de Cataluña y también en todas las comarcas y ámbitos territoriales (ibídem, pág. 9).

Evolución del conocimiento (competencia y uso) del catalán

El 95 por 100 de la población han declarado entender el catalán, lo que supone que diecinueve de cada veinte personas que viven en Cataluña han afirmado entenderlo. Así la fracción de población que no entiende es del 5 por 100 frente al 6,2 por 100 que se registraba en los censos de 1991. De este modo se observa una reducción en la proporción de personas que en el año 1991 decían no entender el catalán.

Por otra parte, el 75,3 por 100 de la población sabe hablar catalán, con una evolución positiva durante el último quinquenio, que ha registrado un crecimiento de seis puntos en porcentaje, ya que en el año 1991 la proporción correspondiente era del 68,3 por 100. Este hecho supone un incremento del

10,2 por 100 en la proporción de personas con residencia en Cataluña que tienen la capacidad de hablar catalán.

Las habilidades vinculadas con la alfabetización de la población han experimentado un aumento en el decurso del último quinquenio. Así, un 72,4 por 100 de la población sabe leer catalán, frente a un 67,6 por 100 que se registraba en el *Censo de 1991,* con un incremento del 7,1 por 100. Por lo que se refiere a la población que sabe escribir catalán, que era del 39,9 por 100 hace cinco años, sube un 45,8 por 100 en el año 1996, lo que supone un incremento del 14,8 por 100 y que es el crecimiento relativo más destacado entre las diferentes habilidades asociadas al conocimiento del catalán.

En resumen, tres de cada cuatro personas residentes en Cataluña en 1996 (último *Padrón* del que se han publicado los datos) saben hablar catalán, en proporción casi equivalente a la de las personas que también saben leerlo. Por lo que se refiere a la escritura, prácticamente una de cada dos personas vecinas de Cataluña sabe escribir en catalán.

Conocimiento de la lengua por grupos de edad (datos del Padrón de 1996)

El progreso en el conocimiento del catalán es especialmente perceptible si se analiza en relación con la edad. Algunos aspectos que podemos destacar, en este sentido, son los siguientes: en primer lugar, todos los grupos de edad presentan, de un modo sistemático, niveles más altos de conocimiento de catalán en la información última recogida en 1996, frente a sus correspondientes del *Censo de 1991;* por otra parte, también ha de señalarse que todas las generaciones de personas residentes en Cataluña han incrementado su grado de conocimiento del catalán en el período último —en cinco años—; este crecimiento ha sido particularmente intenso en las generaciones de edad escolar y preescolar.

La comprensión del catalán es de más del 98 por 100 en todos los grupos de edad comprendidos entre los 5 y 24 años, proporción que continúa siendo muy alta entre los 25 y 44 años, ya que sobrepasa el 96 por 100. Esta proporción comienza a disminuir de acuerdo con la edad y se sitúa en los niveles más bajos a partir de los 80 años, con valores en torno al 84 por 100 *(Estadística de Població,* cit., pág. 9).

De la misma manera, la proporción de personas que saben hablar catalán es máxima en los grupos de edad de 10 a 24 años (más del 90 por 100, con los «puntajes» más elevados, de hasta el 94 por 100, entre los 10 y los 19 años de edad). Esta proporción baja hasta los valores mínimos, del 60 por 100 en los grupos de 55 a 59 años, que corresponden al segmento de población más afectado por las inmigraciones masivas de la década de los sesenta, y es recuperada, en torno a valores del 65 por 100, en las personas de 70 y más años. Un comportamiento semejante experimentan las habilidades de lectura y escritura más relacionadas con la alfabetización de la población, pero con unas pautas todavía más acentuadas, especialmente en el caso de la escritura. La capacidad de lectura es máxima entre los 10 y los 24 años (81 por 100); la diferencia es particularmente intensa si se compara con los mínimos producidos en el segmento de edad que va de los 55 a los 64 años (20 por 100), con un proceso de recuperación de 70 a 74 años que corresponde al grupo de gente escolarizada durante la Generalidad republicana (*Estadística de Població,* cit., pág. 10).

En resumen, el grado de conocimiento del catalán experimenta una variación muy importante asociada a la edad de la población. Así, el conocimiento es máximo en las generaciones jóvenes que han seguido un proceso de escolarización en catalán. El conocimiento de la lengua decrece, hasta llegar a los niveles mínimos en el grupo de edad de 55 a 64 años, afectado por dos hechos que inciden directamente en este punto: uno que tiene que ver con que constituyen las generaciones que sufrieron la inmigración y, en segundo lugar, realizaron su período escolar en la posguerra.

Pasaremos ahora a examinar toda esta información que revela la *Estadística de Població 1996,* vol. 5: *Cens lingüístic* (1999), publicado en Cataluña por el Institut d'Estadística de Catalunya, y su distribución atendiendo al factor espacial: por una parte, *L'Ambit Metropolità,* que comprende el Alto Penedés, el Bajo Llobregat, el Barcelonés, el Garral, el Mareisma, el Vallès Occidental y el Vallès Oriental; y, por otra, el resto de las comarcas de Gerona, Tarragona, las tierras del Ebro, la Franja de Poniente y las Comarcas Centrales.

Conocimiento del catalán del Plan Territorial (*Ámbito Metropolitano*) y de las comarcas catalanas

El *Ámbito Metropolitano* es el área que ha tenido una evolución más positiva por lo que se refiere al conocimiento del catalán en el período 1991-1996, situación que ha permitido alcanzar los niveles de comprensión, de habla, de lectura y de escritura del catalán a la media de Cataluña. Así, en este ámbito, se ha alcanzado el 94 por 100 de hablantes que entienden la lengua en 1996, frente al 92,5 por 100 del *Censo de 1991;* esta evolución supone que una de cada cinco personas que decía no entender el catalán, en la actualidad ya lo entiende. Se han registrado ritmos de incrementos relativamente positivos en los otros cinco ámbitos territoriales, aunque inferiores a la media catalana, situación lógica, ya que partían, en términos absolutos, de niveles sensiblemente más altos que el *Ámbito Metropolitano:* así, por ejemplo, las llamadas *Terres de l'Ebre* tienen el nivel más alto de comprensión (99 por 100), seguido de *L'Ambit de Ponent* (98,3 por 100). También son las *Terres de l'Ebre* el ámbito con un grado más elevado de capacidad de hablar en catalán (90,6 por 100). La proporción más alta de personas que han indicado que saben leer está localizado en *L'Ambit de Ponent* (82 por 100), que es también el que ha experimentado un crecimiento más importante (4,8 puntos). Finalmente, hay que decir que las *Comarques Centrals* tienen el porcentaje más destacado de población que sabe escribir en catalán (56,8 por 100), pero también es *L'Ambit de Ponent* el que aporta el aumento más importante (8,4 puntos).

Comarcas catalanas: En la evolución del conocimiento del catalán, a lo largo del último quinquenio, se puede destacar que las comarcas con unos niveles más bajos de conocimiento, que son, principalmente, el *Baix Llobregat* y el *Vallès Occidental,* han registrado incrementos de la proporción de población con capacidad de entender, de hablar de leer y de escribir la lengua catalana *(Estadística de Població,* cit., pág. 10).

En este sentido, se ha de señalar que en las comarcas que han experimentado los más importantes niveles de crecimiento migratorio de Cataluña entre 1991 y 1996 y las comarcas con un volumen pequeño de población y con proporciones muy altas de conocimiento del catalán, con niveles de comprensión de más del 98 por 100, con la llegada de colectivos reducidos de población externa, que no entienden el catalán, puede originar algunos desplazamientos mínimos a la baja en relación con la media comarcal de comprensión del catalán. Así, por ejemplo, el *Baix Penedés,* con un crecimiento migratorio del 23,8 por 100, casi se ha mantenido en los niveles de conocimiento del catalán de cinco años atrás. En otras comarcas con una proporción importante de migración extranjera, como es el caso de Osona, han experimentado pequeños retrocesos en la comprensión del catalán.

1) *Población que entiende el catalán:* El 95 por 100 de la población residente en Cataluña entiende el catalán; este hecho supone que una persona de cada veinte que viven en Cataluña ha indicado que no lo entiende. Ha de destacarse que de las 41 comarcas de Cataluña, 36 tienen niveles de comprensión que superan el 95 por 100 y siete comarcas se sitúan en torno al 99 por 100; estas comarcas son la *Conca de Barberá,* las *Garrigues,* el *Pallars Sobria,* el *Priorat,* la *Ribera d'Ebre,* el *Ripollès* y la *Terra Alta.* Por debajo de la media de Cataluña solo hay tres comarcas: el *Baix Llobregat* (91,5 por 100), el *Vallès Occidental* (93,6 por 100) y el *Vallès Oriental* (94,7 por 100); también se ha de señalar el aumento de la comprensión del catalán, en el transcurso de los últimos quince años, en la comarca del *Baix Llobregat,* con un crecimiento de 27 puntos (ibídem, pág. 11).

2) *Población que sabe hablar catalán:* El 75,3 por 100 de la población de Cataluña sabe hablar el catalán. Diecisiete comarcas tienen valores de más del 90 por 100: los máximos niveles se encuentran en la *Terra Alta* (96,4 por 100), el *Pallars Sobria* (95,7 por 100), las *Garrigues* (95,1 por 100) y el *Priorat* (95 por 100). Contrariamente, seis comarcas quedan por debajo de la media catalana: el *Baix Llobregat* (63,2 por 100), el *Vallès Occidental* (69,8 por 100), el *Barcelonès* (72 por 100), el *Tarragonès* (73,7 por 100), el *Garral* (74 por 100) y el *Vallès Oriental* (74,7 por 100); pero también cabe destacar el importante crecimiento que ha tenido la capacidad de hablar en catalán en el *Baix Llobregat* (9,8 puntos entre 1991 y 1996), así como en el *Vallès Occidental,* que ha sido de 8,8 puntos.

3) *Población que sabe leer en catalán:* Los datos del *Censo Lingüístico de 1996* nos indican que el 72,4 por 100 de la población de Cataluña sabe leer la lengua catalana. En 21 de las 41 comarcas catalanas, más de un 80 por 100 de la población puede leer en catalán, con unos grados máximos en las *Garrigues* (90,3 por 100), en la *Conca de Barberà* (89,1 por 100), en el *Priorat* (89 por 100) y en *Urgell* (88,8 por 100). Contrariamente, se han producido en ocho comarcas valores por debajo de la media catalana; los niveles más bajos se localizaron en el *Baix Llobregat* (62,4 por 100), en el *Vallès Occidental* (67,7 por 100), en el *Vall d'Aran* (70,2 por 100) y en el *Barcelonès* (70,4 por 100), a pesar de que los niveles más altos de conocimiento también se produjeron entre 1991 y 1996 en el *Baix Llobregat* (6,3 puntos), en el *Vall d'Aran* (6,3) y en el *Vallès Occidental* (5,9).

4) *Población que sabe escribir en catalán:* En el año 1996 un poco menos de la mitad de los residentes en Cataluña (45,8 por 100) saben escribir la lengua catalana. En 23 comarcas los hablantes que saben escribir son más de la mitad de la población. Los grados más elevados se localizaron en *L'Urgall* (64,8 por 100), la *Conca de Barberà* (63,3 por 100), *Osona* (62,4 por 100), etc. Contrariamente, las proporciones bajas se encuentran en el *Vall d'Aran* (35 por 100) y la *Terra Alta* (37,6 por 100) (*Estadística de Població,* cit., págs. 10, 11 y sigs.).

Hasta aquí los datos referidos al conocimiento/competencia de la lengua: en este apartado, sin embargo, informaremos también sobre *el uso de la lengua,* factor vital e imprescindible para la conservación del patrimonio lingüístico universal. Mostraremos ahora la encuesta sobre *Conocimiento y uso,* llevada a cabo y dirigida por el profesor Siguán, cuyos resultados, publicados en 1999 por el CIS, han sido examinados en la primera parte de este capítulo. Hay que comentar, además, que la importancia del *uso* es tal que determina la vitalidad y el futuro de una lengua. Antes de ello veamos cuál es *la lengua principal o habitual* de los bilingües en el caso catalán.

Lengua principal o habitual

Tal como señala el profesor Siguán, la mayor parte de los bilingües no suelen presentar dificultad a la hora de indicar cuál de ellas es la que consideran su lengua principal o habitual, y el conocimiento de este factor resulta imprescindible para conocer sus comportamientos lingüísticos, sus actitudes y sus opiniones respecto a otras lenguas, etc.; así:

• *Lengua principal de los capaces de hablar en la lengua de la Comunidad*

— «¿Diría usted que es más bien castellanohablante o más bien catalanohablante?» (la pregunta se ha hecho solo a los que eran capaces de hablar la lengua vernácula).

Tabla 17

Castellanohablante............................	28%
Hablante de la lengua vernácula	51%
Bilingüe	21%
NS/NC	—
TOTAL	100%
(N)	793

Fuente: M. SIGUÁN, *Conocimiento y uso de las lenguas,* CIS, Madrid, 1999, pág. 27.

- *Lengua principal y competencias lingüísticas del conjunto de la población*

Tabla 18

Hablante de la lengua vernácula	41%
Bilingüe..	16%
Castellanohablante que habla la lengua de la Comunidad..............	22%
Castellanohablante que entiende la lengua de la Comunidad.........	18%
Castellanohablante que no entiende la lengua de la Comunidad ...	3%
TOTAL	100%
(N)	1.006

Fuente: Ibídem.

- *Lengua principal del conjunto de la población*

Tabla 19

Hablantes de la lengua vernácula......	41%
Bilingües...	16%
Castellanohablante............................	43%
Total	100%
(N)	1.006

Fuente: Ibídem, pág. 29.

De estas tablas y sus resultados puede colegirse que, en primer lugar, los hablantes que no son capaces de expresarse en la lengua de la Comunidad, evidentemente, tienen el castellano como lengua principal; en segundo lugar, los que tienen como lengua principal la lengua de la Comunidad y hablan también la lengua de la Comunidad, los que se consideran plenamente bilingües, los que tienen el castellano como lengua principal y hablan también la lengua propia, los que tienen el castellano como lengua principal y entienden también la lengua de la Comunidad y, por último, los que tienen el castellano como lengua principal y no hablan ni entienden la lengua de la Comunidad. Estos grupos son, en realidad, la tipología de la población en Cataluña. Por último, veremos la relación entre la edad y la lengua principal:

• *Edad y lengua principal*

Tabla 20

Edad	Lengua vernácula (%)	Bilingüe (%)	Castellano-hablante I (%)	Castellano-hablante II (%)	NS/NC	TOTAL (%)
18-34..............	31	24	32	13	—	100
35-54..............	41	15	23	21	—	100
54 (+).............	49	10	11	30	—	100

Castellano I: Castellano como lengua principal y habla también catalán.
Castellano II: Castellano como lengua principal y no habla catalán.

Fuente: M. SIGUÁN, *Conocimiento y uso de las lenguas,* CIS, Madrid, 1999, pág. 31.

«En Cataluña, tal como puede verse, se da una disminución importante de los jóvenes de los que solo saben hablar castellano y un aumento de los que teniendo el castellano como lengua principal hablan también catalán. Aumento, igualmente importante, de los que se consideran plenamente bilingües y disminución de los que tienen el catalán como lengua principal» (M. Siguán, 1999, pág. 32).

En conjunto puede decirse que en Cataluña se observa que en los sujetos más jóvenes disminuye la proporción de los que solo hablan castellano y disminuye también la proporción de los que se consideran hablantes en primer lugar de la lengua vernácula, mientras aumenta tanto la proporción de los que tienen el castellano como lengua principal, pero hablan también la lengua vernácula, como la proporción de los que se consideran plenamente bilingües.

En general puede afirmarse que en la encuesta al alto nivel de conocimiento le corresponde un nivel alto de uso. Cuando se les pregunta sobre el uso, en términos de preferencias, también los valores que se observan a favor de la lengua propia son muy altos. Además los usos lingüísticos suelen estar fuertemente relacionados con la lengua principal de los sujetos, aunque con la distribución y peculiaridades examinadas.

Por lo que se refiere al *castellano,* el conocimiento de esta lengua se mantiene prácticamente inalterado, y si el conocimiento se mantiene amplio, también su uso. En Cataluña, asimismo, el uso de ambas lenguas está equilibrado.

LA LENGUA CATALANA EN LA ADMINISTRACIÓN

Volviendo a la Ley de Política Lingüística (1998) y en lo referente a la Administración se recoge que en el ámbito oficial y administrativo las administraciones e instituciones catalanas deben utilizar de forma general el catalán, sin perjuicio del derecho de los ciudadanos y ciudadanas a dirigirse a aquellas en la lengua oficial que estos escojan, y proclama la plena validez de toda la documentación pública y privada en cualquiera de las dos lenguas oficiales, con plena independencia de una con respecto a la otra, en todos los ámbitos, incluidos la Administración del Estado, la Administración de Justicia y los Registros públicos.

El uso institucional de la lengua catalana se recoge en el capítulo I de la ley y en él se contemplan el artículo 8, dedicado a «La publicación de las normas»; el artículo 9, que se ocupa de «La lengua de las Administraciones de Cataluña»; artículo 10, «Los procedimientos administrativos»; artículo 11, «La capacitación lingüística del personal al servicio de las administraciones de Cataluña»; artículo 12, «La Administración del Estado»; artículo 13, «Las actuaciones judiciales»; artículo 14, «Los documentos públicos»; artículo 15, «Los documentos civiles y mercantiles», y artículos 16 y 17, que cierran el capítulo I y que tienen por objeto «Los convenios colectivos» y «Los Registros públicos», respectivamente.

Básicamente, desde la promulgación del catalán como lengua propia de Cataluña en el Estado, y en especial en el Estatuto (1979), más tarde en 1983 con la promulgación de la Ley de Normalización y la actual Ley de Política Lingüística de 1998, conlleva el que la lengua catalana sea la usada en primer lugar por el Gobierno catalán y por las instituciones públicas de Cataluña.

Los datos, a mi juicio, que pueden responder al contenido de esta ley (1998) son los siguientes:

a) El catalán como lengua propia de Cataluña lo es también de la Generalidad, de la Administración local y de las demás corporaciones públicas dependientes de la Generalidad.

b) Las leyes que apruebe el Parlamento de Cataluña deberán publicarse en ediciones simultáneas en lengua catalana y en lengua castellana en el *Diari Oficial de la Generalitat*. El Parlamento debe hacer la versión oficial castellana. En caso de interpretación dudosa, el texto catalán será el auténtico.

c) En lo que atañe a la lengua, en Cataluña son válidas y eficaces todas las actuaciones administrativas hechas en catalán.

d) En el ámbito territorial de Cataluña cualquier ciudadano puede utilizar en las relaciones con la Administración de Justicia la lengua que elija y no se le puede exigir ningún tipo de traducción.

El uso del catalán se ha generalizado en todos los ámbitos de la Administración; un ejemplo lo constituye el Parlamento, donde, aun cuando pueden utilizarse ambas lenguas, se usa siempre el catalán. Las leyes y cualquier tipo de resolución legal que se adapte se redactan en catalán, aunque también se publique después un texto en castellano con el mismo valor legal. «En cuanto al funcionamiento interno de la Administración, en el aspecto lingüístico podría resumirse diciendo que se rige por las siguiente normas: [...] la lengua de funcionamiento es el catalán, pero se utiliza el castellano para las relaciones con la Administración central y con las restantes Administraciones autónomas, traduciéndose incluso al castellano todas las disposiciones y todos los documentos que han de tener efectos legales más allá del ámbito de Cataluña» (M. Siguán, 1992). Por otra parte, y dado el derecho de los ciudadanos a relacionarse con la Administración en la lengua que prefieran, esta debe ofrecer, a los que desean hacerlo en castellano y así lo expresan, la información y documentación necesarias para poder llevarlo a cabo, además de tramitar cualquier documento en cualquiera de las dos lenguas (M. Etxebarria, 1995, pág. 256).

La Administración local y los ayuntamientos y servicios que dependan de esta se mueven, en lo que se refiera al uso de la lengua, dentro de las mismas coordenadas que la autonómica.

Con la ley actual de Política Lingüística (1998) en lo referente a las *actuaciones judiciales,* son válidas, tanto orales como escritas, en cualquiera de las dos lenguas oficiales, sin necesidad de traducción; todas las personas tienen derecho a relacionarse, oralmente y por escrito, en la lengua oficial que escojan y ser atendidos, y no se les puede exigir traducción alguna. Asimismo, todas aquellas personas que lo soliciten deben recibir en la lengua oficial solicitada los testimonios de las sentencias y autos resolutorios que les afecten, sin retrasos por razón de lengua. En la provisión de plazas del personal al servicio de la Administración de Justicia dependiente de la Generalidad debe aplicarse lo dispuesto en el artículo 11 —sobre capacitación lingüística del personal al servicio de las administraciones de Cataluña—, de acuerdo con la correspondiente normativa específica, en los términos que sean establecidos por reglamento.

A continuación se muestran algunos datos, procedentes del CIS, de la investigación llevada a cabo por el profesor Siguán (1999, págs. 59-61).

Las tablas se refieren a las opiniones sobre la lengua en la relación de la Administración con el público:

• *Opiniones sobre la lengua de la Administración*

Acuerdo o desacuerdo con la frase: «Los servicios públicos de esta Comunidad Autónoma deberían usar tanto la lengua vernácula como el castellano».

Tabla 21

Acuerdo	95%
Desacuerdo	4%
NS/NC	1%
TOTAL	100%
(N)	1.005

Fuente: M. SIGUÁN, *Conocimiento y uso de las lenguas,* CIS, Madrid, 1999, pág. 59.

• *Opiniones sobre la lengua en la relación de la Administración*

Suponiendo que tuviera que ir a un centro oficial a realizar alguna gestión, ¿en qué lengua preferiría que le atendieran?

Tabla 22

Lengua vernácula....................	38%
Castellano...............................	28%
Le sería indiferente................	34%
NS/NC.....................................	—
Total.....................................	100%
(N)..	1.006

Fuente: M. Siguán, *Conocimiento y uso de las lenguas,* CIS, Madrid, 1999, pág. 60.

• *Preferencias lingüísticas en los impresos administrativos*

¿En qué lengua preferiría que estuviesen los impresos que tuviese que rellenar: en castellano o en la lengua vernácula?

Tabla 23

Lengua vernácula....................	29%
Castellano...............................	37%
Le sería indiferente................	24%
Las dos.....................................	9%
NS/NC.....................................	1%
Total.....................................	100%
(N)..	1.006

Fuente: Ibídem.

• *Opiniones sobre la lengua y los funcionarios*

Acuerdo o desacuerdo con la frase: «Para ser funcionario de esta Comunidad Autónoma debe exigirse el conocimiento de la lengua vernácula».

Tabla 24

Acuerdo	85%
Desacuerdo.............................	12%
NS/NC.....................................	3%
Total.....................................	100%
(N)..	1.005

Fuente: Ibídem.

• *Lengua principal y lengua preferida en la relación con la Administración*

Tabla 25

Lengua preferida

Lengua principal	En catalán (%)	Le es indiferente (%)	En castellano (%)	NS/NC	TOTAL (%)	(N)
Catalán.............	77	20	3	—	100	408
Bilingüe............	26	66	7	1	100	163
Castellano I*.....	11	33	56	—	100	219
Castellano II* ...	—	14	86	—	100	211

  * Castellano I: Tiene el castellano como lengua principal y habla también catalán.
** Castellano II: Tiene el castellano como lengua principal y no habla catalán.
Fuente: M. SIGUÁN, *Conocimiento y uso de las lenguas,* CIS, Madrid, 1999, pág. 61.

Como podemos ver más arriba, en todas las cuestiones referidas a las lenguas en la Administración pública, las respuestas están fuertemente influidas por la lengua que los encuestados consideran que es su lengua principal. Como ejemplo, se pueden advertir las correlaciones existentes en el caso de la pregunta sobre la lengua en la que se prefiere ser atendido.

LA LENGUA CATALANA EN LA ENSEÑANZA

La Ley de Política Lingüística (1998) dedica su capítulo III a «La enseñanza»; el artículo 20 señala:

> 1. El catalán, como lengua propia de Cataluña, lo es también de la enseñanza, en todos los niveles y modelos educativos.
> 2. Los centros de enseñanza de cualquier nivel deben hacer del catalán el vehículo de expresión normal en sus actividades docentes y administrativas, tanto internas como externas.

El papel de las lenguas en la enseñanza es uno de los puntos principales de una política lingüística y un tema al que la población es extremadamente sensible. Veamos ahora los datos aportados por Siguán *(Conocimiento y uso de las lenguas,* 1999).

• *Opiniones sobre las lenguas en la enseñanza (I)*

¿Cómo cree que debería ser la enseñanza en esta Comunidad Autónoma?

Tabla 26

Todo en castellano...	1%
La mayor parte en castellano y algo en lengua vernácula................	4%
La mitad en castellano y la mitad en lengua vernácula	50%
La mayor parte en lengua vernácula y algo en lengua castellana	33%
Todo en lengua vernácula	9%
NS/NC	3%
TOTAL...	100%

Fuente: M. SIGUÁN, *Conocimiento y uso de las lenguas,* CIS, Madrid, 1999, pág. 65.

- *Opiniones sobre las lenguas en la enseñanza (II)*

Tabla 27

La mayor parte en castellano .	5%
Mitad y mitad	50%
La mayor parte en vernácula..	42%
NS/NC.....................................	3%
TOTAL.....................................	100%

Fuente: Ibídem.

- *Lengua principal y opiniones sobre las lenguas en la enseñanza*

Tabla 28

Lengua principal	Mayoritariamente en catalán (%)	Por igual (%)	Mayoritariamente en castellano (%)	NS/NC (%)	TOTAL (%)
Catalán..............	66	31	1	2	100
Bilingüe.............	39	57	2	2	100
Castellano I*....	30	61	6	3	100
Castellano II**	13	70	13	4	100
Conjunto de la población.....	43	50	5	2	100

* Castellano I: Castellano como lengua principal y habla también catalán.
** Castellano II: Castellano como lengua principal y no habla catalán.

Fuente: Ibídem, pág. 66.

Como es sabido, el objetivo básico de todos los decretos de bilingüismo, y de las legislaciones posteriores, proponían la enseñanza de la lengua propia a todos los escolares, y puede decirse que en la mayoría de los casos se ha conseguido, lo cual, en palabras del profesor Siguán, «no es un resultado menor si se tienen en cuenta los esfuerzos que han sido necesarios para alcanzarlo, tanto en la formación del profesorado como en la preparación de textos y materiales pedagógicos y en la reflexión sobre la metodología adecuada» (M. Siguán, 2001, pág. 126).

La lengua catalana fue ya normalizada a comienzos del siglo XX y, por lo tanto, a lo largo de los años no ha sido un problema emplearla como lengua vehicular de contenidos escolares en todos los niveles de enseñanza. Sin embargo, su uso no se ha generalizado hasta los últimos años, en los que, tras la recuperación de la lengua, la incorporación del catalán en la enseñanza se convirtió en un hecho normal. Anteriormente, la presencia del catalán en la enseñanza no universitaria estaba limitada a la Escola Catalana (escuelas semejantes a las ikastolas del País Vasco), que formaba parte de la red privada de escolarización en forma de cooperativas, etc. Actualmente en Cataluña, tras la promulgación de la Ley de Normalización de 1983, los decretos posteriores y la Ley de Política Lingüística de 1998, puede afirmarse que de una u otra forma la totalidad de los escolares de Cataluña tiene conocimiento y/o contacto en el medio escolar con el catalán como lengua vehicular de la enseñanza. Es decir, se puede afirmar sin ambigüedades que en estos momentos la mayor parte del sistema educativo de Cataluña es de educación bilingüe como, por ejemplo, el que existe en Luxemburgo o en el Canadá de lengua francesa, es decir, con programas de educación de *inmersión lingüística.*

Los diversos trabajos de evaluación sobre las diferentes modalidades de educación bilingüe en Cataluña, a lo largo de estos últimos veinte años, han perseguido dos objetivos lingüísticos: de una parte, han buscado evaluar los resultados globales de la enseñanza en función de las distintas tipologías lingüísticas; de otra, han pretendido conocer el valor de los diversos modelos lingüísticos en relación al desarrollo del conocimiento y/o competencia lingüística en catalán y en castellano. Una gran parte de estos estudios han tenido como objeto de trabajo los programas de inmersión, dadas las dificultades psicopedagógicas que se plantean en su diseño. Todos ellos muestran que los escolares de Cataluña dominan mejor el castellano que el catalán todavía ahora, pero el bilingüismo ha ido dando buenos resultados y es de esperar que en los próximos años siga aumentando el conocimiento de la lengua catalana, de modo que esta sea totalmente equiparable al de la lengua castellana. Así, la condición lingüística familiar únicamente aparece como significativa en relación a los resultados sobre conocimiento oral y escrito del catalán. (Véase J. Arnau, N. Sebastián y J. M. Sopena, 1982.)

Por último, me gustaría señalar que el artículo 21, dedicado a la enseñanza no universitaria, explicita, además, que el catalán ha de utilizarse como lengua vehicular y de aprendizaje. En los años de educación infantil los niños tienen derecho a recibir la primera enseñanza en su lengua habitual, ya sea castellano o catalán. La enseñanza del catalán y del castellano ha de tener garantizada una presencia adecuada. Se fomentarán, en la enseñanza posobligatoria, planes de programación y docencias que garanticen el perfeccionamiento del conocimiento y uso del catalán; el alumnado no ha de estar separado ni en centros ni en grupos de clase diferentes, en razón de su lengua habitual... (Véase la Ley, cap. III, arts. 20, 21, 22, 23 y 24, ob. cit., págs. 18-21.)

La enseñanza universitaria en Cataluña

Con respecto a la enseñanza universitaria catalana (Ley 1998, cap. III, art. 22) se explicita el derecho a expresarse, en cada caso, cn una u otra lengua. El Gobierno de la Generalidad, las universidades y las instituciones de enseñanza superior han de adoptar las medidas pertinentes con el fin de garantizar y fomentar el uso de la lengua catalana en todos los ámbitos de las actividades docentes, no docentes y de investigación, etc.

Tabla 29

Conocimiento del catalán entre los estudiantes universitarios

Nivel	UB	UAB	UPC	
	(%)	TOTAL (1) (%)	TOTAL	(%)
Comprende:				
Bien......................	92,6	95,6	14.389	92,7
Regular	1,7		835	5,4
Nada	5,7		304	2,0
Habla:				
Bien......................	82,4	88,2	10.358	68,2
Regular	9,3	8,5	3.482	22,5
Nada	4,4	3,2	1.425	9,2
Lee (2):				
Bien......................		91,6	12.679	81,8
Regular		5,2	2.263	14,3
Nada		3,1	606	3,9
Escribe:				
Bien......................	73,10	80,5	7.333	47,5
Regular	19,7	14,2	5.925	38,4

(1) Datos correspondientes al año académico 1998-1999.
(2) No hemos podido acceder a las cifras absolutas.

Fuente: Anuarios de las tres universidades.

En cuanto a la enseñanza universitaria, los tres centros de los que poseemos datos (Universidad de Barcelona, Universidad Autónoma y Politécnica) han establecido en sus respectivos estatutos la afirmación de que el catalán es su lengua propia y que es tarea de la Universidad cultivar y difundir su uso, pero, al mismo tiempo, ratificando el carácter de lenguas oficiales que la Constitución atribuye tanto al catalán como al castellano. Otras dos universidades, una pública y una privada, creadas en 1990, empiezan su funcionamiento con principios parecidos (M. Siguán, 1992).

Las encuestas realizadas indican que el nivel de conocimiento del catalán por parte de los estudiantes universitarios es similar y algo más elevado que el del conjunto de la población. El 95 por 100 dicen comprenderlo, y los que no lo entienden son, por lo general, recién llegados a Cataluña. Claro que, al igual que ocurre con el resto de la población, una proporción importante de los que dicen entenderlo e incluso hablarlo, no menos del 40 por 100, tienen como lengua materna, o principal, el castellano.

La Universidad Politécnica de Cataluña presenta, en este sentido, una línea evolutiva suficientemente satisfactoria a lo largo de los últimos años. A la creación del Servicio de Lengua y Terminología, dedicado a la investigación de cursos de catalán para el PAS y elaboración de vocabularios técnicos, debemos añadir que más del 50 por 100 de los alumnos recibió un mínimo de tres asignaturas en catalán, lo que representa un gran adelanto respecto a los primeros tiempos de la Universidad Politécnica de Cataluña (además, el 40 por 100 de los alumnos recibió cuatro y más asignaturas en catalán, durante el mismo curso).

Respecto a la Universidad de Barcelona y a la Universidad Autónoma de Barcelona, a falta de datos sobre el uso de la lengua en las diferentes facultades, los porcentajes de conocimiento del catalán son muy elevados (más del 90 por 100 en ambos centros), y los que se refieren a saber hablarlo son, asimismo, bastante aceptables. También es preciso destacar la creación de los respectivos servicios de catalán y de la figura del síndico del catalán de la Universidad Autónoma.

Respecto al uso de la lengua en la Administración y en el funcionamiento institucional universitario, hay que señalar que es, casi totalmente, en catalán, con información disponible al público en las dos lenguas, castellano y catalán. Por último, en cuanto a la lengua usada en la enseñanza, la regla establecida es que cada profesor enseña en la lengua que prefiere, dándose por supuesto que los alumnos entienden las dos, y cada alumno, a su vez, puede dirigirse al profesor, oralmente o por escrito, en la lengua que prefiera.

LA LENGUA CATALANA EN LOS MEDIOS DE COMUNICACIÓN Y EN LA PRODUCCIÓN CULTURAL

Se trata de dos ámbitos en los que los avances han sido espectaculares en determinadas facetas (especialmente en televisión, radiodifusión e Internet) y que, como es sabido, son fundamentales de cara a la normalización de la comunidad catalana.

Prensa

El primer periódico escrito totalmente en catalán fue el *Diari Català,* fundado en 1879 por Valentí Almirell y que solo estuvo en la calle, publicándose, durante dos años. Hasta finales de 1939 se publicaron 25 periódicos distintos en lengua catalana, todos ellos en Barcelona. Ahora bien: aunque se había avanzado mucho, en prensa diaria, durante la Segunda República, la situación no era tan favorable como podía suponerse. En Barcelona se publicaban siete diarios en catalán, doce en castellano, y el 75 por 100 de los ejemplares difundidos eran en castellano (M. Etxebarria, 1995).

«El paso hacia la democracia supuso la aparición del primer periódico en catalán, después de casi cuarenta años: el *Avui* (1975). Poco a poco se fue incrementando la oferta de prensa diaria en catalán y aparecieron el *Punto Diari* (1979) y *Regió 7* (1978), mientras que en 1986 apareció, de nuevo, el *Diari de Barcelona,* esta vez en catalán; en 1989, el *Diari de Lleida* empezó una nueva etapa en lengua catalana, a la vez que en 1990 también lo hacía el *Diari de Girona.* A pesar de este notable incremento de la prensa diaria en catalán, en efecto, la oferta periodística en castellano (*La Vanguardia, El País* y *El Periódico*) supera ampliamente la oferta en catalán. Las razones de este hecho pueden atribuirse a distintos factores, como la interrupción de la prensa catalana a lo largo de cuarenta años, la falta de enseñanza del catalán, la abundante población con lengua materna castellana, la falta de tradición de leer en catalán, etcétera. La situación se hace más grave si, además, se considera que los periódicos en catalán son los que menos hojas tienen, donde se inserta menos publicidad y los que menos firmas de renombre incluyen» (ibídem).

La situación en la prensa no diaria es aún peor y más preocupante: las publicaciones semanales, quincenales y mensuales de mayor tirada de España tienen en Cataluña una difusión que va del 15 al 30 por 100 del total. En la prensa no diaria el dominio del castellano es abrumador, aunque algunas publicaciones incluyen suplementos en catalán para Cataluña.

Existen, sin embargo, una serie de revistas especializadas, todas ellas con tiradas pequeñas, fuertemente arraigadas en el ámbito cultural catalán: revistas infantiles y juveniles (*Cavall Fort),* literarias (*Els Marges),* religiosas (*Catalunya Cristiana),* pedagógicas (*Escola Catalana*) y científicas (*L'Avenç),* entre otras. Asimismo hay que señalar las diversas publicaciones impulsadas desde la Generalidad de Cataluña, que no entran en los circuitos comerciales, como la revista *Cultura.*

En la prensa local, o comarcal, en cambio, el uso del catalán es claramente mayoritario: cerca del 90 por 100 de estas publicaciones están editadas en catalán. El porcentaje decrece un poco en el caso de la prensa municipal, donde el 82 por 100 del total se redacta, únicamente, en catalán.

Televisión

La televisión en el Estado español se considera un servicio público —aun cuando existen cadenas privadas—, de ahí que es el propio Estado el que asume su titularidad. El Ente Radio-Televisión Española (RTVE) cuenta, como es sabido, con dos canales generales distribuidos a lo largo de todo el territorio (RTVE1 y RTVE2), además de sus respectivos centros regionales. Por ley, el Estado estableció también la creación de un tercer canal de televisión autonómico, cuya concesión se otorgó a las Comunidades Autónomas, de acuerdo con los respectivos Estatutos de Autonomía:

TÍTULO III
De los medios de comunicación

> *Artículo 21.*—[...] 2. El Consell Executiu de la Generalitat debe reglamentar la normalización del uso de la lengua en los medios de comunicación social sometidos a la competencia o gestión de la Generalitat, con el objetivo de asegurar la comprensión y mejorar el conocimiento de la lengua catalana teniendo en cuenta la situación lingüística del área de difusión de cada medio concreto.

La Corporació Catalana de Ràdio i Televisió, creada por la Generalidad de Cataluña en el año 1983, gestiona las emisoras de TV3 y Canal 33 (desde 1989). «La aparición de TV3, y posteriormente la del Canal 33, supuso un cambio sustancial en la oferta televisiva en Cataluña que ha alterado las cifras de audiencia de los demás canales públicos de televisión (TVE1 y TVE2). Aunque TVE1 continúa siendo la cadena televisiva con más audiencia (más del 60 por 100 en el año 1989), TV3 y el Canal 33 han alcanzado unos índices de audiencia muy importantes, ya que, por ejemplo, TV3 emite un programa informativo en catalán los días laborables, mientras que TVE2 emite una programación de mediodía y tarde, por el sistema de desconexión de la emisión estatal, y ha añadido desde hace poco una programación propia en catalán dentro del espacio nocturno» (M. Etxebarria, 1995, pág. 269).

Con la aparición de las televisiones de capital privado, Antena 3 (diciembre de 1989), Tele 5 (marzo de 1990) y Canal Plus (septiembre de 1990), ha cambiado, de forma sustancial, la correlación de las horas de emisión en catalán y castellano, así como los índices de audiencia, en la medida en que toda su programación es en castellano. A pesar de ello, debemos valorar de forma positiva la evolución de la presencia del catalán en el medio televisivo.

Radiodifusión

Al igual que la televisión, la radio, en el Estado español, tiene carácter de servicio público y, por lo tanto, es de titularidad estatal. En Cataluña es la Generalidad la que otorga la concesión de las emisoras de FM a personas físicas, jurídicas o corporaciones locales o a entes públicos. Actualmente existen más de cien emisoras públicas y comerciales de radio en FM y OM con licencia. A estas hay que añadir más de ciento treinta emisoras municipales sin autorización y otras privadas sin permiso oficial.

Los líderes de audiencia en Cataluña son Ràdio Barcelona de la Cadena Ser (FM), Ràdio 1 (Radio Nacional de España en OM) y Antena 3 (en FM), de las que solo Catalunya Ràdio emite exclusivamente en catalán y para Cataluña.

En el medio radiofónico existen diferencias muy acusadas en cuanto al uso del catalán y el castellano según se trate de emisoras de propiedad pública o privada. Las tres emisoras de la CCRTV y Ràdio 4 de RTVE, todas ellas de propiedad pública, emiten íntegramente en catalán, aunque el hecho de escoger la lengua depende, a menudo, de la competencia lingüística de los colaboradores de la emisora.

En la radio privada, Cadena 13 es la única que emite solo en catalán. El resto de emisoras y cadenas de alcance estatal, catalán o local, y el resto de emisoras de RTVE, utilizan el castellano la mayor parte del tiempo, principalmente en los horarios y los espacios de mayor audiencia, lo que permite concluir que el castellano es la lengua que más se utiliza en la radio de Cataluña.

Producción editorial

Como es sabido, por tradición cultural, Barcelona ha sido desde siempre la capital de la edición hispanoamericana. Se publican en torno a quince mil títulos por año, a pesar de la crisis. Madrid es la otra capital del sector y entre ambas ciudades absorben el 75 por 100 de los títulos que se publican en España, dominando globalmente y por sectores este mercado.

La edición de los libros en catalán ha alcanzado un buen nivel desde el año 1975 hasta ahora, mientras que la producción editorial en lengua catalana se ha multiplicado por siete a lo largo de estos quince años (se ha pasado de los escasos 611 títulos publicados en 1975 a los más de 4.400 del año 1990).

Cabe asimismo destacar la producción de libros en catalán de las diversas administraciones, así como la ayuda institucional del Departamento de Cultura de la Generalidad de Cataluña, que ha instrumentado la adquisición de doscientos o trescientos ejemplares de cada título por parte de la red de bibliotecas, así como otras fuentes para convenios de coedición y apoyo a intercambios. En este sentido es importante destacar la creación de la *Institució de les Lletres Catalanes*.

El número de ejemplares vendidos aumentó de 3.300.000 unidades en 1980 a 5.300.000 unidades en 1984, si bien la venta media por título experimentó una baja del 15 por 100.

«El panorama relativamente alentador que presenta, en la actualidad, la producción de libros en catalán puede atribuirse en parte a la política de promoción cultural impulsada por el Gobierno de la Generalitat, que se traduce en distintos tipos de ayudas, pero cuyo factor fundamental lo constituye la expansión de la enseñanza del catalán y en catalán, como se demuestra por las tiradas elevadas que alcanzan los libros docentes y el porcentaje elevado que representan estos libros en el conjunto de la producción editorial. Pero es también significativo el aumento de la producción de libros infantiles y juveniles, lo cual permite sospechar que la presencia del catalán en el sistema educativo propicia un aumento en los hábitos de la lectura en catalán de las nuevas generaciones» (M. Siguán, 1992).

Para ver cómo estas grandes líneas afectan a la producción editorial, desglosamos el total de libros catalanes impresos en Cataluña en 1997 y según datos del Instituto Catalán de Bibliografía, en los diversos aspectos que acabamos de citar:

Tabla 30

Total libros impresos en Cataluña	12.715 (1)
Total en catalán	2.813 (1)
Libros institucionales (organismo oficiales o entidades privadas)....................................	725 (25,7 por 100 catalán)
Libros del sector privado	2.088 (74,2 por 100 total catalán)
Libros de texto	176 (6,2 por 100 total catalán)
Infantiles o juveniles/original........................	396
Infantiles o juveniles/traducción (2)	257 (23,2 por 100 total catalán)
Literatura global/original..............................	461
Literatura global/traducción (2)	267 (25,8 por 100 total catalán)
Otros..	531

(1) Las cifras se alejan de las citadas más arriba, facilitadas por el Gremio de Editores de Cataluña, que parte del ISBN de los libros para realizar su cómputo. La base de datos del ICB recoge los datos bibliográficos de los libros del Depósito legal, es decir, de los libros impresos en Cataluña, editados o no en esta localidad. A pesar de la diferencia de criterio, y dado que tan solo el ICB podía elaborar una clasificación de este tipo, se ha creído interesante incluirla con carácter indicativo.
(2) Las traducciones ocupan el 39,3 por 100 de los libros infantiles o juveniles en catalán, así como el 36,6 por 100 de la literatura general.

Fuente: Instituto Catalán de Bibliografía.

Teatro y producción cinematográfica

En el ámbito del espectáculo la presencia del catalán es, sobre todo, apreciable en el teatro. A finales de los ochenta, dos de cada tres espectáculos anunciados en los teatros de Barcelona se representaban en catalán, y en poblaciones menores la proporción era todavía más alta. En todos los espectáculos que se representan fuera de Barcelona se da un claro predominio de la lengua catalana, que llega a alcanzar el 90 por 100 del total, si exceptuamos las participaciones de compañías extranjeras.

En la temporada 1997-1998, exceptuando los espectáculos no profesionales, en Cataluña se representaron 465 producciones teatrales (según el resumen de la *Temporada teatral en Cataluña 1997-1998,* editado por el Departamento de Cultura de la Generalidad y el Instituto de Teatro). En este total se incluyen todas las manifestaciones escénicas: danza, ópera, mimo, marionetas, etc.

El total de espectadores que asistieron al teatro en catalán de empresa privada es, pues, de 217.204 personas, lo que representa un 36 por 100 del total de espectadores de los teatros no oficiales.

La normalización de la lengua dentro del mundo del cine se ha visto afectada por el proceso de reestructuración que ha padecido la industria cinematográfica en el mundo. El papel de la Generalidad se ha convertido por ello en decisivo, atendiendo a las ayudas destinadas a realizadores, como decisivos han sido los acuerdos tomados entre TV3 y la Asociación Catalana de Productores Cinematográficos.

«Hasta 1986, los instrumentos principales para la implantación de una política de normalización lingüística dentro del ámbito de la cinematografía fueron las subvenciones para la realización de dobles versiones de películas catalanas y para el doblaje de filmes extranjeros (doce largometrajes, dos cortos y veinte películas infantiles fueron dobladas de 1981 a 1986). La aparición de la subvención a largometrajes en el año 1986, que fija el requisito de exhibición exclusivamente en catalán y en Cataluña para los filmes que se beneficien de ella, comportó un incremento notable del catalán en las salas de exhibición, al mismo tiempo que suponía una práctica desaparición de las subvenciones a la doble versión y al doblaje de producciones cinematográficas» (M. Etxebarria, 1995, pág. 277).

En efecto, más del 50 por 100 de la producción cinematográfica catalana de los últimos años se ha hecho en catalán. Ahora bien: hay que decir que la mayoría de las películas en catalán sigue contando con una audiencia muy baja y no se mantienen demasiado en cartelera.

ISLAS BALEARES/ILLES BALEARS

CARACTERIZACIÓN GENERAL: DATOS MORFOLÓGICOS, DEMOGRÁFICOS Y ESTRUCTURA POLÍTICA

Las Islas Baleares, Mallorca, Menorca, Ibiza (Eivissa) y Formentera, un conjunto de 5.014 km² y 745.944 habitantes, están situadas en el mar Mediterráneo, al sur de Cataluña y al este de Valencia.

Políticamente, en 1983 se aprobó el Estatuto de Autonomía de las Islas Baleares y en virtud de este Estatuto las islas disponen de un Parlamento y un Gobierno. Administrativamente, las Islas Baleares forman una sola provincia con capital en Palma de Mallorca. «Pero el hecho de que se trate de un conjunto insular obliga a establecer en cada isla un órgano de gobierno que permita una cierta descentralización administrativa. Uno para Mallorca, otro para Menorca y un tercero para las llamadas islas Pitiusas: Ibiza y Formentera. Estos consejos solo tienen autoridad delegada del Gobierno balear» (M. Siguán, 1992).

MARCO LEGAL: ESTATUTO DE AUTONOMÍA DE LAS ISLAS BALEARES (1983) Y LEY DE NORMALIZACIÓN LINGÜÍSTICA DE LAS ISLAS BALEARES (1986)

El Estatuto de Autonomía, en los artículos referidos a la lengua, expresa lo siguiente:

> *Artículo 3.*—La lengua catalana, propia de las Islas Baleares, tendrá, junto con la castellana, el carácter de idioma oficial, y todos tienen el derecho de conocerla y utilizarla.

> *Disposiciones adicionales*

> Segunda. Por ser la lengua catalana también patrimonio de otras Comunidades Autónomas, además de los vínculos que puedan establecerse entre las instituciones de aquellas Comunidades, la Comunidad Autónoma de las Islas Baleares podrá solicitar del Gobierno de la Nación y de las Cortes Generales los convenios de cooperación y relación que se consideren oportunos con el fin de salvaguardar el patrimonio lingüístico común, así como llevar a término la comunicación cultural entre aquellas Comunidades, sin perjuicio de los deberes del Estado que establece el apartado 2 del artículo de la Constitución y de lo dispuesto en el artículo 145 de la misma.

La institución oficial consultiva para todo aquello que se refiera a la lengua catalana será la Universidad de Palma de Mallorca. La Comunidad Autónoma de las Islas Baleares, de acuerdo con una ley del Estado, podrá participar en una institución dirigida a salvaguardar la unidad lingüística, integrada por todas aquellas Comunidades que reconozcan la cooficialidad de la lengua catalana.

Tras la afirmación de que el catalán es la lengua propia de las Islas Baleares y que en su territorio el catalán igual que el castellano tienen consideración de lengua oficial, el Parlamento balear aprobó en abril de 1986 una Ley de Normalización Lingüística con los siguientes objetivos explícitos:

1) Hacer efectivo el uso progresivo y normal de la lengua catalana en el ámbito oficial y administrativo.
2) Asegurar el conocimiento y el uso progresivo del catalán como lengua vehicular en el ámbito de la enseñanza.
3) Fomentar el uso de la lengua catalana en todos los ámbitos de la comunicación social.

En el Preámbulo de la ley se indica que la Comunidad Autónoma balear tiene como objetivo llevar a cabo las acciones pertinentes, de orden constitucional, para que el catalán como vehículo de expresión y como principal símbolo de la identidad balear, como pueblo, vuelva a ser el elemento cohesionador del genio isleño y ocupe el lugar que le corresponde en calidad de lengua propia de las Islas Baleares.

Si analizamos el Título preliminar, en su fundamentación y contenido, encontramos:

> *Artículo 1.*—La presente ley tiene por objeto desarrollar el artículo 3 del Estatuto de Autonomía en lo que respecta a la normalización de la lengua catalana como propia de las Islas Baleares en todos los ámbitos y garantizar el uso del catalán y del castellano como idiomas oficiales de la Comunidad Autónoma.

La estructura y el contenido de las disposiciones de la ley balear son similares a los de la ley catalana, y más en general al conjunto de todas ellas. Respecto a la lengua hay que hacer notar la afirmación explícita (art. 2.1) de que aunque la lengua propia de las islas es el catalán, también «las modalidades insulares de la lengua serán objeto de estudio y de protección sin perjuicio de la unidad de la lengua». Por modalidades insulares se entienden las variedades lingüísticas, propias de cada isla, conocidas por sus hablantes como mallorquín, menorquín e ibicenco.

En resumen, la Ley de Normalización en sus principales líneas de actuación erige, como ya se ha señalado, a la lengua catalana y sus modalidades insulares como señal de identidad; se explicita además el uso de la lengua propia en la denominación del Gobierno y de sus órganos, rectificando la toponimia de acuerdo con la lengua. En segundo lugar, se ocupa del uso de la lengua propia en el Gobierno y en la Administración, aspecto del que nos ocuparemos más adelante, asegurando la posibilidad de que los ciudadanos puedan utilizar cualquiera de las dos lenguas oficiales y, por lo tanto, la propia del territorio, en sus relaciones con la Administración, con la eficacia y el mismo valor jurídico. En tercer lugar se ocupa de la enseñanza, anunciando en los principios generales la atención a la lengua familiar y tratando de asegurar la doble competencia lingüística al término de la enseñanza obligatoria. Por último, y en cuanto a los medios, se ocupa de explicitar el uso de la lengua propia en los medios de comunicación y de asumir determinados compromisos para promocionar la producción de material bibliográfico y, en general, de productos culturales desarrollados en la lengua propia de la Comunidad.

Podemos decir que la ley balear, aunque semejante a las otras leyes de normalización, es la más extensa y detallada y, en algunos puntos, la más ambiciosa. «No es difícil suponer que en su redacción intervinieron grupos de intelectuales y políticos muy activos en la defensa de la lengua. El hecho de que entre las leyes de normalización fuese una de las últimas en discutirse y aprobarse facilitó su tarea permitiéndole tener en cuenta el contenido de las anteriores y en lo posible mejorarlo» (M. Siguán, 1992).

Otro dato significativo para la situación balear lo constituye la denominación de la lengua. Para muchos habitantes de las islas, según las encuestas, más de la mitad, si se les pregunta por la lengua que hablan, dirían que mallorquín, menorquín o ibicenco, según sea la isla en la que se realice la pregunta. Dependiendo de que el encuestado sea una persona culta o no, en general, no tendrá inconveniente en admitir que se trata de la misma lengua que el catalán, aunque con diferencias dialectales importantes. En palabras de Siguán (1992), «A diferencia de lo que ocurre en Valencia, la cuestión de la denominación de la lengua y de su mayor o menor identificación con el catalán no se convierte en problema político. Ello puede interpretarse en sentido positivo como también puede interpretarse en sentido negativo como síntoma de indiferencia hacia la lengua y su situación».

POLÍTICA LINGÜÍSTICA EN LAS ISLAS BALEARES

La colaboración entre las Direcciones Generales de Política Lingüística de Cataluña y de las Islas Baleares

La colaboración de las Administraciones públicas de los diversos territorios de habla catalana en el proceso de normalización lingüística es, sin duda, según señala Lluís Jou (director general de Política Lingüística de la Generalidad de Cataluña), uno de los factores más importantes para asegurar el éxito. En el caso de Cataluña y de las Islas Baleares es evidente que las relaciones entre organizaciones diversas (culturales, cívicas, políticas, juveniles, académicas, etc.) de ambos territorios, desde hace ya algún tiempo, con más o menos intensidad, según los casos, han contribuido a su incremento. También en el campo de la estandarización y de la planificación han existido regularmente, como síntoma y eficacia, relaciones de carácter académico y técnico entre los dos territorios. En cambio, las relaciones institucionales no habrían pasado nunca de ser esporádicas y sin ningún tipo de concreción práctica, a pesar de sus disposiciones, en este sentido, de los Estatutos y las Leyes de Normalización Lingüística respectivas de cada territorio (Disposiciones adicionales segunda y quinta del Estatuto de Cataluña; arts. 30 y 31.4, y Disposición adicional segunda de la Ley de 1986 de Normalización Lingüística de las Islas Baleares; Disposición adicional segunda de la Ley de Política Lingüística de 1998).

El cambio político que se produjo en las islas en el verano de 1999 ha permitido que estas relaciones de colaboración en materia de política lingüística ha podido intensificarse, concretándose en numerosos aspectos, y puede decirse que, desde un punto de vista institucional, se ha llegado a una relativa normalidad. Como fruto de esta colaboración se han producido entre los dos Gobiernos sendos acuerdos marco firmados en la primavera de 2000. El primero, rubricado en Palma el 10 de marzo, es una declaración de unidad cultural, en la que los dos Gobiernos reconocen que las Islas Baleares y Cataluña forman parte de un espacio cultural compartido y se comprometen a colaborar para facilitar la circulación de bienes y de productos culturales, tanto en el interior como fuera de su ámbito espacial, para promover la proyección exterior de los elementos culturales y lingüísticos compartidos.

El segundo acuerdo marco, firmado en Palma el 17 de abril de 2000, es un compromiso de colaboración en materia de política lingüística. Consta de cuatro declaraciones programáticas y de cinco pactos concretos. En las primeras, los dos Gobiernos manifiestan que la lengua catalana, lengua propia de los dos territorios, es un componente fundamental de la identidad común y un patrimonio cultural que Cataluña y las Islas Baleares comparten desde hace más de ocho siglos. Ambas instituciones manifiestan que, para hacer frente a los retos que el mundo actual impone a las lenguas (globalización, alta movilidad de la población, sociedad de la información, ordenamiento jurídico no igualitario respecto a la pluralidad lingüística estatal, etc.), es necesario llevar a cabo una planificación lingüística común. En estos pactos, los Gobiernos de la Generalidad de Cataluña y de las Islas Baleares, aparte de reconocer la unidad de la lengua catalana, manifiestan la voluntad de colaborar para promover el conocimiento y uso en los respectivos territorios y en su proyección internacional en los siguientes campos:

- La formación del personal.
- El fomento del catalán en las empresas y el mundo socioeconómico.
- La enseñanza del catalán a los adultos.
- La difusión conjunta o coincidente de la terminología ya normalizada y de los recursos terminológicos elaborados por Termcat.
- La participación del Gobierno de las islas en la política de doblaje al catalán de películas y en la distribución de películas y vídeos y DVD doblados en catalán.

- La ingeniería lingüística.
- Los estudios sociolingüísticos.
- La onomástica.

Asimismo, ambos Gobiernos se comprometen, en el término máximo de nueve meses, a la elaboración de un Anteproyecto de Convenio para la creación de un organismo estable de cooperación en materia de política lingüística, en la cual se podrán integrar representantes de los Gobiernos de todos los territorios de habla catalana. La finalidad de este organismo es favorecer la coordinación de las respectivas políticas lingüísticas, a fin de promocionar el conocimiento y el uso del catalán, especialmente, en el Estado español, la Unión Europea y en la comunidad internacional. Posteriormente, el 18 de enero de 2001, los dos Gobiernos dieron el visto bueno al proyecto de creación de un organismo, denominado Instituto Ramon Llull, que se constituirá como un consorcio entre las dos Administraciones, abierto a la participación del Instituto Cervantes.

El acuerdo marco de referencia ha sido articulado, a lo largo de los años 2000 y 2001, a través de más de veinte convenios específicos, los cuales han sido posibles gracias a la comunicación constante y fluida entre las respectivas Direcciones Generales de Política Lingüística. (Véase una versión más amplia en la revista *Llengua i ús,* núm. 22, 2001.)

PLAN DE NORMALIZACIÓN LINGÜÍSTICA EN LAS ISLAS BALEARES

La política lingüística que se ha aplicado en las Islas Baleares a partir de 1999 (momento en el que se constituye el Gobierno actual) se ha caracterizado por la gran diversidad y cantidad de pequeñas acciones generadas, a partir de un presupuesto manifiestamente reducido. Es necesario que el Gobierno de las Islas Baleares, en conjunto, emprenda las medidas necesarias para impulsar el proceso de normalización lingüística, gracias a la creación de una Dirección General de Política Lingüística separada de la Dirección General de Cultura.

Los fines que marcan las principales acciones de la Dirección General de Política Lingüística son los siguientes:

1. La asunción por parte del Gobierno y del resto de instituciones públicas del compromiso de impulsar el proceso de normalización lingüística.
2. La implicación de todos los sectores de la sociedad civil en estos procesos.
3. La extensión del conocimiento de la lengua catalana a todos los ciudadanos que residen en las Islas Baleares, con el objetivo prioritario de incorporar a la población inmigrada en estos últimos años.

4. El incremento de la presencia del catalán en el entorno social y de la oferta de productos y actividades en catalán.
5. La difusión, dentro y fuera de la Comunidad Autónoma, de información sobre la lengua catalana y sobre la situación sociolingüística de las Islas Baleares, con la finalidad de mejorar la percepción de la - comunidad lingüística y de aumentar el prestigio de la lengua.

Las acciones impulsadas desde la Dirección General de Política Lingüística durante estos dos años se orientan en torno a estos cinco ejes antes descritos.

SITUACIÓN SOCIOLINGÜÍSTICA: CONOCIMIENTO Y USO DEL CATALÁN

La inmigración en las islas, como es sabido, es cuantitativamente muy importante, además de reciente; tiene la particularidad de distribuirse de manera muy desigual en el territorio. En el año 1996 la población inmigrante en Ibiza representaba el 44 por 100 del total, mientras que en Menorca suponía el 24,7 por 100. Mallorca se sitúa entre los siguientes extremos (31,5 por 100), con importantes diferencias entre Palma (35,7 por 100) y los pueblos (30 por 100) *(Padrón de Habitantes de 1996)*, aunque estas diferencias se reproducen entre las distintas barriadas de Palma (A. Alomar, 1995, y J. Melià, 1999). Las diferencias más importantes se dan entre los pueblos del interior, con un peso relativo de inmigración muy bajo, y las zonas turísticas de la costa. Con todo, estas diferencias se dan entre municipios relativamente importantes; así, por ejemplo, el 84 por 100 de padres y madres de los alumnos de 4.º de ESO (1997-1998) de la ciudad de Manacor han nacido en los Países Catalanes, mientras que en el municipio de Calvià no representan más que del 18 al 13 por 100, respectivamente (M. P. Castor, 1998, y Ll. Viver, 1998).

Estas diferencias provocan la existencia de zonas muy diferenciadas por lo que se refiere al entorno lingüístico que condiciona de manera diferente el comportamiento de la población autóctona y de la procedencia inmigrante según el lugar de residencia (J. Melià, 1997a y 1999)[2].

Con todo, y sin duda, el conocimiento de la lengua por parte de toda la población es el aspecto que más ha avanzado durante estos años. Por una parte, la escolarización y, por otra, la creciente presencia ambiental de usos cultos de la lengua (medios de comunicación, Administración, etc.) han hecho posible que entre la población de origen inmigrante comience a producirse el conocimiento pasivo de la lengua, y entre los sectores de población más joven, el conocimiento activo; así, además, la población catalanohablante ha podido entrar en contacto con los registros más cultos y formales de las lenguas y, sobre todo, los más jóvenes han adquirido un relativo dominio de la escritura.

---

[2] Los datos analizados aquí los hemos tomado de varios trabajos de Melià (1997a) y, especialmente, el citado en la Bibliografía como Melià (1999).

Igual que el conocimiento de la lengua culta, el contacto con los catalanohablantes de otros territorios ha ayudado a debilitar de manera ostensible los prejuicios en torno a la denominación y la unidad de la lengua catalana.

Desgraciadamente, solo disponemos de datos generales de los años 1986 *(Padrón Municipal de Habitantes)* y 1991 *(Censo de Población)*. En el *Padrón de 1996* no se realizó ninguna pregunta sobre conocimientos lingüísticos.

Los cuestionarios presentaban las siguientes opciones en ambos casos:

1. No entienden.
2. Entienden pero no hablan.
3. Entienden y leen pero no hablan.
4. Hablan.
5. Hablan y leen.
6. Hablan, leen y escriben.

El análisis que aquí presentamos va referido a los resultados procedentes del *Censo de 1991,* atendiendo a los datos del propio censo y a la interpretación de estos últimos (J. Ginard, 1993). A partir de la información recogida se efectuó el análisis considerando tres niveles de conocimiento de la lengua:

1. La comprensión, que abarcaría la suma de todas las respuestas comprendidas en el censo, excepto la primera («no entienden»).
2. El dominio oral de la lengua, que abarcaría las respuestas 4, 5 y 6 (personas que están en condiciones de mantener una conversación en catalán).
3. La alfabetización que implica saber hablar, leer y escribir en catalán, condición completa únicamente en las respuestas referidas a la pregunta 6.

En la página siguiente veremos la tabla correspondiente al *Censo de 1991,* en cifras absolutas, de la población de seis y más años según el conocimiento de la lengua en la Comunidad Autónoma balear.

Si se realiza una distribución proporcional, sin tener en cuenta la información de «no consta» (para evitar la complejidad que supondría recalcular todos los datos de la tabla), considerando los distintos grados de conocimiento citados, obtenemos la siguiente información: el 90,1 por 100 de la población comprende la lengua, el 66,74 por 100 tiene un conocimiento oral potencial de esta y solo el 25,89 por 100 de la población está alfabetizada, es decir, habla, lee y escribe el catalán. Hay que hacer notar que en el conocimiento de la lengua catalana, en el territorio balear, incide de manera decisiva la población inmigrante, que supone casi una tercera parte de la población total. Por último, queremos señalar que los datos que exponemos a continuación van referidos al conocimiento y no al uso de la lengua, del que nos ocuparemos en otros apartados.

Tabla 31

Población de 6 y más años según el conocimiento de la lengua propia en la Comunidad Autónoma balear

Grado de conocimiento de la lengua	CAIB	Mallorca	Menorca	Ibiza y Formentera	Capital
TOTAL	661.306	530.992	59.769	70.546	278.023
No lo entienden ..	65.163	53.440	2.954	8.769	34.846
Entienden pero no hablan	114.103	93.404	5.449	15.550	61.972
Entienden y leen pero no hablan	31.653	26.384	2.502	2.707	19.707
Hablan	109.174	86.545	8.643	13.986	34.650
Hablan y leen	160.926	136.531	19.123	13.679	59.978
Hablan, leen y escriben	171.240	136.531	20.820	13.896	3.502
No consta	9.047	6.864	218	1.965	3.368

Los resultados indican que la comprensión oral presenta unos índices muy elevados (por encima del 90 por 100, así como la capacidad de hablarlo, mayor del 70 por 100); en cambio, las habilidades más vinculadas a la escolarización se sitúan por debajo de estos valores.

Teniendo en cuenta que aproximadamente el 16 por 100 de los inmigrantes son de origen catalán o valenciano, los conocimientos de la lengua catalana del resto de los inmigrantes, excepto los datos relativos a la comprensión oral, son mucho más bajos.

Si se analizan los conocimientos atendiendo a la variable *edad,* se advierte que los valores relativos cambian según el grupo de origen al que pertenecen. Entre los autóctonos, la capacidad de hablarlo supera el 90 por 100 en todos los grupos de edad superior a 34 años; en cambio, en las edades inferiores es menor, sin llegar a superar el 64 por 100 en el grupo de 6 a 9 años —la mayor proporción de inmigrantes de segunda generación en edades bajas—. Entre los inmigrantes, la mayor capacidad de hablar en catalán se da entre los jóvenes de 10 a 19 años, entre los cuales se sitúa en el 50 por 100; en cambio, entre los grupos de edad mayor de 25 años, no llega al 30 por 100 (el acceso al catalán a través de la escuela entre los más jóvenes debe de ser, sin duda, una de las grandes causas).

Por lo que se refiere a la lengua que mejor dominan los jóvenes, puede decirse que, a pesar de los evidentes progresos en los conocimientos de los jóvenes, la mayoría se sienten más capacitados en el uso del castellano, lo cual en situaciones neutras puede desequilibrar la elección a favor de esta última. Únicamente, entre los jóvenes de Menorca y los de los pueblos de Mallorca abundan más los que consideran dominar mejor la lengua catalana. Es evidente que la distribución de los valores de conocimiento de uso del catalán entre los jóvenes no es, tampoco, homogénea. El entorno de socialización es una circunstancia claramente determinante; sobre todo, el tipo de familia (inmigrante, mixto, autóctono) y el lugar donde residen (Palma o pueblos del interior, Menorca o Ibiza). La importancia del entorno no solo resulta manifiesta, en la distribución de los valores del conocimiento, sino que también incide, de forma todavía más evidente, en el comportamiento lingüístico de los jóvenes en determinadas e incluso en numerosas situaciones (J. Melià, 1997b). El grado de normalización de los escolares al que asisten, existen también en el grado de uso del catalán, por parte de los jóvenes, principalmente, en aspectos relacionados con la educación y en la superación de determinados perjuicios (J. Melià, 1997b y 1999).

El acceso del catalán a la escuela y a los medios de comunicación ha permitido una mayor intercomunicación entre ciudadanos de las islas y del resto del área catalana, y parece que ha contribuido decisivamente en el retroceso social de los prejuicios que existían en torno al nombre y la identidad de la lengua que se habla en las Islas Baleares. Con todo, aún existe una confusión considerable sobre estas cuestiones y el prejuicio es todavía determinante en las opiniones de sectores de población de los mismos grupos (1991), como demuestra el hecho de que alumnos mallorquines de las mismas edades manifiesten opiniones opuestas sobre la lengua que les enseñan y difieren entre qué es «la lengua catalana general», «la lengua catalana a partir de la variedad mallorquina», «la lengua de Barcelona y no la de Mallorca», y otros, «la lengua mallorquina» (J. Melià, 1997b, y 1999, pág. 89).

EL USO DEL CATALÁN EN LAS ISLAS BALEARES

Así como sobre el conocimiento de la lengua podemos disponer de censos y/o padrones que nos aportan una valoración global de la situación, en relación con el uso no disponemos de información que alcance a toda la población, sino que únicamente existen encuestas que seleccionan sectores diversos de población. (Véase M. Siguán, 1999; M. P. Castor, 1998, y J. Melià, 1997a y 1997b.)

La población balear, como hemos visto, tiene un nivel de conocimiento del catalán considerable, y, según parece, tiende a ampliarse. En cambio, el uso del catalán en los contactos interpersonales parece disminuir.

«El conocimiento del castellano es general, y esto no ocurre con el catalán. Por otra parte, alegar ignorancia de la lengua catalana —en la habilidad de hablar— es un hecho relativamente frecuente, mientras que alegar ignorancia del castellano es totalmente inusitado. Por ello, al castellano se le atribuye la función de lengua neutra y es la lengua que habitualmente se usa en situaciones en que el hablante intuye un posible conflicto (con desconocidos, con castellanohablantes, en reuniones mixtas, etc.) (J. Melià, 1999, pág. 91).

Esta función de lengua común que se le atribuye al castellano implica que los castellanohablantes necesitan cambiar de lengua en muchas menos ocasiones que los catalanohablantes, porque el hecho de que mantengan su lengua en contactos con castellanohablantes se considera una transgresión de las normas convencionales. Entre los jóvenes mallorquines que tienen el catalán como primera lengua (L_1) el paso al castellano con interlocutores castellanohablantes que entienden el catalán (compañeros de clase, amigos, familiares adultos, conocidos también adultos y profesores) es siempre más frecuente que el cambio equivalente entre los jóvenes de L_1 castellana (J. Melià, 1997b, y 1999, pág. 91).

Y es que los jóvenes de Mallorca, a pesar de ser mayoría los que tienen el catalán como L_1, usan mayoritariamente el castellano: el 52,8 por 100, castellano; catalán, 39,3 por 100, y las dos lenguas, 7,9 por 100. Estos datos tienen importancia por su valor de proyección de futuro, porque, de alguna manera, este hecho puede indicarnos qué lengua predominará como lengua familiar y, en consecuencia, qué lengua predominará en la transmisión a sus hijos.

Las diferencias de entorno también se manifiestan entre la población, en general. Un estudio que analiza la lengua de respuesta al teléfono, cuando el que telefonea habla en catalán (Ll. Viver, 1995), demuestra que globalmente, en estos casos, el uso de la lengua catalana es superior al castellano. Por zonas, el uso del catalán oscila entre el 69,2 por 100 de los pueblos de Mallorca y el 45,2 por 100 de Ibiza, el único lugar donde el uso del castellano es superior.

Los valores a favor del catalán parece que aumentan en tanto en cuanto la incidencia del catalán parece más directa. En una encuesta de 1991 a mayores de 18 años (IEAVIB), las respuestas en catalán al encuestador que se dirigía en esta lengua representan, en todos los casos, unos valores superiores a los de las respuestas en castellano.

Si atendemos a la información proporcionada por la encuesta anteriormente citada por M. Siguán *(Conocimiento y uso de las lenguas,* CIS, Madrid, 1999), en el caso de las Islas Baleares la muestra se circunscribió a 473 hablantes, con distribución proporcional, que arrojaban las siguientes competencias en la lengua de la Comunidad:

— *Competencias de la lengua catalana en las Islas Baleares*

Tabla 32

Hablan	71,7%
Solo entienden	20,7%
No entienden	7,6%
NS/NC	—
TOTAL	100%
(N)	473

Dado que en conjunto en todas las Comunidades hay una correlación directa entre el grupo de edad y el nivel de competencias de la lengua.

— *Capacidad de escribir en la lengua de la Comunidad en función de la edad*

Tabla 33

	18-24 (%)	25-34 (%)	35-44 (%)	45-54 (%)	55-64 (%)	+ 64 (%)
Islas Baleares......	66,7	41,8	30,7	23,0	13,6	12,0

Fuente: M. SIGUÁN, *Bilingüismo y contacto de lenguas,* 2001, pág. 241.

Asimismo resulta importante, como hemos visto, la distinción entre *lengua principal* o *habitual* y cómo la mayoría de los encuestados «consideran que no tienen dificultad en señalar cuál es su lengua principal, aunque algunos se han declarado explícitamente bilingües. Teniendo en cuenta las respuestas de los encuestados a la pregunta sobre la lengua principal y teniendo en cuenta sus competencias en la otra lengua, se puede distribuir a los habitantes de estas Comunidades Autónomas con lengua propia en cuatro categorías. Veamos el caso de las Baleares» (M. Siguán, 2001, pág. 241).

— *Lengua principal y competencias lingüísticas*

Tabla 34

Vernácula.............................	41,2%
Bilingües	11,6%
Castellano I	18,2%
Castellano II	28,3%

Por último, y de cara al comportamiento lingüístico en distintas situaciones, permite conocer cierta estructura en los usos lingüísticos:

— *Uso de la lengua catalana en distintas situaciones*

Tabla 35

En casa.................................	51%
En una tienda	51%
Al teléfono	43%
Al tomar notas	39%
En el trabajo	40%

En la investigación del profesor Siguán, se señala: «las preguntas sobre el uso se formulan en términos de preferencia; también las preferencias a favor de la lengua propia son altas. Pero las preguntas sobre preferencias producen sobre todo respuestas que afirman la disposición a usar cualquiera de las dos lenguas» (M. Siguán, 2001, pág. 242).

— *Lengua preferida en la televisión en las Islas Baleares*

Tabla 36

Vernácula	9,5%
Castellano	44,6%
Indiferente	45,5%
NS/NC	0,4%

LA LENGUA CATALANA EN LA EDUCACIÓN EN LAS ISLAS BALEARES

Las Islas Baleares no consiguieron las competencias de educación hasta el 1 de enero de 1998. Este hecho hizo posible que «durante todo el período en el que la Consejería de Cultura y el Ministerio de Educación estuvieron "controlados" por fuerzas de diferente color político, se atribuían mutuamente la responsabilidad de la falta de progreso en la *normalización lingüística* en educación. La asunción de competencias, de momento, no ha significado un avance práctico en este sentido» (J. Melià, 1999, pág. 81). Actualmente, y tras el año 1999, se está desplegando, realmente, desde el punto de vista legislativo, la Ley de Normalización Lingüística (catalogación de plazas bilingües, determinación de la presencia mínima del catalán como lengua vehicular de la educación no universitaria, directivas en la elaboración y autorización de libros de texto, etc.).

Por otra parte, a partir del curso 1979-1980, la presión inicial para introducir la lengua catalana en la enseñanza arranca de la creación del Secretariado de Enseñanza de la ya citada Obra de Cultura Balear, que se ocupaba de organizar cursos de verano para maestros en los que la enseñanza de la lengua ocupaba un lugar muy importante. En 1979 los conocidos Decretos de Bilingüismo hicieron obligatoria la enseñanza del catalán en todos los centros de enseñanza para todos los alumnos. En 1983, momento en el que está a punto de aprobarse el Estatuto de Autonomía, la situación de la enseñanza en las Islas Baleares, según Vives, en su trabajo «La lengua catalana en el sistema de enseñanza de las Baleares» (1983), era el siguiente:

Según los datos aportados por las autoridades gubernativas, el grado de cumplimiento del decreto era muy elevado, del 90 por 100 en los centros de Preescolar y de EGB por lo que se refiere a la obligación de enseñar catalán, mientras que en BUP y FP el cumplimiento era total. Pero al parecer estos datos resultaban excesivamente optimistas y no reflejaban la realidad. Una encuesta realizada en los centros, de forma directa, demostraba que solo el 50 por 100 de los que afirmaban cumplir con el precepto legal ofrecían las tres horas semanales obligatorias de catalán; el resto impartía algunas horas de manera, en ocasiones, simbólica. En cuanto a la posibilidad prevista por el decreto de utilizar el catalán como lengua vehicular de enseñanza, solo cuatro centros habían recibido la autorización para hacerlo y otros cuatro lo habían solicitado. En estas mismas fechas se disponía de los resultados de una encuesta sobre el conocimiento y uso del catalán, entre los maestros de la isla de Mallorca, realizada por el departamento de Pedagogía de la Universidad de las islas:

— *Conocimiento del catalán por los maestros de Mallorca (1982)*

Tabla 37

	Bien	Regular	No
Entiende	81%	12%	7%
Habla	58%	21%	21%
Lee	56%	25%	19%
Escribe	19%	54%	27%

— *Uso del catalán por los maestros de Mallorca*

Tabla 38

	Generalmente	Alguna vez	Nunca
Habla	51%	15%	30%
Escribe	16%	25%	59%
Emplea en clase	7%	47%	46%

— *Opiniones de los maestros de Mallorca sobre el catalán*

Tabla 39

	Sí	No
Les parece bien que se enseñe el catalán	87%	13%
Les parece bien que se enseñe en catalán	37%	63%

— *Denominación de la lengua por los maestros de Mallorca*

Tabla 40

Prefieren llamarla «catalán»	36%
Prefieren llamarla «mallorquín»..................	37%
Indiferentes	23%

En esta situación, y aprobado el Estatuto de Autonomía en 1983, se desarrolló una gran actividad normativa con el fin de conseguir no solo la enseñanza de la lengua catalana, sino también la utilización del catalán como lengua de la enseñanza. Actualmente, una vez aprobada la Ley de Normalización Lingüística en 1986, donde se señala:

> *Artículo 18.*—1. Los alumnos tienen derecho a recibir la primera enseñanza en su lengua, sea la catalana o la castellana.
> 2. A tal efecto el Gobierno ha de arbitrar las medidas pertinentes de cara a hacer efectivo este derecho. En todo caso, los padres o tutores pueden ejercer en nombre de sus hijos este derecho instando a las autoridades competentes para que sea implantado adecuadamente.

En el texto de la ley se habla del derecho a recibir la enseñanza en la lengua materna o habitual, esto es, el derecho a elegir la lengua de enseñanza, aunque dado que el derecho a recibir la enseñanza en una lengua solo se hace efectivo si el padre o el propio alumno lo reclama y, evidentemente, puede renunciar a reclamarlo, lo que queda, en definitiva, es la libertad de elección.

En la actualidad, en todos los centros escolares de las islas la enseñanza del catalán está presente en todos los niveles y con el mínimo horario previsto. «El conocimiento del catalán por parte de los maestros también ha aumentado debido a los cursos y otras actividades de formación y a que las nuevas promociones que terminan sus estudios en la Escuela de Profesorado de las islas han recibido una preparación adecuada en este sentido. Ha aumentado el número de centros, incluso dentro del sistema de la enseñanza pública, que tienen el catalán como medio de enseñanza, a pesar de que siga siendo muy reducido. Y en los centros de Bachillerato, además de la enseñanza del catalán, se ofrece alguna otra asignatura en esta lengua. O sea, que se ha producido un cambio, pero un cambio que se mantiene en los límites de los decretos de bilingüismo y que a diferencia de lo que hemos visto en Cataluña parece, además, estabilizado» (M. Siguán, 1992).

El sistema educativo en Baleares ha sido transferido al Gobierno autónomo, y este hecho puede incidir en el desarrollo del catalán en la enseñanza. Quizá por esta razón, y consciente el Gobierno balear de este hecho, solicita desde hace tiempo la transferencia de las competencias sobre el sistema educativo, con razón sobrada, ya que la Comunidad balear es la única Comunidad Autónoma, con lengua propia, que no tenía las competencias educativas transferidas.

LA LENGUA CATALANA EN LA ENSEÑANZA EN LAS ISLAS BALEARES

A partir del curso 1997-1998 las disposiciones obligan a los centros educativos a impartir la mitad de las materias en lengua catalana, aunque el cumplimiento se aleja mucho de realizarse, en muchas ocasiones, porque la Administración educativa no destina los recursos humanos y materiales imprescindibles. Una parte considerable del profesorado en activo todavía no ha adquirido el nivel de reciclaje necesario. A partir de 1999 las oposiciones de profesorado son competencia de la Administración autónoma, y en ellas se exige, por supuesto, la acreditación total de conocimiento de catalán y de castellano, o la superación de una prueba con esta finalidad.

A partir del curso 1998-1999 se han ido creando dos centros de auto-aprendizaje de catalán, uno para la carrera de CIM, en colaboración con la OCB, y el otro tutelado por el Gobierno.

Es de destacar, tal y como hemos indicado anteriormente, la función positiva que la Universidad de las Islas Baleares ha ejercido como institución al proporcionar prestigio social a la lengua y actuar, en el funcionamiento administrativo, como modelo institucional de comportamiento lingüístico. Por otro lado, el reconocimiento explícito que el Estatuto hace de su autoridad como institución consultiva ha servido de argumento para intervenir directamente en cuestiones de *normalización lingüística* fuera del ámbito académico. En el aspecto docente, la legislación deja libertad al profesor y al alumno frente al uso de cualquiera de las dos lenguas oficiales. En la Universidad de las Islas Baleares puede cursarse, naturalmente, la licenciatura de Filología Catalana. Además, los alumnos que siguen estudios de Filología Hispánica o de Magisterio han de cursar, necesariamente, asignaturas en lengua catalana.

La lengua catalana en la UIB (Universidad Islas Baleares)

La voluntad por parte del profesorado universitario es el factor que determina la lengua que usan en sus explicaciones y, en segundo término, la que usan los alumnos en sus trabajos. Los cálculos actuales indican (J. Melià, 1999) que en torno al 54 por 100 de las asignaturas se imparten en catalán (véase *Servei lingüístic* de la UIB). Este 54 por 100 parece distribuirse de manera muy irregular según los estudios. En la carrera de Derecho es donde menos se usa la lengua catalana; en cambio, parece que en Magisterio o en Ciencias se utiliza en la mayoría de las asignaturas. Esta irregular distribución afecta también a la proporción de alumnos que reciben la docencia en catalán, porque las carreras más masificadas son las que tienen menor enseñanza en catalán, excepto los estudios de Magisterio (J. Melià, 1999, págs. 95-96).

En la redacción de las tesis doctorales se observa en los últimos años un incremento del uso del catalán, que sin duda es obra de estudiantes que han tenido presente el catalán en su currículum, en otros niveles educativos, también.

En la proyección social de la UIB y en el funcionamiento administrativo el catalán se utiliza de manera muy mayoritaria, lo cual ha ayudado, sin duda, a formar esta imagen de institución altamente normalizada.

La lengua catalana en la Administración

La promulgación del catalán como lengua propia de la Comunidad balear en el Estatuto y, especialmente, en la Ley de Normalización Lingüística conlleva el que el catalán sea la lengua usada por el Gobierno balear y por las instituciones públicas en las islas. Así, establece que los actos jurídicos y administrativos tendrán validez cualquiera que sea la lengua en la que estén formulados. Las disposiciones legales han de publicarse en las dos lenguas y la información administrativa ha de estar a disposición de quien la solicite en las dos lenguas. Además se ofrece, en la ley, garantías de que los ciudadanos puedan dirigirse a la Administración y mantener relaciones con ella en cualquiera de las dos lenguas oficiales; lo que implica poner en marcha las medidas necesarias para asegurarlo también en la lengua propia. Como en el resto de las Comunidades con lengua propia, el Gobierno balear utiliza, sistemáticamente, el catalán en su imagen externa: denominación, papel impreso, señalización en las vías públicas, carreteras, etc., así como en sus publicaciones oficiales y culturales, aun cuando de las oficiales se hace doble edición en catalán y castellano. «La información y los formularios para cumplir cualquier trámite administrativo están normalmente disponibles en las dos lenguas, y a menudo en primer lugar en catalán. En el Parlamento balear los diputados se expresan en cualquiera de las dos lenguas, pero la mayoría lo hacen en catalán, que por otra parte es la lengua en la que normalmente se comunican entre sí, cuando están fuera de la sala de sesiones. En sus intervenciones públicas las autoridades autonómicas utilizan el catalán y con frecuencia también el castellano» (M. Siguán, 1992).

Para las instituciones (Ayuntamientos) puede decirse lo mismo que para el Gobierno y la Administración autonómicos.

En conjunto podría decirse que lo que realmente ha ocurrido es que unas prácticas orales, ya tradicionales, de uso habitual del catalán en el interior de las instituciones y en el contacto con el público, y uso del castellano en las ocasiones más formales y en el funcionamiento escrito, se han convertido en práctica legal.

En abril de 1990 el Gobierno balear decidió establecer un acuerdo institucional con la Obra de Cultura Balear, una institución privada directamente comprometida con la defensa de la lengua, para emprender una campaña de normalización lingüística. Después de firmado este acuerdo, en noviembre de 1990 el Gobierno balear ha publicado un decreto regulando el uso de «las lenguas que refuerzan el uso del catalán en el interior de la Administración, y en las relaciones con el público. Y en conexión con el decreto varias dependencias administrativas y muchos ayuntamientos de las tres islas han establecido asesores lingüísticos para impulsar y facilitar este uso» (M. Siguán, 1992). Aunque, según la opinión de este autor, y atendiendo a la situación sociolingüística en las islas, los problemas de la lengua son más profundos que los que puedan abordarse con estas medidas, y es posible, como a veces se denuncia, que un mayor uso oficial y público coincida con un retroceso efectivo en los usos personales y sociales.

Con todo, en algunas de las Consejerías y en algunos de los Consejos insulares el catalán, como lengua de trabajo, tanto en el funcionamiento interno como en la proyección exterior, varía de forma considerable, fuera de los ámbitos más propiamente simbólicos, en los cuales domina el uso del catalán. El grado de normalización del resto de las instituciones públicas es muy variable. Va desde los ayuntamientos en los que se observa un uso elevado hasta otros en los que todavía ha de iniciarse el proceso.

Desde las Administraciones autonómica, local y periférica se han venido organizando cursos de lengua catalana para los funcionarios. En el año 1991, el Gobierno balear crea la Junta Evaluadora del Catalán (JAC), formada por representantes de las principales instituciones políticas de la Comunidad (Gobierno, Consejos insulares y Ayuntamiento de Palma), de la UIB, la CNL y la OCB. La finalidad es unificar titulaciones, homologar programas, elaborar pruebas de evaluación, expedir certificados de conocimiento del catalán para los estudios fuera de las vías académicas normalizadas y homologar estas titulaciones con las equivalentes del País Valenciano y de Cataluña, sobre todo a efectos de reconocimiento por parte de la Administración. Últimamente, desde determinadas instancias y con la finalidad de controlar los niveles y la expedición de títulos, se intenta «vaciar de contenido a la JAC, a favor del Instituto de Función Pública, dependiente del Gobierno».

En la publicidad institucional que aparece en los medios de comunicación, el uso del catalán es muy superior al uso del castellano.

La Administración periférica del Estado presenta aún un grado de normalización muy bajo y desigual. En la Delegación de Hacienda es posible realizar las declaraciones en catalán. En el campo de la Justicia, de la Policía (excepto la local) y del Ejército, el uso del catalán es casi nulo y, a pesar de todo, «los pocos ciudadanos que, cuando se relacionan con estas instituciones, se atreven a usar el catalán son, en muchas ocasiones, coaccionados de manera indirecta para que cambien su lengua».

LA LENGUA CATALANA EN LOS MEDIOS DE COMUNICACIÓN
Y EN LA PRODUCCIÓN CULTURAL

Actualmente la programación de televisión en lengua catalana que puede sintonizarse desde las Islas Baleares es de procedencia diversa. En este sentido, cabe decir que, hasta estos últimos años, el Gobierno, casi podemos decir que a pesar de lo indicado en la Ley de Normalización Lingüística (1986), no ha llevado a cabo una «gran tarea» y se ha limitado a las «desconexiones horarias» de TVE, por unas horas al día. Existen, además, dos televisiones, con características propias de las televisiones locales, que pueden sintonizarse en toda la isla de Mallorca, que suelen emitir programas de producción propia en catalán, pero el resto (películas, reportajes, etc.) es en castellano. Gracias a la instalación de repetidores de iniciativa popular vehiculada a través de la OCB, y a pesar de la oposición inicial del Gobierno del PP (1999), desde las Islas Baleares pueden sintonizarse TV3 y Canal 33, de la CCRTV, y Noticias 9 del Canal 9 de Valencia.

En radiodifusión se ofrecen algunas desconexiones en emisoras de ámbito estatal, para ofrecer programas propios desde las islas, que en algunas ocasiones son en catalán —por ejemplo, a través de RNE—, y en diversas emisoras locales se realizan algunos programas en catalán, siempre en proporciones muy marginales. También a través de los repetidores de VOLTOR se difunde la programación de Cataluña Radio, Cataluña Información, RAC, Cataluña Cultura y Cataluña Música —todas ellas de la CCRTV—, y, además, también puede sintonizarse COM-Radio; todas ellas son emisoras de programación íntegramente en catalán (J. Melià, 1999, págs. 82-83 y 96-99).

Tanto las cadenas de televisión como las de radio en catalán que se reciben desde Cataluña y desde el País Valenciano han tenido efectos positivos en el proceso de normalización lingüística de las islas.

Desde mayo de 1996 se publica el *Diari de Balears* en catalán, con una difusión que oscila entre los 3.000 y 6.000 ejemplares diarios. Los otros seis diarios de las Baleares son en castellano, aunque esporádicamente y/o de manera más o menos regular aparecen colaboraciones o suplementos en lengua catalana. *El Periódico y L'Avui,* de Barcelona, se distribuyen en las Baleares, si bien su difusión es relativamente minoritaria. Entre los semanarios ha de citarse *El Temps,* que trata de cubrir toda el área de lengua catalana. En el terreno de las publicaciones periódicas son dos las revistas de contenido sociocultural más importante: *Vuc* (1968) y *El Mirall* (1997).

En el terreno musical las Balearen han sabido vincularse a dos grandes corrientes musicales en catalán: una en los sesenta, la *Nova Cançó,* y otra, el *rock* en catalán. En ambos casos las islas han aportado mercado e intérpretes de primera línea. Lo mismo las corales, que han solido tener siempre repertorio en catalán, lo que también ha contribuido al proceso de normalización de la lengua propia.

En cuanto al teatro, tanto de oferta institucional como privada, básicamente todo lo que se produce desde las islas es en catalán, y lo mismo las obras que proceden del resto de los países en lengua catalana con numeroso público.

En lo referente a la producción literaria, como es sabido, toda la literatura de importancia producida en las Baleares ha estado escrita en catalán, y algunos de los autores que han aportado son de primera línea en la historia de la literatura catalana. La producción editorial de las islas, en la actualidad, también lo es mayoritariamente en catalán, aunque todavía, como es evidente, el mercado en castellano tiene una dimensión mucho mayor que el catalán, sobre todo en las áreas no estrictamente literarias. En la Feria del Libro (1998), por ejemplo, la venta de títulos en catalán (6.500) supuso alrededor del 38 por 100 del total (17.500).

En cambio, en el campo cinematográfico, el panorama de exhibición en catalán es prácticamente un desierto (J. Melià, 1999, págs. 98-99).

VALENCIA/PAÍS VALENCIÀ

CARACTERIZACIÓN GENERAL: DATOS MORFOLÓGICOS, DEMOGRÁFICOS Y ESTRUCTURA POLÍTICA

La Comunidad Valenciana ocupa un territorio situado en el Levante peninsular; está bañada por el mar Mediterráneo, al sur de Cataluña. Tiene una extensión de 23.305 km² y, según el *Censo de 1991,* una población de 3.923.481 habitantes.

El Estatuto de Autonomía valenciano se promulgó en 1981 y, a través de él, la Comunidad Valenciana goza de un amplio marco autonómico en su organización. Aun cuando «el ámbito de las competencias transferidas sea inferior al de las llamadas nacionalidades históricas: Cataluña y Euskadi» (M. Siguán, 1992). A diferencia, sin embargo, de lo que hemos señalado para Baleares, la Comunidad Valenciana tiene competencias en materia educativa desde el inicio, aunque de manera progresiva, según los territorios.

Desde el punto de vista administrativo, la Comunidad Valenciana está articulada en tres provincias con la misma denominación que sus capitales: Valencia, Castellón/Castelló y Alicante/Alacant. La ciudad de Valencia es, al mismo tiempo, la capital administrativa de la Comunidad y es, también, sede del Parlamento y el Gobierno valencianos.

Lingüísticamente, el valenciano difiere notablemente del catalán, tanto en los aspectos fonéticos como en su morfología y sintaxis. A pesar de las diferencias dialectales claras con el catalán, la unidad de la lengua es indiscutible. «Aunque es cierto que a partir del siglo XV, cuando se rompen los lazos políticos entre los países de lengua catalana y cuando la lengua deja de utilizarse en forma escrita, se hace frecuente la denominación de valenciano para la lengua hablada en Valencia igual que la de mallorquín para la hablada en Mallorca» (ibídem). Sin querer entrar en la polémica de la unidad lingüística, esta resulta patente; aun cuando se utilice la denominación de valenciano, no se está pensando en una lengua distinta del catalán, sino más bien en una variedad de él; y es en este sentido en el que vamos a utilizarlo aquí.

MARCO LEGAL: ESTATUTO DE AUTONOMÍA DE LA COMUNIDAD VALENCIANA (1981) Y LEY SOBRE USO Y ENSEÑANZA DEL VALENCIANO (1986)

El Estatuto de Autonomía de la Comunidad de Valencia, promulgado en julio de 1982, explicita en materia lingüística lo siguiente:

> *Artículo 7.*—1.   Los dos idiomas oficiales de la Comunidad Autónoma son el valenciano y el castellano. Todos tienen derecho a conocerlos y usarlos.
>
> 2.   La Generalidad Valenciana garantizará el uso normal y oficial de las dos lenguas y adoptará las medidas necesarias para asegurar su conocimiento.
>
> 3.   Nadie podrá ser discriminado por razón de su lengua.
>
> 4.   Se otorgará especial protección y respeto a la recuperación del valenciano.
>
> 5.   La ley establecerá los criterios de aplicación de la lengua propia en la Administración y en la enseñanza.
>
> 6.   Mediante esta ley se delimitarán los territorios en los que predomine el uso de una y otra lenguas, así como los que puedan exceptuarse de la enseñanza y el uso de la lengua propia de la Comunidad.

Tras el reconocimiento del castellano y el valenciano como lenguas oficiales en todo el territorio de la Comunidad Valenciana, el Estatuto asegura la no discriminación en razón de la lengua, anuncia la aplicación de estos principios al uso de la lengua propia en la Administración y en la enseñanza, y señala la futura delimitación de las distintas zonas lingüísticas en función del uso predominante de una u otra lengua.

El 23 de noviembre de 1983 se aprobó por el Parlamento la Ley sobre el Uso y Enseñanza del Valenciano. En el Preámbulo de la ley se dice que al promulgarse y aprobarse el Estatuto, en el que la materia lingüística es objeto de regulación, se hace necesario el desarrollo legislativo de todas estas cuestiones». Además, la Generalidad Valenciana tiene un compromiso irrenunciable en la defensa del patrimonio cultural de la Comunidad Autónoma y, de manera especial, en la recuperación del valenciano, lengua histórica y propia del pueblo valenciano, del que constituye la más peculiar seña de identidad.

Ante la situación diglósica en que se encuentra la mayor parte de la población, mantenida durante la historia de casi trescientos años, la Generalidad, como sujeto fundamental en el proceso de recuperación de la plena identidad del pueblo valenciano, tiene el derecho y el deber de devolver a la lengua el rango y lugar que merece, acabando con la situación de abandono y deterioro en la que se encuentra. La irregular situación sociolingüística exige una actuación legal que, sin más demora, ponga fin a esa postración y, propiciando la utilización y enseñanza del valenciano, logre su total equiparación con el castellano.

La presente ley trata de superar la relación de desigualdad existente entre las dos lenguas oficiales de la Comunidad Autónoma, disponiendo para ello las medidas pertinentes para impulsar el uso del vocabulario en todas las esferas de la sociedad, y en especial en la Administración, y en su enseñanza, como vehículo de su recuperación. El fin último de la ley es lograr, a través de la promoción del valenciano, su equiparación efectiva con el castellano y garantizar el uso normal y oficial de ambos idiomas en condiciones de igualdad, desterrando cualquier forma de discriminación lingüística.

Y, desde otro aspecto, la ley constituye el cumplimiento de uno de los puntos del programa del Gobierno valenciano, que asumió, con la confianza de las Cortes valencianas, el compromiso de garantizar, de acuerdo con el Estatuto de Autonomía, el uso normal y oficial de ambas lenguas y de otorgar la protección y respeto oficial a la recuperación del valenciano.

Con base en los mandatos constitucionales y estatutarios antes citados, que informan los principios generales de la presente ley, se articulan las declaraciones programáticas y se perfilan los objetivos específicos en su Título preliminar. Así pues, se declara que el valenciano es lengua propia de la Comunidad Valenciana y el derecho que todos los ciudadanos tienen de conocerla y usarla con plenitud de efectos jurídicos, de igual manera que si se emplease el castellano. Se garantiza la tutela judicial de este derecho y se proscribe cualquier discriminación por razón de la lengua.

Partiendo de estos principios inspiradores de la ley, el texto se articula en cinco títulos, bajo las rúbricas: «Del uso del valenciano», «Del valenciano en la enseñanza», «Del uso del valenciano en los medios de comunicación social», «De la actuación de los poderes públicos» y «De los territorios predominantemente valencianoparlantes y castellanoparlantes».

El Título I dedica su primer capítulo al uso oficial del valenciano en la Administración pública. Se establece la redacción y publicación bilingüe de las leyes que aprueben las Cortes valencianas y la plena validez de las actuaciones administrativas y forenses realizadas en valenciano. El capítulo II se refiere al uso normal del valenciano por los ciudadanos en sus distintas actividades.

El Título II de la ley, en su capítulo I, dispone la obligatoriedad de la incorporación del valenciano a la enseñanza en todos los niveles educativos, con la salvedad de que en los territorios castellanohablantes dicha incorporación se llevará a cabo de manera progresiva en atención a su particular situación sociolingüística.

En el Título III se reconoce el derecho que todos los ciudadanos tienen a ser informados por los medios de comunicación social, tanto en valenciano como en castellano, y a utilizar indistintamente ambas lenguas cuando hayan de acceder a ellos; se atribuye al Consejo la promoción y utilización del valenciano en dichos medios, cuidando de la adecuada presencia del valenciano en los que dependen de la Generalidad.

El Título IV contempla la actuación de los poderes públicos en el fomento de la utilización del valenciano en las actividades administrativas y su conocimiento por los funcionarios y empleados públicos.

El Título V contiene la determinación de los territorios predominantemente valencianohablantes y castellanohablantes, a los efectos de aplicación de la ley, sin perjuicio de que pueda procederse a su revisión y sin que ello sea obstáculo para que todo ciudadano de la Comunidad Valenciana pueda hacer efectivo su derecho a conocer y usar el valenciano.

En las Disposiciones transitorias se establece el plazo de tres años para que en las distintas esferas de la Administración valenciana se lleven a término las disposiciones de esta ley, estándose a los plazos que se establezcan en los pactos a convenir con otras esferas de la Administración. También se contempla el paso de la situación actual a la que se derivará de la aplicación de la ley respecto al profesorado en formación y en activo.

Por último, la ley contiene una Disposición derogatoria y otra final autorizando al Gobierno valenciano el desarrollo reglamentario que precise la aplicación de la ley y estableciendo la fecha inicial de su vigencia.

Vamos a exponer y analizar aquí el Título preliminar, en su fundamentación y contenido, ya que los apartados referidos a la Administración, enseñanza y medios de comunicación social serán examinados más adelante:

TÍTULO PRELIMINAR

Principios generales

Artículo 1.—1. La presente ley tiene por objeto genérico dar cumplimiento y desarrollar lo dispuesto en el artículo 7 del Estatuto de Autonomía, regulando el uso normal y oficial del valenciano en todos los ámbitos de la convivencia social, así como su enseñanza.

2. En base a ello son objetivos específicos de la presente ley los siguientes:

a) Hacer efectivo el derecho de todos los ciudadanos a conocer y usar el valenciano.

b) Proteger su recuperación y garantizar su uso normal y oficial.

c) Regular los criterios de aplicación del valenciano en la Administración, medios de comunicación social y enseñanza.

d) Delimitar los territorios en los que predomina el uso del valenciano y castellano.

e) Garantizar, con arreglo a principios de graduabilidad y voluntariedad, el conocimiento y uso del valenciano a todo ámbito de la Comunidad.

Artículo 2.—El valenciano es lengua propia de la Comunidad Valenciana y, en consecuencia, todos los ciudadanos tienen derecho a conocerlo y a usarlo, oralmente y por escrito, tanto en las relaciones privadas como en las relaciones de aquellos con las instituciones públicas.

Artículo 3.—Sin perjuicio de las excepciones reguladas en esta ley, el empleo del valenciano por los ciudadanos, en sus relaciones, tanto públicas como privadas, produce plenos efectos jurídicos, de igual manera que si se emplease el castellano, sin que pueda derivarse del ejercicio del derecho a expresarse en valenciano cualquier forma de discriminación o exigencia de traducción.

Artículo 4.—En ningún caso se podrá seguir discriminación por el hecho de emplear cualquiera de las dos lenguas oficiales.

Artículo 5.—La Administración adoptará cuantas medidas sean precisas para impedir la discriminación de ciudadanos o actividades por el hecho de emplear cualesquiera de las dos lenguas oficiales, así como para garantizar el uso normal, la promoción y el conocimiento del valenciano.

Artículo 6.—Los ciudadanos tienen el derecho a obtener de los jueces y tribunales protección del derecho a emplear las dos lenguas oficiales de acuerdo con lo dispuesto en la legislación vigente.

De la lectura de los fragmentos transcritos se desprende un planteamiento que, de algún modo, formula los objetivos generales siguientes:

a) La afirmación de que el valenciano es vínculo histórico y señal de identidad de la Comunidad Valenciana, que es la que promulga la ley; de ahí el calificativo de lengua propia.

b) La decisión de compensar la situación de inferioridad en que se encuentra la lengua en ese momento y, por lo tanto, la voluntad de promover su conocimiento y su uso en todos los ámbitos de la vida social hasta conseguir la normalidad de su uso.

c) El precepto constitucional que establece la cooficialidad de la lengua propia con el castellano, lengua oficial del Estado, y, con ello, la necesidad del establecimiento de las condiciones que aseguren la posibilidad de utilizar en cualquier circunstancia cualquiera de las dos lenguas y con los mismos efectos legales.

Por último, señala que nadie será discriminado por razones de lengua. En definitiva, con la presente ley se reclama la cooficialidad plena del valenciano y del castellano.

Situación sociolingüística: conocimiento y uso del valenciano [3]

Si bien la inclusión de una pregunta relativa al conocimiento lingüístico de la población, puesto que el *Censo de Población* se inicia en el País Valenciano en 1981, queda limitada al ámbito territorial de la provincia de Valencia, su aplicación tuvo un carácter discrecional totalmente dependiente del criterio de los diferentes Ayuntamientos. «Así, la falta de criterios de coordinación en el tratamiento de los datos hace inviable la utilización de los mismos» (X. Sanjuán, 1999, pág. 119).

En los *Padrones de 1986* la pregunta sobre el conocimiento lingüístico se aplicó al conjunto de los municipios valencianos y su redacción se formula en términos iguales a los del *Censo de 1991* (resultados ya publicados y expuestos). Además, el texto de la pregunta adopta la misma redacción que en Cataluña y las Islas Baleares.

En cuanto a la clasificación del grado de conocimiento del catalán, tanto en el *Padrón* como en el *Censo* se utiliza el método de autoadscripción en los grupos siguientes:

1. No entiende el valenciano.
2. Entiende el valenciano pero no lo habla.
3. Entiende el valenciano y lo lee pero no lo habla.
4. Sabe hablar el valenciano.
5. Sable hablar y leer en valenciano.
6. Sabe hablar, leer y escribir en valenciano.

«Desgraciadamente, a diferencia de Cataluña y las Islas Baleares, en el caso del País Valenciano ya no es posible prolongar la serie histórica con la información derivada de los *Padrones de Habitantes de 1996,* porque la aplicación de la pregunta sobre el conocimiento lingüístico nuevamente volvió a depender de la decisión de las corporaciones locales» (X. Sanjuán, 1999, pág. 120).

Ahora bien: las *Encuestas generales sobre conocimiento y uso del valenciano,* efectuadas en los años 1989, 1992 y 1995 por encargo de la Consejería de Cultura, Educación y Ciencia de la Generalidad Valenciana —dirigidas por Rafael L. Ninyoles—, aportan información —con un pequeñísimo margen de error— especialmente relevante para el conocimiento y uso lingüístico en Valencia, lo que nos permitirá observar la evolución hasta 1995.

---

[3] Hemos decidido examinar los datos estadísticos de los *Censos de 1986 a 1995-1996* y sus diferencias elaboradas y recogidas por Xavier Sanjuán Merino, del Institut Valencià de Investigación Social, por ser uno de los estudios más completos respecto al tema que nos ocupa.

Conocimiento del valenciano en el período 1986-1991

En consecuencia, descubriremos «la evolución de la competencia comunicativa en Valencia, en dos períodos, que se corresponden con dos fuentes de información diferentes: 1986 y 1991 *(Padrón y Censo de Población)* y 1992-1995 *(Encuestas generales sobre conocimiento y uso del valenciano).* Por lo que se refiere a la evolución del uso del valenciano, se considerará el período 1989-1995» (ibídem, pág. 121).

Tabla 41

Evolución de la competencia lingüística (1986-1991)

% de la población de 3 y más años	1986	1991
Entiende el valenciano	77,1	83,2
Sabe hablar el valenciano	49,5	51,1
Sabe leer el valenciano	24,3	38,0
Sabe escribir el valenciano	7,0	15,2

Entre los años 1986-1991 se produce un incremento de 6,1 puntos en el porcentaje de población que es capaz de entender el valenciano. La capacidad de hablar en valenciano se ve solo aumentada en 1,6 por 100, lo que permite observar un claro desplazamiento hacia los niveles de competencia más altos en los niveles de competencia superior, tal y como puede verse en la capacidad de lectura y escritura. Veamos ahora los datos atendiendo a una serie de variables caracterizadoras de la población:

— *Variable «Edad» (1986-1991)*

Como veremos más adelante, el aumento del grado de comprensión oral del valenciano (entienden) es generalizado en todos los intervalos de edad; el máximo nivel lo alcanza la población entre 10-19 años, para los datos de 1995, mientras que en el año 1986 este hecho correspondía al sector entre los 30-39 años. En cuanto a la competencia oral activa hay que señalar que en esta dimensión se produce un gran incremento en el nivel de competencia en torno a los 19 años, sobre todo de 14-19 años. Cambia, sin embargo, la situación respecto a otros grupos de edad: entre los 20-24 aumenta ligeramente, se estabiliza a partir de esa edad hasta los 34 años y experimenta un descenso entre la población de más de 40 años. La disminución de la capacidad de hablar en valenciano por parte de ese segmento de la población se corresponde con una insuficiente compensación del aumento de población que sabe hablar en valenciano al mismo tiempo que lo escribe y lo lee, respecto al decremento que se observa entre los que solo saben hablarlo.

Por otro lado, cabe señalar que, si se considera el segmento de población comprendida entre los 3 y los 34 años, en el período de 1988 a 1991, se puede observar un incremento en cifras absolutas de 9.311 personas en el período, con un aumento de 104.340 que afirman saber hablar valenciano, pasando del 44,5 al 49,8 por 100 la proporción de valencianohablantes. En cambio, a partir de los 34 años el incremento de población es de 129.311 personas, mientras que los catalanohablantes varían positivamente no más de 24.368 y el porcentaje disminuye del 55 al 52,4 por 100. Por lo que se refiere a la competencia escrita pasiva (leen) se ha producido también un incremento muy fuerte, y lo mismo ocurre en el caso de la competencia escrita activa (escriben).

— *Variable «Sexo» (1986-1991)*

En todas las dimensiones referidas, en la competencia lingüística del valenciano, son los hombres los que se sitúan un poco por delante de las mujeres, tanto en 1986 como en 1991. La diferencia mayor a favor de los hombres se produce en la capacidad de lectura.

— *Variable «Nivel socioeconómico» (1986-1991)*

En relación con la actividad económica de la población mayor de 16 años, atendiendo a lo que podemos llamar *población activa/población pasiva,* diremos que en todas las dimensiones de competencia lingüística la población económicamente activa supera a la otra, aun cuando la diferencia es muy reducida en el caso del habla. Además la evolución seguida en el período ha sido también favorable a este mismo grupo de población.

Hay que hacer notar que entre la población económicamente no activa los estudiantes conforman el segmento de población que tiene el mayor nivel de conocimiento; superan, también, en todas las habilidades (hablar, entender, leer y escribir) a la totalidad de los otros grupos, en función de su relación con la actividad.

— *Variable «Nivel de estudios» (1986-1991)*

Resulta bien evidente la correlación positiva existente entre «nivel de estudios» y grado de conocimiento del valenciano. En todas las dimensiones se observa un incremento del conocimiento de la lengua a medida que aumenta la formación académica de la población. Además, la evolución positiva sigue un orden ascendente en relación a los siguientes estratos: población que ha cursado la enseñanza básica (todavía con una ligera disminución en la capacidad de hablar valenciano), enseñanza superior y enseñanza media. En cambio, la población sin estudios experimenta una evolución negativa (excepto en la capacidad de entender el valenciano).

— *Variable «Lugar de nacimiento» (1986-1991)*

En este período de tiempo, prácticamente, no ha habido variación en la proporción de personas nacidas en el País Valenciano (74,4 por 100) respecto a la población total, tres años antes. Entre los no autóctonos, también se mantiene la misma proporción que en otros territorios de habla catalana, como los nacidos en Cataluña y Baleares (1,3 por 100), mientras que los nacidos en el resto de España disminuyen un poco (22 por 100 en 1986 y 21,3 por 100 en 1991) y aumentan los nacidos en el extranjero (2,4 por 100 en 1986 y 2,9 por 100 en 1991).

A lo largo del período considerado, la población nacida en Cataluña es la que manifiesta un mayor dominio del valenciano en todas las dimensiones —excepto en la capacidad de hablar, con un nivel muy parecido al de los nacidos en la Comunidad Valenciana—, seguida por los autóctonos de la propia Comunidad Valenciana y los procedentes de las Islas Baleares.

El porcentaje de los nacidos en el resto de España que entienden el valenciano supera, en este período, el correspondiente al de los nacidos en el extranjero. En cambio, en todas las demás habilidades lingüísticas la situación es a la inversa.

— *Variable «Tamaño del hábitat de residencia» (1986-1991)*

En el año 1991 se han situado en un extremo de la media de comprensión del valenciano los municipios de menos de 5.000 habitantes y las capitales de Castellón y Valencia. En el otro extremo, los municipios de 50.000 a 500.000, e incluso los municipios que tienen entre 5.000 y 50.000 habitantes —no muy acusadamente— y Alicante capital. La evolución positiva ha sido más importante precisamente en los estratos que partían en el año 1986 de la posición más desfavorable: municipios entre 50.000 y 100.000 habitantes y Alicante capital.

En la competencia oral activa, superan la media los municipios de menos de 20.000 habitantes y Castellón capital. En el otro extremo —por debajo de la media— se sitúan los municipios de 20.000 a 100.000 habitantes, y con valores inferiores a la media, los municipios de 100.000 habitantes y las capitales de Valencia y Alicante. En esta dimensión (de hablar), cabe destacar, por una parte, el importante incremento que puede observarse en los municipios que tienen entre 50.000 y 100.000 habitantes y, por otra, la situación de regresión en los que tienen entre 20.000 y 50.000 habitantes.

— *Variable «Distribución comarcal y zonas lingüísticas»*

En los municipios de predominio lingüístico castellano (declarados así, como es sabido, en la Ley 4/1983, de 23 de noviembre, de la Generalidad Valenciana, de Uso y Enseñanza del Valenciano, Título V, art. 35) se integran las siguientes comarcas: *Alt Vinolopó, Baix Segura, Vinolopó Mitjà, Alt Millars, Alt*

Palància, Canal de Navarrés, Foia de Bunyol, Plana Utiel-Requena, Racó d'Ademús, Serrans i Vall d'Aiora. Hay que tener presente que no son castellanohablantes todos los municipios que conforman las referidas comarcas, aunque sí que representan a la mayor parte de su población.

La población total de las comarcas mayoritariamente castellanohablantes (que incluyen también municipios valencianohablantes) se concentra muy marcadamente en la provincia de Alicante (más del 70 por 100), representa en torno al 29 por 100 de su población total, mientras que en las provincias de Castellón y Valencia supone entre el 5 y el 6 por 100. En el conjunto de la Comunidad Valenciana se sitúa en el 13 por 100 del total. La evolución seguida en el período es la siguiente:

Tabla 42

**Porcentaje de población de más de 3 años
residente en comarcas mayoritariamente castellanohablantes
en relación con la población provincial**

	1986	1991
Alicante	28,83	28,74
Castellón	6,65	6,15
Valencia	5,79	5,44
Comunidad Valenciana	13,38	13,30

Por lo tanto, creemos que resulta fundamental, a la hora de analizar los datos sobre conocimiento de la lengua, distinguir entre ambas zonas, evitando mayoritariamente las distorsiones que podrían producirse al agrupar áreas territoriales lingüísticamente no homogéneas.

Puede observarse claramente la diferenciación por zonas lingüísticas y constatarse cómo se incrementan los niveles de competencia en el conjunto de las comarcas valencianohablantes respecto a la totalidad de la Comunidad Valenciana, especialmente en la comprensión, habla y lectura, mientras que en la escritura la diferencia es más reducida.

La situación específica en el ámbito comarcal se presenta, como veremos, de un modo muy diversificado, en general con incremento en los niveles de conocimiento de la lengua, que en algunos casos son muy notables. Pero por lo que hace a la competencia oral pasiva y a la capacidad de lectura y escritura, las variaciones positivas se producen en todas las comarcas, excepto algunas situaciones de estancamiento: *Marina Alta* (competencia oral pasiva), *Baix Maestrat* (competencia oral pasiva) y en la *Plana d'Utiel-Requena,* comarca castellanohablante (escritura).

Conocimiento del valenciano en el período 1992-1995

Tabla 43

% población de más de 15 años	1992	1995
No entiende nada el valenciano..................	1	1
Entiende un poco el valenciano..................	8	6
Entiende bastante bien el valenciano	23	22
Entiende perfectamente el valenciano........	67	71
No sabe hablar nada el valenciano	14	11
Sabe hablar un poco el valenciano	18	20
Sabe hablar bastante bien el valenciano......	20	20
Sabe hablar perfectamente el valenciano	48	49
No sabe leer nada el valenciano..................	10	10
Sabe leer un poco el valenciano..................	42	40
Sabe leer bastante bien el valenciano	36	35
Sabe leer perfectamente el valenciano........	12	15
No sabe escribir nada el valenciano	57	53
Sabe escribir un poco el valenciano	26	25
Sabe escribir bastante bien el valenciano....	14	16
Sabe escribir perfectamente el valenciano ..	4	6

Podemos constatar variaciones positivas en todas las dimensiones de competencia lingüística, no muy importantes, pero significativas si se considera el escaso número de años incluidos en el período. Agrupando las respuestas de la población mayor de quince años residente en la zona valencianohablante de la Comunidad Valenciana, en el sentido de dominar bastante bien o perfectamente cada una de las habilidades lingüísticas antes expuestas: se producen incrementos de dos puntos de comprensión, habla y lectura, mientras que en escritura la modificación positiva sube cinco puntos.

Por lo tanto, y sin tener ahora en consideración las importantes variaciones que se producen en cifras absolutas, puede verse cómo la tendencia general constatada a lo largo del período 1986-1991, a partir de la observación de los datos del *Padrón* y del *Censo de Población,* se ve confirmada durante el período más corto, 1992-1995. En este segundo caso, las alteraciones positivas resultan prácticamente equilibradas, mientras que en el primer tramo hay diferencias importantes entre las distintas habilidades de competencia lingüística. Con todo, en el año 1995, el 93 por 100 de la población entrevistada en las comarcas catalanohablantes manifestaban entender bastante bien o perfectamente. La mitad sabían leer y el 22 por 100 declaraban ser capaces de escribir bastante bien o perfectamente en catalán. A continuación analizaremos la evolución del grado de conocimiento del valenciano, entre estas dos fechas, de acuerdo con las variables significativas y estrictamente homogéneas:

— *Variable «Edad»*

En todas las dimensiones de la competencia lingüística la población más joven (de 16 a 24 años) es la que manifiesta un mayor nivel de dominio; han experimentado, asimismo, importantes incrementos en un período tan corto de tiempo. Estas mejoras son en especial significativas en las capacidades de hablar y escribir bastante bien o perfectamente el valenciano (más de 11 puntos). Por el contrario, entre la población más mayor se constatan retrocesos importantes en comprensión oral y en el habla.

Por consiguiente, si en el año 1992 la comprensión oral del valenciano y las capacidades de lectura y escritura, en términos generales, van incrementándose en proporción inversa a la edad de la población entrevistada, mientras que con la capacidad de habla se produce lo contrario, en el año 1995 también en esta misma dimensión se observa idéntica tendencia.

— *Variable «Sexo»*

La diferencia entre hombres y mujeres no son demasiado importantes, ligeramente favorables a los primeros en competencia oral pasiva (la misma evolución en los dos casos), lectura y escritura —con una evolución más favorable a favor de las mujeres, con ligeras diferencias en el año 1995 respecto a 1992—. En cambio, las mujeres se sitúan un poco por delante de los hombres en capacidad declarada de hablar bastante bien o perfectamente el valenciano, con una mejor evolución positiva.

— *Variable «Lugar de nacimiento»*

Como es lógico, el hecho de haber nacido en las comarcas valencianohablantes y, en menor medida, la procedencia valencianohablante de la familia, condicionan fuertemente el mayor dominio del valenciano. Hay que hacer, con todo, dos precisiones:

a) La población procedente, personal o familiarmente, de las comarcas castellanohablantes manifiesta una competencia superior que la procedente del resto del Estado español.

b) Además, este grupo de población registra la evolución positiva más importante (competencia escrita activa), circunstancia que puede considerarse muy significativa.

— *Variable «Nivel de instrucción»*

Podemos clasificar la población en función de su nivel de estudios en tres grandes grupos: *nivel bajo* (población sin estudios, población con estudios primarios y bachillerato elemental), *nivel medio* (población con estudios de FP y bachillerato superior), *nivel alto* (población con estudios universitarios). De acuerdo con esta clasificación, puede observarse cómo el dominio del valenciano se incrementa a medida que aumenta la formación académica de la población. Asimismo, este incremento no es lineal: existe más diferencia entre el primer grupo y el segundo que entre el segundo y el tercero.

Hay que señalar un descenso importante en la capacidad de entender el valenciano manifestada por la población sin estudios, así como al hablarlo, por parte de la población con un bajo nivel general de estudios y, en la capacidad de lectura, para la población de nivel alto.

— *Variable «Situación laboral de la población»*

Por lo que se refiere a la comprensión oral del valenciano, las diferencias entre la población encuadrada en los distintos sectores productivos son escasas; no ocurre lo mismo respecto a las otras dimensiones de conocimiento lingüístico. En cuanto a la capacidad de hablar valenciano, los integrantes del sector primario son los que alcanzan un nivel más alto, de manera destacada, que desciende progresivamente entre los trabajadores del comercio, en los del sector servicios de industria y construcción. En cambio, en lectura y escritura, el nivel superior lo manifiestan los trabajadores del sector servicios, seguidos por los del comercio, los de la industria, la construcción y, en último lugar, los trabajadores del sector primario.

Respecto a la evolución seguida por los cuatro sectores de actividad, se constatan las variaciones positivas más relevantes en el sector servicios. En un sentido contrario, se observan variaciones negativas importantes en la capacidad manifestada de hablar el valenciano en el sector primario y en el sector de comercio.

Por otra parte, en las comarcas valencianohablantes, la población no asalariada muestra un nivel de conocimiento lingüístico en valenciano superior al de la población activa no asalariada en las habilidades de comprensión y capacidad de expresión verbal; hay que decir que los empleados en empresas familiares sin remuneración reglamentada se sitúan por delante de los empresarios, y los trabajadores fijos, por delante de los eventuales. Igualmente, la población ocupada muestra un mayor grado de competencia que la no ocupada. Exactamente las relaciones inversas se observan en las habilidades más complejas de lectura y escritura. Entre los «no ocupados», la población que busca su primera ocupación manifiesta superior competencia lingüística en valenciano, en todas las dimensiones, sobre la media general.

— *Competencia lingüística en las regiones catalanohablantes (1992-1995)*

Las comarcas agrupadas en las regiones de Alcoy-Gandía, Valencia y Castellón manifiestan, claramente, los mayores niveles de competencia lingüística, por delante del Área Metropolitana de Valencia y de las comarcas de Alicante, con las diferencias más importantes en la capacidad de hablar bastante bien o perfectamente el valenciano.

En el decurso de los tres años considerados las variaciones cuantitativamente más significativas corresponden a los incrementos observados en el Área Metropolitana de Valencia, en competencia oral activa y pasiva, así como en la capacidad de lectura, en las comarcas de Alcoy-Gandía y en las de Alicante; también en la escritura, en todas las regiones —con menor intensidad en el Área Metropolitana de Valencia.

En el año 1995, el 40 por 100 de los entrevistados de las comarcas castellanohablantes declaraban entender bastante bien o perfectamente el valenciano, el doble de los que decían no entender nada. El 8 por 100 afirmaban saber hablarlo bastante bien o perfectamente. Cerca de una quinta parte (19 por 100) manifestaban ser capaces de leer bastante bien o perfectamente el valenciano y el 6 por 100 decían escribir bastante bien o perfectamente.

A lo largo del período se produce una evolución positiva de dos puntos en las habilidades comprensión, habla y escritura, y de seis en lectura. Por lo tanto, estas variaciones en términos de incrementos de porcentajes resultan muy semejantes a las de las comarcas catalanohablantes.

Evolución del uso social del valenciano (1989-1995)

Trataremos de establecer en este apartado la evolución del uso social del valenciano por parte de la población mayor de 15 años residente en la zona catalanohablante de la Comunidad Valenciana, mediante la observación de los datos proporcionados por las encuestas generales de conocimiento y uso del valenciano de los años 1989 y 1995, que marcan el intervalo más amplio posible de acuerdo con la información disponible:

— *Ámbitos de uso posibles:*

- En casa.
- Con los amigos.
- En las tiendas habituales.
- En las grandes superficies comerciales, etc.

En casa hablan siempre o frecuentemente en valenciano (1995) el 50 por 100 de los entrevistados, frente al 46 por 100 que lo hacen en castellano. Las proporciones que indican situaciones de monolingüismo son casi iguales, ligeramente favorables a los valencianohablantes (44 frente al 43 por 100).

Con los amigos, las proporciones de uso preferente o exclusivo del valenciano y del castellano son los mismos (45 por 100 de los entrevistados, en cada caso), mientras que la utilización exclusiva del castellano es superior a la del valenciano (34 y 27 por 100, respectivamente).

En las tiendas tradicionales, de una manera global, la población entrevistada declara hacer un uso más preferente o exclusivo del valenciano que del castellano, aunque por poca diferencia (46 y 44 por 100, respectivamente). También en este caso la utilización exclusiva del castellano es superior a la del valenciano, en proporciones semejantes a las anteriores: 37 y 27 por 100, respectivamente.

Por último, en la realización de las compras en las grandes superficies comerciales es donde el uso del valenciano es menos intenso respecto a otros ámbitos considerados. El 57 por 100 de los entrevistados manifiesta usar el castellano de manera preferente o exclusiva, frente al 31 por 100 que dice utilizar el valenciano. Igualmente, un 47 por 100 declara expresarse únicamente en castellano, proporción que baja al 15 por 100 respecto al valenciano.

En todos los ámbitos se registra una evolución positiva general en el uso preferente o exclusivo del valenciano. Asimismo, el monolingüismo valenciano avanza en el ámbito familiar, mientras que queda igual en el uso en las tiendas y retrocede en el uso con los amigos y en las grandes superficies comerciales. El monolingüismo castellano pierde terreno en todos los ámbitos.

Si bien el segmento de población más grande (más de 64 años) es el que declara hacer un mayor uso del valenciano en todos los ámbitos considerados, hemos de remarcar que la evolución seguida en este período presenta los siguientes aspectos: entre los 16 y 54 años se puede observar un incremento del uso efectivo del valenciano en todos los ámbitos, mientras que a partir de los 55 se puede constatar una regresión, también general.

El monolingüismo valenciano en las relaciones domésticas aumenta entre los 16 y los 54 años. En las relaciones con los amigos y en las compras en tiendas tradicionales y grandes superficies comerciales se incrementa entre los 16 y los 24 años —pero muy poco en el último ámbito—, así como entre los 45 y los 54 en las compras en tiendas tradicionales. Baja en todos los ámbitos a partir de 54 años.

El monolingüismo castellano baja mucho entre la población más joven (16-24 años) en todos los ámbitos, mientras que sube a partir de los 54 años.

Por lo tanto, «esta evolución vendría a confirmar que las tendencias observadas respecto a las distintas dimensiones de la competencia lingüística tienen su correspondencia en el uso afectivo del valenciano; queda claro, entonces, a la vista de los datos, que los incrementos generales observados en la competencia oral activa no son "virtualidades" derivadas fundamentalmente del aprendizaje programado académicamente, sino que tienen una aplicación social afectiva» (X. Sanjuán, 1999, pág. 146).

Igualmente, las disminuciones de competencia manifestadas por algunos segmentos de población también se corresponden con un menor uso social del valenciano por parte de estos grupos de población.

EL VALENCIANO EN LA ADMINISTRACIÓN

La promulgación y reconocimiento del valenciano como lengua propia de la Comunidad Autónoma de Valencia en el Estatuto y, especialmente, en la Ley de Uso y Enseñanza del Valenciano conlleva el que el valenciano sea utilizado como signo de identidad colectivo por las instituciones públicas valencianas en el territorio. El Título I dedica su primer capítulo al uso oficial del valenciano en la Administración pública:

TÍTULO I

Del uso del valenciano

CAPÍTULO I

Del uso oficial

Artículo 7.—1.   El valenciano, como lengua propia de la Comunidad Valenciana, lo es también de la Generalidad y de su Administración pública, de la Administración local y de cuantas Corporaciones e Instituciones públicas dependan de aquellas.

2.   El valenciano y el castellano son lenguas oficiales en la Comunidad Valenciana y como tales su utilización por la Administración se hará en la forma regulada por la ley.

Artículo 8.—Las leyes que aprueben las Cortes Valencianas serán redactadas y publicadas en ambas lenguas.

Artículo 9.—1.   Serán válidas y con plena eficacia jurídica todas las actuaciones administrativas realizadas en valenciano en el ámbito territorial de la Comunidad Valenciana.

2.   Tendrán eficacia jurídica los documentos redactados en valenciano, en que se manifieste la actividad administrativa, así como los impresos y formularios empleados por las Administraciones públicas en su actuación.

Artículo 10.—En el territorio de la Comunidad Valenciana todos los ciudadanos tienen derecho a dirigirse y relacionarse con la Generalidad, con los Entes locales y demás de carácter público en valenciano.

Artículo 11.—En aquellas situaciones administrativas iniciadas a instancia de parte y en las que habiendo otros interesados así lo manifestaran, la Administración actuante deberá comunicarles cuanto a ellos les afecte en la lengua oficial que escojan, cualquiera que fuese la lengua oficial en la que se hubiere iniciado.

[...]

Artículo 12.—De acuerdo con lo dispuesto en la presente ley, todos los ciudadanos tienen el derecho de poder dirigirse a la Administración de Justicia en la lengua oficial que estimen conveniente utilizar, sin que se les pueda requerir traducción alguna, y sin que de ello pueda seguírseles retraso o demora en la tramitación de sus pretensiones.

[...]

Artículo 13.—1. La redacción de los documentos públicos se hará en valenciano o castellano a indicación del otorgante, y, si fueran varios, en la que elijan de común acuerdo.

[...]

Artículo 15.—1. Corresponde al Consejo de la Generalidad Valenciana, acorde con los procedimientos legales establecidos, determinar los nombres oficiales de los municipios, territorios, núcleos de población, accidentes geográficos, vías de comunicación interurbanas y topónimos de la Comunidad Valenciana. El nombre de las vías urbanas será determinado por los Ayuntamientos correspondientes.

[...]

Artículo 16.—Las empresas de carácter público, así como los servicios públicos o directamente dependientes de la Administración, han de garantizar que los empleados de las mismas, con relación directa al público, poseen el conocimiento suficiente de valenciano para atender con normalidad el servicio que tienen encomendado.

Puede decirse, en general, que la ley, además de hacer oficial el uso del valenciano en la Administración pública, establece la redacción y publicación bilingüe de todas las leyes y disposiciones que aprueben las Cortes valencianas, así como la información administrativa que ha de estar a disposición de quien la solicite en las dos lenguas. Igualmente establece que los actos administrativos y jurídicos tendrán idéntica y total validez, cualquiera que sea la lengua en que estén formulados. Se faculta, además, a todo ciudadano a utilizar y exigir la lengua oficial de su elección en sus relaciones con la Administración pública, incluida la instancia judicial. Se dispone, también, la plena validez de los documentos públicos redactados en valenciano, regulándose la práctica de asientos registrales y la expedición de certificaciones. Se atribuye al Consejo, de acuerdo con los procedimientos legales establecidos, la determinación de los nombres oficiales de los municipios y topónimos, en general. Se dispone que los empleados de las empresas de carácter público y servicios públicos dependientes de la Administración, con relación directa con el público, conozcan «suficientemente» el valenciano para poder atender con normalidad su servicio.

Como ya ha quedado dicho, la Generalidad valenciana utiliza el valenciano como símbolo de identidad, denominación de la institución, señalización, indicaciones de tráfico, etc. Edita un importante número de publicaciones oficiales en valenciano y otras, como impresos administrativos, en ambas lenguas.

Según Siguán, «dado que las dos lenguas son oficiales, cualquier ciudadano tiene el derecho a relacionarse con la Administración pública valenciana, tanto oralmente como por escrito, en valenciano. En la práctica la inercia social reduce el ejercicio de este derecho a límites modestos. Pocos valencianos se dirigen a un funcionario público en valenciano a menos que exista previamente una relación en esta lengua» (M. Siguán, 1992).

La utilización escrita de la lengua, como es lógico, es menor que el uso oral. En cuanto al funcionamiento interno de la propia Administración, el predominio del castellano resulta, al parecer, evidente, aunque el uso del valenciano va aumentando progresivamente; hay que señalar, también, que dependiendo de los Departamentos de gobierno el uso del valenciano es mayor o menor. En el Parlamento valenciano se utilizan, de manera indistinta, ambas lenguas.

Sobre el papel de la lengua en la Administración resulta de interés mostrar los datos aportados por Siguán (1999), resultado de una encuesta realizada en 1998 sobre el conocimiento y uso del valenciano y otras lenguas por parte de los hablantes de distintas Comunidades.

Respecto al conocimiento, un 80 por 100 afirman entenderlo sin problemas, pero solo el 58 por 100 pueden leerlo sin problemas y únicamente el 50 por 100 se consideran capaces de mantener una conversación en valenciano, sin ninguna dificultad. Como vemos, los resultados se aproximan bastante a los proporcionados por el *Padrón de Habitantes de 1986,* el *Censo de 1991* y por las *Enquestas sobre l'ús del valencià* (1995) antes citadas. Las cifras que acabamos de señalar son más altas en las zonas de predominio valencianohablante como Castellón que en las de Alicante, donde solo el 32 por 100 de los funcionarios se consideran aptos para mantener una conversación fluida en valenciano.

— *Opiniones sobre la lengua en la Administración*

(Se pide el acuerdo o desacuerdo con la siguiente frase: «Los servicios públicos de esta Comunidad Autónoma deberían usar tanto la lengua vernácula como el castellano»):

Tabla 44

Acuerdo............................	89%
Desacuerdo......................	4%
NS/NC.............................	1%
TOTAL	100%
(N)	770

Fuente: M. SIGUÁN, *Conocimiento y uso de las lenguas,* CIS, Madrid, 1999, pág. 59.

— *Opiniones sobre la lengua en la relación de la Administración con el público*

Suponiendo que tuviera que ir a un centro oficial a realizar alguna gestión, ¿en qué lengua preferiría que le atendieran?:

Tabla 45

Lengua vernácula	21%
Castellano	50%
Le sería indiferente..........	29%
NS/NC.............................	—
TOTAL	100%
(N)	771

En palabras del profesor Siguán, «si las respuestas se clasifican por grupos de edad, aunque las diferencias son pequeñas y poco significativas, parecen dibujarse algunas tendencias. Si comparamos las respuestas de los más jóvenes con los mayores, tal como hemos visto en Cataluña, por ejemplo, entre los jóvenes disminuye la proporción de los que optan por una u otra lengua y aumenta la proporción de los que se declaran dispuestos a ser atendidos en cualquier lengua [...] Mientras en Valencia [...] aumentan los que se declaran indiferentes y los que prefieren ser atendidos en castellano» (M. Siguán, 1999, pág. 59).

— *Preferencias lingüísticas en los impresos administrativos*

¿En qué lengua preferiría que estuviesen los impresos que tuviese que rellenar: en castellano o en la lengua vernácula?:

Tabla 46

Lengua vernácula	7%
Castellano	67%
Le sería indiferente..........	16%
Las dos.............................	9%
NS/NC.............................	1%
TOTAL	100%
(N)	771

Fuente: M. SIGUÁN, ob. cit., 1999, pág. 60.

— *Opiniones sobre la lengua y los funcionarios*

¿En qué lengua preferiría que estuviesen los impresos que tuviese que rellenar: en castellano o en la lengua vernácula?:

Tabla 47

Acuerdo............................	64%
Desacuerdo......................	31%
NS/NC.............................	5%
TOTAL	100%
(N)	771

Hay que hacer notar que en todas las cuestiones referidas a las lenguas en la Administración pública las respuestas están fuertemente influidas por la lengua principal de los sujetos:

Tabla 48

Lengua principal y lengua preferida en la relación con la Administración

Lengua principal	Lengua preferida					
	En valenciano (%)	Le es indiferente (%)	En castellano (%)	NC	TOTAL (%)	(N)
Valenciano...............	57	30	13	—	100	223
Bilingüe....................	23	61	16	—	100	64
Castellano I..............	8	49	43	—	100	142
Castellano II	1	15	84	—	100	342

Castellano I: Tiene el castellano como lengua principal y habla también la lengua de la Comunidad.
Castellano II: Tiene el castellano como lengua principal y no habla la lengua de la Comunidad.
Fuente: Ibídem, pág. 61.

Por último, examinaremos la correspondencia que los informantes manifiestan en la relación entre el conocimiento de la lengua propia y las oportunidades de trabajo:

— *Conocimiento de la lengua y oportunidades de trabajo*

Acuerdo o desacuerdo con la frase «Hoy por hoy, en esta Comunidad Autónoma es más fácil encontrar trabajo para los que saben la lengua vernácula»:

Tabla 49

Acuerdo............................	44%
Desacuerdo.....................	43%
NS/NC.............................	13%
TOTAL	100%
(N)	771

Fuente: M. SIGUÁN, ob. cit., 1999, pág. 61.

En la Administración local la presencia del valenciano varía mucho, dependiendo de las áreas en las que se encuentre, el porcentaje de hablantes de valenciano en la zona, etc. Se utiliza el valenciano de forma casi absoluta en ayuntamientos e instituciones locales de la región de Valencia, por ejemplo, y en otros, sin embargo, la presencia de la lengua propia es absolutamente simbólica, como sucede en determinadas comarcas de Alicante de predominio castellanohablante.

La Administración delegada del Gobierno central, como ocurre en casi todo el resto de las Comunidades Autónomas, así como las empresas de servicios públicos de ámbito estatal, se caracterizan porque en ellas la presencia del valenciano se limita casi únicamente a la edición de algunos folletos con carácter bilingüe; en realidad, en estos casos, la presencia de la lengua propia es absolutamente simbólica.

Por último, queremos señalar que la Ley de Uso y Enseñanza del Valenciano, en su Título IV, contempla la actuación de los poderes públicos en el momento de la utilización del valenciano en las actividades administrativas y de su conocimiento por los funcionarios y empleados públicos. Se prevé la posibilidad, incluso, de bonificaciones fiscales a aquellos actos y manifestaciones relacionados con el fomento, divulgación y extensión del valenciano. Se contempla la concertación de acuerdos con la Administración de Justicia para la utilización del valenciano en juzgados y tribunales, y con la Administración del Estado para su uso en aquellos registros no sujetos a competencia de la Generalidad Valenciana. Se atribuye al Gobierno valenciano la dirección técnica y coordinación del proceso de aplicación de la Ley de Uso y Enseñanza del Valenciano.

En las Disposiciones transitorias se estableció, además, el plazo de tres años para que en las distintas esferas de la Administración valenciana se lleven a término las disposiciones de esta ley, estándose a los plazos que se establezcan en los pactos a convenir con otras esferas de la Administración.

EL VALENCIANO EN LA ENSEÑANZA

El Título II de la Ley de Uso y Enseñanza del Valenciano dispone la obligatoriedad de la incorporación del valenciano a la enseñanza en todos los niveles académicos:

TÍTULO II
Del valenciano en la enseñanza
CAPÍTULO I
De la aplicación del valenciano en la enseñanza

Artículo 18.—1.   La incorporación del valenciano a la enseñanza en todos los niveles educativos es obligatoria. En los territorios castellanohablantes que se relacionan en el Título V, dicha incorporación se llevará a cabo de forma progresiva, atendiendo a su particular situación lingüística, en la forma que reglamentariamente se determine.

2.   El Consejo velará por que la incorporación del valenciano se lleve a cabo de un modo comprensivo con las diferencias y niveles en el conocimiento y uso del valenciano que hoy existen, y cuya superación es uno de los objetivos más importantes de la presente ley.

3.   El valenciano y el castellano son lenguas obligatorias en los Planes de Enseñanza de los niveles no universitarios, con la salvedad hecha en el punto 1.

Artículo 19.—1.   Se tenderá, en la medida de las posibilidades organizativas de los centros, a que todos los escolares reciban las primeras enseñanzas en su lengua habitual, valenciano o castellano.

2.   No obstante, y sin perjuicio de las excepciones reguladas en el artículo 24, al final de los ciclos en que se declara obligatoria la incorporación del valenciano a la enseñanza, y cualquiera que hubiera sido su lengua habitual al iniciar los mismos, los alumnos han de estar capacitados para utilizar, oralmente y por escrito, el valenciano en igualdad con el castellano.

Artículo 20.—La Administración adoptará cuantas medidas sean precisas para impedir la discriminación de los alumnos por razón de la lengua que les sea habitual.

Artículo 21.—Objetivamente deberá incluirse la enseñanza del valenciano en los Programas de Educación Permanente de Adultos.

Artículo 22.—En las enseñanzas especializadas, en cuyos programas se enseña lengua, deberá incluirse obligatoriamente la enseñanza del valenciano.

Artículo 23.—1.   Dada la cooficialidad del valenciano y castellano, los profesores deben conocer las dos lenguas.

2.   Los profesores que a la entrada en vigor de la presente ley no posean un conocimiento suficiente del valenciano serán capacitados progresivamente mediante una política de voluntariedad, gradualidad y promoción profesional.

3.   El Consejo de la Generalidad valenciana deberá procurar que en los Planes de Estudio de las Universidades y Centros de Formación del Profesorado se incluya el valenciano como asignatura. [...].

CAPÍTULO II
De sus excepciones

Artículo 24.—1. La obligatoriedad de aplicar el valenciano en la enseñanza de los territorios señalados como de predominio valencianohablante en el Título V quedará sin efecto de manera individual cuando los padres o tutores que lo soliciten acrediten fehacientemente su residencia temporal en dichos territorios y expresen, al formalizar la inscripción, el deseo que a sus hijos o tutelados se les exima de la enseñanza del valenciano.

2. El Consejo de la Generalidad valenciana introducirá progresivamente la enseñanza del valenciano en los territorios de predominio lingüístico castellano relacionados en el Título V, y favorecerá cuantas iniciativas públicas y privadas contribuyan a dicho fin. Todo ello sin perjuicio de que los padres o tutores residentes en dichas zonas puedan obtener la exención de la enseñanza del valenciano para sus hijos o tutelados, cuando así lo soliciten al formalizar la inscripción.

En la perspectiva de equiparación lingüística y recuperación del valenciano que la ley contempla adquiere especial importancia la incorporación del valenciano a la enseñanza en todos los niveles educativos sobre los que la Generalidad tiene competencias, como factor fundamental para hacer realidad el derecho que todo ciudadano tiene a conocer y usar el valenciano. A este aspecto está dedicado el Título II de la ley, cuyo capítulo I dispone la obligatoriedad de la incorporación a la enseñanza, en todos los niveles de educación, con la salvedad de que en los territorios castellanohablantes dicha incorporación se llevará a cabo de manera progresiva, en atención a su particular situación sociolingüística. Se declaran el valenciano y castellano lenguas obligatorias en los Planes de Enseñanza de los niveles no universitarios, atendiéndose a que los escolares reciban sus primeras enseñanzas en la lengua habitual y a que los alumnos adquieran un conocimiento oral y escrito de ambas lenguas en niveles de igualdad. Se establece, asimismo, que el profesorado deberá conocer ambas lenguas oficiales, previéndose la adaptación de los Planes de Estudio para su debida capacitación.

Ahora bien: la ley contempla, dada la situación sociolingüística del territorio valenciano, las excepciones a su misma aplicación. Así, se prevé la supresión de la obligatoriedad de la enseñanza del valenciano, tanto en los territorios valencianohablantes, en las circunstancias justificadas que se establecen, como en los castellanohablantes, en los que la incorporación progresiva del valenciano en la enseñanza viene acompañada de la facultad de los padres y tutores de alumnos para obtener voluntariamente para estos la exención de su enseñanza.

De este modo, la ley, desde el respeto a los derechos de aquellos ciudadanos cuya lengua habitual es el castellano, facilita la extensión del conocimiento del valenciano a toda la Comunidad, sin distinciones, puesto que se entiende que la lengua valenciana es parte fundamental del patrimonio cultural de toda la sociedad y la recuperación y extensión de su uso atañe a todos los valencianos, con independencia de cuál sea la lengua habitual de cada uno.

El Título V, como ya se ha señalado, contiene la determinación de los territorios predominantemente valencianohablantes, a los efectos de aplicación de la ley, sin perjuicio de que pueda procederse a su revisión y sin que ello sea obstáculo para que todo ciudadano de la Comunidad Valenciana pueda hacer efectivo su derecho a conocer y usar el valenciano.

Para la inclusión de los términos municipales en cada zona lingüística se ha tomado como base el mapa y la relación de poblaciones confeccionadas, a tal efecto, por el Instituto de Filología Valenciana de la Universidad Literaria de Valencia y de la Universidad de Alicante. Por último, en las Disposiciones transitorias de la ley también se contempla el paso de la situación en la que se encontraba el profesorado a la que derivaría de la propia aplicación de la ley.

En la Comunidad Valenciana no parece haber existido con anterioridad a estas fechas una tradición de enseñanza y uso del valenciano en la escuela, como ha sucedido en otras Comunidades Autónomas con lengua propia; de ahí que en 1978, a partir de los Decretos de Bilingüismo, ya citados, el Gobierno valenciano estableció un plan de experimentación, con la finalidad de introducir la enseñanza del valenciano en las escuelas, que en su primera fase abarcó un total de 250 centros. Al aprobarse el Estatuto de Autonomía, en 1982, la Generalidad Valenciana dictó un decreto que regulaba la enseñanza del valenciano y hacía que este fuera obligatorio en todos los niveles educativos. A partir de esos años fue aumentando el número de centros en los que la enseñanza del valenciano se fue articulando de forma progresiva y completa. «Así, el número de centros que cumplen la normativa de enseñar la lengua en todos los niveles ha ido aumentando año tras año y en 1982 la Consejería de Enseñanza de la Generalidad Valenciana anunció que todos los centros docentes de la Comunidad, tanto de EGB como de Formación Profesional y de Bachillerato, cumplían la norma legal. Es posible que en aquel momento la afirmación fuese exagerada, pero en todo caso es evidente que se ha producido un giro completo en la situación» (M. Siguán, 1992).

Aunque no hemos podido disponer de datos objetivos y actuales de los resultados conseguidos en este modelo de enseñanza, parece que sucede algo parecido a lo ya indicado en la Comunidad Autónoma catalana, y es que para aquellos alumnos que poseen como lengua materna y de uso familiar el valenciano, la enseñanza de su lengua propia en la escuela les permite leer y escribir con corrección absoluta dicha lengua; sin embargo, para aquellos que la lengua materna y familiar es el castellano, la enseñanza del valenciano en la escuela produce unos resultados muy pobres en el aprendizaje de esta y no se convierten en bilingües equilibrados en ningún caso. Observados estos hechos, la Consejería de Enseñanza Valenciana ofreció la posibilidad, a aquellos centros de enseñanza que voluntariamente quisieran usar el valenciano como lengua de enseñanza, de utilizar la misma fórmula que en otras Comunidades Autónomas con lengua propia, es decir, usar la lengua propia como lengua vehicular al menos en una asignatura en cada curso escolar. Pero la iniciativa, al parecer, tuvo escaso éxito y parece probable que la enseñanza del valenciano, a aquellos niños que no lo poseen como lengua materna y familiar, sigue proporcionando escasos resultados.

La Ley de Uso y Enseñanza del Valenciano, tal como hemos mostrado, ya establecía la previsión de utilizar el valenciano como lengua vehicular de la enseñanza y recomendaba, además, su utilización entre los escolares con la finalidad de que estos recibieran su primera enseñanza en su lengua familiar, lo que equivalía a indicar que se utilizara el valenciano, dado que el uso del castellano en la escuela ya existía. «De acuerdo con ello las autoridades educativas valencianas ofrecen —según la información proporcionada por Siguán (1992)— a los centros que lo solicitan la posibilidad de establecer una "línea de enseñanza en valenciano" al lado de la línea tradicional de enseñanza en castellano. Tal ofrecimiento implica la existencia de medidas administrativas para asignar a los centros profesores adecuados y también la existencia de material pedagógico necesario. En los centros escolares en los que se ha establecido la "línea valenciana" los padres pueden escoger, por lo tanto, la línea en la que desean inscribir a sus hijos. En 1990, en la Comunidad Valenciana la línea valenciana existe completa o iniciada en unos 300 centros de enseñanza públicos y en unos 70 privados, lo cual representa cerca del 5 por 100 del total de los existentes.»

En la encuesta, ya citada, llevada a cabo por el Centro de Investigaciones Sociológicas (CIS), titulada *Conocimiento y uso de las lenguas en España,* que, en el caso de la Comunidad Autónoma Valenciana, se realizó a 771 individuos, se formuló una pregunta sobre en qué lengua se debería impartir la enseñanza obligatoria, y los resultados fueron los siguientes (véase M. Siguán, 1993 y 1999):

— *Opiniones sobre las lenguas en la enseñanza (I)*

¿Cómo cree que debería ser la enseñanza en la Comunidad Valenciana?:

Tabla 50

Todo en castellano	10%
La mayor parte en castellano y algo en lengua vernácula	30%
La mitad en castellano y la mitad en lengua vernácula	45%
La mayor parte en lengua vernácula y algo en lengua castellana	8%
Todo en lengua vernácula	3%
NS/NC	4%
TOTAL	100%
(N)	771

— *Opiniones sobre las lenguas en la enseñanza (II)*

Tabla 51

La mayor parte en castellano	40%
Mitad y mitad	45%
La mayor parte en lengua vernácula............	11%
NS/NC...	4%
TOTAL..	100%
(N)..	771

Una vez más el papel de las lenguas en la enseñanza está muy influido por la lengua principal de los sujetos:

Tabla 52

Lengua principal y opiniones sobre las lenguas en la enseñanza

Lengua principal	Mayoritariamente en valenciano (%)	Por igual (%)	Mayoritariamente en castellano (%)	NC (%)	TOTAL (%)	(N)
Valenciano......	26	51	21	2	100	223
Bilingüe..........	12	59	27	2	100	64
Castellano I.....	8	49	39	4	100	141
Castellano II ...	2	37	55	6	100	342
Conjunto de la población....	11	45	40	4	100	771

Castellano I: Tiene el castellano como lengua principal y habla también la lengua de la Comunidad.
Castellano II: Tiene el castellano como lengua principal y no habla la lengua de la Comunidad.

Atendiendo a la creciente importancia del conocimiento de las lenguas extranjeras, hemos añadido las preguntas referidas a su conocimiento y uso:

— *Conocimiento de lenguas extranjeras*

Tabla 53

Inglés	(%)
Lo habla	15
Solo lo entiende	10
Ni habla ni entiende	75
NC	—
TOTAL	100

Francés	
Lo habla	11
Solo lo entiende	12
Ni habla ni entiende	77
NC	—
TOTAL	100

Alemán	
Lo habla	1
Solo lo entiende	1
Ni habla ni entiende	97
NC	1
TOTAL	100

Italiano	
Lo habla	2
Solo lo entiende	7
Ni habla ni entiende	91
NC	—
TOTAL	100

Portugués	
Lo habla	—
Solo lo entiende	5
Ni habla ni entiende	95
NC	—
TOTAL	100

El valenciano en la Universidad

La presencia del valenciano en la Universidad de Valencia y también en la de Alicante está refrendada por sus estatutos, donde se explicita la cooficialidad y el compromiso de promover y difundir la lengua propia. En el caso de la Universidad de Valencia, ya que en la Politécnica no se hace ninguna mención, se denomina a esta «lengua catalana», aunque, al parecer, la denominación ha sido recurrida ante los tribunales. En ambas universidades (Literaria de Valencia y Universidad de Alicante) se han creado servicios técnicos encargados de contribuir a esta difusión, que realizan una importante tarea de expansión y promoción de la lengua en todos los ámbitos universitarios.

El Servicio de Normalización Lingüística de la Universidad de Valencia organiza, a través de su Área de Formación Lingüística, cursos de lengua para el personal de la Universidad, ciclos de conferencias sobre terminología científica y técnica, así como cursos de valenciano para el reciclaje del profesorado no universitario, etc. Dentro de su Área de Dinamización promueve la incentivación de la realización de las tareas docentes en la lengua propia, etc.

En torno al 19-20 por 100 de los estudiantes solicita la enseñanza en valenciano, porcentaje que supera a los anteriores cursos. Las causas del aumento, aunque varían, ostensiblemente, según los centros, tienen que ver con las características de estos, es decir, actitud del profesorado hacia la lengua, facilidades para que los estudiantes puedan optar por el valenciano, organización adecuada de las líneas, etc., que actúan de factores dinamizadores positivos, frente a otros que son claramente negativos.

De los aproximadamente 2.500 profesores de la Universidad de Valencia, el 13,7 por 100 imparten su docencia en valenciano, porcentaje que alcanzó el 15,02 por 100 si consideramos también a los que lo hacen en el tercer ciclo.

La Universidad de Valencia fomenta el uso del valenciano publicando libros y trabajos de investigación en la lengua propia. Asimismo se ocupa de promover e incentivar el uso del valenciano en la administración y en los demás servicios universitarios. Aunque la tarea es lenta, la utilización de la lengua es cada vez mayor.

EL VALENCIANO EN LOS MEDIOS DE COMUNICACIÓN SOCIAL

Los datos proporcionados por el Instituto Nacional del Libro no distinguen entre los publicados en catalán o en valenciano, de manera que no hemos podido tener acceso a datos oficiales sobre el volumen de publicaciones en Valencia. Sí sabemos que la publicación de libros en la lengua propia es intensa y existen editoriales de prestigio ubicadas en la Comunidad Valenciana que publican un volumen de textos importante, como son Tres i Quatre, Climent, etc., y que están dedicadas por completo a este tipo de tareas, lo que ha conllevado una gran actividad en la promoción y defensa de la lengua. Asimismo es importante poner de relieve la labor realizada por escritores y literatos de prestigio, dentro y fuera de la Comunidad Valenciana, que ha sido muy difundida en todo el ámbito de los territorios de lengua catalana y que ha provocado una gran actividad a favor de la lengua y de su normalización en el uso escrito. Por otra parte, es importante destacar el gran número de libros publicados por las instituciones con finalidades informativas y divulgativas, además de estrictamente científicas.

La Ley de Uso y Enseñanza del Valenciano dedica el Título III del capítulo segundo precisamente a la protección y difusión del uso del valenciano en los medios de comunicación social:

TÍTULO III
Del uso del valenciano en los medios de comunicación social

*Artículo 25.—*1.   El Consejo de la Generalidad valenciana velará para que el valenciano tenga una adecuada presencia en aquellas emisoras de radio y televisión y demás medios de comunicación gestionados por la Generalidad valenciana, o sobre los que la misma ley tenga competencia, de acuerdo con lo dispuesto en la presente ley.

2.   Impulsará en las emisoras de radio y televisión el uso del valenciano.

3.   Fomentará cuantas manifestaciones culturales y artísticas se realicen en las dos lenguas, recibiendo consideración especial las desarrolladas en valenciano.

4.   La Generalidad valenciana apoyará cuantas acciones vayan encaminadas a la edición, desarrollo y promoción del libro valenciano, y todo ello sin menoscabo de la lengua utilizada, pero con tratamiento específico a los que sean impresos en valenciano.

*Artículo 26.—*1.   Todos los ciudadanos tienen el derecho de ser informados por los medios sociales de comunicación, tanto en valenciano como en castellano.

2.   De igual manera, en el acceso de los ciudadanos a los medios sociales de comunicación en los términos establecidos por la legislación, aquellos tendrán derecho a utilizar el valenciano, oral y escrito, en condiciones de igualdad con el castellano.

A pesar de la legislación de protección y fomento del uso escrito del valenciano, como es pequeño aún el porcentaje de población que es capaz de leerlo y/o escribirlo, la producción y edición de textos es minoritaria en relación al castellano. «Si nos fijamos en la prensa escrita la situación es parecida: en la Comunidad Valenciana se leen todos los grandes periódicos de difusión estatal, además de algún otro propio del territorio y editado únicamente en Valencia, que se publica enteramente en castellano. Lo mismo sucede con las revistas de información semanal: aunque editadas en la Comunidad, la mayoría lo son en lengua castellana, salvo alguna excepción muy notable como la revista *El Temps,* semanario de información general con una tirada de 25.000

ejemplares, muy difundido en todo el ámbito lingüístico del catalán y especialmente en Cataluña» (M. Siguán, 1992).

— *Lenguas preferidas en la lectura*

¿En qué lengua prefiere leer, en [...] su lengua vernácula o en castellano? (Solo a los que dicen saber leer en la lengua vernácula.)

Tabla 54

Vernácula	7%
Castellano	65%
Le es indiferente	27%
Otra lengua	—
NS/NC	1%
TOTAL	100%
(N)	298

Fuente: M. SIGUÁN, ob. cit., 1999, pág. 52.

La proporción de individuos capaces de leer y escribir en valenciano es baja (298 en total), pero de ellos, la mayor parte, casi un 70 por 100, como puede verse en la tabla anterior, declaran además leer preferentemente en castellano.

Cuando se preguntó por la frecuencia de lectura de libros y periódicos en la Comunidad, los resultados también mostraron lo que venimos comentando:

— *Frecuencia de lectura de libros y periódicos*

Tabla 55

	Libros de lectura	Lectura de periódicos
Con regularidad	11%	4%
De vez en cuando	36%	30%
Nunca	49%	61%
NC	4%	5%

Fuente: CIS, 1994.

Al analizar los datos recopilatorios sobre la lengua preferida en otros medios de comunicación como la televisión, se puede advertir que en la Comunidad Valenciana parece clara la preferencia expresada por el castellano.

— *Lengua preferida en la televisión*

¿En qué lengua prefiere ver la televisión? (Solo a los que entienden la lengua vernácula.)

Tabla 56

Vernácula.........................	13%
Castellano	48%
Le es indiferente..............	39%
NC	—
TOTAL	100%
(N)	687

Fuente: M. SIGUÁN, ob. cit., 1999, pág. 54.

— *Lengua preferida en la televisión*

Tabla 57

Vernácula.........................	12%
Castellano	53%
Le es indiferente..............	35%
NC	—
TOTAL	100%
(N)	771

Fuente: Ibídem.

Si denominamos «audiencia potencial en cada una de las lenguas», la suma de los que dicen preferir la televisión en cada lengua más los que dicen verla en cualquiera de las dos, en la Comunidad Valenciana obtenemos los siguientes porcentajes: en valenciano, el 46 por 100, y en castellano, el 88 por 100.

La presencia del valenciano en la radio se limita a emisoras de carácter local y, de forma parcial, a algunas emisoras esporádicas en valenciano en las emisoras de ámbito nacional. En 1989, el Gobierno autónomo creó una emisora de televisión que difunde sus emisiones en valenciano de manera ininterrumpida. Según la información proporcionada por Siguán (2001), «es cierto que a falta de producción propia en su programación abundan las películas y los seriales extranjeros que, por falta de doblaje al valenciano, a veces, se emiten en castellano. Y es cierto que en las emisiones en valenciano el nivel de lengua utilizado ha provocado protestas; a la controversia habitual, en estos casos, entre lengua académica y lengua popular se une la discusión sobre la mayor o menor fidelidad a las normas del catalán en su versión dialectal valenciana» (ob. cit., pág. 132).

En cualquier caso, la presencia de la lengua propia en televisión incide de manera muy positiva en la generalización de la lengua, y su papel, en este sentido, puede ser muy importante.

Por último, la presencia del valenciano en la vía pública, señalizaciones e información institucional en carteles, etc., aunque en principio reducida, ha ido ampliándose a todo el territorio autónomo.

5
LA LENGUA GALLEGA

CARACTERIZACIÓN GENERAL: DATOS MORFOLÓGICOS, DEMOGRÁFICOS Y ESTRUCTURA POLÍTICA

Galicia ocupa un territorio en el extremo noroccidental de la Península. Tiene una extensión de 29.400 km² y, según el *Censo de 1991,* una población de 2.720.444 habitantes.

Desde 1982, Galicia cuenta con un Estatuto de Autonomía y, de acuerdo con este Estatuto, con un Parlamento propio y con un Gobierno —Xunta de Galicia— responsable ante este. Atendiendo a su distribución administrativa, Galicia está dividida en cuatro provincias: La Coruña (A Coruña), Lugo, Orense (Ourense) y Pontevedra. La capital administrativa se ha situado en Santiago de Compostela, sede del Parlamento y de la Xunta.

La lengua gallega

Aunque no vamos a entrar aquí en el análisis de la conformación del gallego, a partir del antiguo galaico-portugués como lengua románica, es de todos conocido el alto prestigio del que gozó esta lengua como vehículo literario, especialmente en el campo de la lírica, en la Edad Media. La producción literaria gallega no se limita a la poesía, aunque quizá es en este género donde alcanzó su más brillante expresión, sino que también se cultivó la prosa en distintos ámbitos: narrativa, hagiografía, historia general, etc. Posteriormente, la presencia del castellano y su fortuna política obligó al gallego a convertirse en una lengua popular y rural, sin cultivo literario ni administrativo.

A pesar del origen común del gallego y del portugués, una historia política distinta y una falta total de relación provocaron que el primitivo galaico-portugués evolucionase de manera distinta al sur y al norte del río Miño. Mientras que el portugués, a partir de la Edad Media, se va convirtiendo en una de las grandes lenguas de Europa, el gallego queda reducido a un habla local, de ámbito campesino, muy condicionado en su evolución y en su desarrollo por el contacto y la «presión» del castellano.

Con todo, a finales del siglo XIX, y merced al movimiento romántico, se inició el llamado renacimiento de la poesía en lengua gallega (Rosalía de Castro, C. Enríquez, etc.), que más tarde se extendió a otras formas literarias. Este hecho produjo un renovado interés por la lengua que se advierte en la elaboración de gramáticas y diccionarios. En 1906 se creó la Real Academia de la Lengua Gallega/*Real Academia da Lingua Galega*. «El renacimiento literario no desembocó en una coincidencia política colectiva y los diferentes intentos que se hicieron en esta dirección a lo largo del siglo XIX y de los que las Irmandades da Fala son el ejemplo más representativo, no llegaron a cuajar probablemente debido a que en el siglo XIX Galicia era una de las regiones más pobres y atrasadas de España, un país condenado a la emigración y en el que la lengua se asociaba necesariamente a la pobreza. Es solo bien entrado el siglo XX cuando surge una generación de intelectuales comprometidos con una renovación social y política de Galicia y defensores, al mismo tiempo, de la recuperación y del uso público de la lengua gallega ("Irmandades da Fala") (1917) que también crearon la revista y editorial NOS (1920). Pero cuando, finalmente, en la última etapa del régimen republicano y a imitación de lo que se había hecho con Cataluña y con el País Vasco se concedió a Galicia un Estatuto de Autonomía, ya era demasiado tarde para ponerlo en práctica, porque coincidió con el comienzo de la Guerra Civil» (M. Siguán, 1992).

Durante el régimen franquista, solo a lo largo de los años sesenta, y de forma muy lenta y gradual, comienza a escribirse en gallego y a publicarse obras literarias en esta lengua, sobre todo a partir de la fundación de la Editorial Galaxia, que representó un paso decisivo en este sentido. Pronto la producción literaria recibió un impulso con la creación en la Universidad de Santiago de un departamento de Filología Gallega, en 1963, y de un Instituto de la Lengua Gallega, en 1971. Con la aprobación del Estatuto de Autonomía y el reconocimiento del gallego como lengua oficial, se abre una nueva etapa para la lengua gallega que trataremos de examinar a lo largo de este capítulo.

Norma lingüística y variedades

Al igual que otras lenguas, el gallego, a pesar de su unidad interna firme, presenta distintas variedades dialectales, a lo largo de las distintas regiones y zonas por las que se extiende. Existen dos grupos diferenciados de dialectos, los orientales y los occidentales. Los dialectos orientales ocupan las comarcas del centro y del oeste de Galicia (provincias de Orense y Lugo) y las zonas de transición con las hablas asturianas y leonesas. En los dialectos occidentales, extendidos a lo largo de la costa atlántica, se distinguen el suroccidental en las Rías Bajas (provincia de Pontevedra) y el noroccidental de las Rías Altas (provincia de La Coruña) y la meseta de Lugo.

Los escritores a los que hemos aludido antes, que iniciaron el renacimiento gallego, escribieron en la lengua que ellos mismos usaban y, por lo tanto, en la variedad local. Poco a poco, y al ir apareciendo las primeras gramáticas y diccionarios, con criterios lingüísticos diversos, empezaron a plantearse las primeras polémicas sobre la ortografía de la lengua, de una manera especial, y comenzaron así a producirse las controversias en torno a la norma lingüística.

En 1933, el Seminario de Estudios Gallegos publica *Algunhas normas para a Unificazion do Idioma Galego,* pero el paréntesis de la guerra impuso un período de silencio. Cuando se funda la Editorial Galaxia en 1950, que va a tener una importancia extrema en la difusión y configuración del gallego escrito, publica unas normas ortográficas, para su propio uso, que tuvieron gran recepción. Con la transición política y la demanda de enseñanza de la lengua gallega, el proceso se acelera: la Academia de la Lengua Gallega publica en 1970 unas normas ortográficas y en 1971 unas normas morfológicas. A su vez, el Instituto de la Lengua Gallega de la Universidad publica un método de enseñanza de la lengua, que no coincidía con las normas de la Academia. «Paralelamente la postura "reintegracionista" de acercamiento al portugués que había ido articulándose a través de sucesivas ediciones de la Gramática elemental del gallego común de Carvalho Calero, recibió formulaciones extremas, por ejemplo, de Rodríguez Lapa. Para el "lusismo" extremo el gallego actual es un dialecto del portugués, o mejor todavía, el portugués es la forma culta del gallego. Estas propuestas encontradas producían un clima de gran confusión que con la aprobación del Estatuto y el inicio de la etapa autonómica se hizo intolerable. En un esfuerzo por aclarar la situación la Academia y el Instituto llegaron a un acuerdo y en julio de 1982 aprobaron conjuntamente unas Normas Ortográficas e Morfolóxicas do Idioma Galego» (M. Siguán, 1992).

El Gobierno gallego, en noviembre de 1982, ratificó este acuerdo y aprobó una normativa por la que todas las publicaciones oficiales, así como la enseñanza de la lengua, en los centros públicos, se ajustaron a las normas consensuadas y aprobadas. Inmediatamente los «reintegracionistas» agrupados en la Asociación Galega da Lingua publicaron un *Estudio Crítico das Normas Ortográficas e Morfolóxicas do Idioma Galego* en el que disentían de las normas aprobadas y proponían otras alternativas. Posteriormente, un grupo de «lusistas» participó en un debate abierto en Lisboa, en 1988, proponiendo unas *Bases de Ortografía Unificada* para su uso en todo el ámbito lusófono.

En las diferencias entre «aislacionistas» y «reintegracionistas», lo que empezó con un desacuerdo puramente lingüístico ha desembocado en una controversia política. El «aislacionismo» de la Academia y del Instituto se convertía en doctrina oficial del Gobierno de Galicia, de la Xunta y de los partidos políticos mayoritarios, mientras que el «reintegracionismo» era asumido cada vez con más fuerza por algunos sectores nacionalistas radicales y extraparlamentarios (ibídem).

Sin querer entrar aquí en la polémica, únicamente diremos que la controversia afecta a la norma ortográfica, de manera especial, pero, en definitiva, incide en el conjunto del sistema lingüístico, y este hecho influye, necesariamente, en el proceso de recuperación de la lengua, produciendo un efecto negativo en la normalización y enseñanza del gallego.

MARCO LEGAL: ESTATUTO DE AUTONOMÍA DE GALICIA Y LEY DE NORMALIZACIÓN LINGÜÍSTICA DE GALICIA (1983)

El Estatuto de Autonomía de Galicia, en los artículos referidos a la lengua, indica explícitamente:

> *Artículo 5.*—1.   La lengua propia de Galicia es el gallego.
> 2.   Los idiomas gallego y castellano son oficiales en Galicia y todos tienen el derecho a conocerlos y usarlos.
> 3.   Los poderes públicos de Galicia garantizarán el uso normal y oficial de los dos idiomas y potenciarán la utilización del gallego en todos los órdenes de la vida pública, cultural e informativa, y dispondrán los medios necesarios para facilitar su reconocimiento.
> 4.   Nadie podrá ser discriminado por razón de la lengua.
> [...]
> *Artículo 25.*—En la resolución de los concursos y oposiciones para proveer los puestos de Magistrados, Jueces, Secretarios judiciales, Fiscales y todos los funcionarios al servicio de la Administración de Justicia, será mérito preferente la especialización en el Derecho gallego y el conocimiento del idioma del país.

Tras el reconocimiento del gallego como lengua oficial, junto con el castellano, en el territorio de la Comunidad Gallega, se aprueba por el Parlamento el 15 de junio de 1983 la Ley de Normalización Lingüística de Galicia. En el Preámbulo de la ley se expresa que el proceso histórico centralista, acentuado con el paso de los siglos, ha tenido para Galicia dos consecuencias profundamente negativas: la anulación de la posibilidad de constituir instituciones propias y la falta de desarrollo de la cultura gallega genuina cuando la imprenta iba a promover un gran despegue de las culturas modernas.

Sometido a una despersonalización política y a una marginación cultural, el pueblo gallego padeció una depauperación interna que ya en el siglo XVIII fue denunciada por los ilustrados y que, desde mediados del XIX, fue constantemente combatida por todos los gallegos conscientes de la necesidad de evitar la desintegración de la personalidad gallega.

La Constitución de 1978, al reconocer los derechos autonómicos de Galicia, como nacionalidad histórica, hizo posible la puesta en marcha de un esfuerzo constructivo encaminado a la plena recuperación de la personalidad colectiva y de su potencialidad creadora. Uno de los factores fundamentales de esa recuperación es la lengua, por ser el núcleo vital de la identidad gallega. La lengua es la mayor y más original creación colectiva de los gallegos, es la verdadera fuerza espiritual que le da unidad interna a la Comunidad. Une a esta con el pasado, porque de él la recibió como patrimonio vivo y otros la recibirán en el futuro, como legado de identidad común. En la Galicia actual la lengua gallega sirve de vehículo esencial entre los gallegos afincados en la tierra nativa y los gallegos emigrados por el mundo.

La ley, de acuerdo con lo establecido en el artículo 3 de la Constitución y en el 5 del Estatuto de Autonomía, garantiza la igualdad del gallego y del castellano como lenguas oficiales de Galicia y asegura la normalización del gallego como lengua propia del pueblo gallego.

Tras esta Exposición de motivos y, en alguna forma también, declaración de intenciones se fija como objetivo de la ley el restablecimiento del gallego en el lugar que le corresponde como lengua propia de Galicia, lo que se considera un derecho irrenunciable del pueblo gallego. De ahí que esta ley se propone superar la, en ese momento, desigualdad lingüística impulsando la normalización del uso de la lengua gallega en todo el territorio de Galicia. En este sentido la presente ley garantiza el uso oficial de ambas lenguas para asegurar a todos los ciudadanos la participación en la vida pública; asimismo, señala como objetivo de la enseñanza el conocimiento de ambas lenguas, el equilibrio entre ellas cn los distintos medios de comunicación social; erradica cualquier discriminación por motivos lingüísticos, y especifica las vías de impulso institucional en la normalización lingüística en Galicia.

La ley se compone de un Título I, que se refiere a los derechos lingüísticos en Galicia y es del que nos vamos a ocupar aquí; de un Título II, sobre el uso oficial del gallego en los órganos de Gobierno y en la Administración; un Título III, referido al uso del gallego en la enseñanza; un Título IV, que se ocupa del uso del gallego en los medios de comunicación; un Título V, referido al gallego exterior, es decir, fuera de los límites de la Comunidad Autónoma, y, por último, un Título VI, en el que se expresa la labor normalizadora de la lengua que deberá llevarse a cabo. Al final se adjunta una Disposición adicional donde queda establecida la autoridad de la Real Academia Gallega en las cuestiones relativas a la normativa, actualización y uso correcto de la lengua gallega.

Vamos a analizar aquí el Título I, en su fundamentación y contenido, ya que los restantes de Administración, enseñanza y medios de comunicación social los examinaremos más adelante:

TÍTULO I

De los derechos lingüísticos en Galicia

Artículo 1.—El gallego es la lengua propia de Galicia. Todos los gallegos tienen el deber de conocerlo y el derecho de usarlo.

Artículo 2.—Los poderes públicos de Galicia garantizarán el uso normal del gallego y del castellano, lenguas oficiales de la Comunidad Autónoma.

Artículo 3.—Los poderes públicos de Galicia adoptarán las medidas oportunas para que nadie sea discriminado por razón de lengua.

Los ciudadanos podrán dirigirse a los jueces y tribunales para obtener la protección judicial del derecho a emplear la lengua.

De la lectura de los fragmentos transcritos se desprende un planteamiento que, de algún modo, formula los objetivos generales de la ley: se afirma que la lengua gallega es vínculo histórico y señal de identidad de la Comunidad gallega, de ahí el calificativo de lengua propia; establece la cooficialidad de la lengua gallega, como lengua propia, con el castellano, lengua oficial del Estado, y con ello la necesidad de establecer las condiciones que aseguren la posibilidad de utilizar, en cualquier circunstancia, cualquiera de las dos lenguas y con idénticos efectos legales; por último, expresa la voluntad de promover el conocimiento y uso de la lengua propia, en este caso el gallego, en todos los ámbitos de la vida social hasta conseguir la normalidad de su uso.

Situación sociolingüística: conocimiento y uso de la lengua gallega

Galicia es la única Comunidad Autónoma con lengua propia en la que no se utilizó el *Padrón de Habitantes de 1986* para llevar a cabo, también, un censo lingüístico. El *Censo de 1991* ha compensado esta limitación, pero hasta ahora solo disponemos de avances de resultados en base a muestras. De ahí que la Comunidad Gallega ha sido, hasta la actualidad, una de las menos estudiadas y conocidas; los estudios que inciden en la situación y distribución de las dos lenguas oficiales, además de escasos, están basados en datos parciales. Actualmente disponemos de los resultados de las encuestas llevadas a cabo para la elaboración del *Mapa sociolingüístico de Galicia:* entienden gallego la casi totalidad de la población, el 94,4 por 100; se sienten capaces de hablarlo el 94,2 por 100; lo tuvieron como lengua materna el 58,8 por 100 (al que hay que sumar el 7,6 por 100 de los que aprendieron a hablar en ambas, al tiempo), y lo emplean como lengua habitual, única o predominantemente, el 67,2 por 100. En cuanto al castellano, saben hablarlo el 94,2 por 100, lo tuvieron como lengua materna el 32,8 por 100 (más el 7,6 por 100 de bilingües iniciales) y lo utilizan como lengua habitual, única o predominantemente, también el 32,8 por 100 de los entrevistados (solo el 12 por 100 lo emplean en exclusiva). Naturalmente, esta distribución global presenta luego oscilaciones bastante fuertes en cuanto se pone en relación con otros factores.

Los resultados de estas encuestas muestran un conocimiento generalizado del gallego, por parte de los habitantes de Galicia, muy superior al nivel de la lengua propia en las otras Comunidades Autónomas bilingües de España. El porcentaje de los que hablan gallego es incluso superior al de los que en Cataluña (Comunidad con mayor grado de bilingüismo del resto) se dicen capaces de hablar en catalán. La escasa proporción de inmigrantes llegados del exterior entre la población de Galicia puede haber incidido en este hecho.

Según G. Rojo (1993), «la situación tradicional de esta clarísima diglosia de adscripción de un proceso de "desgalleguización" (nótese lo que ocurre con la edad en los datos anteriores) asociada al ascenso social y a la mejora de los medios de comunicación. Dicho de otro modo, el ascenso en la escala social ha ido acompañado habitualmente del cambio de lengua. Muchas parejas que tenían el gallego como única lengua de relación se esforzaban en hablar castellano con sus hijos, lo cual era posteriormente reforzado por la acción de la escuela, la presencia masiva de los medios de comunicación de masas, etc.».

Para este autor a esta primera ruptura del código diglósico (que fijaba el gallego como lengua correspondiente a los entornos socioeconómicos bajos) se añadió luego una segunda de signo distinto: un número creciente de castellanohablantes originarios adoptó el gallego como lengua habitual de relación por motivos culturales y políticos. Ambos procesos siguen actuando en este momento, aunque, como es de suponer, van afectando a estratos distintos de la población (G. Rojo, 1993).

En la siguiente tabla se resumen los datos, en porcentajes, de los resultados obtenidos:

Tabla 58

Conocimiento del gallego en las distintas provincias
(Censo 1991)

	La Coruña	Lugo	Orense	Pontevedra	GALICIA
Entienden	90,08	88,26	93,84	92,53	91,02
Hablan	83,00	94,27	87,49	84,21	84,19
Leen	47,32	49,46	41,49	47,43	46,86
Escriben	32,93	37,31	28,83	32,86	32,97
No consta	7,84	11,37	5,3	6,47	7,56

Los datos transcritos permiten advertir algunas diferencias entre las distintas provincias. En relación al porcentaje de hablantes de las encuestas anteriores ha decrecido algo el número de estos. Por lo demás, como era de esperar, los porcentajes decrecen, sensiblemente, en los índices de lectura y escritura.

Como vemos, el porcentaje de hablantes en las ciudades es relativamente menor, ya que es en las áreas rurales donde la lengua gallega es absolutamente mayoritaria.

Tabla 59

Conocimiento del gallego en las ciudades principales de la Comunidad
(Censo 1991)

	La Coruña	Santiago	Ferrol	Lugo	Orense	Pontevedra	Vigo
Entienden ...	86,07	78,37	87,88	83,91	89,68	87,44	89,55
Hablan	69,82	71,86	70,55	76,43	78,52	78,62	73,84
Leen	51,12	52,28	48,36	47,79	47,79	46,19	49,10
Escriben	33,42	37,48	29,87	38,40	33,62	29,46	31,30
No consta ...	11,75	19,30	10,43	14,98	9,05	11,32	9,02

En el primer volumen del *Mapa sociolingüístico de Galicia,* editado por el Seminario de Sociolingüística de la Real Academia Galega y titulado *Lingua Inicial e Competencia Lingüística en Galicia,* se expresa la situación lingüística gallega referida a la lengua inicial de los hablantes, distribuida de acuerdo a una serie de variables sociales que podemos observar a continuación.

Como puede apreciarse en la tabla siguiente, la distribución de las lenguas habladas en Galicia es relativamente diferenciada. Por un lado, el gallego aparece como lengua inicial de la mayor parte de la población de más de 26 años, llegando a índices muy superiores a los del castellano a partir de los 40 años. Por otro lado, el castellano es la lengua inicial que predomina en las generaciones más jóvenes. Aunque es necesario contrastar estos datos con los usos lingüísticos, la presencia del castellano en la generación de menor edad parece ser un indicio de un proceso de «desgalleguización» que, en apariencia, lleva camino de incrementarse. Es decir, parece que se está asistiendo a una ruptura de la transmisión intergeneracional del gallego, especialmente en los ámbitos más urbanos.

Por lo que se refiere a la competencia lingüística, el grado de comprensión del gallego es prácticamente total en Galicia, según este trabajo que acabamos de citar: el dominio efectivo de esta destreza supera el 97 por 100 de los casos, y el real, el 99 por 100. Asimismo, declaran saber hablar gallego más del 85 por 100 de la población. Aunque, como es lógico, esta capacidad está muy relacionada con la lengua usada de forma habitual, los porcentajes son muy elevados, salvo cuando esta es el castellano exclusivamente.

El dominio de la lectura y de la escritura es mucho menor que el de las destrezas orales. A pesar de todo, en las generaciones más jóvenes se aprecia una recuperación muy importante de estas capacidades, efecto semejante al que se produce en las personas con estudios medios o universitarios.

En las habilidades orales (comprensión y capacidad de hablar) la asociación más importante se produce entre la lengua inicial y la lengua habitual; en las destrezas escritas, sin embargo, las variables que cumplen esta función son la edad, el nivel de estudios y, en menor medida, la clase social.

Tabla 60

Lengua inicial

	Gallego	Castellano	Las dos	Otras
		Lengua inicial (%)		
TOTAL GALICIA......................................	60,3	27,2	11,9	0,9
Edad				
16 a 25 años...	36,7	45,3	17,1	0,9
26 a 40 años...	51,2	34,7	13,2	0,8
41 a 65 años...	69,8	19,4	10,4	0,4
Más de 65 años.....................................	80,6	12,2	6,9	0,3
Estudios				
Ninguno..	92,6	3,0	4,1	0,3
Primarios incompletos........................	81,3	10,2	8,1	0,4
Primarios completos	62,0	24,1	13,2	0,7
Formación profesional........................	41,4	40,5	17,4	0,7
Bachillerato..	219,0	53,7	16,6	0,7
Carrera de grado medio......................	28,6	53,8	16,4	1,1
Carrera de grado superior...................	19,1	63,9	15,7	1,3
Otros cursos	51,2	40,7	7,6	0,4
Clase social				
Baja	75,3	13,7	10,2	0,8
Media-baja..	70,8	18,3	10,3	0,6
Media..	50,2	35,3	13,8	0,6
Media-alta...	28,1	59,7	11,5	0,7
Profesión				
Empresarios..	66,2	21,1	12,0	0,7
Titulación superior o media...............	19,7	65,7	14,3	0,3
Profesionales liberales........................	14,2	72,4	11,3	2,1
Docentes...	33,6	51,0	14,3	1,1
Fuerzas Armadas..................................	47,7	34,8	17,5	
Administración subalterno	44,4	41,7	13,3	0,6
Personal servicios................................	47,3	38,4	13,3	1,0
Autónomos..	70,3	17,5	11,6	0,6
Agricultores..	96,1	1,0	2,9	0,1
Marineros..	83,4	8,2	7,9	0,5
Obreros...	64,2	21,1	14,1	0,6
Estudiantes...	25,4	55,1	18,7	0,8
Amas de casa	67,3	21,7	10,3	0,7
Personal sin primer empleo	41,3	42,6	15,1	1,0
Sexo				
Hombre	60,3	26,3	12,8	0,6
Mujer	60,3	28,1	11,0	0,7
Lugar de nacimiento				
Urbano..	16,7	65,8	17,5	0,1
Periurbano..	61,5	21,1	17,4	0,1
Pueblos	51,0	32,4	16,6	
Rural-1	66,7	19,2	14,1	0,1
Rural-2	85,8	6,0	8,2	0,1
Nacidos fuera de Galicia.....................	11,1	73,9	7,4	7,5

Fuente: RAG, *Lingua inicial y competencia lingüística en Galicia,* Addenda, 1994.

Uso lingüístico del gallego

La información que sobre el uso del gallego aporta la encuesta llevada a cabo por el Centro de Investigaciones Sociológicas (CIS) y dirigida por Miguel Siguán aporta la siguiente información, en lo que se refiere a la transmisión generacional de la primera lengua. Como es sabido, la lengua principal se transmite de padres a hijos, generalmente, pero no siempre. El aclarar las modalidades de la transmisión generacional de las lenguas constituye un elemento básico para entender la dinámica sociolingüística de una sociedad de lenguas en contacto:

— *Lengua predominante en el hogar familiar en la infancia (conjunto de la población)*

Tabla 61

La lengua vernácula.........	54%
El castellano.....................	31%
Las dos	14%
Otra.................................	1%
NC...................................	—
TOTAL...............................	100%
(N)...................................	681

Fuente: M. SIGUÁN, ob. cit., 1999, pág. 33.

— *Lengua hablada con los padres y con los hijos (%)*

Tabla 62

	Lengua hablada con...		
	El padre	La madre	Los hijos
Gallego	65	67	50
Castellano	27	26	27
Ambas...............................	5	5	21
Otra/NC............................	3	2	2
TOTAL	100	100	100
(N)	607	607	357

Fuente: Ibídem, pág. 34.

Por último, veamos cómo en la información siguiente varía la lengua principal del hogar infantil con la lengua principal, también, actualmente, para los sujetos:

— *Lengua principal del hogar infantil y lengua principal de los sujetos en la actualidad (%)*

Tabla 63

	Lengua principal	
	En el hogar infantil	En la actualidad
Gallego..	54	46
Castellano	31	37
Las dos.......................................	14	17
Otra..	1	—
TOTAL	100	100
(N)...	681	679

En este caso se observa un pequeño desplazamiento en contra del gallego. Frente a las otras Comunidades, las diferencias de porcentajes no son muy significativas. Lo que sí es significativo es que, al igual que en Galicia, en todas ellas la proporción de los que se declaran bilingües en la actualidad es superior a la proporción de los que en su infancia, en su hogar, hablaban las dos lenguas.

En general puede decirse que en la Comunidad Gallega es una parte de las familias en las que predominaba el gallego las que ahora usan las dos lenguas.

Uso lingüístico en Galicia

El segundo volumen del *Atlas sociolingüístico de Galicia,* publicado en 1996 por el Seminario de Sociolingüística de la Real Academia Galega, dedicado a los usos lingüísticos del gallego, permite diseñar o llevar a cabo un diagnóstico de la situación de la lengua gallega y del uso que la población hace del gallego y del castellano, así como de sus actitudes, creencias y prejuicios que manifiestan ante ambas lenguas.

Si relacionamos las variables «lengua habitual de los entrevistados» según «la edad», observamos una tendencia general hacia la reducción del uso del gallego a medida que la edad es menor.

El descenso del monolingüismo en gallego entre 1877 y 1974 llega a unos 70,8 puntos. Si bien esta pérdida es gradual, entre 1877 y 1924, en los veinte años siguientes se hace muy pronunciada, para reducirse de nuevo en los años posteriores. La línea que representa el monolingüismo en castellano asciende de una forma mucho más gradual de cómo cae la del monolingüismo gallego; tanto es así que a lo largo de un siglo esta opción lingüística se incrementó 17,6 puntos. Esto significa que la evolución de la lengua habitual entre el último cuarto del siglo XIX y el último cuarto del XX se fue orientando hacia el bi-

Tabla 64
Lengua habitual de los entrevistados en Galicia

	Lengua habitual (%)			
	Solo gallego	Más castellano	Más las dos	Solo otras
TOTAL GALICIA....................................	10,6	20,8	29,9	38,7
Edad				
16 a 25 años...	17,7	35,7	23,0	23,5
26 a 40 años...	12,9	24,8	32,2	30,2
41 a 65 años...	7,5	15,2	33,8	43,5
Más de 65 años....................................	5,8	9,5	25,6	58,9
Estudios				
Ninguno..	0,9	3,3	20,5	75,3
Primarios incompletos	4,2	8,8	30,0	56,9
Primarios completos	9,0	18,2	37,3	35,5
Formación profesional........................	14,4	32,3	31,1	22,2
BUP	21,0	39,1	24,9	15,0
Carrera de grado medio	21,6	41,4	27,3	9,7
Carrera de grado superior...................	25,8	45,6	19,4	9,2
Otros cursos	25,8	45,6	19,4	9,2
Clase social				
Baja..	6,0	11,0	27,3	55,7
Media-baja..	6,0	14,7	31,6	47,7
Media...	14,4	27,0	29,4	29,2
Media-alta...	27,7	37,0	21,2	14,1
Profesión				
Empresarios..	5,8	16,6	41,8	35,8
Titulación superior o media...............	27,4	46,7	19,6	6,3
Profesionales liberales........................	23,0	50,7	22,5	3,8
Docentes...	18,5	37,3	32,2	12,1
Fuerzas Armadas..................................	16,1	31,4	38,5	13,9
Administración subalterno	15,3	29,9	34,5	20,3
Personal servicios	15,1	29,6	36,4	19,0
Autónomos	6,2	13,9	37,6	42,4
Agricultores	0,3	0,6	13,2	85,9
Marineros	0,9	6,6	33,0	59,4
Obreros..	6,2	17,9	37,8	38,1
Estudiantes	22,6	43,6	18,8	15,0
Amas de casa	10,7	15,7	31,4	42,2
Personas económicamente inactivas...	20,4	25,7	24,9	29,0
Sexo				
Hombre..	8,2	20,4	32,7	38,7
Mujer	12,7	21,1	27,5	38,7
Lugar de residencia				
Urbano...	24,2	38,2	28,6	9,1
Periurbano..	10,2	25,2	41,0	23,6
Pueblos..	10,6	24,1	33,6	31,8
Rural-1	4,7	16,6	35,8	42,8
Rural-2	2,8	7,5	25,7	64,0

Fuente: RAG, *Lingua inicial y competencia lingüística en Galicia,* Addenda, 1994, pág. 94.

lingüismo, como puede apreciarse en el último gráfico. En él se refleja que la enorme pérdida del monolingüismo en gallego entre la generación de preguerra (1924) y la de posguerra (1947); se traduce en un aumento muy extenso del bilingüismo.

Si examinamos la *lengua habitual según el nivel de estudios* que acabamos de presentar, observamos muy claramente el descenso del uso del gallego y el aumento del uso del castellano como lengua habitual a medida que aumenta el nivel de estudios de los entrevistados. Si el 95,8 por 100 de los individuos sin estudios hablan solo gallego, o más gallego que castellano, en el caso de los que realizaron estudios primarios ya se detecta un descenso del gallego de 15,5 puntos. Tal descenso es más destacado entre los entrevistados que tienen estudios primarios o secundarios. La considerable diferencia entre estos dos niveles de estudios puede guardar relación con su edad y con su hábitat de residencia. La media de edad de los que acabaron sus estudios secundarios es menor que la de los que solo tienen estudios primarios y un porcentaje considerable de los primeros vive en núcleos urbanos. Un 48,9 por 100 de los entrevistados con FP o Bachillerato tienen entre los 16 y los 25 años; solo un 11 por 100 de los que no superaron la educación primaria pertenecen a este grupo de edad. Por otra parte, tenemos un 35,5 por 100 de los entrevistados con estudios secundarios que viven en un ámbito urbano y un 39,5 por 100 no rural, mientras un 57 por 100 de los entrevistados con estudios primarios residen en un ámbito no rural y solo un 21,20 por 100 en un medio no urbano.

LA LENGUA GALLEGA EN LA ADMINISTRACIÓN

La prolongación del gallego como lengua propia de Galicia en el Estatuto y, especialmente, en la Ley de Normalización Lingüística, conlleva que el gallego sea la lengua usada por el Gobierno gallego y por las instituciones públicas de Galicia. Así, el Título II, que se ocupa del «Uso oficial del gallego» en los órganos de Gobierno y en su Administración, explicita:

> *Artículo 4.*—1.   El gallego, como lengua propia de Galicia, es lengua oficial de las instituciones de la Comunidad Autónoma, de su Administración, de la Administración local y de las Entidades públicas dependientes de la Comunidad Autónoma.
> 2.   También lo es el castellano como lengua oficial del Estado.
> *Artículo 5.*—Las leyes de Galicia, los decretos legislativos, las disposiciones normativas y las resoluciones oficiales de la Administración pública gallega se publicarán en gallego y castellano en el *Diario Oficial de Galicia.*
> *Artículo 6.*—1.   Los ciudadanos tienen derecho al uso del gallego, oralmente y por escrito, en sus relaciones con la Administración pública en el ámbito territorial de la Comunidad Autónoma.
> [...]

Artículo 7.—1. En el ámbito territorial de Galicia, los ciudadanos podrán utilizar cualquiera de las dos lenguas oficiales en las relaciones con la Administración de Justicia.

[...]

Artículo 8.—1. Los documentos públicos en Galicia se podrán redactar en gallego o castellano. De no haber acuerdo entre las partes, se emplearán ambas lenguas.

[...]

Artículo 9.—1. En los Registros públicos dependientes de la Administración autonómica, los asentamientos se harán en la lengua oficial en que esté redactado el documento o se haga la manifestación. Si el documento es bilingüe, se inscribirá en la lengua que indique quien lo presenta en el Registro. En los Registros públicos no dependientes de la Comunidad Autónoma, la Xunta de Galicia promoverá, de acuerdo con los órganos competentes, el uso normal del gallego.

[...]

Artículo 10.—1. Los topónimos de Galicia tendrán como única forma oficial la gallega.

[...]

Artículo 11.—1. A fin de hacer efectivos los derechos reconocidos en el presente Título, los poderes autonómicos promoverán la progresiva capacitación, el uso del gallego del personal afecto a la Administración pública y a las empresas de carácter público en Galicia.

El uso del gallego cada vez se ha generalizado más en todos los ámbitos de la Administración; en este aspecto hay que citar un dato significativo: en el Parlamento gallego, en sus primeros tiempos, la mayoría de las intervenciones se hacían en castellano, mientras que, actualmente, la mayoría se hacen en gallego. Es el único Parlamento autonómico en el que se ha producido una clara evolución en la lengua propia.

La Administración pública autonómica edita y publica toda la documentación en las dos lenguas oficiales de la Comunidad: leyes, decretos, órdenes, reglamentaciones, etc.

Dado el derecho de los ciudadanos a relacionarse con la Administración en la lengua que prefieran, esta debe ofrecer, a los que deseen hacerlo en gallego o en castellano, y así lo expresen, la información y documentación necesarias para poder llevarlo en cualquiera de las dos lenguas. «En el plano oral ello no plantea mayores dificultades, pues la mayoría de sus funcionarios, igual que la mayoría de los habitantes de Galicia, entienden el gallego y muchos son capaces de hablarlo, con más o menos facilidad. Si todavía la mayoría de ciudadanos no utilizan el gallego en sus gestiones oficiales es porque tienen la impresión de que el castellano es la lengua más adecuada en estas circunstancias. Lo mismo puede decirse, pero con más intensidad en el caso de las relaciones escritas, con el agravante de la falta de hábito en este uso de la lengua» (M. Etxebarria, 1995).

En el uso interno, la situación es parecida; en las relaciones internas orales, la mayor parte de los funcionarios usan el gallego para comunicarse entre sí, pero en los textos y las comunicaciones escritas todavía predomina el castellano, aunque se está llevando a cabo, en los últimos años, un gran esfuerzo para desarrollar un lenguaje administrativo en gallego y se han puesto en marcha cursos de capacitación lingüística para los funcionarios en el uso administrativo.

La Administración local y los Ayuntamientos y servicios que dependen de esta en el ámbito rural se mueven, en lo que se refiere al uso de la lengua gallega, dentro de las mismas coordenadas que la autonómica. Sin embargo, en los Ayuntamientos y Diputaciones principales de las ciudades, la presencia del gallego es sensiblemente menor; lo mismo que en las delegaciones de la Administración central la presencia del gallego es absolutamente simbólica y parecida a la que se ha descrito en otras Comunidades.

LA LENGUA GALLEGA EN LA ENSEÑANZA

No debemos olvidar la situación sociolingüística de la población gallega que hemos examinado antes, para poder valorar el tratamiento de las lenguas en el sistema educativo gallego. Antes de la Constitución de 1978, todo se realizaba en castellano, y en esta lengua, por supuesto, se aprendía a leer y escribir, incluso en un alto porcentaje de casos en que los niños no tenían un dominio aceptable de esta lengua, o la desconocían casi por completo. «Es bien sabido que, una vez superadas las fases iniciales, el área lingüística de EGB (y lo mismo en los niveles posteriores) se ha centrado más en el estudio de la Gramática que en el desarrollo de las destrezas lingüísticas. En este aspecto, todos los alumnos eran tratados del mismo modo, de forma que la enseñanza del español, mejor o peor desarrollada según la capacidad y el saber de cada profesor, se realizaba del mismo modo que en un pueblo de Burgos o Soria» (G. Rojo, 1993).

En 1978 los Decretos de Bilingüismo obligaron a que en todos los territorios con lengua propia la lengua debía ser enseñada en todos los niveles escolares. Poco después, aprobado ya el Estatuto de Autonomía, a la cooficialidad de castellano y gallego se añade la consideración del gallego como lengua propia de Galicia y el encargo a los poderes públicos de la potenciación del gallego «en todos los planos de la vida pública, cultural e informativa» (art. 5). Además, el Estatuto establece la competencia exclusiva de la Comunidad Autónoma en la promoción y enseñanza de la lengua gallega (art. 27) y, en general, en la regulación y administración de la enseñanza en todos los niveles, modalidades y especialidades (art. 30).

La Ley de Normalización Lingüística (Ley 3/1983, de 15 de junio) dedica su Título III al «Uso del gallego en la enseñanza»:

> *Artículo 12.*—1. El gallego, como lengua propia de Galicia, es también lengua oficial en la enseñanza en todos los niveles educativos.

2. La Xunta de Galicia reglamentará la normalización del uso de las lenguas oficiales en la enseñanza, de acuerdo con las disposiciones de la presente ley.

Artículo 13.—1. Los niños tienen derecho a recibir la primera enseñanza en su lengua materna.

El Gobierno gallego arbitrará las medidas necesarias para hacer efectivo este derecho.

2. Las Autoridades educativas de la Comunidad Autónoma arbitrarán las medidas encaminadas a promover el uso progresivo del gallego en la enseñanza.

3. Los alumnos no podrán ser separados en centros diferentes por razón de lengua. También se evitará, a no ser que con carácter excepcional las necesidades pedagógicas así lo aconsejaran, la separación en aulas diferenciales.

Artículo 14.—1. La lengua gallega es materia de estudio obligatorio en todos los niveles educativos no universitarios.

Se garantizará el uso efectivo de este derecho en todos los centros públicos y privados [...].

1. Los profesores y los alumnos en el nivel universitario tienen el derecho a emplear, oralmente y por escrito, la lengua oficial de su preferencia.

2. El Gobierno gallego y las Autoridades universitarias arbitrarán las medidas oportunas para hacer normal el uso del gallego en la enseñanza universitaria.

El Decreto 135/1983, de 8 de septiembre, que desarrolla la Ley 3/1983 para la enseñanza, establece los siguientes puntos:

En preescolar y el ciclo inicial, los profesores usarán la lengua predominante entre sus alumnos, pero cuidando que los niños adquieran el conocimiento de la otra lengua oficial [art. 2.2].

En todos los demás niveles se utilizarán indistintamente ambas lenguas, aunque el Consejo de Dirección deberá cuidar el equilibrio entre ambas [art. 2.3].

La Orden de 1 de marzo de 1983 (*DOGA* de 16 de marzo) reformula este último punto en varios aspectos:

En los niveles no universitarios se hará una distribución de horas y esta será cambiante según el dominio que los estudiantes tengan de gallego y castellano, de tal modo que al final de sus estudios los alumnos dominen ambas lenguas por igual [art. 3.2].

Preescolar y el ciclo inicial de EGB se realizarán en la lengua materna de los alumnos. En los ciclos medio y superior de EGB se impartirá en gallego como mínimo el área de ciencias sociales [art. 6]. El Consejo Escolar podrá añadir otras materias [art. 7].

En BUP, COU y FP se impartirá en gallego un mínimo de dos asignaturas por curso, que serán elegidas de entre las que la Orden menciona para cada curso.

En la Universidad ya en los años sesenta se utilizaba el gallego como símbolo de identidad de su pueblo y, de alguna manera, se convirtió en bandera pública de determinados movimientos estudiantiles de la época. Pero, en realidad, en el momento de la aprobación del Estatuto, fuera de algunos departamentos, la presencia del gallego en la Universidad era, más bien, de carácter simbólico.

En un estudio de Rodríguez Neira (1988) sobre el uso del gallego en la Universidad se indica que, dentro del funcionamiento administrativo, toda la documentación que procede del Rectorado y, en general, de los órganos centrales de la Universidad (anuncios, convocatorias, etc.) está escrita en gallego, sistemáticamente. La situación en las facultades y departamentos, sin embargo, es algo más desigual. En cuanto a la lengua oral, la gran mayoría del personal de administración y servicios entiende y habla gallego, de tal manera que no hay dificultad en utilizar la lengua propia en cualquiera de estos organismos. En la práctica la frecuencia de uso del gallego es algo superior, al parecer, a la del castellano.

Respecto a la utilización del gallego en la enseñanza, se dispone de una amplia encuesta realizada a un buen número de profesores y alumnos, que sin ser absolutamente representativa resulta muy útil para poder observar las tendencias de uso. El 80 por 100 de los profesores afirman que dan las clases en castellano, exclusivamente; el 61 por 100 lo hacen de forma mayoritaria, y el 20 por 100 restante solo utilizan el gallego, mayoritariamente un 6 por 100, mientras que el 14 por 100 restante dicen utilizarlo —el gallego— de forma exclusiva.

Entre los estudiantes se pueden confirmar, más o menos, estas mismas cifras: el 40 por 100 dicen no haber recibido ninguna clase en gallego a lo largo de sus estudios universitarios, el 50 por 100 señalan haber recibido alguna asignatura (menos de la quinta parte de las materias cursadas) y el 10 por 100 dicen que han recibido clases en gallego.

Cuando se interroga acerca de las actitudes, y más en concreto sobre sus preferencias: entre los profesores encuestados el 50 por 100 piensan que las clases deberían darse por igual en las dos lenguas: cerca del 30 por 100 creen que deberían darse exclusiva o preferentemente en gallego, y en torno al 20 por 100 opinan que deberían darse exclusiva o mayoritariamente en castellano. Entre el alumnado, también el 30 por 100 optan por el gallego, pero solo un 40 por 100 le concederían el mismo estatus y función a las dos lenguas; el 30 por 100 restante prefieren el castellano como lengua de la enseñanza. Como se ve, la opinión de los alumnos es algo más desfavorable al uso del gallego en la enseñanza que la de los profesores.

En cuanto a la producción escrita de los profesores, un 50 por 100 respondieron que solo escriben y publican en castellano y un 10 por 100 también de profesores que dicen escribir y publicar solo o preferentemente en gallego, un 11 por 100 que afirman utilizar, de manera indistinta, ambas lenguas, mientras que cerca de un 20 por 100 sobre el total no respondieron a esta pregunta. «De todos modos, los libros que manejan los estudiantes son, mayoritariamente, en castellano, y de las tesis doctorales presentadas en la Universidad de Santiago, en los últimos doce años, el número de las redactadas en gallego no alcanza el 15 por 100.»

De la consulta del trabajo sobre el *Conocimiento y uso de las lenguas* del CIS (1999) se desprende que el papel de las lenguas en la enseñanza es uno de los puntos principales de una política lingüística y un tema al que la población es especialmente sensible:

— *Opiniones sobre la lengua en la enseñanza (I)*

¿Cómo cree que debería ser la enseñanza en esta Comunidad Autónoma?

Tabla 65

Toda en castellano	6%
La mayor parte en castellano y algo en lengua vernácula	19%
La mitad en castellano y la mitad en lengua vernácula	59%
La mayor parte en lengua vernácula y algo en lengua castellana	9%
Toda en lengua castellana	5%
NS/NC	4%
TOTAL	100%
(N)	681

Fuente: M. SIGUÁN, ob. cit., 1999, pág. 65.

— *Opiniones sobre la lengua en la enseñanza (II)*

Tabla 66

La mayor parte en castellano	25%
Mitad y mitad	52%
La mayor parte en vernácula	18%
NS/NC	5%
TOTAL	100%
(N)	681

Fuente: Ibídem.

— *Lengua principal y opiniones sobre las lenguas en la enseñanza (%)*

Tabla 67

	Mayoritariamente en gallego	Por igual	Mayoritariamente en castellano	NC	TOTAL	(N)
Gallego	25	51	18	6	100	314
Bilingüe...........	16	60	21	3	100	113
Castellano I.....	11	52	33	4	100	180
Castellano II ...	7	29	47	7	100	74
Conjunto de la población....	18	52	26	4	100	681

Castellano I: Tiene el castellano como lengua principal y habla también la lengua de la Comunidad.
Castellano II: Tiene el castellano como lengua principal y no habla la lengua de la Comunidad.
Fuente: M. SIGUÁN, ob. cit., 1999, pág. 67.

Por último, mostraremos los datos referidos a la lengua en el ámbito escolar, según la información proporcionada por el *Mapa Sociolingüístico del gallego (Usos lingüísticos,* 1996, vol. II): algo más de una quinta parte de la población (21,6 por 100) recibió enseñanza de lengua gallega; y dada la reciente implantación del gallego en la enseñanza, la práctica totalidad de esa (21,6 por 100 son individuos menores de 30 años). Por otro lado, un 6,5 por 100 de la población asistió a cursos de esta lengua fuera de la escuela.

Los usos en el ámbito escolar difieren bastante del resto de los que corresponden a la lengua habitual mayoritaria en Galicia, puesto que en este ámbito escolar las conductas se caracterizan por una considerable castellanización: los monolingües habituales en gallego tienden hacia el bilingüismo cuando se encuentran en el ámbito escolar, mientras que los bilingües utilizan menos el gallego de lo que lo hacen habitualmente.

Cuanto más informal es la situación comunicativa en la escuela, más se utiliza el gallego. El nivel de empleo de esta lengua con los compañeros en el recreo es muy semejante, aunque algo inferior, al que encontramos como lengua habitual. Cuando el hablante interactúa con estos mismos interlocutores en la clase, el uso del castellano es algo mayor, mientras que el nivel de uso con los profesores se caracteriza por una importante presencia del castellano, solo superado por la lengua escrita. (Véase RAG, *Usos lingüísticos en Galicia,* 1996, pág. 363.)

Hay que hacer notar, también, que muy pocos individuos utilizan o han utilizado el gallego como lengua de escritura en el ámbito escolar. Solo en la población de 16 a 25 años encontramos un uso esporádico de esta lengua, lo que puede ayudar a la necesidad de demostrar competencia escrita en las materias de lengua y literatura gallegas. Por otra parte, es posible que la conduc-

Tabla 68
Medias de usos lingüísticos en la escuela

	En la escritura	Con profesores	Con compañeros (clase)	Con compañeros (recreo)	Lengua habitual
TOTAL GALICIA........................	1,26	1,76	2,69	2,84	2,97
Edad					
16 a 25 años............................	1,91	2,17	2,31	2,33	2,52
26 a 40 años............................	1,14	1,54	2,47	2,61	2,80
41 a 65 años............................	1,05	1,61	2,87	3,09	3,13
Más de 65 años.......................	1,07	1,91	3,15	3,34	3,38
Estudios					
Ninguno	1,08	2,32	3,62	3,75	3,70
Primarios incompletos	1,09	1,86	3,22	3,41	3,40
Primarios completos	1,22	1,64	2,75	2,94	2,99
Formación profesional...........	1,63	1,96	2,38	2,45	2,61
BUP	1,52	1,69	1,95	2,01	2,34
Carrera de grado medio.........	1,31	1,44	1,78	1,90	2,25
Carrera de grado superior	1,41	1,52	1,69	1,75	2,12
Otros cursos	1,34	1,61	2,31	2,54	2,58
Clase social					
Baja..	1,18	1,96	3,19	3,34	3,33
Media-baja.............................	1,24	1,85	2,96	3,13	3,21
Media.....................................	1,28	1,66	2,42	2,56	2,73
Media-alta..............................	1,30	1,46	1,91	2,00	2,22
Profesión					
Empresarios............................	1,10	1,58	2,83	3,04	3,08
Titulación superior o media ..	1,12	1,24	1,58	1,67	2,05
Profesionales liberales............	1,06	1,18	1,54	1,70	2,07
Docentes................................	1,15	1,26	1,80	1,93	2,38
Fuerzas Armadas....................	1,16	1,44	2,41	2,67	2,50
Administración subalterno	1,18	1,49	2,25	2,39	2,60
Personal servicios...................	1,29	1,61	2,35	2,51	2,59
Autónomos.............................	1,15	1,70	2,97	3,15	3,16
Agricultores...........................	1,12	2,26	3,73	3,86	3,85
Marineros	1,16	1,92	3,34	3,55	3,51
Obreros	1,22	1,78	2,81	3,00	3,08
Estudiantes............................	1,94	2,11	2,03	2,02	2,26
Amas de casa	1,10	1,58	2,75	2,95	3,05
Personas económ. inactivas ...	1,69	2,02	2,33	2,41	2,63
Sexo					
Hombre...................................	1,28	1,82	2,79	2,94	3,02
Mujer.....................................	1,24	1,69	2,60	2,75	2,92
Lugar de residencia					
Urbano	1,24	1,42	1,80	1,95	2,23
Periurbano..............................	1,29	1,60	2,32	2,48	2,78
Pueblos...................................	1,26	1,64	2,61	2,75	2,86
Rural-1...................................	1,25	1,77	2,95	3,14	3,17
Rural-2...................................	1,26	2,06	3,34	3,48	3,51

Las medias están comprendidas entre 1 (solo castellano) y 4 (solo gallego).

Fuente: RAG, ob. cit., 1996, pág. 262.

ta de un reducido número de profesores que, por propia iniciativa, imparten en sus aulas en gallego, también incida en que los alumnos escojan esta lengua para ser escrita. Conviene tener en cuenta, además, que aquellos que más utilizan el gallego como lengua escrita —y también con los profesores— son los que aprendieron la lengua en la escuela.

LA LENGUA GALLEGA EN LOS MEDIOS DE COMUNICACIÓN Y EN LA PRODUCCIÓN CULTURAL

Se trata de dos ámbitos en los que los avances han sido espectaculares en determinadas facetas (en especial en televisión y en publicación y edición de libros) y que, como es sabido, son absolutamente fundamentales de cara a la normalización de la lengua en la Comunidad gallega.

En cuanto a la revalorización de la lengua gallega en lo que se refiere a su producción editorial, esta va aumentando progresivamente.

Datos de producción editorial (1985-1990 y 1990-1996)

Se trata, a pesar de su crecimiento, de un mercado relativamente reducido, debido al escaso prestigio social del que ha gozado la lengua a lo largo de los tiempos y a la falta de hábitos de lectura de la población en gallego, e incluso al bajo nivel cultural de la mayoría de la población, con unos índices de compra y de lectura de libros muy pequeños.

Casi el 50 por 100 de los títulos publicados han sido a través de tres editoriales: Galaxia, Ediciones Xerais y Ediciones do Castro. El resto lo han sido por editoriales más pequeñas o por las propias instituciones y por organismos oficiales. Con todo, el volumen de tirada de cada título es reducido y, con excepción de los libros escolares, las tiradas medias se sitúan en los 2.000 ejemplares.

«En cuanto a su temática, los libros publicados pueden clasificarse así: la tercera parte más o menos la constituyen obras de tema literario (poesía, narrativa o teatro); otra tercera parte, o algo más, corresponde a libros escolares y a libros de temática infantil o juvenil, y la tercera parte restante, a libros de ensayo y de temática variada. Dado que los libros escolares y los infantiles y juveniles tienen tiradas más altas que los restantes, es probable que estas dos categorías de libros representen la mitad de la producción total en gallego, y dado que unos y otros se pueden poner en relación con la presencia del gallego en la enseñanza, se puede suponer que en la medida en que esta presencia se mantenga o aumente, aumentarán también los índices de lectura en gallego» (M. Siguán, 1992).

Prensa, radio y televisión

El Título IV de la Ley de Normalización Lingüística está dedicado al «Uso del gallego en los medios de comunicación», y en él se explicita:

> *Artículo 18.*—El gallego será la lengua usual en las emisoras de radio y televisión y en los demás medios de comunicación social sometidos a gestión o competencia de las instituciones de la Comunidad Autónoma.
>
> *Artículo 19.*—El Gobierno gallego prestará apoyo económico y material a los medios de comunicación no incluidos en el artículo anterior que empleen el gallego de una forma habitual y progresiva.
>
> *Artículo 20.*—Serán obligaciones de la Xunta de Galicia:
>
> 1. Fomentar la producción, el doblaje, la subtitulación y la exhibición de películas y otros medios audiovisuales en lengua gallega.
>
> 2. Estimular las manifestaciones culturales, representaciones teatrales y los espectáculos hechos en lengua gallega.

En este marco legal, y en lo que afecta a la prensa, en Galicia se reciben y leen los grandes periódicos diarios editados en Madrid; además, en las principales ciudades gallegas se publican varios periódicos locales en castellano, aunque en la mayor parte de ellos se insertan textos en gallego; ahora bien: estos textos en gallego ocupan una parte mínima, en torno al 10 o 15 por 100 de su contenido total. (Véase M. Etxebarria, 1995, págs. 370-374.)

Existen, sin embargo, algunos periódicos, o mejor revistas, de ámbito local que se publican enteramente en gallego, pero su difusión es menor.

Evolución y porcentaje de la prensa diaria en el uso del gallego

Asimismo se publica, enteramente en gallego, *O Correo Galego,* y en español, también enteramente, las ediciones para Galicia de los periódicos de Madrid, tales como *El País, El Mundo, ABC, La Razón,* etc., hasta completar un total de nueve publicaciones diarias.

Por lo que se refiere a los medios audiovisuales, la Radio Televisión Gallega, organismo de titularidad autónoma, sostiene una emisora de radio que emite íntegramente en gallego y con audiencia en toda Galicia. «Pero la novedad principal de este campo ha sido la Televisión gallega que emite casi totalmente en gallego y que ha jugado un papel destacado y aun puede decirse que decisivo en la revalorización del gallego. Sus emisiones no solo se reciben en toda Galicia, sino que tienen también receptores en la zona norte de Portugal y en comarcas de Asturias y León en las que se habla gallego. La segunda cadena de televisión estatal, TV2, por medio de su delegación en Santiago, emite también cada día treinta minutos en gallego y es probable que una vez terminados sus nuevos estudios esta emisión en gallego se amplíe considerablemente» (M. Siguán, 1992).

Sin embargo, en los datos recogidos por C. Hermida (1994, págs. 263 y sigs.) se afirma que en la Televisión de Galicia (TVG en 1994) en torno al 56 por 100 de la programación era ofrecida en castellano, frente a un 44 por 100 en gallego. Por otra parte, por lo que concierne a las cadenas privadas españolas, como Tele 5 o Antena 3, se ofrece prácticamente toda la programación en castellano.

Por último, examinaremos los datos de la *Encuesta del CIS* (1999) en lo que se refiere a las preferencias lingüísticas; así, para los informantes a quienes se preguntó sobre la lengua preferida en la *lectura*, en la *televisión* y su *audiencia potencial,* en cada lengua, observamos:

— *Lengua preferida en la lectura*

Tabla 69

Vernácula (gallego)	12%
Castellano	44%
Le es indiferente	41%
Otra lengua	—
NC	3%
TOTAL	100%
(N)	453

Nota: La pregunta se propuso solo a aquellos que habían afirmado saber leer en gallego.

Fuente: M. SIGUÁN, ob. cit., 1999, pág. 52.

— *Lengua preferida en televisión*

Tabla 70

Vernácula (gallego)	17%
Castellano	44%
Le es indiferente	53%
NC	1%
TOTAL	100%
(N)	436

— *Lengua preferida en la televisión (conjunto de la población)*

Tabla 71

Vernácula (gallego)	17%
Castellano	30%
Le es indiferente	52%
NC	1%
TOTAL	100%
(N)	681

Fuente: M. SIGUÁN, ob. cit., 1999, pág. 54.

— *Preferencias en el visionado de la televisión en función de la lengua principal*

Tabla 72

Lengua principal	Lengua preferida (%)					
	Gallego	Castellano	Le es indiferente	NC	TOTAL	(N)
Gallego	30	17	53	—	100	314
Bilingüe	10	19	70	1	100	113
Castellano I	3	44	53	—	100	180
Castellano II	8	68	21	3	100	66

Castellano I: Tiene el castellano como lengua principal y habla también la lengua de la Comunidad.
Castellano II: Tiene el castellano como lengua principal y no habla la lengua de la Comunidad.
Fuente: Ibídem, págs. 54 y 55.

6
LA LENGUA VASCA EN EUSKAL HERRIA

La lengua vasca constituye en la actualidad el instrumento cultural más representativo de la comunidad que la ha usado y conservado. De alguna manera resulta ser el producto de un largo recorrido histórico del propio grupo que la ha utilizado y aún la utiliza, un producto siempre en desarrollo en la medida en que sigue usándose con una pluralidad mayor de registros, una especialización más amplia, con funciones de uso más elaboradas y cada vez más cultas.

Pero el euskera posee, además, otras particularidades de naturaleza sociopolítica, como son también su carácter de lengua *minoritaria* y, al tiempo, también *minorizada*. *Minoritaria* en tanto en cuanto es utilizada por un pequeño número de hablantes que, en gran medida, lo son también de otra lengua mayoritaria (el castellano y, en menor proporción, el francés). *Minorizada,* en tanto en cuanto, en diferentes circunstancias históricas, antiguas y recientes, el uso del euskera estuvo postergado y, en algunas ocasiones, prohibido a funciones de poco prestigio sociocultural.

En los últimos veinticinco-treinta años, a través de la aplicación de una política lingüística decisiva y que explicitaremos a continuación, se ha producido la recuperación lingüística del euskera, se ha llevado a cabo el proceso de normalización/estandarización, lo que ha permitido detener la pérdida y aumentar, muy notablemente, su número de hablantes. En el área de *educación,* en los *medios de comunicación* y en la *Administración* se han ido aprobando normativas que, paulatinamente, van creando una red de servicios que, por primera vez en la historia del País Vasco, se desarrollan en euskera, de modo que los vascohablantes pueden hacer uso de su lengua en ámbitos que antes les estaban vedados. Hay que destacar que, juntamente con la normativa oficial, las iniciativas populares proeuskera han seguido vivas: se han puesto en marcha programas de divulgación, se han multiplicado las labores sociales y culturales de las ikastolas (escuelas vascas) y de otras instituciones docentes. Asimismo se han llevado a cabo programas socioculturales diversos en el ámbito de la literatura, la música, las danzas vascas, talleres artísticos, etc.

La explicación de su evolución permitirá evaluar el desarrollo sociolingüístico de la comunidad y de su lengua, en este caso, del euskera. Y es que nuestro objetivo responde, también, a un propósito desmitificador, referido a la situación de bilingüismo o plurilingüismo que, lejos de constituir una anomalía, es y ha sido una constante histórica en la mayor parte del mundo, y también en España, lo que viene a demostrar que no tiene por qué suponer motivo de conflicto en el plano social, al tiempo que en el plano individual supone una fuente indudable de riqueza. Así, constituyendo la lengua un elemento de identidad de la persona y de su enraizamiento más profundo, la situación bilingüe o plurilingüe de algunas comunidades bajo el prisma del reconocimiento y la normalización de las lenguas propias supone la manifestación del respeto a los derechos colectivos de los pueblos.

CARACTERIZACIÓN GENERAL DE EUSKAL HERRIA

El País Vasco ocupa un territorio situado en el norte de la península Ibérica, al borde del mar Cantábrico. La Comunidad Autónoma Vasca tiene una extensión de 7.261 km² y, según el *Censo de Población de 1996,* una población de 2.098.055 habitantes. Por su pasado, su historia, su lengua y su tradición sociocultural está estrechamente ligado con el resto de los territorios donde también se habla euskera: Navarra y las tres provincias del País Vascofrancés (Iparralde). Así, se denomina *Euskalherria* al conjunto de territorios donde se habla euskera, y *Euskadi,* a este mismo ámbito territorial, entendido como unidad política.

Desde el punto de vista administrativo la denominación oficial en el territorio español es Comunidad Autónoma Vasca (CAV); para el área de Navarra se denomina Comunidad Foral de Navarra.

Geográficamente, la comunidad vascohablante se localiza, como ya hemos señalado, a ambos lados de la frontera franco-española, a orillas del océano Atlántico, en torno al golfo de Bizkaia. Se trata de la CAV que comprende los territorios históricos de Bizkaia (Vizcaya), con 1.140.026 habitantes (el 54,3 por 100), cuya capital es Bilbao; Gipuzkoa (Guipúzcoa), con 676.208 habitantes (el 32,2 por 100), cuya capital es Donostia (San Sebastián), y Araba (Álava), cuya capital es Gasteiz (Vitoria), y con un total de 281.821 habitantes en todo el territorio alavés. La sede del Gobierno vasco (Eusko Jaurlaritza) se ha instalado en Vitoria (Gasteiz), lo mismo que su Parlamento, con lo cual se ha convertido en la capital administrativa de la Comunidad Autónoma Vasca (CAV).

La Comunidad Foral de Navarra, cuya capital es Iruña (Pamplona), con 437.200 habitantes, dentro del Estado español. En el Estado francés (Iparralde) lo constituyen los territorios de Labort, Baja Navarra y Soule, con 212.400 habitantes. Geográficamente ha sido una zona de paso entre la península Ibérica y el continente europeo, con escasos recursos naturales, a excepción del mineral de hierro de Bizkaia, que permitió la industrialización temprana del país, a fines del siglo XIX y comienzos del XX.

LA LENGUA VASCA

Como es sabido, y frente al resto de las otras lenguas habladas en la Península, el euskera no es una lengua románica, ni siquiera pertenece al tronco de lenguas indoeuropeas; tipológica y genéticamente presenta características que la hacen muy peculiar. Entre ellas, Mitxelena destaca las siguientes: es una lengua en la que predominan los morfemas-sufijos, ya que el artículo, las desinencias de caso y el índice de relativo, entre otras cosas, se añaden sistemáticamente detrás del tema: *gizon-a* (el hombre), *gizon-a-ren* (del hombre), *gizon-a-ren-a-ri* (al del hombre). Es característica también la «construcción ergativa» de la frase, por la cual el sujeto de lo que en otras lenguas es un verbo transitivo, *gizon-a etorri da* (hombre-el venido es) tiene la misma ausencia de marca formal que el objeto directo de un verbo transitivo, *gizon-a eraman du* (el hombre ha traído a alguien), mientras que el sujeto del verbo transitivo está en un caso distinto llamado ergativo, con su marca correspondiente, *gizon-ak gizon a eraman du* (el hombre ha llevado al hombre): «es la llamada construcción ergativa, cuyo contraste con la oposición nom/acus. de las lenguas indoeuropeas, etc., puede verse en los ejemplos siguientes: latín, *homo venit;* vasco, *gizona etorri da;* latín, *homo vidit;* vasco, *gizonak ikusi du*» (L. Mitxelena, 1982).

No vamos a entrar aquí en el origen de la lengua vasca, que continúa siendo un problema no resuelto, ni en su posible relación con otras lenguas desde el punto de vista del parentesco; únicamente señalaremos que el euskera es una de las lenguas más antiguas de las que se hablan en Europa; también es sabido que a lo largo de la historia vio reducido su territorio a ambos lados del Pirineo, hasta quedar limitado a la situación actual.

Como ya se ha explicado en muchas otras ocasiones, el acceso de la lengua vasca a la escritura fue tardío: a comienzos de la Edad Moderna aparece el primer texto en euskera, un conjunto de poesías de Bernard Dechepare. Del mismo siglo y en el campo de la prosa, la utilización del euskera tuvo un cultivador en Leizarraga, clérigo reformista que tradujo al euskera el Nuevo Testamento y compuso un Catecismo para difusión de la doctrina protestante entre los vascos. En el siglo XVII se produjeron un número relativamente importante de obras de tema religioso y didáctico en euskera. Todas ellas responden a la actitud de la Contrarreforma, definida por el Concilio de Trento, realizadas en su mayoría con la intención de predicar en la lengua del pueblo. La mayor parte de estas obras corresponden a la llamada Escuela de Sara, el territorio vascofrancés, y están redactadas en dialecto labortano, hecho que ayudó a que este dialecto se convirtiera de alguna manera en el modelo literario del euskera. En el siglo XVII varios sacerdotes continúan con la tradición labortana clásica y otros inician una tradición semejante en guipuzcoano: Etcheberri (siglo XVIII) recomienda a las Sociedades de Amigos del País la utilización del euskera en la escuela y es el primero que trata de conseguir que la lengua vasca se use como vehículo de enseñanza. Del mismo siglo se conservan también obras de teatro popular en euskera. A comienzos del siglo XIX, Mogel, párroco de Markina, compone en euskera, vizcaíno, *Perú Abarca*. En el mismo siglo, Luis Luciano Bonaparte, sobrino de Napoleón I, inicia el estudio científico del euskera, y a él debemos la descripción y caracterización de los diferentes dialectos que aún hoy siguen distinguiéndose (L. Mitxelena, 1982).

Norma lingüística y variedades

Según el príncipe Bonaparte y el propio Humboldt, que no solo se interesó por el euskera, sino que contribuyó a su difusión encargando y publicando varias obras, los dialectos, variedades y hablas «euskaras» debían ser sometidas a una clasificación previa a toda otra consideración: hay dialectos literarios (vizcaíno, guipuzcoano, labortano, suletino), de una parte, y dialectos no literarios, de otra. «Bonaparte había comprendido perfectamente cuál había sido la evolución de la literatura y lengua vasca que había abocado a la situación que existía en sus días [...]. Existían, pues, entonces, normas dialectales, variedades "estandarizadas" de cierto color dialectal, que le eran impuestas al autor a poco que quisiera elevarse del nivel del habla diaria» (ibídem).

El hecho de que el euskera fuera, a lo largo de su historia, fundamentalmente, una lengua de transmisión oral, con escaso uso escrito, favoreció la diversidad y fragmentación dialectal. La sistematización que propuso Luis Bonaparte y que esencialmente puede mantenerse hoy distingue los siguientes dialectos: vizcaíno, guipuzcoano, altonavarro (septentrional y meridional), labortano, bajonavarro (occidental y oriental) y suletino. Los tres últimos se completan, por el sur, con el aezcoano, salacenco y roncalés, respectivamente. Como ya hemos mostrado, algunos de estos dialectos tuvieron un cultivo literario y otros no; primero el labortano y, sucesivamente, guipuzcoano y vizcaíno, pero ninguno de ellos, por sí mismo, parecía poder llegar a ser la lengua común de los vascos.

En el I Congreso de Estudios Vascos (Oñate, 1918) quedó constituido el germen de lo que había de ser de inmediato la Academia de la Lengua Vasca/ *Euskaltzaindia:* de ella se esperaba con urgencia una orientación precisa sobre el problema de la unificación de la lengua, problema que, según cita Mitxelena, fue tratado con amplitud y sin reservas en la ponencia de Luis de Elizalde, que pasó a ser uno de sus miembros fundadores. Y, de acuerdo con las expectativas, la recién creada Academia, una vez completado el número de sus miembros, procedió a encargar que se elaboraran informes previos, etc., a fin de disponer de elementos en que fundamentar las decisiones necesarias.

Pero estas no se tomaron nunca, ya que no todo el mundo era partidario de resoluciones normativas; además, ninguna región o dialecto podía, en principio, ceder el lugar que le correspondía.

Hubo, sin embargo, un proyecto preciso que, aunque nunca fue expuesto de un modo sistemático, para su enseñanza y divulgación, sí quedó ampliamente ejemplificado. «Se trata del "gipuzkera osotua" o guipuzcoano "completado" (con ayuda, como es natural, de elementos tomados de otros dialectos) de Azkue, presidente, hasta su muerte, de la Academia, que, mejor que en el teórico y asistemático gipuzkera osotua (1934), puede ser estudiado en su *Prontuario fácil para el estudio de la lengua vasca popular* (Bilbao, 1927; 2.ª ed., Bilbao, 1932), o en la novela *Ardi Galdua* (1918), con traducción» (L. Mitxelena, 1982).

El modelo de Azkue no prendió ni se discutió seriamente entre los escritores y se produjeron distintas actitudes, entre las que destacan las de aquellos que consideraban que había que fijarse en un modelo clásico, que se retrotraía al labortano del siglo XVII, frente a las de otros más «populistas» que promulgaban la utilización por escrito de un euskera próximo al habla urbana. «Este movimiento tiene una nutrida historia, si se tienen en cuenta las reacciones favorables o adversas que suscitó. Hubo tomas de posición individuales y colectivas de gentes representativas en ese campo cultural y también de otras que no lo eran tanto, pero que eran portavoces de estados de opinión. Por fin, en 1968, medio siglo después de haber sido fundada para ese objeto antes que nada, la Academia de la Lengua Vasca consideró que había llegado el momento de señalar sus criterios. Para ello, se organizaron las reuniones de Aránzazu, con asistencia libre, en las que se presentaron y discutieron varias ponencias y comunicaciones, y la Academia misma, al final, tomó unos acuerdos que, aunque muy moderados en su tenor literal, dejaban abierta una vía bien marcada en lo fundamental» (ibídem).

Se llegó allí a una especie de navarro-guipuzcoano, con toques «labortanos», entre los cuales estaba —«y era algo más que un toque»—, en palabras de Mitxelena, el empleo, en parte obligatorio, de la letra «h». Este punto, como si no hubiera habido otros tanto o más discutibles y, desde luego, más importantes, se convirtió, como es sabido, en el *shibboleth* de la reforma (ibídem). Se acordó y se aceptó, en suma, un sistema gráfico que, con alguna modificación posterior, cabría tildarlo de «arcaizante».

La morfología nominal, a diferencia de la verbal, no ofrecía grandes dificultades, y había de hecho un acuerdo, casi total, anterior a las reuniones de Aránzazu. Pero en el verbo y sobre todo en el auxiliar, esencial en el funcionamiento de la lengua, no se llegó fácilmente a acuerdos y, tras largas discusiones, «se acabó por adoptar un verbo auxiliar navarro, guipuzcoano, que además, en parte, es o ha sido vasco común. Se dio de lado [...], más que nada, lo que es propio del occidental, más conocido por vizcaíno» (ibídem).

Aunque es cierto que la solución adoptada, que configuró el *euskera batua* (euskera unificado) y fue inspirada en buena parte por el propio Mitxelena —basado, como ya hemos señalado, en la tradición escrita de los dialectos centrales, guipuzcoano y labortano, con alguna aportación de dialectos periféricos—, provocó, en un primer momento, una gran polémica entre algunos lingüistas, más partidarios de la espontaneidad de la lengua oral y del dialecto vizcaíno; en la actualidad ha sido aceptado de forma absolutamente generalizada y se ha impuesto como única solución posible. Las razones de su aceptación, como se comprenderá bien, tienen que ver con la propia necesidad de normalización y recuperación de la lengua vasca: era necesario para su supervivencia y esta dependía de su presencia en la enseñanza, en los medios de comunicación, escritos y audiovisuales, y para cualquiera de estos usos se necesitaba de un código común, de manera ineludible. Más tarde, con la autonomía del Gobierno vasco, que ha respaldado oficialmente todas las propuestas de la Academia de la Lengua Vasca/*Euskaltzaindia* y su utilización en la documentación oficial y en la enseñanza, la cuestión permaneció, definitivamente, así.

Además, las propuestas que conforman el *euskera batua* (unificado o estándar) responden, también, a la necesidad de modernización de la lengua vasca para poder expresar y comunicar las nociones propias de la ciencia, la técnica y las distintas realidades culturales de la vida actual. En este sentido ha sido necesaria la realización de un gran trabajo de modernización y adaptación de la lengua, llevada a cabo por *Euskaltzaindia,* plasmada en la elaboración de gramáticas, diccionario, léxicos específicos, etc. Por fin, en la actualidad, el uso del euskera en la Universidad y en la divulgación científico-técnica ha contribuido a la consolidación del modelo y a la desaparición de la controversia inicial.

SITUACIÓN SOCIOLINGÜÍSTICA DEL EUSKERA EN LOS DISTINTOS TERRITORIOS

En 1996 se lleva a cabo, tal y como ocurrió en 1991, la *II Encuesta del Euskera en Euskal Herria,* en la que participan la Viceconsejería de Política Lingüística (Consejería de Cultura y Euskera del Gobierno vasco), la Dirección General de Política Lingüística del Gobierno de Navarra y el Instituto Cultural Vasco del País Vasco-Francés (País Vasco Norte). Estos organismos e instituciones han colaborado estrechamente en las distintas fases del estudio: el diseño y la realización del cuestionario, su adecuación necesaria a la realidad de cada territorio, el diseño muestral, la recogida de datos y la elaboración de los informes. También en esta ocasión se contó con la valiosa colaboración y el asesoramiento de R. Bourhis, de la Universidad de Quebec, en Montreal. Los diseños muestrales han sido realizados por el Instituto Vasco de Estadística (Eustat) en la CAV, por el Instituto Nacional de Estadística y Estudios Económicos (Insee) en el País Vasco Norte y, en Navarra, por la Sección de Estadística del Gobierno de Navarra. Se aplicó a un total de 6.359 individuos, todos ellos mayores de quince años.

La Viceconsejería de Política Lingüística del Gobierno vasco publicó en 1989 el estudio titulado *Soziolinguistikazko Mapa/Análisis Demolingüístico de la CAV,* derivado del *Padrón de 1986.* Basándose en sus recomendaciones se realizó en 1991 la *I Encuesta sociolingüística de Euskal Herria,* reflejada en la obra *Euskararen Jarraipena/La continuidad del euskera I/La continuité de la langue basque.* Dando continuidad a la línea de investigación aplicada, creada a finales de los ochenta y comienzos de los noventa, se ha publicado, en la CAV, el *II Mapa sociolingüístico* (1991), en base a los datos de los *Censos y Padrones* de 1981, 1986, 1991.

En Navarra la investigación sociolingüística comienza con la publicación del trabajo *Distribución de la población navarra según el nivel de euskera,* basado en los datos del *Padrón de 1981.* En 1995 se publicó el trabajo *Euskara Nafarroan zertan den/Investigación sociolingüística sobre el euskera en Navarra* (vols. I y II).

Asimismo, como hemos señalado más arriba, se ha realizado la *II Encuesta sociolingüística de Euskal Herria* (1996 y 1997), que es la información de los datos que vamos a exponer aquí y que persigue los siguientes objetivos:

- Realizar un trabajo en profundidad de la situación sociolingüística actual de Euskal Herria (País Vasco) a fin de poder comparar la información disponible sobre la evolución del conocimiento lingüístico, el uso de la lengua en diversos ámbitos. Analizar, por un lado, el interés y la actitud de la Comunidad de cara a decidir ciertas medidas que permitan la promoción de la lengua vasca; por otro lado, el modo de integración y comportamiento lingüístico de los nuevos hablantes de euskera, y, en último término, poder evaluar el impacto de la transmisión familiar de la lengua.
- Recopilar información a dos niveles:
  - *Sincrónico:* Conocer la situación actual de la lengua, del euskera, aspecto particularmente importante para el País Vasco Norte, donde los censos no incluyen información de carácter lingüístico de este tipo.
  - *Diacrónico:* Conocer la evolución de la lengua comparando los datos recopilados en 1996 con los recogidos en la *I Encuesta sociolingüística* realizada en 1991.

Lengua materna (primera lengua)

Se entiende, en este caso, por lengua materna o primera lengua la lengua adquirida en primer lugar, antes de los tres años. Pues bien: desde el punto de vista de la lengua materna, podemos distinguir tres grupos diferenciados: aquellos que han tenido como lengua materna el euskera; los que tuvieron como materna, también, ambas lenguas, es decir, castellano y euskera —en nuestro caso— y francés y euskera —en el caso del País Vasco Norte (Francia)—; y, por último, aquellos que tienen como lengua materna el castellano o, en su caso, el francés.

En el conjunto de Euskal Herria, entre la población mayor de 15 años, tres personas de cada cuatro (77,7 por 100, lo que hace un total de 1.887.100 personas) tienen el castellano, o el francés, en su caso, como primera lengua o lengua materna; prácticamente uno de cada cinco (18,8 por 100, en torno a 456.300 personas) han tenido el euskera como lengua materna; y una minoría (3,5 por 100, lo que supone 84.700 personas) tuvieron conjuntamente el euskera y el castellano o francés, también como primeras.

En los tres territorios de Euskal Herria, el castellano —y, en el País Vasco Norte (Francia), el francés— es mayoritario: el 89,8 por 100 en Navarra, el 75,8 por 100 en la CAV y el 68,5 por 100 en el País Vasco Norte (Francia). Lo que supone que el 26,4 por 100 del País Vasco Norte, el 20,5 por 100 de la CAV y el 8,3 por 100 de Navarra poseen el euskera como primera lengua:

— *Primera lengua por territorios*

Tabla 73

Primera lengua	Euskal Herria		CAV		Navarra		País Vasco Norte	
	N.º hab.	(%)	N.º hab.	(%)	N.º hab.	(%)	N.º hab.	(%)
Euskera	456.300	18,8	363.800	20,5	36.400	5,3	56.100	26,4
Las dos	84.700	3,5	54.800	3,7	7.000	1,8	11.000	5,2
Erdera	1.887.100	77,7	1.348.900	75,8	392.800	89,8	145.400	68,5
TOTAL........	2.428.100	100	1.778.500	100	437.200	100	212.400	100

Erdera = castellano o francés.
Fuente: Eusko Jaurlaritza/Gobierno Vasco, *La continuidad del euskara II,* 1997, pág. 5.

— *Lengua materna en función de la edad*

En el conjunto de Euskal Herria se observa que, a medida que la edad disminuye, el euskera como primera lengua se va perdiendo: la proporción baja desde el 28 por 100 en el grupo de edad correspondiente a los mayores de 65 años, al 14 por 100 en el grupo de 25 a 34 años. Paralelamente, se comprueba también entre los más jóvenes (16 a 24 años) una desaceleración de dicha pérdida junto a un crecimiento de la transmisión simultánea del euskera y el castellano —o el francés— a la vez.

Conviene, en cualquier caso, puntualizar la afirmación anterior identificando las diversas realidades y tendencias que se producen en cada uno de los territorios:

• Analizando únicamente la población de más de 16 años, se constata en Navarra, y aun más en la CAV, una desaceleración, a lo largo de los últimos años, de la baja del euskera como lengua materna, mientras que en el País Vasco Norte esta baja es ininterrumpida.

- Además, conviene señalar que la encuesta permite recopilar también las informaciones sobre la lengua materna de los niños menores de 15 años o menos de las personas encuestadas; se comprueba en la CAV no solo una aminoración muy importante de la baja de la transmisión familiar del euskera, sino también de la transmisión generacional del euskera.

Los datos recogidos en Navarra muestran igualmente cierta recuperación, aunque todavía muy débil. Por el contrario, en el País Vasco Norte, la baja no solo no decrece, sino que se acentúa de tal manera que el porcentaje de jóvenes de menos de 16 años que han tenido el euskera como primera lengua baja hasta el 6 por 100.

— *Características de la población en función de la lengua materna (primera lengua)*

Las personas que han tenido como lengua materna el euskera presentan un perfil netamente diferenciado y se caracterizan, principalmente, por los siguientes rasgos:

- Son nacidos en Euskal Herria de padres vascohablantes.
- Viven en un medio familiar y social fundamentalmente vascohablante.
- Expresan un interés marcado por el euskera, su situación, y son muy favorables hacia la promoción de la lengua vasca.

Presentan, también, las siguientes características, aunque de modo no tan marcado:

- La mayor parte habitan en comunidades de menos de 25.000 habitantes.
- La media de edad es ligeramente superior a la de la media de la población.

En fin, en lo que concierne a su competencia (conocimiento) lingüística, el 90 por 100 saben hablar bien o bastante bien el euskera, el 6 por 100 lo hablan un poco y el 4 por 100 solo algunas palabras.

Las personas que han tenido, simultáneamente, como lengua materna el euskera y el castellano/francés presentan numerosas características similares a aquellas personas que tuvieron como lengua materna el euskera. Así:

- Su entorno familiar y social es particularmente vascohablante.
- Expresan un interés muy marcado por el euskera y son favorables a su promoción.

Las características más específicas que les diferencian son las siguientes:

- Su media de edad es sensiblemente inferior a la del conjunto de la población.
- Dado que son más jóvenes, su nivel de estudios es muy superior a la media, el número de estudiantes es muy superior también a la media, al igual que el de las personas que han seguido sus estudios en euskera.
- Un tercio de ellos han tratado de aprender el euskera fuera del sistema escolar.

En cuanto a su competencia lingüística, un 51 por 100 saben hablar bien o bastante bien euskera, el 28 por 100 lo hablan un poco y el 20 por 100 conocen algunas palabras.

Las personas que han tenido como lengua materna el castellano (o el francés) constituyen un 78 por 100 de la población de Euskal Herria y, como consecuencia, sus características son semejantes a aquellas del conjunto de la población. Algunos rasgos, con todo, se diferencian netamente de las personas que han tenido como lengua materna el euskera o, simultáneamente, el castellano/francés:

- Sus padres no saben euskera.
- Un tercio de entre ellos son inmigrantes y, prácticamente, un tercio son hijos de inmigrantes.
- Su entorno familiar y social es, sobre todo, no vascohablante.
- La mayor parte habitan en comunidades de más de 25.000 habitantes.
- Una minoría relativamente importante (en torno al 25 por 100 de la población) se muestra opuesta a la promoción del euskera.

Por lo que concierne a su competencia lingüística, un 5 por 100 saben hablar bien o bastante bien el euskera, un 13 por 100 lo hablan un poco y el 82 por 100 conocen algunas palabras.

Movilidad lingüística

Las personas que han aprendido euskera son más numerosas que las que lo han perdido.

Las personas que han tenido como lengua materna el euskera han aprendido castellano o francés. Además, una minoría (16 por 100) ha perdido su primera lengua total o parcialmente. Por otro lado, solo el 5 por 100 de quienes han tenido como lengua materna el castellano o el francés han aprendido euskera, si bien entre estos últimos nadie ha perdido su primera lengua.

No obstante, son más numerosas las personas que han aprendido euskera que aquellas que lo han perdido. El número de personas con lengua materna erdera que han aprendido euskera, en torno a 92.800 (3,8 por 100 de la población de Euskal Herria mayor de 15 años), es ligeramente superior al de quienes teniendo como lengua materna el euskera o el euskera junto con el erdera lo han perdido total o parcialmente, 87.300 (3,6 por 100). Además, aproximadamente 253.200 personas (10,4 por 100) con lengua materna erdera [1] han aprendido algo de euskera.

— *Incrementos y pérdidas del euskera (Euskal Herria)*

A pesar de que en términos absolutos la incorporación es superior a la pérdida, esta se sigue produciendo y tiene una enorme importancia desde el punto de vista cualitativo, sobre todo si se tiene en cuenta que el balance es diferente en los tres territorios:

En la Comunidad Autónoma Vasca quienes han aprendido euskera, 81.400 personas (4,6 por 100), superan ampliamente a quienes lo han perdido, 62.700 (3,5 por 100).

En Navarra las pérdidas, 11.600 (2,6 por 100), superan ligeramente a los incrementos, 9.200 (2,1 por 100).

En el País Vasco Norte el balance es desolador, pues las pérdidas, 13.000 (6,1 por 100), son seis veces superiores a los incrementos, 2.200 (1 por 100).

— *Incrementos y pérdidas del euskera por territorios*

Tabla 74

	Euskal Herria		CAV		Navarra		País Vasco Norte	
	N.º hab.	(%)	N.º hab.	(%)	N.º hab.	(%)	N.º hab.	(%)
Primera lengua euskera								
Habla bien euskera	453.600	18,7	366.800	20,6	32.800	7,5	54.000	25,4
Habla algo euskera......	50.900	2,1	38.000	2,1	5.500	1,2	7.400	3,5
No habla euskera.........	36.400	1,5	24.700	1,4	6.100	1,4	5.600	2,6
Primera lengua erdera								
Habla bien euskera	92.800	3,8	81.400	4,6	9..200	2,1	2.200	1,0
Habla algo euskera......	253.200	10,4	212.100	11,9	33.800	7,7	7.400	3,5
No habla euskera.........	1.541.100	63,5	1.055.300	59,3	349.800	80,0	135.800	64,0
TOTAL	2.428.100	100	1.778.500	100	437.200	100	212.400	100

— *Incrementos y pérdidas del euskera según la edad*

La información sobre pérdidas e incorporaciones analizada en el apartado anterior corresponde al valor medio de varias generaciones, que van desde los nacidos a principios del siglo XX a los nacidos a finales de los años setenta, y tras ellas se solapan situaciones muy diferentes.

---

[1] Castellano o francés.

En la Comunidad Autónoma Vasca la pérdida parcial y total del euskera entre quienes la han tenido como primera lengua disminuye progresivamente, según desciende la edad, del 7,2 por 100 para los mayores de 64 años del conjunto de la población (nacidos antes de 1932) al 1,7 por 100 para quienes tienen 16-24 años (nacidos en los años setenta).

Al mismo tiempo que se frena la pérdida, se produce un aumento espectacular en las incorporaciones al euskera entre quienes han tenido como primera lengua el francés o castellano. Apenas se dan incorporaciones entre las personas mayores de 64 años, el 0,8 por 100, pero aumentan al 6,4 por 100 para quienes tienen 25-34 años (nacidos en los años sesenta) y al 12,4 por 100 para quienes tienen 16-24 años (nacidos en los setenta).

Por lo tanto, entre los jóvenes de 16 a 24 años el saldo es esclarecedor: la pérdida es del 1,7 por 100 y el incremento del 12,4 por 100. Además, el 31,5 por 100 se incorporan parcialmente al euskera (hablan algo). Estas tendencias se consolidan entre los jóvenes menores de 16 años (nacidos a partir de 1980), pues a pesar de no disponer de información directa sobre ellos (la información la proporcionan sus padres), la pérdida tiende a desaparecer y la incorporación sigue aumentando en progresión casi geométrica.

En Navarra las tendencias son las mismas que en la Comunidad Autónoma Vasca, aunque de menor entidad en términos absolutos. Las pérdidas disminuyen del 3,3 por 100 para los mayores de 64 años al 0,6 por 100 para quienes tienen 16-24 años, mientras que las incorporaciones aumentan del 0,3 al 4,2 por 100.

Por el contrario, en el País Vasco Norte las tendencias se invierten. Las pérdidas aumentan espectacularmente y apenas se producen incorporaciones.

Las pérdidas son del 3,8 por 100 para los mayores de 64 años y aumentan al 10,3 por 100 para quienes tienen 25-34 años (nacidos en los años sesenta), y se estabilizan en el 10,5 por 100 para quienes tienen entre 16-24 años. Esta pérdida superior al 10 por 100, ya de por sí importante, adquiere mayor relevancia todavía si se tiene en cuenta que va precedida de una pérdida en la transmisión familiar del orden del 50 por 100.

Competencia lingüística

Uno de cada cuatro ciudadanos son bilingües en el País Vasco Norte (25,7 por 100) y en la Comunidad Autónoma Vasca (24,7 por 100), mientras que en Navarra son uno de cada diez (9,4 por 100).

En los dos primeros apartados se han analizado los tres grupos existentes en la población según su lengua materna (euskera, euskera juntamente con el castellano/francés y castellano), en qué medida la han mantenido o perdido y hasta qué punto han aprendido la otra lengua existente en Euskal Herria.

En este capítulo se va a intentar esbozar la «radiografía» actual de Euskal Herria en lo que respecta al conocimiento tanto del euskera como del erdera (castellano o francés).

Se han distinguido cuatro grupos en función del grado de competencia lingüística relativa que tienen los ciudadanos en las dos lenguas en contacto:

- *Monolingües euskaldunes:* hablan «bien» euskera y no hablan «bien» erdera. Representan el 0,5 por 100 de la población de Euskal Herria; en números absolutos, unas 12.400 personas.
- *Bilingües:* se desenvuelven «bien» o «bastante bien» tanto en euskera como en erdera. Este colectivo supone el 22 por 100 de la población, alrededor de 534.100 personas.
- *Bilingües pasivos:* saben hablar «algo» en euskera o, si no lo hablan, lo comprenden o leen «bien» o «bastante bien». Representan el 14,5 por 100 de la población, unas 352.900 personas.
- *Monolingües erdaldunes:* solo saben hablar español o francés. Son el 63 por 100 de la población, alrededor de 1.528.700 personas.

Los bilingües se dividen, a su vez, en tres grupos según tengan mayor facilidad para hablar euskera o erdera:

- *Bilingües con predominio del euskera:* se expresan con mayor fluidez en euskera que en erdera (representan el 29,9 por 100 de los bilingües, unas 159.600 personas).
- *Bilingües equilibrados:* se expresan con la misma fluidez tanto en euskera como en erdera (32,1 por 100 de los bilingües, unas 171.500 personas).
- *Bilingües con predominio del erdera:* se expresan con mayor fluidez en erdera que en euskera (38 por 100 de los bilingües, unas 203.000 personas).

— *Competencia lingüística en Euskal Herria*

En los tres territorios predominan los monolingües erdaldunes, pero con notables diferencias: 80,6 por 100 en Navarra, 64,2 por 100 en el País Vasco Norte y 58,5 por 100 en la Comunidad Autónoma Vasca.

Uno de cada cuatro ciudadanos son bilingües en el País Vasco Norte (25,7 por 100) y en la Comunidad Autónoma Vasca (24,7 por 100), mientras que en Navarra esta proporción desciende a uno de cada diez (9,4 por 100).

Los bilingües pasivos suponen el 16,3 por 100 en la Comunidad Autónoma Vasca y casi una décima parte de la población en Navarra (9,8 por 100) y en el País Vasco Norte (9,3 por 100).

Los monolingües euskaldunes no llegan al 1 por 100 en ninguno de los tres territorios.

La comparación de estos resultados con los obtenidos en la *Encuesta sociolingüística de 1991* arroja como conclusiones más importantes las siguientes:

- Los monolingües euskaldunes han descendido a la mitad, pasando de 23.500 a 12.400 personas.
- En la Comunidad Autónoma Vasca el número de bilingües de más de 15 años se ha incrementado en más de 35.000 personas (pasando de 401.500 a 438.400 entre 1991 y 1996).
- En Navarra el incremento de bilingües es de alrededor de 3.500 personas, pasando de 37.500 a 41.000 personas.
- En el País Vasco Norte, en cambio, el número de bilingües se ha visto reducido en más de 6.000 personas.

— *Competencia lingüística por territorios*

Tabla 75

	Euskal Herria		CAV		Navarra		País Vasco Norte	
	N.º hab.	(%)	N.º hab.	(%)	N.º hab.	(%)	N.º hab.	(%)
Monolingües euskaldunes......	12.400	0,5	9.800	0,6	1.100	0,2	1.500	0,7
Bilingües	534.100	22,0	438.400	24,7	41.100	9,4	54.700	25,7
Predominio euskera	159.600	29,9	128.500	29,3	13.400	32,7	17.600	32,2
Equilibrados	171.500	32,1	141.700	32,3	31.800	28,9	18.000	33,0
Predominio erdera ..	203.000	38,0	168.200	38,4	15.800	36,4	19.000	34,8
Bilingües pasivos	352.900	14,5	290.200	16,3	42.800	9,8	19.800	9,3
Monolingües erdaldunes........	1.528.700	63,0	1.040.000	58,5	352.300	80,6	136.400	64,2
TOTAL	2.428.100	100	1.778.500	100	437.200	100	212.400	100

Fuente: Encuesta sociolingüística de 1996.

Los *monolingües euskaldunes,* es decir, los que hablan euskera y no hablan ni castellano ni francés, se caracterizan porque:

- Han nacido en Euskal Herria, de padres euskaldunes, y su primera lengua ha sido el euskera.
- Su entorno familiar y social próximo es totalmente euskaldún.
- Son mayores de 50 años, la gran mayoría superan los 64 años, y apenas tienen estudios, ni siquiera primarios.
- Residen principalmente en zonas no urbanas.
- Están muy interesados por el euskera y son partidarios de su promoción.

Los *bilingües,* es decir, los que hablan tanto euskera como castellano (o francés), se caracterizan porque:

- Han nacido en Euskal Herria, en su mayoría de padres euskaldunes.
- La gran mayoría han tenido como primera lengua el euskera, aunque una minoría relativamente importante (17 por 100) han tenido como primera lengua el erdera (castellano o francés).
- Su entorno familiar es mayoritariamente euskaldún, pero no tanto el de amistades y trabajo.
- Están muy interesados por el euskera y son partidarios de su promoción.
- Aunque la mayoría residen en municipios de menos de 25.000 habitantes, la tercera parte lo hace en zonas semiurbanas o urbanas.

Los *bilingües pasivos,* es decir, los que saben hablar algo de euskera, se caracterizan principalmente por su juventud: dos de cada tres son menores de 35 años y la mayoría han tenido como primera lengua el erdera (castellano o francés), si bien el 17 por 100 han tenido como primera lengua ambas. Además, tienen las siguientes características:

- Su entorno familiar y social es más erdaldún (castellano o francés) que euskaldún (vasco).
- Están interesados por el euskera y más de la mitad están a favor de su promoción.
- La mayoría residen en zonas urbanas o semiurbanas.
- Una décima parte son inmigrante y algo más de un tercio son hijos de inmigrantes.
- Su nivel de estudios es superior a la media.
- La mayoría han realizado sus estudios en castellano o francés y casi dos de cada tres han intentado aprender euskera fuera del sistema de enseñanza.

Los *monolingües erdaldunes,* los que solo saben hablar castellano o francés y no entienden el euskera, representan el 63 por 100 de la población y, aunque básicamente sus características coinciden con las del conjunto de la población, se distinguen porque:

- Más de un tercio son inmigrantes y casi la cuarta parte hijos de inmigrantes.
- Una cuarta parte están a favor de la promoción del uso del euskera, otra cuarta parte en contra y el resto no se posicionan claramente ni a favor ni en contra.
- La mayoría residen en municipios de más de 25.000 habitantes.
- Tienen una edad media ligeramente superior a la del conjunto de la población.

Tipología de bilingües

Cuatro de cada diez bilingües (38 por 100) afirman expresarse con mayor facilidad en castellano o francés que en euskera. Dicha facilidad está directamente relacionada con la lengua materna.

Al comienzo del capítulo se ha clasificado a los bilingües en tres categorías según su competencia lingüística relativa, es decir, según su mayor o menor facilidad para hablar en euskera o en erdera (castellano o francés). Esta distinción es muy importante porque, como se verá más adelante, en el apartado dedicado al uso del euskera, la facilidad que tienen los hablantes en cada uno de los dos idiomas que conocen condiciona en gran medida su elección lingüística.

En el conjunto de Euskal Herria cuatro de cada diez bilingües (38 por 100) afirman expresarse con mayor facilidad en castellano o francés que en euskera; uno de cada tres (32,1 por 100) tiene la misma facilidad en los dos idiomas y casi otros tantos (29,9 por 100) hablan con más facilidad en euskera.

Dichas proporciones no varían sustancialmente entre los tres territorios. En la CAV son similares a las del conjunto de Euskal Herria; en Navarra el porcentaje de bilingües con predominio del euskera es algo mayor, en detrimento de los bilingües equilibrados, y en el País Vasco Norte los tres grupos de bilingües son semejantes en número.

La tendencia general es que la proporción de los bilingües con predominio del euskera disminuya a medida que desciende la edad. Ahora bien: esta tendencia varía sensiblemente entre territorios:

En la CAV se mantiene la tendencia general hasta el grupo de 25 a 34 años, los bilingües con predominio del euskera han pasado de ser uno de cada dos (49 por 100) entre los mayores de 65 años a ser solo uno de cada diez (12 por 100) entre los jóvenes de 25 a 34 años. Pero esta tendencia se ha invertido muy significativamente con los jóvenes de 16 a 24 años, entre quienes uno de cada cinco (19 por 100) es bilingüe con predominio del euskera, y esto aun cuando en dicho grupo de edad una parte importante (35 por 100) tienen como lengua materna el erdera.

En Navarra, el proceso es similar al que se produce en la CAV: disminuye con la edad la proporción de bilingües con predominio del euskera y se invierte la tendencia entre los más jóvenes, aunque la recuperación es menor que en la CAV.

En el País Vasco Norte, la tendencia general de disminución en edad de los bilingües con predominio del euskera se acentúa aún más entre los más jóvenes, pues prácticamente ningún bilingüe de 16 a 24 años (4 por 100) afirma hablar en euskera con mayor facilidad que en francés.

— *Bilingües según la edad por territorios (%)*

Tabla 76

	TOTAL	≥ 65 años nacidos en 1931 o antes	50-64 nacidos entre 1932 y 1946	35-49 nacidos entre 1947 y 1961	25-34 nacidos entre 1962 y 1971	16-24 nacidos entre 1972 y 1980
				Grupos de edad		
COMUNIDAD AUTÓNOMA VASCA	100	100	100	100	100	100
Bilingües...................................	25	26	21	21	25	33
Con predominio del euskera .	29	49	44	27	12	19
Equilibrados..........................	32	28	32	34	34	33
Con predominio del erdera ...	38	23	24	39	54	47
NAVARRA...................................	100	100	100	100	100	100
Bilingües...................................	9	9	9	9	9	11
Con predominio del euskera .	33	44	49	32	19	21
Equilibrados..........................	29	32	25	34	25	27
Con predominio del erdera ...	38	23	25	34	57	52
PAÍS VASCO NORTE	100	100	100	100	100	100
Bilingües...................................	26	35	31	27	14	11
Con predominio del euskera .	32	52	38	16	9	4
Equilibrados..........................	33	29	41	31	36	29
Con predominio del erdera ...	35	20	20	53	55	67

Fuente: Encuesta sociolingüística de 1996.

— *Característica de los tres colectivos bilingües*

Las características de los *bilingües equilibrados* son similares a las del conjunto total de bilingües descritas en el apartado anterior.

Los *bilingües con predominio del euskera,* es decir, los que se expresan con mayor fluidez en euskera que en erdera, presentan un perfil diferenciado al del conjunto de bilingües:

- Han nacido en Euskal Herria, de padres euskaldunes, y han tenido como primera lengua el euskera.
- Casi dos tercios tienen más de 50 años, es decir, una edad media muy superior a la del conjunto de bilingües.
- Debido a su edad, su nivel de estudios es menor, mayor la proporción de retirados y la mayoría no han estudiado euskera fuera del sistema de enseñanza.
- Su entorno familiar y de amistades es mayoritariamente euskaldún, aunque no tanto el laboral.
- Residen en zonas mayoritariamente euskaldunes y en municipios de menos de 25.000 habitantes.

Por su parte, los *bilingües con predominio del erdera,* es decir, los que se expresan con mayor fluidez en erdera que en euskera, presentan el siguiente perfil:

- Han nacido en Euskal Herria, pero solo la mitad de padre y madre euskaldunes, y un tercio han tenido como primera lengua el erdera.
- La mitad son menores de 35 años.
- La mayoría han estudiado euskera.
- Su entorno familiar y social es solo parcialmente euskaldún.
- Su nivel de estudios es más alto y las dos terceras partes trabajan en sectores de servicios y administración.
- Casi la mitad vive en zonas urbanas o semiurbanas.

Uso del euskera en diferentes ámbitos

Hasta este apartado se ha tomado como referencia toda la población mayor de 15 años del conjunto de Euskal Herria, pero a partir de ahora se va a considerar únicamente a los euskaldunes, esto es, a los monolingües euskaldunes y a los bilingües, puesto que solo ellos tienen el dominio de euskera suficiente para poder utilizarlo. Por consiguiente, van a quedar fuera del análisis tanto los bilingües pasivos como los monolingües erdaldunes, por lo que los datos que se ofrecen a continuación corresponden únicamente al 22,5 por 100 de la población.

Para analizar el uso del euskera se han considerado los siguientes ámbitos:

- La familia, esto es, el uso con la madre, el padre, la pareja, los hijos y la lengua de uso en casa cuando se reúnen todos.
- La comunidad próxima fuera de la familia, es decir, los amigos, los comerciantes de las tiendas más frecuentadas, el mercado, el cura y los compañeros de trabajo.
- Los ámbitos de uso más formales como el banco, el ayuntamiento, los profesores de los hijos y los servicios de salud.

En resumen, casi la mitad de los euskaldunes hablan principalmente en euskera en la gran mayoría de los ámbitos de uso analizados, y una proporción que oscila entre el 10 y el 20 por 100, dependiendo del ámbito, utilizan tanto el euskera como el erdera (castellano o francés). El resto, entre el 20 y el 40 por 100, según los casos, utilizan principalmente el erdera (castellano o francés).

— *Uso del euskera en diferentes ámbitos en Euskal Herria
(solo euskaldunes, 1996)*

En el ámbito familiar se utiliza mayoritariamente el euskera en relación con los hijos. Dos de cada tres euskaldunes (67 por 100) hablan principalmente en euskera con ellos, y disminuye en la relación con el resto de los miembros de la familia, aunque se utiliza más que el erdera (castellano o francés), puesto que uno de cada dos habla principalmente en euskera con su madre (56 por 100), su padre (52 por 100) y su marido o mujer (50 por 100), y uno de cada diez lo hace indistintamente en los dos idiomas.

En el entorno más próximo fuera del familiar predomina claramente el euskera en los ámbitos de uso más tradicionales: tres de cada cuatro euskaldunes hablan principalmente en euskera en el mercado (77 por 100) y con el párroco (72 por 100); se habla más euskera que erdera (castellano o francés) con los amigos, uno de cada dos (49 por 100) habla principalmente en euskera con sus amigos y uno de cada cinco (20 por 100) en ambas lenguas por igual, y existe cierto equilibrio entre los dos idiomas al relacionarse con los compañeros de trabajo y con los comerciantes, ya que el 44 por 100 lo hace principalmente en euskera y el 40 por 100 lo hace casi siempre en erdera (castellano o francés).

En los ámbitos más formales, la gran mayoría de los euskaldunes (78 por 100) utilizan principalmente el euskera al relacionarse con los profesores de sus hijos; usan más el euskera que el erdera al hablar con los funcionarios del ayuntamiento y con los empleados de los bancos o cajas de ahorro, uno de cada dos lo hace principalmente en euskera y uno de cada seis en ambas lenguas por igual, y predomina el castellano o francés en sus relaciones con los servicios de salud, aunque casi uno de cada tres (30 por 100) utiliza con preferencia el euskera en dichos servicios.

En relación con los resultados obtenidos en la *I Encuesta sociolingüística* realizada en 1991, se aprecia en general un aumento significativo en el uso del euskera, que en algunos ámbitos llega a ser importante, a pesar de que solo han transcurrido cinco años.

En el ámbito familiar, aumenta de manera sensible el uso del euskera con los hijos (seis puntos el porcentaje de quienes utilizan principalmente el euskera); se mantiene en la relación marido-mujer y disminuye cinco puntos en la relación con los padres. Ahora bien: la disminución del uso del euskera con los padres es debida a que de la generación de euskaldunes que se han incorporado a la muestra en estos cinco años los jóvenes de 16 a 20 años, casi la mitad, en torno al 6 por 100 de los actuales euskaldunes, tienen padres erdaldunes y, por lo tanto, su relación con ellos tiene que ser forzosamente en erdera.

Fuera del ámbito familiar, aumenta en seis puntos el uso del euskera con los amigos y los compañeros de trabajo y en ocho puntos o más en los ámbitos más formales, ayuntamientos, bancos, servicios de salud y profesores de los hijos.

En suma, el uso del euskera se mantiene estable en la familia (solo aumenta el uso con los hijos) y su incremento a medida que nos alejamos del ámbito familiar.

— Uso del euskera por territorios

En la Comunidad Autónoma Vasca y Navarra los euskaldunes utilizan, en general, más el euskera que el erdera, mientras que en el País Vasco Norte solo lo utilizan más en los ámbitos de uso más tradicionales: con los padres, con el sacerdote y en el mercado.

Como el 82 por 100 de los euskaldunes residen en la Comunidad Autónoma Vasca, los datos de uso del euskera en dicho territorio son similares a los del conjunto de Euskal Herria. No obstante, el uso es algo mayor con los hijos y en los ámbitos más formales: ayuntamientos, bancos, comercios, servicios de salud y con los profesores de los hijos.

En Navarra el uso es algo menor, unos tres o cuatro puntos menos por término medio, aunque sigue siendo más utilizado que el castellano. Incluso en algunos ámbitos, como con los amigos y los compañeros de trabajo, el uso es algo mayor que en la Comunidad Autónoma Vasca.

En el País Vasco Norte el uso del euskera desciende considerablemente y, salvo en los ámbitos de uso más tradicionales, el francés es el idioma más utilizado por los euskaldunes.

En la familia se utiliza más el euskera que el francés al hablar con los padres, en proporciones similares a las del conjunto de Euskal Herria; existe un cierto equilibrio entre el uso de ambas lenguas en la relación marido-mujer y predomina el francés al relacionarse con los hijos: solo uno de cada tres euskaldunes (37 por 100) habla principalmente en euskera con sus hijos. Es decir, se habla todavía euskera con los padres, pero cada vez menos con los hijos. Este dato contrasta fuertemente con la tendencia de la Comunidad Autónoma Vasca y de Navarra.

Fuera del entorno familiar, el euskera sigue siendo mayoritario en los ámbitos de uso más tradicionales, en el mercado y con el sacerdote; con los amigos se habla todavía algo más en euskera que en francés, y en los demás ámbitos el francés es el idioma mayoritario, en especial en los más formales.

Desde el punto de vista del uso del euskera, la conclusión más importante es que gracias, fundamentalmente, a la incorporación del euskera al sistema educativo, en estos últimos años, se ha incrementado mucho el porcentaje de bilingües de la Comunidad Autónoma Vasca, y que dicho incremento comienza a notarse en el uso del euskera entre amigos debido a que la densidad de euskaldunes entre estos está aumentando. En cambio, en la familia no se aprecia aumento alguno en el uso, ya que los padres de los bilingües más jóvenes siguen siendo erdaldunes.

En consecuencia, durante los próximos diez años cabe esperar un aumento importante del número de bilingües e incremento, aunque menor, del uso del euskera entre amigos. Por el contrario, no cabe esperar un aumento importante del uso del euskera en la familia, ya que la edad empezará a influir cuando do los que han aprendido euskera formen un hogar independiente del de sus padres.

De mantenerse la política de euskaldunización progresiva del sistema educativo y de confirmarse las tendencias de estos últimos años en lo que respecta tanto a la transmisión lingüística a través de la familia como la incorporación de nuevos hablantes entre los más jóvenes, se producirán importantes cambios en la composición lingüística de las redes de relaciones. En consecuencia, podría llegar a darse un aumento importante del uso del euskera entre los jóvenes de forma que en veinte años se hablaría más euskera en los hogares de los más jóvenes.

En Navarra se apuntan tendencias semejantes en lo que respecta a diversos aspectos tales como la evolución del sistema educativo, la transmisión familiar, así como en los procesos de pérdida e incorporación de hablantes, entre otros. A pesar de ello, el aumento del conocimiento no ha conllevado aún un incremento del uso, si bien parece que, entre los más jóvenes, se está atenuando el descenso que estaba ocurriendo en los últimos años. En definitiva, en Navarra el proceso de recuperación del euskera es, desde el punto de vista cuantitativo, menor, y en lo que respecta a la evolución en el tiempo, más tardío que en la Comunidad Autónoma Vasca; pero las tendencias que se apuntan en los últimos años permiten suponer que también aquí conllevarán un aumento del uso.

En el País Vasco Norte, todos los indicadores de la evolución sociolingüística, la transmisión familiar, los procesos de pérdida e incorporación, la evolución del conocimiento, el uso familiar y social, apuntan a una pérdida ininterrumpida del euskera que, lejos de atenuarse, se acentúa cada vez más y que llevan ya al euskera a niveles tan bajos en ciertos aspectos que, de no tomas urgentemente las medidas de promoción del uso del euskera necesarias, no garantizan ni siquiera el umbral o mínimo necesario para su pervivencia o conservación.

COMUNIDAD AUTÓNOMA VASCA/EUSKAL AUTONOMIA ERKIDEGOA

En este apartado atenderemos, fundamentalmente, a la exposición de la *política lingüística,* es decir, el marco legal en el que se desenvuelve el euskera en el territorio de la Comunidad Autónoma Vasca, lo que permite su promoción, su expansión y su utilización en la *enseñanza, Administración* y *medios de comunicación.*

La Comunidad Autónoma Vasca comprende los territorios históricos de Bizkaia (Bilbao), Gipuzkoa (San Sebastián/Donostia) y Araba (Gasteiz/Vitoria), al norte de la Península, junto al golfo de Vizcaya y el mar Cantábrico.

MARCO LEGAL: ESTATUTO DE AUTONOMÍA PARA EL PAÍS VASCO (1978) Y LEY BÁSICA DE NORMALIZACIÓN Y USO DEL EUSKERA (1982)

El Estatuto de Autonomía (Ley Orgánica 3/1979, de 18 de diciembre), en los artículos referidos a la lengua, indica explícitamente:

> *Artículo 6.*—1. El euskera, lengua propia del Pueblo Vasco, tendrá, como el castellano, carácter de lengua oficial en Euskadi; todos sus habitantes tienen el derecho a conocer y usar ambas lenguas.
>
> 2. Las instituciones comunes de la Comunidad Autónoma, teniendo en cuenta la diversidad sociolingüística del País Vasco, garantizarán el uso de ambas lenguas, regulando su carácter oficial, y arbitrarán y regularán las medidas y medios necesarios para asegurar su conocimiento.
>
> 3. Nadie podrá ser discriminado por razón de la lengua.
>
> 4. La Academia de la Lengua Vasca/*Euskaltzaindia* es la institución consultiva oficial en lo que respecta al euskera.
>
> 5. Por ser el euskera patrimonio de otros territorios vascos y comunidades, además de los vínculos y correspondencia que mantengan las instituciones académicas y culturales, la Comunidad Autónoma del País Vasco podrá solicitar del Gobierno español que celebre y presente, en su caso, a las Cortes Generales, para su autorización, los tratados o convenios que permitan el establecimiento de relaciones culturales con los Estados donde se integran o residan aquellos territorios y comunidades, a fin de salvaguardar y fomentar el euskera.

En virtud de la aprobación del Estatuto, el euskera, lengua propia del pueblo vasco, adquiere el carácter de lengua oficial, al mismo tiempo que el castellano. Asimismo, se reconoce a todos los miembros de la Comunidad Vasca el *derecho* a conocer y a utilizar la lengua propia. En la Constitución figura ya, como es sabido, la obligación de conocer el castellano y el derecho a utilizarlo para todos los españoles. Nadie podrá ser discriminado por razones lingüísticas, y la Academia de la Lengua Vasca/*Euskaltzaindia* será la institución consultiva oficial en lo referente a la lengua vasca.

El Parlamento vasco, en virtud de sus poderes, aprobó la Ley 19/1982, de 24 de noviembre, o Ley Básica de Normalización y Uso del Euskera; en ella, en su Preámbulo, se expresa que la Constitución y el Estatuto de Autonomía confían a los poderes públicos de la Comunidad Autónoma Vasca la adopción de las medidas encaminadas a asegurar el desarrollo y la normalización del euskera considerando su doble dimensión de parte fundamental del patrimonio cultural del pueblo vasco, junto con el castellano, idioma de uso oficial en el territorio de la Comunidad Autónoma Vasca.

Se trata de reconocer al euskera como el signo más visible y objetivo de identidad de la Comunidad vasca y, además, como instrumento de integración plena del individuo, a través de su conocimiento y de su uso. El carácter del euskera como lengua propia del pueblo vasco y como lengua oficial junto con el castellano no debe comportar, en ningún caso, menoscabo de los derechos de aquellos ciudadanos que por diversos motivos no pueden hacer uso de ella, conforme a lo establecido expresamente en el número 3 del artículo 6 del Estatuto de Autonomía del País Vasco.

Reconocida la lengua como elemento integrador de todos los ciudadanos del País Vasco, deberán incorporarse al Ordenamiento jurídico vasco los derechos de los ciudadanos vascos en materia lingüística, particularmente el derecho a expresarse en cualquiera de las dos lenguas oficiales, y la garantía de la defensa del euskera como parte esencial de un patrimonio cultural del que el pueblo vasco es depositario.

A partir de los principios generales que informan la ley, el Título preliminar reconoce el euskera como lengua propia de la Comunidad Autónoma del País Vasco y al euskera y al castellano como lenguas oficiales en su ámbito territorial. En el mismo título se proscribe la discriminación por razón de lengua. El Título I trata de los derechos de los ciudadanos y los deberes de los poderes públicos vascos en materia lingüística.

El Título II regula las actuaciones de los poderes públicos. Su primer capítulo se refiere al uso del euskera en la Administración pública, reconociéndose el derecho al uso del euskera y del castellano en las relaciones con la Administración autonómica. Se regula también la inscripción de documentos en los Registros públicos, se establece la forma bilingüe para la publicación de las disposiciones normativas o resoluciones o actos de la Administración, así como de las notificaciones y comunicaciones. Se faculta a todo ciudadano para utilizar la lengua oficial de su elección en las relaciones con la Administración de Justicia. Se atribuye al Gobierno, Órganos forales de los Territorios históricos o Corporaciones locales la facultad de establecer la nomenclatura oficial de poblaciones y topónimos, en general, de la Comunidad Autónoma. Se regula la redacción de señales e indicadores de tráfico. Se atribuye al Gobierno la facultad de reglamentar la obtención y expedición del título de traductor jurado, así como la creación del servicio oficial de traductores. Se establece la forma bilingüe para los impresos o modelos oficiales a utilizar por los poderes públicos, así como en los servicios de transporte público con origen en el País Vasco. Se prevé la progresiva euskaldunización del personal afecto a la Administración pública.

El capítulo II regula el uso del euskera en la *enseñanza*. Se reconoce el derecho de todo alumno a recibir la enseñanza en euskera, regulándose la obligatoriedad de la enseñanza de la lengua oficial no elegida. Se atribuye al Gobierno la regulación de los modelos lingüísticos a impartir, la adopción de medidas encaminadas a la adquisición de un conocimiento suficiente de ambas lenguas oficiales y la adecuación de los planes de estudio. En cuanto a la formación del profesorado, se prevé la adaptación de sus planes de estudio para conseguir su total capacitación en euskera y castellano. Se prevén también posibles exenciones de la enseñanza del euskera.

El capítulo III regula el uso del euskera en los *medios de comunicación,* reconociendo el derecho a ser informado en euskera. Atribuye al Gobierno la promoción del euskera en los medios de comunicación de la Comunidad Autónoma y su impulso en RTVE, y la adopción de medidas de promoción y protección de imagen y sonido, etc.

El capítulo IV se refiere al uso social y otros aspectos institucionales del euskera, atribuyendo al Gobierno la enseñanza y alfabetización del euskera para adultos, el fomento del uso del euskera en distintos ámbitos, y prevé la creación, por el Gobierno, de un órgano de encuentro, para coordinar la aplicación de desarrollo de esta ley. En el capítulo V se atribuye al Gobierno el velar por la unificación y normalización del euskera escrito oficial común.

Por último, la Disposición adicional atribuye al Gobierno el establecimiento de vínculos con las instituciones o poderes que, actuando fuera de la Comunidad Autónoma, realizan actividades relacionadas con el euskera. La Disposición transitoria asegura el paso de la situación actual en que la aplicación y desarrollo de esta ley pueden ser plenos, impidiendo que exista un vacío normativo en tanto se plasme su espíritu en otras leyes y reglamentos.

La ley establece también una Disposición derogatoria y una final en la que se autoriza al Gobierno al desarrollo reglamentario de la ley.

Vamos a analizar aquí el Título preliminar y el capítulo único del Título I, y los restantes dedicados a la Administración, enseñanza y medios de comunicación social, los examinaremos más adelante:

TÍTULO PRELIMINAR

Artículo 1.—El uso del euskera y el castellano se ajustará, en el ámbito territorial de la Comunidad Autónoma del País Vasco, a lo dispuesto en la presente ley y demás disposiciones que en desarrollo de esta ley dicten el Parlamento y el Gobierno vascos.

Artículo 2.—La lengua propia del País Vasco es el euskera.

Artículo 3.—Las lenguas oficiales en la Comunidad Autónoma del País Vasco son el euskera y el castellano.

Artículo 4.—Los poderes públicos velarán y adoptarán las medidas oportunas para que nadie sea discriminado por razón de la lengua en la Comunidad Autónoma del País Vasco

TÍTULO I

CAPÍTULO ÚNICO

De los derechos de los ciudadanos y deberes de los poderes públicos en materia lingüística

Artículo 5.—1.   Todos los ciudadanos del País Vasco tienen derecho a conocer y usar las lenguas oficiales, tanto oralmente como por escrito.

2. Se reconocen a los ciudadanos del País Vasco los siguientes derechos lingüísticos fundamentales:

a) Derecho a relacionarse en euskera, o en castellano, oralmente y/o por escrito, con la Administración y con cualquier Organismo o Entidad radicado en la Comunidad Autónoma.

b) Derecho a recibir la enseñanza en ambas lenguas oficiales.

c) Derecho a recibir en euskera publicaciones periódicas, programaciones de radio y televisión y de otros medios de comunicación.

SITUACIÓN SOCIOLINGÜÍSTICA: CONOCIMIENTO Y USO DE LA LENGUA VASCA

El *Censo de Población de 1981* marca el inicio de la recogida de información estadística sobre el conocimiento del euskera en la Comunidad Autónoma Vasca. En un primer momento el Instituto de Estadística/*Euskal Estadistika Erakundea* (Eustat) introdujo en el cuestionario una única pregunta sobre la competencia lingüística de la población vasca que permitió, en razón de las respuestas, establecer una tipología de tres grupos:

- *Euskaldunes:* Capaces de entender y hablar euskera (divididos además en tres subcategorías, según su nivel de competencia).
- *Cuasieuskaldunes:* Con alguna competencia activa o simplemente pasiva en euskera (divididos, también, en otras tres subcategorías).
- *Erdaldunes:* Sin ninguna competencia en euskera.

Además, a esta pregunta básica sobre la competencia o el conocimiento del euskera, que se mantuvo en el *Padrón Municipal de Habitantes de 1986,* se le añadió otra nueva referida a la lengua materna, integrando a los sujetos por la lengua en la que han aprendido a hablar. La información obtenida para estas dos variables ha hecho posible la elaboración de diversos índices y tipologías que aparecieron recogidas en el estudio *Soziolinguistikazko Mapa (Análisis demolingüístico de la Comunidad Autónoma Vasca derivado del Padrón de 1986),* publicado por la Viceconsejería General de Política Lingüística (1989) del Gobierno vasco.

En el *Censo de Población de 1991* se introdujo una tercera pregunta acerca del uso de la lengua en el ámbito familiar, y de esta forma se completó el conjunto de la información estadística disponible hasta la fecha.

Así, la recogida de información sobre la lengua vasca, iniciada en 1981, permite la presentación de series estadísticas y el seguimiento de la evolución de la competencia lingüística a lo largo de la década 1981-1991. Además, este análisis diacrónico se puede realizar con el máximo nivel de detalle geográfico. Esta nueva información del *Censo de Población de 1991* permite la creación y elaboración de nuevos índices y tipologías. El análisis que se ofrece a continuación no es sino un esbozo de la situación y evolución del euskera en los últimos años.

La comparación de los resultados del volumen *Censos de Población y Viviendas 1991, Educación y Euskera,* publicado por el Instituto Vasco de Estadística (Eustat), con los resultados tanto de censos y padrones como de encuestas sociolingüísticas precedentes, permiten agrupar la información que detallamos en tres apartados: competencia lingüística, lengua materna y lengua hablada en casa.

En 1996 se ha realizado la *II Encuesta sociolingüística de Euskal Herria;* tal y como se hiciera en 1991, en su realización han colaborado la Viceconsejería de Política Lingüística del Gobierno vasco, la Dirección General de Política Lingüística del Gobierno de Navarra y el Instituto Cultural del País Vasco Norte, y, tal como indicábamos, vamos a iniciar su exposición por el apartado de «Competencia».

En este caso se han distinguido cuatro grupos en función del grado de competencia relativa que tienen los ciudadanos entre las dos lenguas en contacto:

Competencia lingüística

La cuarta parte (24,7 por 100) de los habitantes de la Comunidad Autónoma Vasca son bilingües; la sexta parte (16,3 por 100), bilingües pasivos, y más de la mitad (58,5 por 100), monolingües erdaldunes (en castellano).

Se han considerados cuatro grupos en función del grado de competencia lingüística que tienen los habitantes en las dos lenguas en contacto, euskera y castellano, en la Comunidad Autónoma Vasca:

- *Monolingües euskaldunes:* Hablan «bien» euskera y no hablan «bien» castellano. Representan únicamente el 0,6 por 100 de la población mayor de 15 años; en números absolutos, unas 9.900 personas.
- *Bilingües:* Se desenvuelven «bien» o «bastante bien» tanto en euskera como en castellano. Este colectivo supone la cuarta parte de la población, el 24,7 por 100, alrededor de 438.400 personas.
- *Bilingües pasivos:* Saben hablar «algo» en euskera o, si no lo hablan, lo comprenden o leen «bien» o «bastante bien». Representan el 16,3 por 100 de la población, unas 290.200 personas.
- *Monolingües erdaldunes:* Solo saben hablar castellano. Constituyen más de la mitad de la población de la Comunidad Autónoma Vasca, el 58,5 por 100, alrededor de 1.040.000 personas.

La competencia lingüística varía sustancialmente por Territorios históricos, diferenciándose claramente Gipuzkoa de Bizkaia y Álava.

- En *Álava* la mayor parte de la población, el 77,6 por 100, es monolingüe erdaldún. Los bilingües pasivos suponen el 14,6 por 100 y los bilingües son una pequeña minoría, el 7,8 por 100.
- En *Bizkaia,* aunque en menor proporción, también los monolingües erdaldunes son clara mayoría, el 63,5 por 100. El porcentaje de bilingües pasivos es del 18,4 por 100, el de bilingües del 17,8 por 100 y apenas existen monolingües euskaldunes, el 0,3 por 100.
- En *Gipuzkoa,* por el contrario, los bilingües (43,2 por 100) superan ligeramente en número a los monolingües erdaldunes (42,1 por 100). El 13,5 por 100 son bilingües pasivos y existe un colectivo muy pequeño, pero significativo, de monolingües euskaldunes, el 1,2 por 100.

Los 438.400 bilingües mayores de 15 años de la Comunidad Autónoma Vasca se distribuyen por territorios de la siguiente manera: 247.000 (56,4 por 100) viven en Gipuzkoa, 172.800 (39,4 por 100) en Bizkaia y 18.200 (4,2 por 100) en Álava. Es decir, más de la mitad de los bilingües son guipuzcoanos y solo una pequeña minoría alaveses.

Al comparar estos datos con los obtenidos en la *I Encuesta sociolingüística* realizada en 1991, cabe destacar que en cinco años:

- Ha aumentado el número de bilingües en unas 37.000 personas y el de bilingües pasivos en más de 140.000, produciéndose los mayores incrementos en Bizkaia.
- Ha disminuido el número de monolingües euskaldunes en unas 8.000 personas y el de monolingües erdaldunes en más de 130.000.

Tabla 77

Competencia lingüística por Territorios históricos

	CAV-1996		Álava		Bizkaia		Gipuzkoa	
	N.º hab.	(%)	N.º hab.	(%)	N.º hab.	(%)	N.º hab.	(%)
Monolingües euskaldunes	9.900	0,6	—	—	3.100	0,3	6.800	1,2
Bilingües	438.400	24,7	18.200	7,8	172.800	17,8	247.400	43,2
Bilingües pasivos	290.200	16,3	34.100	14,6	179.000	18,4	77.100	13,5
Monolingües erdaldunes..	1.040.000	58,5	181.700	77,6	617.000	63,5	241.300	42,1
TOTAL	1.778.500	100	234.000	100	971.900	100	572.600	100
	CAV-1991		Álava		Bizkaia		Gipuzkoa	
	N.º hab.	(%)	N.º hab.	(%)	N.º hab.	(%)	N.º hab.	(%)
Monolingües euskaldunes	17.900	1,0	—	—	6.600	0,7	11.300	2,0
Bilingües	401.500	23,1	15.600	7,0	151.800	15,8	234.100	41,7
Bilingües pasivos	148.700	8,5	16.700	7,5	72.000	7,5	60.000	10,7
TOTAL	1.741.600	100	221.700	100	958.700	100	561.200	100

Fuente: II Encuesta sociolingüística de Euskal Herria.

Competencia lingüística según la edad

En los tres Territorios históricos se está recuperando el euskera, con un importante aumento entre los jóvenes de la proporción de bilingües y, en especial, de bilingües pasivos.

La evolución de la competencia lingüística en función de la edad manifiesta tendencias similares en los tres Territorios históricos de la Comunidad Autónoma Vasca:

- Los monolingües euskaldunes son en su gran mayoría personas mayores de 64 años, por lo que tienden a desaparecer, tal como refleja la comparación con los datos de la *I Encuesta sociolingüística* realizada en 1991.
- La proporción de bilingües disminuye entre las personas que tienen de 35 a 64 años con respecto a las mayores de 64 años, pero aumenta de forma considerable entre los jóvenes, especialmente entre los menores de 25 años.
- El número de bilingües pasivos aumenta de forma espectacular entre los jóvenes.
- Los monolingües en castellano disminuyen drásticamente entre los jóvenes como consecuencia del aumento de bilingües y, en especial, de bilingües pasivos.

a) *Álava*

- Los bilingües son una pequeña minoría, en torno al 5 por 100, entre las personas mayores de 34 años, pero su proporción se duplica, al 9 por 100, entre los jóvenes de 25 a 34 años (nacidos en los sesenta) y se triplica, al 16 por 100, entre los de 16 a 24 años (nacidos en los setenta). Además, según los datos del *Censo de 1991,* esta tendencia se consolida entre quienes tienen ahora de 10 a 15 años (nacidos en los ochenta), pues el 20 por 100 de ellos son bilingües.
- Más espectacular todavía es el aumento de la proporción de bilingües pasivos entre los jóvenes, pues de ser el 4 por 100 de las personas mayores de 34 años, pasan a constituir el 22 por 100 de los jóvenes de 25 a 34 años y el 42 por 100 de los de 16 a 24 años.
- Lógicamente, la tendencia de los monolingües en castellano es a la inversa. De constituir la inmensa mayoría de la población de más de 34 años, superando el 90 por 100, se reducen a menos de la mitad, el 42 por 100, entre los jóvenes de 16 a 24 años.

Como se puede desprender de estos datos, el mapa sociolingüístico de Álava está experimentando un profundo cambio, quizá no muy perceptible todavía, pero se hará evidente en un futuro no muy lejano.

b) *Bizkaia*

- Los bilingües constituyen el 20 por 100 de las personas mayores de 64 años y disminuyen al 15 por 100 entre quienes tienen de 35 a 64 años, pero se invierte la tendencia entre los jóvenes, aumentando al 18 por 100 entre los de 25 a 34 años y al 24 por 100 entre los de 16 a 24 años. El aumento continúa entre los jóvenes de 10 a 15 años, ya que el 30 por 100 son bilingües, según los datos del *Censo de 1991.*
- Al igual que en Álava, aumenta de forma espectacular el número de bilingües pasivos entre los jóvenes, de aproximadamente el 5 por 100 entre las personas de 50 o más años, al 31 por 100 entre los jóvenes de 25 a 34 años y al 45 por 100 entre los de 16 a 24 años.
- Por su parte, los monolingües en castellano disminuyen a menos de la mitad, de aproximadamente el 75 por 100 entre las personas mayores de 34 años, al 31 por 100 entre los jóvenes de 16 a 24 años.

c) *Gipuzkoa*

- Los bilingües suponen el 45 por 100 de las personas mayores de 64 años, disminuyen al 39 por 100 entre quienes tienen de 35 a 64 años y, al igual que en Bizkaia, se invierte la tendencia entre los jóvenes, aumentando al 43 por 100 entre los de 25 a 34 años y al 54 por 100 entre los de 16 a 24 años. El incremento continúa entre los jóvenes de 10 a 15 años, pues el 66 por 100 son bilingües, según los datos del *Censo de 1991.*
- Los bilingües pasivos aumentan del 6 por 100, entre las personas de 50 o más años, a algo más del 20 por 100 entre los menores de 35.
- Por último, los monolingües erdaldunes disminuyen a menos de la mitad, de aproximadamente el 50 por 100 entre las personas mayores de 34 años, al 23 por 100 entre los jóvenes de 16 a 24 años.

Por lo tanto, los bilingües constituyen clara mayoría entre los jóvenes guipuzcoanos menores de 25 años y los monolingües erdaldunes tienden a ser un colectivo cada vez más minoritario.

Tipología de bilingües

Algo más de un tercio de los bilingües se expresan con mayor facilidad en castellano que en euskera. En Álava esa proporción se eleva a los dos tercios.

Los bilingües los podemos clasificar a su vez en tres categorías en función de su competencia lingüística relativa, es decir, según su mayor o menor facilidad para hablar en euskera o en castellano:

- *Bilingües con predominio de euskera:* Se expresan con mayor facilidad en euskera que en castellano. Constituyen el 29,3 por 100 de los bilingües de la Comunidad Autónoma Vasca.

- *Bilingües equilibrados:* Tienen la misma facilidad para hablar en los dos idiomas. Representan el 32,3 por 100 de los bilingües.
- *Bilingües con predominio del castellano:* Se expresan con mayor facilidad en castellano. Aunque por escaso margen, con el 38,4 por 100, constituyen el grupo más numeroso.

Esta clasificación es muy importante porque, como se verá al analizar el uso del euskera, la facilidad con la que se expresan los bilingües en cada uno de los dos idiomas condiciona en gran medida la elección lingüística.

La competencia lingüística relativa varía de forma importante por Territorios históricos, diferenciándose claramente Gipuzkoa de Bizkaia y este territorio a su vez de Álava.

- En *Álava* las dos terceras partes de los bilingües (69,1 por 100) se expresan mejor en castellano, la cuarta parte (24,9 por 100) son bilingües equilibrados y solo una pequeña minoría (6 por 100) se expresan mejor en euskera.
- En *Bizkaia* los que se expresan mejor en castellano también son el grupo más numeroso, pero sin llegar a la mitad (44,9 por 100). Casi la tercera parte (30,2 por 100) se expresan con igual facilidad en ambos idiomas y la cuarta parte (24,9 por 100) con más facilidad en euskera.
- En *Gipuzkoa* los tres grupos son similares en número. El 34,1 por 100 de los bilingües se expresan mejor en euskera, el 34,3 por 100 con igual facilidad en ambos idiomas y el 31,5 por 100 mejor en castellano.

Como tendencia general en la Comunidad Autónoma Vasca, al disminuir la edad, aumenta la proporción de bilingües que se expresan mejor en castellano y disminuye la de quienes se expresan mejor en euskera. No obstante, esta tendencia se invierte entre los jóvenes de 16 a 24 años, claramente en Gipuzkoa y en menor medida en Bizkaia.

- En *Álava* los bilingües que se expresan mejor en euskera son una pequeña minoría entre los de 50 o más años y prácticamente desaparecen entre los menores de 35 años.
  Quienes se expresan mejor en castellano pasan de ser la mitad de los de 50 o más años a constituir las tres cuartas partes de los bilingües de 25 a 34 años, estabilizándose en esa proporción entre los de 16 a 24 años.
- En *Bizkaia* el porcentaje de bilingües que se expresan mejor en euskera disminuye espectacularmente con la edad, del 42 por 100 entre los mayores de 64 años al 7 por 100 entre los de 25 a 34 años, recuperándose ligeramente, al 10 por 100, entre los jóvenes de 16 a 24 años.
  Por el contrario, el porcentaje de bilingües que se expresan mejor en castellano aumenta de forma continuada al disminuir la edad, del 32 por 100 entre los mayores de 64 años frente al 34 por 100 entre los jó-

venes de 16 a 24 años, sin que se ralentice el crecimiento entre los más jóvenes.

Por su parte, el porcentaje de los bilingües equilibrados, tras alcanzar un máximo del 38 por 100 entre los jóvenes de 25 a 34 años, retrocede al 25 por 100 entre los de 16 a 24 años.

- En *Gipuzkoa* también es espectacular el descenso con la edad del porcentaje de bilingües que se expresan mejor en euskera, del 56 por 100 entre los mayores de 64 años al 17 por 100 entre los de 25 a 34 años, pero entre los jóvenes de 16 a 24 años se produce una recuperación relativamente importante, alcanzando el 28 por 100.

A su vez, el porcentaje de bilingües que se expresan mejor en castellano aumenta al disminuir la edad, del 15 por 100 entre los mayores de 64 años al 52 por 100 entre los jóvenes de 24 a 35 años, invirtiéndose la tendencia entre los jóvenes de 16 a 24 años, con un importante descenso de 20 puntos, situándose en el 31 por 100.

Por último, el porcentaje de los bilingües que se expresan con la misma facilidad en ambos idiomas aumenta de forma suave pero continuada al disminuir la edad, hasta convertirse, con el 42 por 100, en el grupo más numeroso entre los jóvenes de 16 a 24 años.

Al considerar únicamente los bilingües más jóvenes, de 16 a 24 años, observamos que:

- En Álava y Bizkaia, a pesar del importante aumento de la proporción de bilingües entre los jóvenes, siguen siendo todavía minoritarios y con mayor facilidad para hablar en castellano.
- Mientras que en Gipuzkoa los bilingües son mayoría y gran parte de ellos se expresan con la misma facilidad en ambos idiomas o mejor en euskera.

La diferencia es sustancial y tiene su reflejo en el uso del euskera por parte de los más jóvenes, pues la competencia lingüística relativa y la densidad de bilingües en la red (entorno), como veremos más adelante, son factores determinantes en el uso.

Movilidad lingüística

Las personas que han aprendido euskera (81.400) superan ampliamente a las que lo han perdido (62.800).

La gran mayoría de las personas que han tenido como primera lengua el euskera o el euskera junto con el castellano son en la actualidad euskaldunes, casi en su totalidad bilingües, y una pequeñísima minoría monolingües euskaldunes. Sin embargo, un porcentaje relativamente importante, el 14,6 por 100, unas 62.800 personas, sobre un colectivo de 429.600, *han perdido parcial o to-*

talmente el euskera, es decir, son actualmente bilingües pasivos (10,1 por 100) o monolingües en castellano (4,5 por 100).

Por su parte, una minoría de las personas que han tenido como primera lengua el castellano, el 6 por 100, unas 81.400 personas sobre un colectivo de 1.348.900, *han aprendido euskera* y son en la actualidad bilingües.

A pesar de que el número de pérdidas es importante, 62.800 personas, es inferior al de incorporaciones, 81.400. Además, unas 246.700 personas que han tenido como primera lengua el castellano son bilingües pasivos, es decir, se han incorporado parcialmente.

Sin embargo, el porcentaje de pérdidas varía sustancialmente dependiendo de que la primera lengua haya sido solo el euskera o el euskera junto con el castellano, ya que la pérdida afecta a:

- Una minoría, el 8,6 por 100 de quienes han tenido únicamente el euskera como primera lengua, unas 31.400 personas sobre un colectivo de 363.800.
- Casi la mitad, el 47,6 por 100, de quienes han tenido como primera lengua el euskera junto con el castellano, unas 31.400 personas sobre un colectivo de 65.800.

En los tres Territorios históricos las personas mayores de 15 años que han aprendido euskera superan a las que lo han perdido:

- En *Álava* han perdido el euskera 3.000 personas, el 28,5 por 100 de las de primera lengua euskera o euskera junto con castellano, y han aprendido euskera 10.700, el 4,8 por 100 de las de primera lengua castellano.
- En *Bizkaia* han perdido el euskera 35.900 personas, el 21,3 por 100, y lo han aprendido 43.500, el 5,4 por 100.
- En *Gipuzkoa* han perdido el euskera 23.900 personas, el 9,5 por 100, y lo han aprendido 27.200, el 8,4 por 100.

Tabla 78

Competencia lingüística según la primera lengua (CAV)

	Euskera/Las dos		Castellano	
	N.º hab.	(%)	N.º hab.	(%)
Monolingües euskaldunes ...	9.800	2,3	—	—
Bilingües..........................	357.000	83.1	81.400	6,0
Bilingües pasivos.................	43.600	10,1	246.700	18,3
Monolingües erdaldunes	19.200	4,5	1.020.800	75,7
TOTAL.............................	429.600	100	1.348.900	100

Fuente: Encuesta sociolingüística de 1996.

Los valores de pérdida e incorporación analizados anteriormente corresponden al valor medio de varias generaciones, desde los nacidos a principios de siglo a los nacidos a finales de los años setenta, y tras ellos se solapan situaciones muy diferentes en función de la edad.

La pérdida parcial o total del euskera de las personas que han tenido como primera lengua solo el euskera o el euskera junto con el castellano disminuye progresivamente a medida que desciende la edad. Al mismo tiempo que se frena la pérdida, aumenta de forma espectacular la incorporación al euskera, a través de la escuela y la enseñanza a adultos, de personas que han tenido como primera lengua el castellano.

- Entre los mayores de 64 años, las pérdidas, 22.900 personas (20,7 por 100), son diez veces superiores a las incorporaciones, 2.400 (1,2 por 100).
- Entre las personas de 35 a 49 años se equilibran pérdidas e incorporaciones, 15.500 (16 por 100) y 15.100 (4,3 por 100), respectivamente.
- Entre los jóvenes disminuyen de manera considerable las pérdidas y aumentan espectacularmente las incorporaciones, de forma que entre los jóvenes de 16 a 24 años las incorporaciones, 38.100 (15,9 por 100) son siete veces superiores a las pérdidas, 5.300 (7,8 por 100).

Además, según los datos del *Censo de 1991,* entre los jóvenes menores de 16 años tienden a desaparecer las pérdidas y se mantiene el ritmo de crecimiento espectacular de las incorporaciones.

En los tres Territorios históricos es similar la evolución, con la edad, de las pérdidas y las incorporaciones. Como datos más significativos, destacaremos que entre los jóvenes de 16 a 24 años:

- En Álava pierden 250 el euskera y se incorporan 5.600.
- En Bizkaia lo pierden 2.700 y se incorporan 17.400.
- En Gipuzkoa lo pierden 2.300 y se incorporan 15.100.

Uso del euskera por Territorios históricos

En Gipuzkoa se utiliza sobre todo el euskera; en Bizkaia, ambos idiomas por igual, y en Álava, mayoritariamente el castellano.

En Álava el castellano es la lengua de uso de la mayoría de los euskaldunes.

En la familia, aproximadamente el 20 por 100 utilizan casi siempre el euskera al relacionarse con sus padres y con su marido o mujer, mientras que la gran mayoría, en torno al 75 por 100, utilizan el castellano. Con los hijos, por el contrario, son más los que usan principalmente el euskera (42 por 100) que el castellano (37 por 100). La lengua común en casa es el euskera en el 12 por 100 de los hogares; en otro 12 por 100 se utilizan indistintamente ambos idiomas, y en el 76 por 100, sobre todo el castellano.

Tabla 79

	≥ 65 años nacidos en 1931 o antes		50-64 nacidos entre 1932 y 1946		35-49 nacidos entre 1947 y 1961	
	N.º hab.	(%)	N.º hab.	(%)	N.º hab.	(%)
PÉRDIDAS	22.900	20,7	9.100	11,1	15.500	16,0
Parcial	12.400	11,2	6.800	8,4	12.100	12,5
Total	10.500	9,5	2.300	2,7	3.400	3,5
INCORPORACIONES	2.400	1,2	3.800	1,4	15.100	4,3

	25-34 nacidos entre 1962 y 1971		16-24 nacidos entre 1972 y 1980		TOTAL	
	N.º hab.	(%)	N.º hab.	(%)	N.º hab.	(%)
PÉRDIDAS	10.000	13,6	5.300	7,8	62.800	14,6
Parcial	8.900	12,1	3.400	5,0	43.600	10,1
Total	1.100	1,5	1.900	2,8	19.200	4,5
INCORPORACIONES	22.000	8,1	38.100	15,9	81.400	6,0

Fuente: Encuesta sociolingüística de 1996.

En la comunidad social más próxima se habla más euskera que castellano en el mercado tradicional y prácticamente no se utiliza en los comercios. Es relativamente importante el uso en el trabajo: el 36 por 100 se relacionan sobre todo en euskera con sus compañeros, mientras que el uso con los amigos es bastante menor: el 16 por 100 se relacionan con ellos en euskera y el 20 por 100 en ambos idiomas.

En los ámbitos formales, la gran mayoría se relaciona en euskera con los profesores de sus hijos y prácticamente nadie lo utiliza en los servicios de salud. Con los funcionarios del Ayuntamiento el 21 por 100 utilizan principalmente el euskera y el 13 por 100 ambos idiomas, y con los empleados de los bancos o cajas de ahorro, el 12 por 100 el euskera y el 9 por 100 ambos idiomas.

En Bizkaia existe un cierto equilibrio entre la proporción de euskaldunes que utilizan el euskera o el castellano en los diferentes ámbitos.

En la relación con el marido o la mujer y con los padres es similar la proporción de quienes utilizan el euskera y el castellano, pero con los hijos la mayoría utiliza el euskera (67 por 100). En el 42 por 100 de los hogares se habla principalmente en euskera, en otro 42 por 100 en castellano y en el 16 por 100 restante en ambos idiomas.

El uso del euskera es mayoritario en el mercado (71 por 100) y con el sacerdote (69 por 100). Con los amigos, son más los que hablan en euskera

(44 por 100) que los que lo hacen en castellano (38 por 100), mientras que con los compañeros de trabajo y los comerciantes los que hablan en castellano superan ligeramente a los que lo hacen en euskera.

En los ámbitos más formales, el uso del euskera es mayoritario en las relaciones con los profesores de los hijos (80 por 100) y minoritario (28 por 100) en los servicios de salud. Por último, se habla algo más en euskera que en castellano con los funcionarios del Ayuntamiento y existe equilibrio entre quienes utilizan el euskera y el castellano con los empleados de los bancos o cajas de ahorro.

En Gipuzkoa la mayoría de los euskaldunes utilizan principalmente el euskera.

En la familia, el 79 por 100 se relacionan sobre todo en euskera con sus hijos, el 65 por 100 con su madre, el 62 por 100 con su padre y el 56 por 100 con su marido o mujer. Además, aproximadamente el 10 por 100 utilizan tanto el euskera como el castellano. En el 55 por 100 de los hogares se habla principalmente en euskera, en el 20 por 100 en ambos idiomas y en el 25 por 100 restante en castellano.

Fuera del entorno familiar, la inmensa mayoría utilizan con preferencia el euskera en el mercado y con el sacerdote, más de la mitad con los amigos y los comerciantes y la mitad con los compañeros de trabajo. Además, la quinta parte utilizan tanto el euskera como el castellano.

En los ámbitos más formales, la relación con los profesores de los hijos es en euskera y las dos terceras partes lo utilizan en el Ayuntamiento y en los bancos. Y en la relación con los servicios de salud existe cierto equilibrio entre los que utilizan el euskera (38 por 100) y los que lo hacen en castellano (42 por 100).

En la *I Encuesta sociolingüística* realizada en 1991 se profundizó en el análisis de los factores que determinan el uso del euskera, tomando como referencia el uso en casa, con los amigos y en el trabajo. Los análisis realizados en esta ocasión ratifican las conclusiones obtenidas en 1991.

El uso del euskera está determinado fundamentalmente por dos factores:

- Uno socioestructural, a saber, la densidad de euskaldunes en la red, estrechamente ligada con la zona sociolingüística.
- Otro psicolingüístico, la competencia lingüística relativa, es decir, la mayor o menor facilidad para expresarse en euskera o en castellano, bastante ligada a la primera lengua.

La correlación existente entre el uso del euskera y la densidad de euskaldunes en la red es de 0,70 en el uso en casa, de 0,71 con los amigos y de 0,80 en el trabajo, mientras que la correlación con la competencia lingüística relativa es de 0,62 en el uso en casa, de 0,61 con los amigos y de 0,31 en el trabajo. Es decir, las correlaciones son muy elevadas y la densidad de euskaldunes en la red es el factor principal, especialmente en el uso del euskera con los compañeros de trabajo.

Otros factores como la edad y la actitud ante la promoción del uso del euskera también están relacionadas con el uso, pero en mucha menor medida, con correlaciones en torno al 0,30 para la edad y al 0,25 para la actitud. Además, estas correlaciones disminuyen considerablemente cuando se anula el efecto de la red y de la competencia lingüística relativa. O dicho de otra manera, a igualdad de condiciones de densidad de euskaldunes en la red y de competencia lingüística relativa, el uso del euskera no varía mucho en función de la edad y la actitud ante la promoción del uso del euskera.

Cuando todos saben euskera en casa, entre los amigos o en el trabajo se habla principalmente en euskera. Pero basta que alguien no sepa euskera para que se hable más castellano en casa y en ambos idiomas con los amigos y los compañeros de trabajo.

Se puede afirmar, sin lugar a dudas, que existe un umbral en la densidad de euskaldunes en la red por debajo del cual el uso del euskera no está garantizado. En el caso de la familia el umbral es muy claro: consiste en que todos los miembros del hogar sepan euskera, pues basta con que uno no lo sepa para que el uso del euskera descienda bruscamente. Con los amigos y los compañeros de trabajo quizá no es necesario que todos ellos sepan euskera para garantizar su uso, pero sí es necesario que lo sepan la gran mayoría.

Y en lo que respecta al segundo factor determinante en el uso, la competencia lingüística relativa, se puede observar en el gráfico correspondiente que:

- Los euskaldunes que se expresan con mayor facilidad en euskera hablan casi siempre en euskera en casa y con los amigos, aunque no tanto con los compañeros de trabajo.
- Los euskaldunes que se expresan con igual facilidad en ambos idiomas hablan tanto en euskera como en castellano en los tres ámbitos, aunque en mayor proporción en euskera.
- Los euskaldunes que se expresan con mayor facilidad en castellano hablan principalmente en castellano.

De todo ello se deduce que la importancia de la competencia lingüística relativa es menor en el uso con los compañeros de trabajo que con los familiares y los amigos.

Uso del euskera según la edad

Como tendencia general, el uso del euskera disminuye sensiblemente con la edad.

De los tres ámbitos anteriormente considerados (familia, amigos y trabajo), el de los amigos es el que mejor se presta para analizar la variación del uso con la edad, ya que la mayoría de las personas tienen amigos de igual o similar edad a la suya, mientras que en el hogar o en el trabajo pueden convivir personas de diferentes generaciones.

Debido a ello, se va a analizar en primer lugar y con mayor profundidad el uso del euskera entre los amigos en función de la edad.

— *Uso entre amigos*

Entre los jóvenes de 16 a 24 años aumenta el uso del euskera entre los amigos con respecto a la generación anterior, de 25 a 34 años.

Como tendencia general, el uso del euskera entre los amigos disminuye con la edad. Así, hablan principalmente en euskera con sus amigos casi las dos terceras partes de los euskaldunes de 50 o más años, la mitad de los de 35 a 49 años y la tercera parte de los de 25 a 49 años; pero entre los jóvenes de 16 a 24 años se invierte la tendencia y aumenta, aunque solo sea cinco puntos, la proporción de los que hablan principalmente en euskera.

En los tres Territorios históricos de la Comunidad Autónoma Vasca, al nivel de uso de cada uno de ellos, se reproduce la tendencia de la disminución del uso del euskera con la edad hasta el grupo de edad de 25 a 34 años y al pasar al grupo de edad más joven, de 16 a 24 años, en donde surgen las diferencias por territorios, pues mientras en Gipuzkoa se invierte la tendencia con un importante aumento de 12 puntos, en Álava y Bizkaia solo se frena el descenso, estabilizándose el uso del euskera en los porcentajes del grupo anterior. En estos dos territorios probablemente se invierta la tendencia en la siguiente generación, la que ahora tiene menos de 16 años.

El aumento a nivel de Comunidad Autónoma Vasca del uso del euskera con los amigos entre los jóvenes de 16 a 24 años obedece casi en exclusiva a que en dicho grupo ha aumentado, con respecto a la generación anterior, la densidad de euskaldunes entre los amigos y también, ligeramente, la proporción de euskaldunes que se expresan con mayor facilidad en euskera que en castellano.

Tras experimentar un retroceso importante y un estancamiento en el grupo de edad de 16 a 24 años, entre los jóvenes menores de 16 años aumenta la proporción de quienes tienen como primera lengua el euskera, o el euskera junto con el castellano. Este cambio de tendencia es una muestra de la revitalización del euskera y es debido sobre todo a que hoy día no existen prácticamente pérdidas en la transmisión del euskera de padres a hijos.

La pérdida parcial o total del euskera de las personas que han tenido como primera lengua solo el euskera, o el euskera junto con el castellano, disminuye progresivamente a medida que desciende la edad. Al mismo tiempo que se frena la pérdida, aumenta de forma espectacular la incorporación al euskera, a través de la escuela y la enseñanza a adultos, de personas que han tenido como primera lengua el castellano.

La comparación con los datos de competencia lingüística de la *I Encuesta sociolingüística* realizada en 1991 da como resultado que ha aumentado el número de bilingües en unas 37.000 personas y el de bilingües pasivos en más de 140.000, mientras que el número de monolingües euskaldunes ha disminuido en unas 8.000 personas y el de monolingües erdaldunes en más de 130.000.

En los tres Territorios históricos se está recuperando el euskera, con un importante aumento entre los jóvenes de la proporción de bilingües y, en especial, de bilingües pasivos.

La evolución de la competencia lingüística en función de la edad manifiesta tendencias similares en los tres Territorios de la Comunidad Autónoma Vasca:

- Los monolingües euskaldunes (inexistentes en Álava) son en su gran mayoría personas de más de 64 años, por lo que tienden a desaparecer, tal como refleja la comparación con los datos de la *I Encuesta sociolingüística* realizada en 1991.
- La proporción de bilingües disminuye entre las personas que tienen de 35 a 64 años con respecto a las mayores de 64 años, pero aumenta de forma considerable entre los jóvenes, especialmente entre los menores de 25 años.
- El número de bilingües pasivos aumenta de manera espectacular entre los jóvenes.
- Los monolingües erdaldunes disminuyen drásticamente entre los jóvenes como consecuencia del aumento de bilingües y, en especial, de bilingües pasivos.

En lo que respecta a la competencia lingüística relativa, algo más de un tercio de los bilingües se expresan con mayor facilidad en castellano que en euskera, aumentando a medida que disminuye la edad. En Gipuzkoa se invierte claramente esta tendencia entre los más jóvenes.

La mitad de los habitantes son partidarios de adoptar medidas para promover el aprendizaje y el uso del euskera, y solo una sexta parte se manifiesta en contra, siendo los resultados similares a los obtenidos hace cinco años en la *I Encuesta sociolingüística.*

La mayoría de los habitantes consideran adecuada la política lingüística aplicada por el Gobierno vasco en la enseñanza y en la euskaldunización de la Administración. La política lingüística del Gobierno vasco es valorada de forma claramente positiva por todos los colectivos analizados, sin que existan grandes diferencias entre ellos. Son algo más críticos, porque creen que «se ha hecho poco», los euskaldunes y los jóvenes, y algo más críticos, porque piensan que «se ha ido demasiado lejos», además de los alaveses, los monolingües erdaldunes y los inmigrantes.

En la Comunidad Autónoma Vasca los euskaldunes utilizan más el euskera que el castellano en la familia, en su entorno social próximo y en diversos ámbitos más formales. En los últimos cinco años se ha estabilizado el uso del euskera en la familia, pero ha aumentado sensiblemente su utilización con los amigos, los compañeros de trabajo y en los ámbitos más formales.

Por territorios existen claras diferencias en la lengua de uso de los euskaldunes en los diversos ámbitos, motivadas por los diferentes niveles de competencia lingüística relativa y de la densidad de euskaldunes en el entorno, ya que en Gipuzkoa se utiliza mayoritariamente el euskera, en Bizkaia existe un cierto equilibrio y en Álava sobre todo el castellano.

Como tendencia general, el uso del euskera entre los amigos disminuye con la edad. Así, hablan principalmente en euskera con sus amigos alrededor de las dos terceras partes de los euskaldunes de 50 o más años, la mitad de los de 35 a 49 años y la tercera parte de los de 25 a 34 años. Sin embargo, entre los jóvenes de 16 a 24 años se invierte la tendencia y aumenta, aunque solo sea cinco puntos, la proporción de los que hablan principalmente en euskera (debido al aumento de 12 puntos en Gipuzkoa).

El aumento en la Comunidad Autónoma Vasca del uso del euskera con los amigos entre los jóvenes de 16 a 24 años obedece casi exclusivamente a que en dicho grupo ha aumentado, con respecto a la generación anterior, la densidad de euskaldunes entre los amigos y también ligeramente la proporción de euskaldunes que se expresan con mayor facilidad en euskera que en castellano.

El uso del euskera en la familia se ha estabilizado en los últimos cinco años debido al descenso del uso del euskera en los hogares de los jóvenes menores de 35 años, que está directamente relacionado con el hecho de que los euskaldunberris son en su gran mayoría menores de 35 años y tienen un entorno familiar mayoritariamente erdaldun (español).

La lengua vasca en la enseñanza

Aprobado el Estatuto de Autonomía y, sobre todo, a partir de las transferencias de competencias en materia de enseñanza, se desarrolló una intensa actividad normativa con el fin de conseguir no solo la enseñanza de la lengua vasca, sino también la utilización del euskera como lengua vehicular de la enseñanza. Estas acciones culminan con la aprobación por el Parlamento vasco de la Ley Básica de Normalización y Uso del Euskera, que dedica el capítulo II al «Uso del euskera en la enseñanza».

> *Artículo 15.*—Se reconoce a todo alumno el derecho de recibir la enseñanza tanto en euskera como en castellano en los diversos niveles educativos.
> A tal efecto, el Parlamento y el Gobierno adoptarán las medidas oportunas tendentes a la generalización progresiva del bilingüismo en el sistema educativo de la Comunidad Autónoma del País Vasco.

Artículo 16.—1. En las enseñanzas que se desarrollen hasta el inicio de los estudios universitarios será obligatoria la enseñanza de la lengua oficial que no haya sido elegida por el padre o tutor, o en su caso, el alumno, para recibir enseñanzas.

2. No obstante, el Gobierno regulará los modelos lingüísticos a impartir en cada centro teniendo en cuenta la voluntad de los padres o tutores y la situación sociolingüística de la zona. [...]

Artículo 17.—El Gobierno adoptará aquellas medidas encaminadas a garantizar al alumnado la posibilidad real, en igualdad de condiciones, de poseer un conocimiento práctico suficiente de ambas lenguas oficiales al finalizar los estudios de enseñanza obligatoria y asegurará el uso ambiental del euskera, haciendo del mismo un vehículo de expresión normal, tanto en las actividades internas como externas y en las actuaciones y documentos administrativos.

[...]

Artículo 19.—Las Escuelas Universitarias de Formación del Profesorado adaptarán sus planes de estudio para conseguir la total capacitación en euskera y castellano de los docentes, de acuerdo con las exigencias de su especialidad.

Artículo 20.—1. El Gobierno, a fin de hacer efectivo el derecho a la enseñanza en euskera, establecerá los medios tendentes a una progresiva euskaldunización del profesorado.

Con vistas a materializar estas prescripciones de carácter general, y a fin de regular el uso de las dos lenguas oficiales en los niveles educativos no universitarios, el Gobierno vasco y el Departamento de Educación tienen publicados los respectivos Decretos de Bilingüismo (Decreto 138/1983, de 11 de julio) y Orden que lo desarrolla (Orden de 1 de agosto de 1983). En síntesis, dichos decreto y orden perfilan un marco de enseñanza bilingüe asentado en los siguientes criterios:

• Tanto el euskera como el castellano constituyen asignaturas en todos los centros educativos de EI/EP/ESO y LOGSE.
• La enseñanza oficial puede efectuarse según uno de los Modelos A, B o D de enseñanza bilingüe.

— *Modelos de enseñanza en el País Vasco*

En atención a los objetivos específicos de cada modelo, el nivel de competencia idiomática, en ambas lenguas, que cada uno de ellos pretende transmitir, y el nivel de uso de euskera y castellano que intenta promover, los modelos de enseñanza bilingüe A, B o D se hallan configurados, en síntesis, de la forma siguiente:

• *Modelo A:* La enseñanza se imparte básicamente en castellano. El euskera se imparte como asignatura.

Objetivos lingüísticos:
— Entender bien el euskera.
— Capacitar al alumno para que pueda expresarse en euskera en los temas cotidianos más sencillos.
— Afianzar la actitud favorable hacia el euskera.
— Capacitar al alumno para que pueda insertarse en un medio vascófono.

• *Modelo B:* La enseñanza se imparte mitad y mitad, en euskera y castellano, es decir, ambos idiomas son simultáneamente lenguas curriculares y vehiculares. Constituye una vía para transmitir al alumno de procedencia familiar castellanófona una mayor competencia en euskera.
Objetivos lingüísticos:
— Facilitar al alumno, además de un buen nivel de comprensión del euskera, una capacitación adecuada para desenvolverse en el idioma.
— Capacitarlo para continuar sus estudios en euskera.

• *Modelo D:* La enseñanza se imparte básicamente en euskera. El castellano constituye asignatura obligatoria. Está diseñado sobre todo para alumnos de procedencia familiar vascófona.
Objetivos lingüísticos:
— Afianzar la competencia en euskera, enriqueciendo su conocimiento y haciendo que sea su idioma coloquial de lengua escolar vehicular.
— Reforzar el colectivo de alumnos euskaldunes, a fin de contrarrestar la presión idiomática en el entorno y afianzar su carácter crucial en la consecución del bilingüismo generalizado.
— Garantizar un conocimiento adecuado del castellano.

Por medio de estos tres modelos de enseñanza bilingüe se pretende, finalmente, alcanzar los siguientes objetivos:

a) Preservar y fortalecer la identidad cultural del País Vasco promoviendo la vitalidad de su lengua propia.
b) Completar y enriquecer la formación educativa de los alumnos: la enseñanza bilingüe constituye, más que una rémora, un elemento favorecedor del desarrollo del alumno; de hecho, y al igual que viene comprobándose en emplazamientos bilingües de naturaleza similar, el bilingüismo facilita el aprendizaje de otras lenguas.

Difusión de la enseñanza bilingüe

El marco general de doble oficialidad de lenguas establecido por las leyes, hace ahora casi veinte años, no se ha materializado de forma inmediata. En razón de ello, las propias normativas lingüísticas han venido previendo las oportunas fases transitorias; de hecho, puede afirmarse que el sistema educativo vasco en su conjunto se halla inmerso aún hoy en un continuado proceso de transformación idiomática. Haciendo abstracción de las medidas adoptadas durante estos años, en la búsqueda de la mejora pedagógica, vamos a intentar mostrar una aproximación cuantitativa al marco de convivencia bilingüe en el que hoy día nos encontramos.

Como ya se ha señalado, al poco tiempo de promulgarse la Ley de Normalización se aprobó el Decreto 138/1983, de Bilingüismo, y el Departamento de Educación lo desarrolló ese mismo año con una Orden de Bilingüismo que fijó de modo operativo el actual marco educativo bilingüe sustentado en los tres modelos (A, B y D). La Ley 1/1993, de la Escuela Pública Vasca, y el posterior Decreto de Perfiles ratificaron en lo sustancial dicho marco de tres modelos optativos a la par que introdujo innovaciones (niveles de competencia idiomática) asignados a los puestos docentes y a sus respectivas fechas de productividad.

La evolución de los modelos lingüísticos: Educación infantil/Preescolar (2 a 5 años)

Si analizamos la escolarización de los alumnos de diferentes modelos lingüísticos, podemos concluir que en los últimos años hay una tendencia a escolarizar a los niños en modelos cada vez más intensivos (B y D), mientras que el modelo A va reduciendo el número de sujetos (F. Etxeberria, 1999, págs. 130-136, y M. Zalbide, 1999, págs. 380-382).

En el curso 1990-1991, el porcentaje del modelo A, B y D era similar, en torno al 30 por 100. Posteriormente, la tendencia al descenso en el modelo A y el incremento en el modelo B y D es continua, de tal modo que se puede afirmar que asistimos a la desaparición paulatina del modelo castellano en la CAPV y a la concentración de los alumnos en los dos modelos bilingües, el B y el D. Haciendo una prospección de los datos que tenemos en la actualidad, con un descenso anual de 3 puntos en el modelo A, podemos afirmar que dentro de tres o cuatro años habrá desaparecido totalmente el alumnado del modelo A en la CAPV, siendo todos los estudiantes participantes de los modelos B y D.

¿Por qué este descenso continuo de los alumnos del modelo A y el incremento de los alumnos del modelo B y D? A nuestro entender existen varias razones que explican este fenómeno en la Comunidad Autónoma del País Vasco:

a) La comunidad del País Vasco tiene una conciencia bastante clara respecto a la dudosa eficacia del modelo A en lo relativo a los resultados en euskera. Tanto las familias como el conjunto de la sociedad, los alumnos de enseñanza secundaria y universitarios saben que el estudiar en el modelo A no facilita la adquisición de un nivel adecuado de euskera, con la frustración personal y profesional que han sufrido y siguen sufriendo muchos jóvenes. Muchos universitarios que no saben hablar euskera cuentan con pena su paso por el modelo A y la pérdida de la oportunidad para haber aprendido la lengua vasca.

b) Las investigaciones realizadas en el País Vasco respecto a la enseñanza bilingüe han dejado bien claro que esa impresión que tienen los padres y la sociedad en general está fundada en la realidad, puesto que los estudios avalan el hecho de que los alumnos en el modelo A consiguen resultados muy deficitarios en euskera.

c) Es cierto también que ha aumentado la motivación personal y el gusto por aprender el euskera y que las nuevas generaciones quieren incorporarse al colectivo que habla la lengua vasca como medio de integración en la sociedad.

d) También es innegable el protagonismo que ha adquirido la necesidad de saber euskera para tener acceso al mundo laboral. Si durante muchos años el euskera era una lengua «para la casa», en la actualidad la lengua vasca es un requisito imprescindible para todos los ámbitos sociales y profesionales.

— *Educación Primaria (6-12 años)*

A la luz de los datos del alumnado matriculado en cada uno de los modelos y teniendo en cuenta la evolución de la escolarización, podemos extraer consecuencias diferentes para cada uno de dichos colectivos:

• En el curso 1990-1991, los alumnos del modelo A superaban en número a los alumnos de los modelos bilingües B y D. En la actualidad, estos modelos superan en más del doble a los alumnos del modelo A.

• Los alumnos escolarizados en el modelo A descienden hasta la mitad en el período de ocho años, pasando del 55 al 30 por 100 aproximadamente.

• Los alumnos del modelo B pasan, en el mismo período, de un 23 a un 29 por 100, siguiendo su tendencia a incrementarse.

Las razones que explican el proceso en el nivel primario son similares, a nuestro juicio, respecto a las existentes en la etapa preescolar o infantil. La situación en la enseñanza primaria es una realidad que tiene su origen en el estado en que se encuentra la educación infantil.

Hablando en términos absolutos y comparando datos de escolarización de enseñanzas iniciales de 1982-1983 y de 1998-1999 en idéntico tramo de edad (justo hasta los 12 años) se observa que el ininterrumpido descenso del modelo A (+ X inicial) es aún más acusado de lo que la evolución porcentual permite observar: se asemeja a un derrumbe, ya que ha pasado de escolarizar 296.148 alumnos en 1982-1983 a 52.624 escolares en el curso 1998-1999. A su vez los crecimientos de los modelos B y D han sido importantes, pero inferiores a la evolución porcentual y, particularmente, a la magnitud de esa pérdida global de alumnado. Conviene retener este dato, ya que, si bien se tiende a omitir su realidad, ofrece una de las claves para explicar el modo concreto, no teórico-legal, en que se ha producido la gradual incorporación de los modelos B y D a la enseñanza: su aumento de alumnos y alumnas desde 1982-1983, aun siendo sustancial (con un incremento del 36 por 100 en B y 57 por 100 en D), ha resultado pausado. El proceso concreto de evolución hubiera sido diferente (y probablemente más difícil de gestionar) de no haber coincidido en el tiempo con ese fuerte descenso de natalidad.

— *Educación Secundaria (12 a 16 años y 16 a 18 años)*

La evolución de la escolarización bilingüe en la enseñanza secundaria del Bachillerato y COU (Curso de Orientación Universitaria) es mucho más lenta de lo que ha sido el cambio en la enseñanza preescolar y primaria en la CAPV. En efecto, la evolución de los últimos ocho años en la enseñanza secundaria nos indica que aproximadamente 2/3 de los alumnos estudian en el modelo A y otro tercio lo hace en el modelo D.

El porcentaje de alumnos escolarizados en el modelo A, que era del 80 por 100 en el curso 1990-1991, ha pasado al 67 por 100 en el curso 1997-1998. Por su parte, el modelo D ha pasado del 19 por 100 en el año 1990-1991 al 30 por 100 en el curso 1997-1998. Y, finalmente, los alumnos del modelo B han pasado de ser el 1 por 100 en 1990-1991 al 3 por 100 en el curso 1997-1998.

- Existen importantes déficit en la enseñanza secundaria, puesto que solamente una minoría estudia en los modelos bilingües.
- Este problema se hace extremadamente grave en la formación profesional, en la que en la práctica no existe la enseñanza en euskera.
- La situación se halla ligeramente atenuada en la reforma de las enseñanzas medias, con los nuevos planes de estudio para secundaria.
- Si bien existe continuidad entre la etapa infantil y la primaria, no existe esa misma tendencia entre la etapa primaria y la secundaria. Hay una ruptura importante entre el alumnado que estudia en los modelos bilingües en la enseñanza primaria y el que se inscribe en los paralelos en la enseñanza secundaria.

¿Cuáles son las razones por las que el proceso en la enseñanza secundaria se encuentra en un estado tan retrasado respecto al nivel primario e infantil? Creemos que existe una ruptura en el sistema educativo de la CAPV en cuanto a la continuidad entre los niveles de enseñanza primaria y secundaria. Las posibles razones hay que buscarlas en este tipo de problemas:

a) La oferta de escolarización en el modelo B parece ser mucho más escasa que en la enseñanza primaria, especialmente en el terreno de la enseñanza profesional.

b) Es posible que los alumnos que se escolarizan en la enseñanza primaria en el modelo B se sientan incapaces de dar el paso para continuar los estudios totalmente en euskera.

c) La existencia de profesorado cualificado en la enseñanza secundaria como para escolarizar a los alumnos en euskera, en los modelos D y B.

d) Es también problemática la existencia de material didáctico y textos adecuados para continuar la escolarización en euskera dentro del nivel de enseñanza secundaria.

Bilingüismo en la Universidad (UPV/EHU)

Según el informe correspondiente al I Plan Quinquenal de Normalización del Euskera en la Universidad (1998), las previsiones para los últimos siete años hacían pensar que se iba a incrementar en 441 el número de profesores bilingües, de los cuales 295 serían nuevas contrataciones y 146 corresponderían a reciclaje de profesores en ejercicio. Las previsiones se han cumplido parcialmente: nuevas contrataciones bilingües (361); pero el reciclaje de profesores en ejercicio solo fue de 41 (27 por 100 de lo previsto). Por otra parte, el porcentaje de asignaturas que se imparte en euskera en la UPV/EHU tiene diferentes ritmos.

Conforme a estos datos, un 55,5 por 100 de las asignaturas obligatorias de la UPV se cursan en la actualidad en lengua vasca, o lo que es lo mismo, respecto a los alumnos, de los 60.000 que estudian en la UPV, aproximadamente un 20 por 100 de ellos lo hacen en euskera, es decir, unos 14.000. A pesar de los innegables avances, todavía hay muchas carreras que no pueden estudiarse en euskera.

El porcentaje de alumnos que se matriculan en carreras en euskera ha sufrido un incremento de un punto en cada uno de los últimos casos.

Pero si comparamos con el porcentaje de alumnos que se inscriben en euskera para la prueba de selectividad, comprobaremos que solamente un 60 por 100 de los alumnos que realizan la selectividad en euskera se matriculan en grupos bilingües, es decir, dos de cada tres alumnos. La explicación de la diferencia entre los alumnos inscritos en la selectividad en lengua vasca y los matriculados en primer año de carrera hay que buscarla en varias vías: por un lado, se puede deber a que existen alumnos repetidores de otros años, que se inscriben en primer curso, y por otra parte, a que un determinado porcentaje de alumnos que han estudiado en euskera no encuentra la oferta adecuada para seguir sus estudios en lengua vasca, y también debido a otro tipo de factores, como la oferta laboral, etc.

Siguiendo este II Plan de Normalización del Euskera de la UPV, en la Universidad van a existir cuatro tipos de carreras o estudios, según el grado de intensificación del euskera en cada una de ellas. Habrá estudios del «modelo A», con 22 carreras, como Historia, Magisterio, Informática, Derecho, etcétera, que seguirán las enseñanzas totalmente en euskera, y en el otro extremo estarán las carreras del «modelo D», con un tercio de las materias en euskera, como en el caso de Topografía, Odontología, etc.

Para cumplir con estas propuestas serán necesarios 230 nuevos profesores bilingües, que se añadirán a los 764 profesores actualmente capacitados para la enseñanza en euskera (el 23 por 100 del total). El número de profesores vascohablantes ha pasado de 481 en el curso 1992-1993 a los 764 del curso 1998-1999. ¿Cómo se van a cubrir esas 230 nuevas plazas en euskera? Los cálculos realizados por los responsables del II Plan de Normalización tienen previstas las siguientes vías: las nuevas contrataciones, las jubilaciones, liberaciones para el reciclaje, y la incentivación y becas para el aprendizaje del euskera.

Sin embargo, a pesar de las previsiones de los realizadores del plan, la cuestión que permanece en el aire es la que tiene que ver con el grado de cumplimiento de estos plazos, puesto que tampoco en el I Plan se cubrieron las 146 plazas previstas de profesores que se iban a reciclar, porque solamente lo hicieron 41 docentes. La reconversión del profesorado de la UPV en docentes bilingües choca con grandes dificultades.

Respecto a la producción de textos de clase, hasta la fecha, según el II Plan de Normalización del Euskera, se han editado 65 títulos, cifra muy por debajo de las necesidades de una docencia universitaria en lengua vasca. Al parecer, a partir de ahora se destinarán anualmente 120.000 euros más que lo acordado anteriormente. Pero de todas maneras, da la impresión de que con esa cantidad no va a ser posible alcanzar un ritmo de producción en euskera capaz de servir de soporte a su enseñanza. Formación del profesorado y material en euskera son las grandes dificultades con las que se encuentra la enseñanza bilingüe en la Universidad.

Algunos resultados: evaluación de la educación bilingüe

Los años transcurridos desde la inicial implantación del sistema educativo bilingüe son ya suficientemente extensos como para comenzar a extraer conclusiones. Es bien cierto que el problema se halla aún en plena evolución, y que muchas de las evaluaciones tienden a describir y explicar un estado de cosas muy sujeto al particular contexto demográfico, cultural y socioeducativo de la población muestral elegida y aun del propio momento, frecuentemente alterado para cuando se hacen públicos los resultados. Las diversas fluctuaciones se hacen por ello, con frecuencia, acreedoras de una reinterpretación en términos de su adecuación al contexto educativo real. No se puede negar, con todo, que se viene acumulando evidencia empírica suficiente para, con alguna garantía, atribuir corrección y consistencia a los diversos resultados relativos al *output* del sistema educativo en relación a los objetivos de normalización lingüística. Las preguntas clave son, a este respecto, bien conocidas:

¿aprenden euskera (además de castellano) los alumnos y alumnas de la Comunidad Autónoma?; ¿hacen uso de la lengua aprendida, tanto en contextos escolares como extraescolares? La escolarización ha de responder, naturalmente, a muchos otros objetivos además de estos dos, propios de la normalización lingüística: tanto objetivos lingüísticos (aprendizaje de una o varias lenguas extranjeras y, particularmente, del inglés; promoción de actitudes lingüísticas favorables a mitigar conflictos, no a exacerbarlos) como extralingüísticos. Ninguna valoración global del esfuerzo normalizador puede prescindir, obviamente, de estas variables básicas del quehacer educativo. Dado el tema específico de este análisis nos centraremos, sin embargo, en las dos preguntas iniciales. Y aun esto lo haremos de manera muy resumida.

Nivel de euskera y de castellano

Empezando por lo segundo, se viene contrastando de forma reiterada que los alumnos y alumnas de la Comunidad Autónoma tienen, por lo común, buen nivel de castellano. Dado el carácter difuso, poco operativo y esclarecedor de la expresión «buen nivel», convendrá precisar dicha afirmación. Así, y en términos generales, la evidencia disponible indica que la población escolar egresa de la Educación Primaria y Secundaria sabiendo hablar, leer y escribir en castellano con un nivel similar al de otras partes del Estado. A los iniciales estudios EIFE e HINE (B. Gabiña y otros, 1984; J. Sierra y otros, 1989, 1990, 1992) se han ido acumulando otros, como los promovidos por la INCE, que permiten contextualizar, matizar y perfilar lo inicialmente afirmado.

Que la escolarización de alumnos/as de lengua inicial castellana en líneas de modelo A tuviera esos resultados era una conclusión fácil de anticipar y, por ello, ha despertado escaso interés al margen de las consabidas instancias técnicas de evaluación. Mayor atención han recibido, por el contrario, los resultados de nivel de castellano de los alumnos y alumnas escolarizados en programas B y D de educación bilingüe: la bibliografía técnica generada en el país hasta el presente resalta que el perfil general de resultados parece asemejarse al prevalente en la mayoría de los contextos educativos sustentados en programas de inmersión.

Lo que probablemente constituye una conclusión más particular, menos asequible a una comparación internacional y por ello, quizá, más atentamente analizada en instancias especializadas, es que incluso los alumnos y alumnas de lengua inicial vasca, residentes en núcleos de población claramente euskaldún y escolarizados en aulas de modelo D, alcanzan, por lo general, un nivel de castellano cercano, aunque no igual, a la población escolar de lengua materna castellana. Hay diferencias en aspectos diversos de la competencia idiomática que los sucesivos análisis, según vayan avanzando en rigor y detalle, sin duda alguna reflejarán con creciente relieve.

Es más, se puede argumentar sin violentar la evidencia disponible que son esos alumnos y alumnas quienes mejor reflejan en muchos casos el objetivo final de un buen conocimiento práctico de ambas lenguas oficiales.

Lo recíproco, sin embargo, no se cumple con igual grado de generalidad. Existen diferencias muy grandes, mucho mayores que en castellano, en el nivel de conocimiento del euskera. No se trata, ciertamente, de un resultado inesperado, dada la enorme variedad existente en las situaciones reales de partida (desde alumnos o alumnas que acceden a la escuela sin apenas conocer castellano, hasta un sector muy amplio que desconoce inicialmente el euskera), los contextos de interacción verbal de los respectivos emplazamientos residenciales de los escolares (M. Zalbide, 1996) y las muy diferentes opciones dc *adquisition planning* (R. I. Cooper, 1996; B. Kaplan y R. Baldauf, 1997, págs. 122-152), que los tres modelos A, B y D comportan, es lógico que así suceda. Puestos a ofrecer una pequeña recapitulación podría decirse que:

a) Los alumnos y alumnas de (co)lengua materna euskera, usualmente escolarizados en líneas de modelo D (en menor medida en modelo B, solo en ocasiones en A), alcanzan por lo general un nivel de euskera razonablemente bueno en sus aptitudes de lectoescritura; por primera vez en la historia conocida del país (salvados períodos breves o contextos y sectores muy singularizados) está emergiendo a la vida pública una juventud vasca que, además de saber hablar y leer en euskera con razonable desenvoltura y fluidez, dispone de un repertorio verbal expandido (en grado diverso, pero claramente perceptible) (M. Zalbide, 1999).

Lo que de inequívoca ganancia representa esta transformación ha de ser, no obstante, contrastado con la creciente desvinculación del habla juvenil actual de la lengua en estado «natural», no intervenido, de los registros locales y de sus exclusivos o prevalentes ámbitos de uso, apuntándose con ello un riesgo real de desconexión en tiempo, temática y lugar del tejido tradicional de interacción verbal, secularmente asentado en variedades dialectales o locales, así como la eventual repercusión en el uso extraescolar de la lengua.

Y queda, finalmente, por dilucidar el importante grado de erosión que padece, como ineludible corolario de la actual configuración de dominio de las lenguas en contacto (W. Weinreich, 1953), esta población escolar euskaldún en términos de *code-switching,* interferencia y, en general, dependencia cuasigeneral de referencias exoinnovadoras (particularmente notorio en los ámbitos informales, entre compañeros y compañeras de estudios, ocio y deporte), según pautas y condicionantes semejantes a los relatados para el caso catalán.

b) El nivel de adquisición y dominio del euskera va descendiendo, desde el prevalente en el alumnado recién tipificado, a medida que nos adentramos en otros colectivos escolares en quienes la ausencia del euskera como (co)lengua materna, o su escasa implantación en el entramado *familia, barrio residencial, círculos de amistad* y *compañeros de juego,* dificulta seriamente la virtualidad de la escuela como agente efectivo de euskaldunización. Por regla general, estos alumnos y alumnas alcanzan mayores progresos a nivel de comprensión que de producción lingüística: son muchos más quienes entienden, por poner un ejemplo, el contenido de un informativo de ETB1 o una entrevista en euskera en una de las numerosas (más de sesenta) revistas locales euskéricas, que quienes hablan o escriben en lengua vasca con razonable fluidez y riqueza expresiva; hay además, y esto es particularmente relevante para el tema objeto de análisis, un claro gradiente de adquisición de euskera según la escolarización se efectúe en modelo A (menor nivel de adquisición de la segunda lengua), modelo B (nivel superior al de modelo A, por lo común, pero con notoria variabilidad interna) o modelo D (máximo nivel de euskera en términos estadísticos). De la inicial confianza en las grandes virtudes potenciales del modelo A: se tiende a una minusvaloración excesiva de este, en términos y niveles que desde un análisis objetivo y razonadamente contextualizado sería difícil corroborar.

¿Cuál es, por lo tanto, la realidad: aprenden o no aprenden euskera los alumnos y alumnas de los diversos modelos? Aprenden, pero su nivel de dominio práctico, riqueza expresiva y amplitud de registros es muy diverso, siendo el modelo (A, B o D) en que han cursado o cursan sus estudios solo uno de los factores que intervienen en el resultado final. ¿Y cuántos lo aprenden bien? Hay datos reiterativos (Euskara Zerbitzua), discutibles y parciales, pero particularmente claros, que permiten valorar en términos numéricos cuál es la magnitud de la contribución del sistema escolar a la formación de una juventud con razonable nivel de competencia, oral y escrita, en euskera. Los exámenes anuales de EGA, a los que se presentan en buena proporción alumnos y alumnas del modelo D del último curso de la ESO, arrojan un balance anual de unas tres mil nuevas acreditaciones. Estos datos muestran una fuerte conexión entre obtención de certificación EGA, composición demolingüística del entorno y, proporción no suficientemente precisada, interacción de lengua materna y modelo de enseñanza bilingüe. A todo esto hay que añadir, para que nadie se llame a engaño, el valor crucial (pero difícil de cualificar) del coeficiente intelectual y del «don de lenguas» individual (conceptos estos dos últimos que distan de ser coextensivos) en el resultado final. Un análisis ponderado debería incluir, finalmente, una valoración real del proceso retrodinámico: la gradual pérdida de nivel de euskera una vez abandonada la escolaridad, en contextos (forzados o libremente elegidos) de uso insuficiente o nulo de la lengua. El hecho de que no se disponga de información fiable al respecto no nos puede hacer olvidar algo que la experiencia cotidiana se encarga de señalar con suficiente claridad.

Nivel de uso de la lengua

Vaya por delante, como corolario de lo indicado en el apartado anterior al hablar del nivel de castellano, que la tendencia de los alumnos a expresarse en dicho idioma, oralmente o por escrito, parece ajustarse a una configuración similar a la perceptible en el dominio de la lengua castellana en general. Su frecuencia, modulación y disponibilidad de registros viene determinada, por lo común, por los usuales criterios definidores de la interacción verbal en lenguas no sujetas a minoración.

Es nuevamente el uso del euskera por parte de esa población escolar el que muestra grandes diferencias, que precisan de mayor espacio y detalle para su descripción y, sobre todo, explicación en relación con criterios predictivos de razonable facilidad. Acogiéndonos de nuevo a lo más resumido cabe indicar, por lo que al uso escolar y extraescolar del euskera se refiere, que los alumnos y alumnas de lengua nativa vasca (escolarizados por lo común en aulas de modelo D, a veces B, incidentalmente A) se comunican en euskera con sus profesores dentro y fuera del aula. Durante los primeros años de escolaridad tienden igualmente a relacionarse en euskera con sus compañeros de escuela, aunque la concreta situación de cada caso (competencia idiomática real del propio alumno o alumna, nivel de fluencia en euskera del interlocutor, el propio tema de conversación y el contexto global de interacción con la correspondiente configuración de dominio de una u otra lengua) repercute con intensidad innegable en el *output* final.

En el caso de alumnos y alumnas de lengua materna castellana, parece ser el modelo D (o, en menor medida, B), la densidad de vascofonía del entorno próximo (no, necesariamente, la zona sociolingüística en general) y las características del interlocutor o de la red de interacción verbal quienes inciden con mayor contundencia en la cantidad y calidad del uso de la lengua vasca. La lengua de uso prevalente viene determinada, en definitiva, por un nutrido conjunto de factores, entre los cuales el nivel personal de competencia idiomática y los parámetros definidores de la situación de la configuración de dominio parecen tener una relevancia manifiestamente mayor que los elementos de carácter actitudinal o de motivación simbólica. Hablan en euskera los que saben (bien o bastante bien) con los que saben, en contextos en que hay oportunidad de hablar sin violentar a terceros y, sobre todo, precisión (asignada o convenida) de usar la lengua minoritaria. Estos condicionantes favorables al uso del euskera se concitan de forma abrumadora en la vida familiar netamente euskaldún, en pueblos y barrios con manifiesta vitalidad social de la lengua, en contextos formalmente definidos y promotores de forma consciente de su uso, como los centros de modelo D (o, en menor medida, B), en actividades extraescolares lúdicas, deportivas o formativas configuradas en particular en términos de dinamización del uso y, finalmente, en consumo cultural pasivo: programas de radio y televisión en euskera, lectura de libros, asistencia a obras de teatro, bertsolarismo y canción. Estos últimos contextos son en general más accesibles para sectores amplios de la actual población escolar, ya que precisan aplicar únicamente las destrezas pasivas de comprensión oral y/o lectura.

LA LENGUA VASCA EN LA ADMINISTRACIÓN

La utilización de la lengua ante los poderes públicos, con plenitud de efectos y posibilidades, es una de las consecuencias de su declaración de oficialidad, junto con su presencia en la enseñanza. Como no podía ser menos, entonces, el capítulo I del Título II («De las actuaciones de los Poderes públicos») de la Ley de Normalización y Uso del Euskera está dedicado al «Uso del euskera en la Administración pública dentro del ámbito territorial de la Comunidad Autónoma del País Vasco».

Artículo 6.—1.   Se reconoce a todos los ciudadanos el derecho a usar tanto el euskera como el castellano en sus relaciones con la Administración pública en el ámbito territorial de la Comunidad Autónoma, y a ser atendidos en la lengua oficial que elijan.

A tal efecto, se adoptarán las medidas oportunas y se arbitrarán los medios necesarios para garantizar de forma progresiva el ejercicio de este derecho.

[...]

Artículo 7.—1.   La inscripción de documentos en los Registros públicos dependientes de la Comunidad Autónoma, ya sean del Gobierno vasco, Entes autonómicos del mismo, Administraciones forales, Administración local, u otros, se hará en la lengua oficial en que aparezcan extendidos.

[...]

Artículo 8.—1.   Toda disposición normativa o resolución oficial que emane de los poderes públicos sitos en la Comunidad Autónoma del País Vasco deberá estar redactada en forma bilingüe a efectos de publicidad oficial.

[...]

3.   No obstante lo preceptuado anteriormente, los poderes públicos podrán hacer uso exclusivo del euskera para el ámbito de la Administración local, cuando en razón de la determinación sociolingüística del municipio no se perjudiquen los derechos de los ciudadanos.

Artículo 9.—1.   En sus relaciones con la Administración de Justicia, todo ciudadano podrá utilizar la lengua oficial de su elección, sin que se pueda exigir traducción alguna.

2.   Los escritos y documentos presentados en euskera, así como las actuaciones judiciales, serán totalmente válidas y eficaces.

3.   El Gobierno vasco promoverá, de acuerdo con los órganos correspondientes, la normalización del uso del euskera en la Administración de Justicia del País Vasco.

[...]

Artículo 12.—1.   El Gobierno regulará las condiciones para la obtención y expedición del título de traductor jurado entre las dos lenguas oficiales.

2.   Asimismo, creará el servicio oficial de traductores que estará a disposición de los ciudadanos y Entidades públicas de la Comunidad Autónoma, con el fin de garantizar la exactitud y equivalencia jurídica de las traducciones.

[...]

Artículo 14.—1.   A fin de hacer efectivos los derechos reconocidos en el artículo 6 de la presente ley, los poderes públicos adoptarán las medidas tendentes a la progresiva euskaldunización del personal afecto a la Administración pública en la Comunidad Autónoma del País Vasco.

2.   Los poderes públicos determinarán las plazas para las que es preceptivo el conocimiento de ambas lenguas.

3.   En las pruebas selectivas que se realicen para el acceso a las demás plazas de la Administración en el ámbito territorial de la Comunidad Autónoma del País Vasco, se considerará, entre otros méritos, el nivel de conocimiento de las lenguas oficiales, cuya ponderación la realizará la Administración para cada nivel profesional.

[IVAP, *Normativa sobre el euskera,* Servicio de Publicaciones del Gobierno Vasco, Gasteiz, 1986, págs. 14 y 15.]

Centrando ahora la atención en la Administración pública, tal como hemos visto, el artículo 6 de la ley reconoce a los ciudadanos el derecho de la utilización ante ella tanto del euskera como del castellano, y también a ser atendidos en la lengua que elijan. Se trata, por lo tanto, de una relación biunívoca, o en doble sentido, puesto que no se limita a reconocer la validez de lo que se realice, en euskera, ante la Administración, sino que obliga, asimismo, a que esta trabe la relación con el ciudadano en euskera. Para la Administración no es una oficialidad «pasiva», sino «activa», la que configura la ley.

Merece consideración, también, la regulación que en la Ley de Normalización del Euskera se contiene respecto a las actuaciones oficiales de los poderes públicos en el ámbito territorial de la Comunidad Autónoma Vasca. Así, en primer lugar, se dispone la redacción bilingüe de toda disposición normativa o resolución oficial a efectos de publicidad oficial (art. 8.1), lo que no constituye sino una consecuencia lógica y natural en las declaraciones de doble oficialidad. En este sentido, los boletines oficiales de la Comunidad Autónoma, del Parlamento vasco y de los tres Territorios históricos han optado por una publicación bilingüe simultánea, lo que parece la medida más correcta desde el punto de vista de la «normalización» del euskera.

Así, y por lo que se refiere al propio Parlamento vasco, el nivel de conocimiento del euskera por parte de los parlamentarios es semejante, quizá algo mayor, al de la población en general. En estas condiciones, para que los diputados que prefieran expresarse en euskera puedan hacerlo, cuando se reúne el Parlamento, funciona permanentemente un servicio de traducción simultánea.

Como ya hemos señalado, en las relaciones con el público, la Administración vasca utiliza, simultáneamente, ambas lenguas, sobre todo en lo que se refiere a textos escritos y, por lo tanto, también en euskera. Para hacerlo posible, aparte de los servicios de traducción de documentos, se ha realizado un gran esfuerzo para aumentar la competencia en euskera de los funcionarios. De ahí que existan ya departamentos administrativos del Gobierno que, en gran parte, funcionan, internamente, en euskera de manera general.

Aun cuando no podamos afirmar, todavía, que en la Administración vasca el euskera sea su lengua principal, la producción y el manejo de documentación en euskera va aumentando considerablemente, y con ello la necesidad de un dominio de la lengua vasca por parte de los funcionarios. Para responder a este hecho, en 1983 se crea el Instituto Vasco de Administración Pública, con la doble finalidad, entre otras, de desarrollar y crear el lenguaje administrativo en euskera, y de aumentar la competencia en euskera de los funcionarios. Y es que el artículo 14 de la ley, en su apartado primero, y con la finalidad de hacer efectivos los derechos lingüísticos de los ciudadanos, prevé «la progresiva euskaldunización del personal afecto a la Administración pública en la Comunidad Autónoma Vasca». Cuando se promulgó este artículo 14 de la ley fue recurrido, pero el Tribunal Constitucional no apreció contradicción alguna con el Texto constitucional.

Posteriormente, esta previsión legal ha sido objeto de parcial desarrollo normativo. En efecto, el Decreto 25/1986, de noviembre, está dedicado al uso y normalización del euskera en las Administraciones públicas de la Comunidad Autónoma del País Vasco. En este decreto se recoge la necesidad de fijar los «perfiles lingüísticos» de todos los puestos de trabajo por parte de la Viceconsejería de Política Lingüística, en colaboración con el Instituto Vasco de Administración Pública, de tal manera que «las relaciones de puestos de trabajo de las diversas Administraciones públicas incluirán, entre las características esenciales de los mismos, las relativas al conocimiento del euskera para el desempeño de la función» (art. 6.2) (E. Cobreros, 1989, págs. 110-129). Los criterios de definición de los perfiles lingüísticos serán los siguientes:

a) Número y porcentaje de vascohablantes en los municipios (estratificados por comarcas en cinco grupos, según el respectivo número de vascohablantes).
b) Grado de aproximación del puesto de trabajo respecto al público.
c) Red de relaciones del puesto de trabajo respecto al público.
d) Carácter y especificación de las funciones a desempeñar.
e) Nivel del puesto de trabajo y número de personal dependiente.
f) Análisis de la producción escrita.
g) Carácter y tipología del servicio en el que se ubica.
[Artículo 10.]

Los objetivos mínimos a alcanzar según este decreto son, resumidamente, los siguientes:

a) En los municipios enclavados en comarcas cuyo número de vascohablantes sea inferior al 20 por 100, tendrá que haber un número suficiente de empleados bilingües para garantizar las relaciones en la lengua elegida por el administrado.

b) En aquellos ubicados en comarcas cuyo número de vascohablantes se sitúe entre el 20 y 40 por 100, así como en los municipios de Bilbao y Vitoria y la Administración foral de Álava, además de cumplir el objetivo anteriormente indicado, se deberán tramitar los escritos en la lengua en que sean presentados, y para ello se crearán circuitos bilingües en todos los Servicios y Unidades administrativas de carácter general y de carácter social (enseñanza, difusión cultural, mercados, oficinas de información, asistencia social, protección civil, seguridad ciudadana y aquellos Servicios de ámbito intraadministrativo como servicio de personal u organización).

c) En los que el número de vascohablantes sea de un 40 a un 60 por 100 y en la Administración foral de Bizkaia, además de cumplir los objetivos anteriormente señalados, se crearán circuitos bilingües en la totalidad de Servicios y Unidades administrativas.

d) En los que el número de vascohablantes se sitúe entre el 60 y el 80 por 100, así como en el municipio de San Sebastián, la Administración foral de Gipuzkoa y la Administración general de la Comunidad Autónoma, aparte de cumplir los objetivos ya descritos, se habilitará a los Servicios y Unidades administrativas de carácter general y social para que funcionen totalmente de un modo bilingüe.

e) Finalmente, en las comarcas cuyo número de vascohablantes fuere superior al 80 por 100 se habilitará a todos los Servicios y Unidades administrativas para que funcionen totalmente de un modo bilingüe.

Posteriormente, estas previsiones normativas se han concretado en el correspondiente Decreto de Perfiles Lingüísticos que fija y determina los niveles de competencia lingüística requeridos para el desempeño de cada puesto en las Administraciones públicas en el País Vasco (E. Cobreros, 1989).

Por último, solo queda por señalar que el peso de la tarea de euskaldunizar la Función pública recae sobre el Instituto Vasco de Administración Pública y la Viceconsejería de Política Lingüística (Consejería de Cultura), verdadero órgano clave en el proceso de impulso para la normalización de la lengua vasca.

Por lo que se refiere a la presencia del euskera en la Administración de Justicia, la ley, en sus dos primeros párrafos, aplica doble oficialidad. Por su parte, la Ley Orgánica del Poder Judicial, de 1 de julio de 1985, dedica un precepto, el artículo 231, a concretar y precisar más el alcance de la oficialidad lingüística en las «actuaciones judiciales». En este artículo se sienta el principio de que «en todas las actuaciones judiciales, los Jueces, Magistrados, Fiscales, Secretarios y demás funcionarios de Juzgados y Tribunales usarán el castellano, lengua oficial del Estado». Ahora bien: estas autoridades y funcionarios «podrán usar también la lengua oficial propia de la Comunidad Autónoma, si ninguna de las partes se opusiera, alegando desconocimiento de ella que pudiere producir indefensión» (E. Cobreros, 1989, págs. 125-126).

La lengua vasca en los medios de comunicación y en la producción cultural

Ya en la Constitución española se expresa el pluralismo lingüístico en los medios públicos de comunicación social. En efecto, «La ley regulará la organización y el control parlamentario de los medios de comunicación social dependientes del Estado o de cualquier ente público y garantizará el acceso a dichos medios de los grupos sociales y políticos significativos, respetando el pluralismo de la sociedad y de las diversas lenguas de España» (art. 20.3, CE).

Para este aspecto debe considerarse, en primer lugar, el Estatuto de la Radio y Televisión, entre cuyos principios se encuentra el del «respeto al pluralismo lingüístico, religioso, social, cultural y lingüístico» (art. 4c). Ahora bien: en ocasiones, el cumplimiento de la normativa queda lejos de la realidad; por lo que se refiere al euskera, la RTVE opera, prácticamente, como si estuviera en un entorno monolingüe, en castellano, y no bilingüe. Parece que ha habido, más bien, un reparto de cometidos, dejando para los medios de titularidad autonómica lo relacionado con la lengua propia del País Vasco.

Lo anterior nos da pie a tratar ya los medios de comunicación cuya titularidad corresponde a la Comunidad Autónoma Vasca. Efectivamente, «el País Vasco podrá regular, crear y mantener su propia televisión, radio y prensa y, en general, todos los medios de comunicación social para el cumplimiento de los fines» (art. 19.3 del Estatuto vasco), si bien dentro del marco delimitado por las normas básicas del Estado en materia de medios de comunicación social y respetando, en todo caso, lo dispuesto en el artículo 20 de la Constitución Española (art. 19.1 del Estatuto vasco).

Con directa invocación de esta posibilidad, estatutariamente reconocida, el Parlamento vasco dictó la ley de creación del Ente Público Radio Televisión Vasca, y la Euskal Telebista (EITB) comenzó sus emisiones el 1 de enero de 1983. Con posterioridad, la Ley Básica de Normalización y Uso del Euskera también dedica un capítulo al uso del euskera en los medios de comunicación social. Actualmente la EITB cuenta con dos canales autonómicos, uno de ellos, ETB1, emite solo en euskera, mientras que el otro, ETB2, lo hace básicamente en castellano, con alguna presencia del euskera. Los telespectadores vascos pueden optar entre estas dos emisiones y las dos de la televisión estatal (RTVE), además de las cadenas privadas, todas ellas en castellano. La Televisión vasca se capta en toda Euskal Herria, además del País Vasco, en Navarra y en el País Vascofrancés, y su influencia sobre el proceso de recuperación de la lengua es considerable, aumenta su prestigio y constituye un apoyo inestimable para los que se esfuerzan por aprenderla; al mismo tiempo, consagra la vigencia del *euskara batua,* la lengua unificada, por encima de las diferencias dialectales (M. Siguán, 1992).

En cuanto a la radiodifusión, algunas de las emisoras instaladas en el País Vasco emiten total o parcialmente en euskera. Entre ellas cabe citar Euskadi Irratia (Radio Euskadi), emisora dependiente del Gobierno autónomo vasco y que cubre todo el territorio lingüístico vasco. Tiene una audiencia de más de 60.000 oyentes. Emiten también en euskera Radio Popular (Loyola), que difunde más de la mitad de su programación en esa lengua; Radio Popular (San Sebastián), también en euskera, y Radio Gasteiz (Vitoria), unas horas diarias de programación.

Revistas, libros y otras publicaciones

Disponemos de los datos de publicación de libros en euskera hasta el año 2000, que son los siguientes:

Tabla 80

	N.º	(%)
Enseñanza y educación	509	33,5
Infantil y juvenil	371	24,5
Ciencias Humanas y Sociales	256	16,8
Literatura	256	16,8
Ocio	49	3,2
Ciencia y Técnica	59	3,9
Religión, Teología	13	0,9
Otros	6	0,4
TOTAL	1.519	100,0

Fuente: J. M. TORREALDAY, «Euskal liburugintza 2000», en *Jakin,* 128 (2001), págs. 11-126.

Si comparamos la evolución de la producción editorial desde 1990 hasta el año 2000, podemos observar:

Tabla 81

Año	Libros en euskera
1990	1.044
1991	1.106
1992	1.000
1993	1.173
1994	1.106
1995	1.260
1996	1.097
1997	1.229
1998	1.458
1999	1.589
2000	1.519

Fuente: J. M. TORREALDAY, art. cit., pág. 16.

Tabla 82

Año	Índice de evolución de títulos (%)
1990-1991	5,9
1991-1992	–9,6
1992-1993	17,3
1993-1994	–5,7
1994-1995	13,9
1995-1996	–12,9
1996-1997	12,0
1997-1998	18,6
1998-1999	8,9
1999-2000	–4,4

Fuente: Ibídem, pág. 17.

COMUNIDAD FORAL DE NAVARRA/NAFARROA FORU ERKIDEGOA

CARACTERIZACIÓN GENERAL: DATOS MORFOLÓGICOS, DEMOGRÁFICOS Y ESTRUCTURA POLÍTICA

Navarra, situada al norte de la Península, ocupa 10.420 km² y su población es de 437.200 habitantes. Como ya hemos señalado, desde el punto de vista lingüístico y cultural está estrechamente ligada a los otros territorios donde también se habla euskera, esto es, la Comunidad Autónoma Vasca y el País Vasco Norte (Vascofrancés), y forma parte, por lo tanto, de lo que se denomina Euskal Herria.

El Estatuto de Autonomía de Navarra fue promulgado en 1982; hay que decir que, significativamente, además, se denomina Ley Orgánica de Reintegración y Amejoramiento del Régimen Foral de Navarra, para indicar que no es una novedad, sino que es la articulación definitiva de un régimen jurídico singular que Navarra ha mantenido desde la Edad Media y que se mantuvo vigente, a diferencia del País Vasco, incluso durante el régimen franquista. En virtud de su Estatuto, Navarra goza de un régimen especial en materia fiscal y económica. La capital del territorio es Pamplona, donde se asientan el Gobierno autónomo y el Parlamento navarros.

En el territorio navarro la lengua vasca se ha mantenido en una zona, al norte, en el Pirineo, y de ahí que se hayan establecido varias zonas lingüísticas diferenciadas dentro del ámbito navarro, a las que se aplican medidas de política lingüística también, como veremos más adelante, diferenciadas.

MARCO LEGAL: LEY ORGÁNICA DE REINTEGRACIÓN Y AMEJORAMIENTO DEL RÉGIMEN FORAL DE NAVARRA (1982), LEY DEL VASCUENCE DE NAVARRA (1986) Y DECRETO FORAL POR EL QUE SE REGULA EL USO DEL VASCUENCE EN LAS ADMINISTRACIONES PÚBLICAS DE NAVARRA (2000-2001)

En el caso de la Comunidad Foral de Navarra se aprueba en 1982 la Ley Orgánica de Reintegración y Amejoramiento del Régimen Foral de Navarra; en ella, y concretamente en el artículo 9, se establece en materia lingüística, explícitamente, lo siguiente:

Artículo 9.—1.   El castellano es la lengua oficial de Navarra.
2.   El vascuence tendrá, también, carácter de lengua oficial en las zonas vascohablantes de Navarra.

Una ley foral determinará dichas zonas, regulará el uso oficial del vascuence y, en el marco de la legislación general del Estatuto, ordenará la enseñanza de esta lengua (IVAP, 1986, pág. 21).

Como a simple vista se puede apreciar, la Ley Orgánica de Reintegración y Amejoramiento del Régimen Foral de Navarra es mucho más restrictiva que el Estatuto de Autonomía en cuanto al reconocimiento de la oficialidad del euskera. En efecto, el marco autonómico privativo de Navarra ya deja sentado, por un lado, que la única lengua oficial en todo su territorio es la común del Estado, es decir, el castellano, y, por otro, que la oficialidad del euskera queda confinada a determinadas zonas (aquellas en las que, usualmente, se venga utilizando). «Pero, además, este precepto se desmarca de sus análogos en otros Estatutos de Autonomía, en primer lugar, porque son calificadas de lengua propia al euskera [será el art. 2.1 de la Ley del Vascuence (1986) y la que declare el castellano y el vascuence como lenguas propias de Navarra] y, en segundo lugar, porque no establece, por sí mismo, la doble oficialidad lingüística, sino que tal efecto queda diferido a la actuación posterior del legislador autonómico» (E. Cobreros, 1989, pág. 143).

De acuerdo con estas disposiciones, el Parlamento navarro aprobó en diciembre de 1986, cuatro años después de la del Estatuto, la Ley Foral del Vascuence, que fue así la última de las leyes lingüísticas de normalización de las Comunidades Autónomas con lengua propia en aprobarse. Este retraso fue consecuencia de las dificultades que se tuvieron para llegar a un texto consensuado, lo que al fin no se pudo conseguir, ya que ninguno de los diputados representantes de los partidos nacionalistas vascos llegó a votar a favor de esta ley, por considerarla insuficiente.

Las diferencias de puntos de vista responden a las divergencias de planteamiento en torno a lo que representa Navarra y el euskera, como parte integrante de Euskal Herria, actitud esta defendida por los nacionalistas vascos y no compartida por los representantes de otros partidos que entienden que la expansión del euskera no tiene por qué ser tarea prioritaria del Gobierno navarro. No puede ser calificada como una ley fruto del consenso, a diferencia de otras leyes de esta misma categoría en otras Comunidades Autónomas con lengua propia.

Un análisis del contenido de la Ley del Vascuence en Navarra pone de manifiesto una serie de características destacables que vamos a examinar. En el Preámbulo de la ley se indica que dentro del patrimonio cultural de las Comunidades las lenguas ocupan un lugar preeminente. Su carácter instrumental de vehículo de comunicación humana por excelencia hace de ellas un soporte fundamental de la vida social, un elemento de identificación colectiva y, además, un factor de convivencia y entendimiento entre los miembros de la sociedad. Al mismo tiempo, las lenguas son símbolo y testimonio de la historia propia, en la medida que recogen, conservan y transmiten, a lo largo de generaciones, la experiencia colectiva de los pueblos que las emplean.

La condición dinámica del fenómeno lingüístico y la complejidad y variedad de los factores que en él intervienen han dado lugar históricamente a continuas fluctuaciones en lo que a implantación de las lenguas de las Comunidades se refiere: la expansión de unas y el retroceso de otras, forzados en ocasiones por motivos de orden extralingüístico, son sin duda las más significativas. En estos cambios han intervenido frecuentemente actitudes opuestas a las que fundamentan el hecho comunicativo, propiciadas por quienes atribuyen erróneamente a las lenguas un poder desintegrador o no alcanzan a ver la riqueza última que esconde la pluralidad de lenguas.

Aquellas Comunidades que, como Navarra, se honran en disponer en su territorio de más de una lengua, están obligadas a preservar ese tesoro y evitar su deterioro o su pérdida. Pero la protección de tal patrimonio no puede ni debe ejercerse desde la confrontación u oposición de las lenguas, sino, como establece el artículo 3.3 de la Constitución, reconociendo en ellas un patrimonio cultural que debe ser objeto de especial respeto y protección.

Sobre estos principios se asienta esta Ley Foral del Vascuence que viene a dar cumplimiento al referido mandato constitucional y a desarrollar las previsiones contenidas en el artículo 9, ya citado, de la Ley Orgánica de Reintegración y Amejoramiento del Régimen Foral de Navarra. La ley consta de un Título preliminar, dedicado a las «Disposiciones generales», del que nos ocuparemos aquí inmediatamente; un Título I, que se refiere al «Uso normal y oficial» y que se compone de cuatro capítulos; un Título II, dedicado a la *enseñanza* y que consta, también, de otros cuatro capítulos, y un Título III, dedicado a los medios de comunicación social, más una Disposición adicional, otra transitoria y otras finales.

Por lo que se refiere al Título preliminar, del que nos ocuparemos ahora, en sus «Disposiciones generales» se indica:

TÍTULO PRELIMINAR
Disposiciones generales

Artículo 1.—1.   Esta Ley Foral tiene por objeto la regulación del uso normal y oficial del vascuence en los ámbitos de la convivencia social, así como en la enseñanza.

2.   Son objetivos esenciales de la misma:

a)   Amparar el derecho de los ciudadanos a conservar y usar el vascuence y definir los instrumentos para hacerlo efectivo.

b)   Proteger la recuperación y el desarrollo del vascuence en Navarra, señalando las medidas para el fomento de su uso.

c)   Garantizar el uso y la enseñanza del vascuence con arreglo a principios de voluntariedad, gradualidad y respeto, de acuerdo con la realidad sociolingüística de Navarra.

3.   Las variedades dialectales del vascuence en Navarra serán objeto de especial respeto y protección.

Artículo 2.—1.   El castellano y el vascuence son lenguas propias de Navarra y, en consecuencia, todos los ciudadanos tienen derecho a conocerlas y usarlas.

2.   El castellano es la lengua oficial de Navarra. El vascuence lo es también en los términos previstos en el artículo 9 de la Ley Orgánica de Reintegración y Amejoramiento del Régimen Foral de Navarra y en los de esta Ley Foral.

Artículo 3.—1.   Los poderes públicos adoptarán cuantas medidas sean necesarias para impedir la discriminación de los ciudadanos por razones de lengua.

[...]

3.   La institución consultiva oficial a efectos del establecimiento de las normas lingüísticas será la Real Academia de la Lengua Vasca, a la que los poderes públicos solicitarán cuantos informes o dictáme-

nes consideren necesarios para dar cumplimiento a lo establecido en el apartado anterior.

Artículo 4.—Los ciudadanos podrán dirigirse a los Jueces y Tribunales, de acuerdo con la legislación vigente, para ser amparados en los derechos lingüísticos que se establezcan en esta Ley Foral.

Artículo 5.—1. A los efectos de esta Ley Foral, Navarra tiene:

a) Una zona vascófona, integrada por los términos municipales de: [...].

b) Una zona mixta, integrada por los términos municipales de: [...].

c) Una zona no vascófona, integrada por los restantes términos municipales.

2. La determinación realizada en el apartado anterior podrá ser objeto de revisión, con arreglo al procedimiento establecido en los artículos 9 y 20.2 de la Ley Orgánica de Reintegración y Amejoramiento del Régimen Foral de Navarra.

3. El Gobierno de Navarra ordenará periódicamente la elaboración de estudios de la realidad sociolingüística del vascuence, de los que dará cuenta al Parlamento.

En primer lugar, una «zonificación» del territorio de la Comunidad Foral, más matizada y más acertadamente de lo previsto en su Norma institucional básica —que, como ya se ha visto, solo hacía referencia a las «zonas vascoparlantes de Navarra» (en el art. 9.2) y, por lo tanto, permitía una primera interpretación, algo más simplista, basada en una bipartición entre aquellas y las que no lo fueran—, se divide en tres zonas, delimitadas por la relación de los términos municipales que comprende: la vascófona, la mixta y la no vascófona.

En segundo lugar, y directamente causado por lo dispuesto en el artículo 9.2 de la Ley Orgánica, la Ley del Vascuence de Navarra, sin romper su lógica interna en las «tres zonas», como ya veremos más adelante, dedica una especial atención a la enseñanza.

Por último, es una ley muy «habilitante» para el Gobierno de Navarra, en lo que respecta a la aplicación de sus preceptos, ya que faculta al Gobierno navarro para dictar cuantas disposiciones sean precisas.

Valorando, de forma general, la ley, podría decirse que «pese a que en algún lugar de esta ley se llega a usar la expresión "uso normal" (art. 1.1) y al hablar de "proteger la recuperación y el desarrollo del vascuence en Navarra" (art. 1.1b), de su entramado se desprende una finalidad más de mantenimiento o conservación del euskera en la Comunidad Foral que de puesta en marcha de un proceso de normalización lingüística en un régimen de bilingüismo efectivo: más de detener el proceso regresivo en el momento en que se toma esta iniciativa legislativa, que de impulsar una inversión del mismo» (E. Cobreros, 1989).

Pasando ahora a recoger algunas prescripciones establecidas por la Ley del Vascuence con carácter general, lo primero que se puede señalar son los

LA DIVERSIDAD DE LENGUAS EN ESPAÑA

objetivos que se propone: *a)* amparar el derecho de los ciudadanos a conocer y usar el vascuence y definir los instrumentos para hacerlo efectivo; *b)* proteger la recuperación y el desarrollo del vascuence, señalando las medidas para el momento de su uso; *c)* garantizar el uso y la enseñanza del vascuence con arreglo a principios de voluntariedad, gradualidad, respeto, de acuerdo con la realidad sociolingüística de Navarra (art. 1.2).

Se declara al castellano y al euskera lenguas propias de Navarra: aquel, además, oficial, con carácter general, y este, en los términos que se establecen en la ley (art. 2).

Por último, señalaremos que la Ley del Vascuence (1986) manifiesta especial preocupación por las variedades dialectales (art. 1.3), para cuya atención se encarga a la Institución Príncipe de Viana (Disposición adicional) y, sin reticencia alguna, señala a la Real Academia de la Lengua Vasca/*Euskaltzaindia* como la institución consultiva oficial a los efectos de establecimiento de las normas lingüísticas (art. 3.3) y prescribe su previo informe a efectos de toponimia (art. 8.2) (E. Cobreros, 1989, pág. 146).

Con fecha 11 de diciembre de 2000 se aprobó el Decreto Foral 372/2000, por el Parlamento navarro, que regula el uso del vascuence en las Administraciones públicas de Navarra *(BON,* 5-I-2001) y que acaba de iniciar su puesta en marcha, lo que ha provocado una respuesta muy negativa en el entorno euskaldún. A través de ella se vuelve a regular el uso del euskera en las Administraciones públicas de Navarra, tanto, y especialmente, en lo que afecta a la denominada zona vascófona de Navarra como a las otras zonas, la mixta y la no vascófona. Más adelante, en el apartado correspondiente a «La lengua vasca en la Administración», analizaremos lo que este hecho, es decir, la aprobación del decreto antedicho, supone de novedad en relación a la Ley del Vascuence de 1986 que hemos expuesto sucintamente más arriba.

CONOCIMIENTO Y USO DE LA LENGUA VASCA EN LA COMUNIDAD FORAL DE NAVARRA

En Navarra se aprovechó también el *Padrón de 1986* para recoger información lingüística, aplicándose el mismo cuestionario que en la CAV, es decir, utilizando la clasificación de «erdaldun» (no conoce el euskera), «cuasi-euskaldun» (conoce algo de euskera) y «euskaldun» (sabe hablar euskera). Los datos que exponemos aquí proceden de la *II Encuesta sociolingüística de Euskal Herria* realizada en 1996, junto con la CAV y el País Vasco Norte, y publicada en *La continuidad del euskera II* (1997) para Navarra. Asimismo he utilizado la última publicación de la Dirección General de Política Lingüística del Gobierno navarro, titulada *Euskera en Navarra (Datos sociolingüísticos del Censo de Población y Viviendas de 1991)* (1995).

Competencia lingüística

La décima parte (9,4 por 100) de los navarros son bilingües, otra décima parte (9,8 por 100) bilingües pasivos y la mayoría restante (80,6 por 100) monolingües en castellano.

Se han considerado cuatro grupos en función del grado de competencia lingüística que tienen los habitantes entre las dos lenguas en contacto, euskera y castellano, en la Comunidad Foral de Navarra:

- *Monolingües euskaldunes:* Hablan «bien» euskera y no hablan «bien» castellano. Representan únicamente el 0,2 por 100 de la población mayor de 15 años, unas 1.100 personas.
- *Bilingües:* Se desenvuelven «bien» o «bastante bien» tanto en euskera como en castellano. Este colectivo supone la décima parte de la población, el 9,4 por 100, alrededor de 41.000 personas.
- *Bilingües pasivos:* Saben hablar «algo» en euskera o, si no lo hablan, lo comprenden o leen «bien» o «bastante bien». Representan la décima parte de la población, el 9,8 por 100, unas 42.800 personas.
- *Monolingües erdaldunes:* Solo saben hablar castellano. Constituyen la mayoría de la población navarra, el 80,6 por 100, alrededor de 352.300 personas.

— *Competencia lingüística por zonas*

La zona lingüística vascófona difiere sustancialmente del resto de Navarra en lo que respecta a la competencia lingüística.

- En la zona *vascófona* más de la mitad de la población, el 57,6 por 100, es bilingüe y una minoría del 2,3 por 100 monolingüe euskaldún. Los bilingües pasivos suponen el 7,4 por 100 y los monolingües erdaldunes la tercera parte, el 32,7 por 100.
- En la zona *mixta,* por el contrario, la mayoría, el 81,6 por 100, es monolingüe erdaldún. El porcentaje de bilingües pasivos es del 13 por 100 y el de bilingües de solo el 5,4 por 100.
- En la zona *no vascófona* casi la totalidad de la población, el 93,2 por 100, es monolingüe erdaldún. Existe un porcentaje significativo de bilingües pasivos, el 6 por 100, y apenas hay bilingües, el 0,8 por 100.

Dos tercios de los bilingües, 27.500, viven en la zona vascófona, y del tercio restante, 12.200 en la zona mixta y 1.300 en la zona no vascófona.

Al comparar estos datos con los obtenidos en la *I Encuesta sociolingüística* realizada en 1991, cabe destacar que en cinco años:

- Ha aumentado el número de bilingües en unas 3.500 personas y el de bilingües pasivos en más de 20.000.
- Ha disminuido el número de monolingües euskaldunes en unas 1.600 personas y el de monolingües erdaldunes en cerca de 9.000.

Tabla 83

Competencia lingüística por zonas

	NAVARRA		Vascófona		Mixta		No vascófona	
	N.º hab.	(%)	N.º hab.	(%)	N.º hab.	(%)	N.º hab.	(%)
Monolingües euskaldunes....	1.100	0,2	47.700	2,3	—	—	—	—
Bilingües	41.000	9,4	27.500	57,6	12.200	5,4	1.300	0,8
Bilingües pasivos	42.800	9,8	3.500	7,4	29.600	13,0	9.700	6,0
Monolingües erdaldunes......	352.300	80,6	15.600	32,7	186.000	81,6	150.700	93,2
TOTAL	437.200	100	47.700	100	227.800	100	161.700	100

Fuente: Encuesta sociolingüística de 1996.

Competencia lingüística según la edad

Comienza a recuperarse el euskera en Navarra, con un considerable aumento de la proporción de bilingües entre los más jóvenes.

La evolución de la competencia lingüística en Navarra en función de la edad pone de manifiesto que tras un largo período de estancamiento, incluso con un ligero retroceso entre las personas de mediana edad, comienza a recuperarse el euskera entre los más jóvenes.

a) *Zona vascófona*

- Los monolingües euskaldunes son personas mayores de 50 años, por lo que tienden a desaparecer, tal como lo muestra la comparación con los datos de la *I Encuesta sociolingüística* realizada en 1991.
- Los bilingües constituyen el 63 por 100 de las personas mayores de 64 años y disminuyen al 58 por 100 entre las de 35 a 64 años y al 52 por 100 entre las de 25 a 34 años, pero entre los jóvenes de 16 a 24 años (nacidos en los años setenta) se invierte claramente la tendencia al aumentar al 59 por 100. Además, según los datos del *Censo de 1991,* esta tendencia se fortalece entre quienes tienen ahora de 10 a 15 años (nacidos en los ochenta), pues el 70 por 100 de ellos son bilingües.
- Prácticamente no existen bilingües pasivos entre las personas de 50 o más años, pero su número aumenta considerablemente al disminuir la edad, hasta alcanzar el 16 por 100 entre quienes tienen de 16 a 24 años.
- Los monolingües erdaldunes, tras obtener su cota máxima, el 40 por 100, entre las personas de 50 a 64 años, experimentan un retroceso importante, descendiendo al 25 por 100 entre los jóvenes de 16 a 24 años.

Por lo tanto, en la zona vascófona, los bilingües constituyen clara mayoría entre los jóvenes menores de 25 años y los monolingües erdaldunes tienden a ser un colectivo cada vez más minoritario.

b) *Zona mixta*

- La proporción de bilingües se mantiene constante, en torno al 5 por 100, entre las personas mayores de 34 años y comienza a aumentar levemente por debajo de dicha edad, al 6 por 100 entre los jóvenes de 25 a 34 años y al 7 por 100 entre los de 16 a 24 años. Ahora bien: entre los menores de 16 años el aumento de la proporción de bilingües es verdaderamente importante, pues según los datos del *Censo de 1991* el 13 por 100 de los que ahora tienen de 10 a 15 años son euskaldunes.

- Los bilingües pasivos, tras aumentar del 7 por 100 entre los mayores de 64 años al 18 por 100 entre los de 35 a 49 años, experimentan un ligero retroceso entre los jóvenes, descendiendo al 12 por 100 entre los de 16 a 24 años.

- Los monolingües erdaldunes constituyen la mayoría en todos los grupos de edad, aunque disminuyen ligeramente del 88 por 100 entre las personas de 50 o más años a aproximadamente el 80 por 100 entre los menores de dicha edad.

c) *Zona no vascófona*

- Prácticamente no existen bilingües entre las personas mayores de 15 años, el 1 por 100 por término medio. No obstante, según el *Censo de 1991,* el 2,5 por 100 de los jóvenes de 10 a 15 años son bilingües, lo que implica un cambio cualitativo notable.

- No hay bilingües pasivos entre las personas de 50 o más años, pero entre los menores de dicha edad su proporción es de aproximadamente el 10 por 100 en todos los grupos de edad.

— *Características de los cuatro colectivos de competencia lingüística distinta*

Los *monolingües euskaldunes,* es decir, quienes hablan euskera y no hablan castellano, tienen como características que los definen que:

- Han nacido en la zona vascófona, de padres euskaldunes, y su primera lengua ha sido el euskera.
- Su entorno familiar y social es totalmente euskaldún y residen en zonas rurales.
- Son mayores de 50 años, la mayoría superan los 64 años, y principalmente hombres.
- Apenas tienen estudios.
- Están muy interesados por el euskera y son partidarios de promover su uso.

Los *bilingües,* que hablan tanto euskera como castellano, se caracterizan porque:

- La mayoría han nacido en la zona vascófona, de padres euskaldunes.
- La mayoría han tenido como primera lengua el euskera, aunque la cuarta parte tuvieron como primera lengua el castellano.
- Su entorno familiar es mayoritariamente euskaldún, pero no tanto su entorno social más próximo (amistades y trabajo).
- Tres cuartas partes viven en municipios de menos de 10.000 habitantes y el resto en zonas semiurbanas o urbanas.
- Están muy interesados por el euskera y son partidarios de su promoción.

Sin embargo, los bilingües de las zonas mixta y no vascófona tienen un perfil diferenciado. La mitad tiene menos de 35 años y como primera lengua el castellano, y la mayoría reside en zonas urbanas y en un entorno euskaldún.

Los *bilingües pasivos,* es decir, los que saben hablar algo de euskera, tienen como rasgos más específicos los siguientes:

- Han tenido como primera lengua el castellano, aunque para una minoría (14 por 100) su primera lengua fue el euskera o el euskera junto con el castellano.
- Tienen menos de 50 años, la mitad menos de 35.
- La gran mayoría viven en zonas mixta y no vascófona, la mitad en zonas urbanas.
- Su entorno social mayoritariamente habla en castellano.
- Su nivel de estudios es superior a la media y la inmensa mayoría han estudiado euskera al margen del sistema de enseñanza.
- En general están interesados por el euskera y son partidarios de la promoción de su uso.

Los *monolingües erdaldunes,* que ni hablan ni entienden el euskera, constituyen la mayoría de la población navarra, el 80,6 por 100, y se caracterizan porque:

- Su primera lengua ha sido el castellano.
- Su entorno familiar y social es mayoritariamente hablante de castellano.
- Residen en las zonas mixta y no vascófona.
- Una proporción importante (39 por 100) se muestra contraria a la promoción del uso del euskera, aunque la cuarta parte (27 por 100) se posiciona a favor y el tercio restante no se manifiesta claramente ni a favor ni en contra.

Tipología de bilingües

La cuarta parte de los bilingües de la zona vascófona se expresan con mayor facilidad en castellano que en euskera. En el resto de Navarra esa proporción se eleva a los dos tercios.

Los bilingües los podemos clasificar a su vez en tres categorías en función de su competencia lingüística relativa, es decir, según su mayor o menor facilidad para hablar en euskera o en castellano:

- *Bilingües con predominio del euskera:* Se expresan con mayor facilidad en euskera que en castellano. Constituyen el 32,7 por 100 de los bilingües de la Comunidad Foral.
- *Bilingües equilibrados:* Tienen la misma facilidad para hablar en los dos idiomas. Representan el 28,9 por 100 de los bilingües.
- *Bilingües con predominio del castellano:* Se expresan con mayor facilidad en castellano. Aunque por escaso margen, con el 38,4 por 100, constituyen el grupo más numeroso.

Esta clasificación es muy importante porque, como se verá al analizar el uso del euskera, la facilidad con la que se expresan los bilingües en cada uno de los dos idiomas condiciona en gran medida la elección lingüística.

La competencia lingüística relativa varía sustancialmente por zonas lingüísticas:

- En la zona vascófona el 42,4 por 100 de los bilingües se expresan mejor en euskera, el 30,7 por 100 con la misma facilidad en ambos idiomas y el 26,8 por 100 restante con mayor facilidad en castellano.
- En la zona mixta, por el contrario, casi dos tercios de los bilingües (61,5 por 100) se expresan mejor en castellano, la cuarta parte (24,8 por 100) con igual facilidad en ambos idiomas y el 13,7 por 100 mejor en euskera.
- En la zona no vascófona la distribución es similar a la de la zona mixta, salvo en que solo el 5,9 por 100 se expresa mejor en euskera.

Tabla 84

Tipología de bilingües por zonas

	NAVARRA		Vascófona		Mixta		No vascófona	
	N.º hab.	(%)	N.º hab.	(%)	N.º hab.	(%)	N.º hab.	(%)
Bilingües	41.000	100	27.500	100	12.200	100	1.300	100
Con predominio del euskera....	137.400	32,7	11.600	42,4	1.700	13,7	100	5,9
Equilibrado................................	11.900	28,9	8.500	30,7	3.000	24,8	400	29,3
Con predominio del castellano	15.700	38,4	7.400	26,9	7.500	61,5	800	64,8

Fuente: Encuesta sociolingüística de 1996.

Como tendencia general en el conjunto de Navarra, al disminuir la edad, aumenta la proporción de bilingües que se expresan mejor en castellano y disminuye la de quienes se expresan mejor en euskera. No obstante, en la zona vascófona se invierte la tendencia entre los más jóvenes.

En la zona *vascófona* el porcentaje de bilingües que se expresan mejor en euskera es de aproximadamente el 50 por 100 entre los mayores de 50 años y experimenta un descenso importante entre los menores de dicha edad, hasta el 29 por 100, entre los de 25 a 34 años, pero entre los jóvenes de 16 a 24 años se invierte la tendencia y aumenta al 35 por 100.

A su vez, el porcentaje de bilingües que se expresan mejor en castellano aumenta al disminuir la edad, del 18 por 100 entre los mayores de 50 años, al 44 por 100 entre los de 25 a 34 años, invirtiéndose la tendencia entre los jóvenes de 16 a 24 años, con un descenso de 10 puntos.

En la zona *mixta* quienes se expresan mejor en euskera constituyen algo más de la tercera parte de los bilingües mayores de 64 años, pero disminuyen de forma importante con la edad, hasta desaparecer prácticamente entre los menores de 35 años.

Por su parte, los bilingües que se expresan mejor en castellano aumentan de forma constante al disminuir la edad, del 38 por 100 entre los mayores de 64 años al 78 por 100 entre los menores de 35 años.

La proporción de bilingües que se expresan con igual facilidad en ambos idiomas, tras alcanzar un máximo del 32 por 100 entre las personas de 35 a 49 años, desciende y se estabiliza en torno al 20 por 100 entre los menores de 35 años.

En la zona *no vascófona,* debido a que el porcentaje de bilingües es de solo el 0,8 por 100, no existen efectivos suficientes en la muestra como para analizar con garantías la evolución de la distribución de los tres tipos bilingües con la edad. No obstante, se puede afirmar que quienes se expresan mejor en castellano constituyen la gran mayoría de los bilingües en todos los grupos de edad.

Al considerar únicamente los bilingües más jóvenes, de 16 a 24 años, observamos que:

- En la zona vascófona son mayoría y gran parte se expresan mejor en euskera o con la misma facilidad en ambos idiomas.
- En el resto de Navarra siguen siendo todavía muy minoritarios y tienen mayor facilidad para hablar en castellano.

La diferencia es sustancial y tiene su reflejo en el uso del euskera por parte de los más jóvenes, pues la competencia lingüística relativa y la densidad de bilingües en el entorno, como veremos más adelante, son factores determinantes en el uso.

Transmisión lingüística

En el primer apartado se ha analizado el grado de conocimiento de euskera de la población navarra mayor de 15 años. En este segundo apartado se va a analizar la transmisión lingüística, para lo cual se van a considerar las siguientes características:

- Lengua materna o primera lengua.
- Transmisión familiar del euskera.
- Movilidad lingüística, incidiendo en las pérdidas e incorporaciones al euskera.

— *Lengua materna o primera lengua*

Salvo en la zona vascófona, el castellano ha sido la primera lengua de casi la totalidad de los ciudadanos navarros.

Se entiende por lengua materna o primera lengua la aprendida antes de los tres años, y se pueden distinguir tres grupos según cuál haya sido la primera lengua de los habitantes:

- El 8,3 por 100 de los navarros, alrededor de 36.400, han tenido como primera lengua *el euskera*.
- El 1,8 por 100, unos 8.000, han tenido como primera lengua *el euskera junto con el castellano*.
- El 89,8 por 100 restante, alrededor de 392.800, han tenido *el castellano* como primera lengua.

El castellano ha sido la primera lengua de la inmensa mayoría de los habitantes, salvo en la zona vascófona:

- Desde casi la totalidad (99,3 por 100) en la zona no vascófona, en la que no llegan al 1 por 100 quienes han tenido como primera lengua el euskera o el euskera junto con el castellano.

Tabla 85

Primera lengua por zonas

	NAVARRA		Vascófona		Mixta		No vascófona	
	N.º hab.	(%)	N.º hab.	(%)	N.º hab.	(%)	N.º hab.	(%)
Euskera.............	36.400	8,3	26.400	55,4	9.600	4,2	400	0,2
Las dos..............	8.000	1,8	2.300	4,7	5.000	2,2	700	0,5
Castellano.........	392.800	89,8	19.000	39,9	213.200	93,6	160.600	99,3
TOTAL...............	437.200	100	47.700	100	227.800	100	161.700	100

Fuente: Encuesta sociolingüística de 1996.

- De la mayoría (93,6 por 100) en la zona *mixta,* donde el 4,2 por 100 han tenido como primera lengua el euskera y el 2,2 por 100 el euskera y el castellano.
- En la zona *vascófona,* por el contrario, más de la mitad de la población, el 55,4 por 100, ha tenido como primera lengua el euskera y el 4,7 por 100 el euskera junto con el castellano, mientras para el 39,9 por 100 la primera lengua ha sido el castellano.

Primera lengua según la edad

Tras experimentar un retroceso importante, entre los más jóvenes aumenta la proporción de quienes tienen como primera lengua el euskera o el euskera junto con el castellano, principalmente en la zona vascófona.

Según disminuye la edad, también lo hace de forma importante la proporción de personas que han tenido como primera lengua el euskera, del 11 por 100 entre las personas mayores de 64 años al 6 por 100 entre los jóvenes de 16 a 34 años, mientras se mantiene más o menos constante, en torno al 2 por 100, el porcentaje de personas que han tenido como primera lengua el euskera junto con el castellano.

Ahora bien: como en la encuesta hay información sobre la primera lengua de los hijos menores de 16 años de los encuestados, se constata que entre ellos se produce un incremento con respecto a la generación anterior de quienes tienen como primera lengua el euskera, del 6 al 8 por 100, y de quienes tienen como primera lengua el euskera junto con el castellano, del 1 al 4 por 100.

- En la zona *vascófona* el cambio de tendencia se produce con anterioridad, entre los jóvenes de 16 a 24 años. Tras haber descendido el porcentaje de quienes han tenido como primera lengua el euskera del 67 por 100 entre las personas mayores de 64 años al 44 por 100 entre las de 25 a 34, aumenta al 51 por 100 entre los jóvenes de 16 a 24 años. Y entre los menores de 16 años se mantiene estable ese porcentaje, aunque aumenta el de quienes tienen como primera lengua el euskera junto con el castellano, del 8 al 12 por 100.
- En la zona *mixta,* tras haber descendido hasta casi desaparecer entre los jóvenes de 16 a 24 años quienes han tenido como primera lengua únicamente el euskera (1 por 100) o el euskera junto con el castellano (0 por 100), se invierte la tendencia entre los menores de 16 años, pues el 3 por 100 de ellos tienen como primera lengua el euskera y el 4 por 100 el euskera junto con el castellano.
- Y en la zona *no vascófona* se puede empezar a hablar de transmisión del euskera, pues entre los menores de 16 años el 1 por 100 tiene como primera lengua el euskera y el 2 por 100 el euskera junto con el castellano.

Este cambio de tendencia entre los más jóvenes es una muestra de la revitalización del euskera y es debido principalmente a que en la actualidad casi no existen pérdidas en la transmisión del euskera de padres a hijos, tal como veremos en el siguiente apartado.

Transmisión familiar del euskera

Aunque ha habido una pérdida importante en la transmisión del euskera de padres a hijos, sobre todo cuando uno de los padres no hablaba euskera, en la actualidad la pérdida es casi nula.

En la transmisión del euskera de padres a hijos se han producido pérdidas importantes en Navarra, principalmente cuando uno de los padres no sabía hablar euskera.

- Si tanto el padre como la madre sabían hablar euskera (11 por 100 de la población), el 65 por 100 transmitieron únicamente el euskera como primera lengua a sus hijos, el 7 por 100 el euskera junto con el castellano y en el 28 por 100 de los casos se perdió el euskera.
- Sin embargo, si solo uno de los dos sabía euskera (6 por 100 de la población), la mayoría, el 72 por 100, no transmitieron el euskera, el 15 por 100 transmitieron únicamente el euskera y el 14 por 100 el euskera junto con el castellano. La transmisión del euskera ha sido algo mayor cuando la madre sabía y el padre no, que en el caso contrario.

Tabla 86

Primera lengua según la competencia lingüística de los padres (%)

	¿Saben los padres euskera?		
NAVARRA	Los dos	Uno de los dos	Ninguno
Euskera 8	65	15	0
Las dos 2	7	14	0
Castellano.................. 90	28	72	100
TOTAL......................... 100	100	100	100

Fuente: Encuesta sociolingüística de 1996.

La pérdida del euskera en la transmisión familiar ha sido menor en la zona vascófona que en el resto de Navarra:

- En la zona vascófona se ha perdido el euskera en el 11 por 100 de los casos si los dos padres sabían hablar euskera y en el 63 por 100 si solo sabía uno.

- En la zona mixta, en el 49 y 75 por 100 de los casos, respectivamente.
- Y en la zona no vascófona, no existen datos suficientes para analizar con garantías la pérdida en la transmisión familiar, pero probablemente haya sido mayor todavía en la zona mixta.

Los datos anteriores corresponden al total de personas encuestadas, cuya edad varía desde los 16 hasta los 80 o 90 años. Es decir, que se ha analizado la transmisión «promedio» del euskera de prácticamente todo el siglo XX. Ahora bien: al analizar la transmisión familiar del euskera en los años ochenta y primeros de los noventa, a partir de la primera lengua de los hijos menores de 16 años de las personas encuestadas, se constata que en la actualidad apenas se producen pérdidas en la transmisión del euskera.

- Cuando el padre y la madre saben hablar euskera, no se produce prácticamente pérdida en la transmisión, solo el 2 por 100, y casi la totalidad, el 93 por 100, transmiten solo el euskera como primera lengua. El 5 por 100 restante transmiten el euskera junto con el castellano.
- Si solo sabe euskera uno de los dos, se pierde el euskera en el 20 por 100 de los casos. El 44 por 100 transmiten únicamente el euskera y el 37 por 100 el euskera junto con el castellano.

Apenas hay diferencias en la actual transmisión del euskera de padres a hijos por zonas lingüísticas, salvo que en la zona vascófona se transmite únicamente el euskera en proporción algo mayor todavía que en el resto de Navarra.

Por último, hay que resaltar un hecho bastante ilustrativo de los bajos niveles de pérdida en la transmisión del euskera en la actualidad. Los euskaldunberris, es decir, quienes han aprendido el euskera habiendo sido su primera lengua el castellano, están transmitiendo, con independencia de que su mujer o marido sepa hablar bien el euskera, en el 44 por 100 el euskera junto con el castellano, y la pérdida afecta solo al 16 por 100 de los casos.

— Movilidad lingüística

Las personas que han perdido el euskera (11.500) superan ligeramente a las que lo han aprendido (9.200).

La mayoría de las personas que han tenido como primera lengua únicamente el euskera o el euskera junto con el castellano son en la actualidad euskaldunes, casi en su totalidad bilingües y una minoría monolingües euskaldunes. Sin embargo, un porcentaje importante, el 26 por 100, unas 11.500 personas sobre un colectivo de 44.400, *han perdido parcial o totalmente el euskera,* es decir, son actualmente bilingües pasivos (13,9 por 100) o monolingües erdaldunes (12,1 por 100).

Por su parte, una minoría de las personas que han tenido como primera lengua el castellano, el 2,4 por 100, unas 9.200 personas sobre un colectivo de 392.800, *han aprendido euskera* y son en la actualidad bilingües.

A pesar de que el número de pérdidas es importante, 11.500 personas, solo supera ligeramente al de incorporaciones, 9.200 personas. Además, unas 36.600 personas que han tenido como primera lengua el castellano son bilingües pasivos, es decir, se han incorporado parcialmente.

Sin embargo, el porcentaje de pérdida varía de forma sustancial dependiendo de que la primera lengua haya sido solo el euskera o el euskera junto con el castellano, ya que la pérdida afecta a:

- Una minoría, el 17,6 por 100 de quienes han tenido únicamente el euskera como primera lengua, unas 6.400 personas sobre un colectivo de 36.400.
- Casi las dos terceras partes, el 64,2 por 100 de quienes han tenido como primera lengua el euskera junto con el castellano, unas 5.100 personas sobre un colectivo de 8.000.

En la zona vascófona es similar el número de pérdidas y el de incorporaciones, pero en la zona mixta las pérdidas superan a las incorporaciones:

- En la zona *vascófona* han perdido el euskera 2.100 personas, el 7,4 por 100 de las de primera lengua euskera o euskera junto con castellano, y han aprendido euskera 2.000, el 10,6 por 100 de las de primera lengua castellano.
- En la zona *mixta* han perdido el euskera 8.800 personas, el 60,5 por 100, es decir, más de la mitad de las de primera lengua euskera junto con castellano, y lo han aprendido 6.500, el 3 por 100 de las de primera lengua castellano.
- En la zona *no vascófona,* aunque no hay muestra suficiente, es probable que las incorporaciones superen ligeramente a las pérdidas, pero en todo caso se trata de colectivos de menos de mil personas.

Incorporaciones y pérdidas del euskera, según la edad

Los valores de pérdida e incorporación analizados anteriormente corresponden al valor medio de varias generaciones, desde los nacidos a principios de siglo a los nacidos a finales de los años setenta, y tras ellos se solapan situaciones muy diferentes en función de la edad.

La pérdida parcial o total del euskera de las personas que han tenido como primera lengua únicamente el euskera o el euskera junto con el castellano tiende a desaparecer entre los jóvenes. Y al mismo tiempo que disminuye la pérdida, aumenta de forma importante la incorporación al euskera, a través de la escuela y la enseñanza a adultos, de personas que han tenido como primera lengua el castellano.

- Entre los mayores de 64 años, las pérdidas son importantes, 2.600 personas (24,7 por 100), y apenas hay incorporaciones, 200 personas (0,4 por 100).
- Entre las personas de 50 a 64 años, aumentan las pérdidas, 3.800 (33,4 por 100), y siguen siendo pocas las incorporaciones, 600 (0,7 por 100).
- Entre las de 35 a 49 años se produce un fuerte incremento de las incorporaciones, 2.100 (2,2 por 100), aunque todavía son superadas por las pérdidas, 2.900 (28,4 por 100).
- Entre las de 25 a 34 años, las incorporaciones, 3.000 (3,8 por 100), superan ya ampliamente a las pérdidas, 1.800 (27 por 100), que todavía siguen siendo importantes.
- Y entre los jóvenes de 16 a 24 años, siguen aumentando las incorporaciones, 3.300 (4,5 por 100), y disminuyen espectacularmente las pérdidas, 400 (8 por 100).

Además, según los datos del *Censo de 1991,* entre los jóvenes menores de 16 años tienden a desaparecer las pérdidas y se acelera el ritmo de crecimiento de las incorporaciones.

Tabla 87

Incorporaciones y pérdidas del euskera según la edad

	≥ 65 años nacidos en 1931 o antes		50-64 nacidos entre 1932 y 1946		35-49 nacidos entre 1947 y 1961	
	N.º hab.	(%)	N.º hab.	(%)	N.º hab.	(%)
PÉRDIDAS	2.600	24,7	3.800	33,4	2.900	28,4
Parcial	1.300	12,5	1.900	16,9	2.000	19,4
Total	1.300	12,2	1.900	16,5	900	9,0
INCORPORACIONES	200	0,4	600	0,7	2.100	2,2

	25-34 nacidos entre 1962 y 1971		16-24 nacidos entre 1972 y 1980		TOTAL	
	N.º hab.	(%)	N.º hab.	(%)	N.º hab.	(%)
PÉRDIDAS	1.800	27,0	400	8,0	11.500	26,0
Parcial	800	11,3	200	4,0	6.200	13,9
Total	1.000	15,7	200	4,0	5.300	12,1
INCORPORACIONES	3.000	3,8	3.300	4,5	9.200	2,4

Fuente: Encuesta sociolingüística de 1996.

Tabla 88

Competencia lingüística según la primera lengua

	Euskera/Las dos		Castellano	
	N.º hab.	(%)	N.º hab.	(%)
Monolingües euskaldunes ...	1.100	2,4	—	—
Bilingües...............................	31.800	71,6	9.200	2,4
Bilingües pasivos..................	6.200	13,9	36.600	9,3
Monolingües erdaldunes	5.300	12,1	347.000	88,3
TOTAL...................................	44.400	100	392.800	100

Fuente: Encuesta sociolingüística de 1996.

Las personas que han perdido el euskera no tienen un perfil claramente definido, siendo sus rasgos más diferenciadores:

- Casi la mitad han tenido como primera lengua el euskera junto con el castellano.
- Más de la mitad superan los 50 años y la inmensa mayoría los 35 años.
- Su entorno familiar es parcialmente euskaldún y el social en su mayoría erdaldún.
- Las tres cuartas partes residen en la zona mixta.
- La mitad han estudiado para intentar recuperar el euskera.

Y en lo que respecta a su competencia lingüística, algo más de la mitad han perdido parcialmente el euskera (son bilingües pasivos) y el resto son monolingües erdaldunes.

La característica principal de las personas de primera lengua castellano que se han incorporado al euskera es su juventud, pues las dos terceras partes tienen menos de 35 años, y aproximadamente un tercio (los más jóvenes) han aprendido euskera en la escuela y los dos tercios restantes (los menos jóvenes) fuera del sistema de la enseñanza.

Otras características que los definen son:

- Su entorno familiar y social es parcialmente euskaldún.
- Las tres cuartas partes residen en la zona mixta.
- Debido en parte a su juventud, su nivel de estudios es muy superior a la media de la población navarra.

La mayoría de quienes se han incorporado al euskera, el 83 por 100, son bilingües con predominio del castellano.

Uso del euskera

En este apartado se va a analizar el uso que hacen los euskaldunes (bilingües y monolingües euskaldunes) del euskera, quedando excluidos del análisis tanto los bilingües pasivos, que no tienen el dominio del euskera suficiente para poder utilizarlo, como los monolingües hablantes de castellano. Por lo tanto, los datos que se ofrecen a continuación corresponden únicamente a los euskaldunes, que suponen el 9,6 por 100 de la población de la Comunidad Foral de Navarra.

Para analizar el uso del euskera se han considerado los siguientes ámbitos:

- La familia, esto es, el uso con la madre, el padre, la pareja, los hijos y la lengua de uso diario en casa.
- La comunidad social más próxima, es decir, el uso con los amigos, los compañeros de trabajo, los comerciantes de las tiendas más frecuentadas, en el mercado y con el sacerdote.
- Los ámbitos de uso más formales como el banco, el Ayuntamiento, los profesores de los hijos y los servicios de salud.

En el ámbito familiar se utiliza mayoritariamente el euskera en la relación con los hijos, el 65 por 100 hablan principalmente en euskera con ellos, y disminuye el uso en la relación con el resto de los miembros de la familia, aunque se utiliza algo más que el castellano, puesto que la mitad de los euskaldunes hablan principalmente en euskera con su madre (52 por 100), con su padre (47 por 100) y con su marido o mujer (48 por 100), y entre el 6 y el 10 por 100 lo hacen indistintamente en los dos idiomas. En casi la mitad de los hogares (46 por 100) de los euskaldunes encuestados el euskera es la lengua principal de uso diario, en la sexta parte (16 por 100) se utilizan ambos idiomas por igual y en algo más de un tercio (38 por 100) se utiliza más el castellano.

En el entorno social más próximo predomina con claridad el euskera en los ámbitos de uso más tradicionales: dos de cada tres euskaldunes hablan principalmente en euskera en el mercado (68 por 100) y con el sacerdote (67 por 100), y se habla más en euskera que en castellano con los amigos y los compañeros de trabajo, la mitad (51 por 100) hablan sobre todo en euskera con ellos y aproximadamente la octava parte en ambos idiomas por igual. Por el contrario, con los comerciantes de las tiendas más frecuentadas se habla más en castellano (51 por 100) que en euskera (39 por 100).

En los ámbitos más formales, la mayoría de los euskaldunes (76 por 100) utilizan principalmente el euskera con los profesores de sus hijos y se utiliza algo más el euskera (49 por 100) que el castellano (43 por 100) en las relaciones con los funcionarios del Ayuntamiento y algo más el castellano (50 por 100) que el euskera (43 por 100) con los empleados de los bancos o cajas de ahorro. Por último, predomina el castellano en las relaciones de los euskaldunes con los servicios de salud, aunque la tercera parte (34 por 100) se relacionan con ellos sobre todo en euskera.

En relación con las otras comunidades de Euskal Herria, los hablantes vascos de Navarra utilizan el euskera un poco menos que los de la Comunidad Autónoma Vasca y bastante más que los del País Vasco Norte. Con respecto a la Comunidad Autónoma Vasca, el uso en Navarra es algo menor en la familia y en los ámbitos más formales, pero similar, e incluso mayor, con los amigos y con los compañeros de trabajo.

En los últimos cinco años ha disminuido el uso del euskera en la familia, salvo con los hijos, y ha aumentado su utilización en los ámbitos más formales.

Respecto a la *I Encuesta sociolingüística* realizada en 1991, se aprecia, en general, una disminución del uso en la familia y un aumento del uso en los ámbitos más formales.

En el ámbito familiar, aumenta de manera sensible el uso del euskera con los hijos, con un incremento de seis puntos del porcentaje de quienes utilizan principalmente el euskera con ellos, se mantiene el uso con el marido o la mujer y disminuye de forma importante, más de quince puntos, el uso con los padres. Como resultado de todo ello desciende el uso en casa en torno a los diez puntos.

Ahora bien: la disminución del uso del euskera con los padres es debida principalmente a que la generación de jóvenes que han aprendido euskera y que se han incorporado a la muestra en estos cinco años, los jóvenes de 16 a 20 años, tienen padres hablantes de castellano, con los que tienen que hablar sin remedio en castellano.

Fuera del ámbito familiar, aumenta el uso del euskera en los entornos más tradicionales, el mercado y con el sacerdote, se mantiene estable el uso con los amigos y con los compañeros de trabajo, y aumenta de forma importante en los círculos más formales, más de cinco puntos en las relaciones con los bancos o cajas de ahorro y con los servicios de salud, y más de diez puntos con el Ayuntamiento y con los profesores de los hijos.

— *Uso del euskera por zonas*

Los euskaldunes de la zona vascófona utilizan mayoritariamente el euskera, mientras los del resto de Navarra utilizan en mayor medida el castellano.

Los datos de uso del euskera en Navarra descritos con anterioridad son el resultado de promediar dos realidades muy diferentes:

En la zona *vascófona* el euskera es la lengua de uso de la mayoría de los euskaldunes.

En la familia, el 73 por 100 se relacionan principalmente en euskera con sus hijos, el 69 por 100 con su madre, el 68 por 100 con su padre y el 59 por 100 con su marido o mujer. Además, casi el 10 por 100 utilizan tanto el euskera como el castellano. En el 60 por 100 de los hogares se habla sobre todo euskera, en el 17 por 100 ambos idiomas, y en el 23 por 100 restante, castellano.

Fuera del entorno familiar, la inmensa mayoría utilizan principalmente el euskera en el mercado y con el sacerdote, casi las dos terceras partes con los amigos y con los compañeros de trabajo y más de la mitad con los comerciantes. Además, la octava parte utilizan tanto el euskera como el castellano.

En los ámbitos más formales, la relación con los profesores de los hijos es en euskera, las dos terceras partes lo utilizan en el Ayuntamiento, más de la mitad en los bancos, y en los servicios de salud se utiliza más que en castellano.

En la zona *mixta* los euskaldunes utilizan mayoritariamente el castellano.

En la familia, alrededor del 20 por 100 utilizan sobre todo el euskera con sus padres y el 26 por 100 con su marido o mujer, mientras que la mayoría, en torno al 75 por 100, utilizan el castellano. Con los hijos, sin embargo, es similar la proporción de quienes utilizan el euskera (43 por 100) o el castellano (45 por 100). La lengua de uso en casa es sobre todo el euskera en el 18 por 100 de los hogares, en el 13 por 100 se utilizan indistintamente ambos idiomas y en el 69 por 100 con preferencia el castellano.

En la comunidad social más próxima tiene una relativa importancia el uso en el trabajo: el 30 por 100 se relacionan principalmente en euskera con sus compañeros y el 13 por 100 en ambos idiomas. Casi el 20 por 100 utilizan más el euskera con los amigos y el sacerdote.

En los ámbitos más formales, la mayoría se relaciona en euskera con los profesores de sus hijos y no llega al 10 por 100 el porcentaje de quienes lo utilizan con los funcionarios del Ayuntamiento, los empleados de los bancos o cajas de ahorro, en los servicios de salud y en los comercios.

En la zona *no vascófona,* a pesar de que no hay efectivos suficientes de euskaldunes en la muestra como para ofrecer datos con garantías, se puede afirmar que el uso del euskera es menor todavía que en la zona mixta.

Factores que determinan el uso del euskera

La densidad de euskaldunes en la red y la competencia lingüística relativa son los factores determinantes en el uso del euskera.

En la *I Encuesta sociolingüística* realizada en 1991 se profundizó en el análisis de los factores que determinan el uso del euskera, tomando como referencia el uso en casa, con los amigos y en el trabajo. Los análisis realizados en esta ocasión ratifican las conclusiones obtenidas en 1991.

El uso del euskera está determinado fundamentalmente por dos factores:

- Uno socioestructural, a saber, la densidad de euskaldunes en la red, estrechamente ligada con la zona lingüística.
- Otro psicolingüístico, la competencia lingüística relativa, es decir, la mayor o menor facilidad para expresarse en euskera o en castellano, bastante ligada a la primera lengua.

La correlación existente entre el uso del euskera y la densidad de euskaldunes en la red es de 0,73 en el uso en casa, de 0,72 con los amigos y de 0,84 en el trabajo, mientras que la correlación con la competencia lingüística relativa es de 0,62 en el uso en casa, de 0,61 con los amigos y de 0,29 en el trabajo. Es decir, las correlaciones son muy elevadas y la densidad de euskaldunes en la red es el factor principal, especialmente en el uso del euskera con los compañeros de trabajo.

Otros factores como la edad y la actitud ante la promoción del uso del euskera también están relacionadas con el uso, pero en mucha menor medida, con correlaciones que no llegan al 0,25. Además, estas correlaciones disminuyen considerablemente cuando se anula el efecto de la red y de la competencia lingüística relativa. O dicho de otra manera, a igualdad de condiciones de densidad de euskaldunes en la red y de competencia lingüística relativa, el uso del euskera no varía mucho en función de la edad y la actitud ante la promoción de su utilización.

Cuando todos saben euskera en casa, entre los amigos o en el trabajo, se habla principalmente en euskera. Pero basta que alguien no sepa euskera para que se hable en castellano sobre todo en casa y en ambos idiomas con los amigos y los compañeros de trabajo. Por lo tanto, en la familia, el hecho de que alguno de sus miembros no sepa euskera es determinante para que se deje de utilizarlo, mientras que no lo es tanto en la relación con los amigos y los compañeros de trabajo.

Se puede afirmar, sin lugar a dudas, que existe un umbral en la densidad de euskaldunes en la red por debajo del cual el uso del euskera no está garantizado. En el caso de la familia, el umbral es muy claro: consiste en que todos los miembros del hogar sepan euskera, pues basta con que no lo dominen para que su uso descienda bruscamente. Con los amigos y los compañeros de trabajo quizá no es necesario que todos ellos sepan euskera para garantizar su uso, pero sí es necesario que lo sepan la gran mayoría.

La proporción de personas que han tenido como primera lengua el euskera disminuye de forma importante con la edad, del 11 por 100 entre las personas mayores de 64 años al 6 por 100 entre los jóvenes de 16 a 34 años. Al mismo tiempo, se mantiene más o menos constante, en torno al 2 por 100, el porcentaje de personas que han tenido como primera lengua el euskera junto con el castellano.

Ahora bien: como en la encuesta hay información sobre la primera lengua de los hijos menores de 16 años de los encuestados, se constata que entre ellos se produce un incremento con respecto a la generación anterior de quienes tienen como primera lengua el euskera, del 6 al 8 por 100, y de quienes tienen como primera lengua el euskera junto con el castellano, del 1 al 4 por 100.

En la transmisión del euskera de padres a hijos se han producido pérdidas importantes, principalmente cuando uno de los padres no sabía hablar euskera. Ahora bien: al analizar la transmisión familiar del euskera en los años ochenta y primeros de los noventa, a partir de la primera lengua de los hijos menores de 16 años de las personas encuestadas, se constata que en la actualidad apenas se producen pérdidas en la transmisión del euskera.

La pérdida parcial o total del euskera de las personas que han tenido como primera lengua únicamente el euskera o el euskera junto con el castellano tiende a desaparecer entre los jóvenes. Y al mismo tiempo que disminuye la pérdida, aumenta de forma importante la incorporación al euskera, a través de la escuela y la enseñanza a adultos, de personas que han tenido como primera lengua el castellano.

La evolución de la competencia lingüística en Navarra en función de la edad pone de manifiesto que tras un largo período de estancamiento, incluso con ligero retroceso entre las personas de mediana edad, comienza a recuperarse el euskera entre los más jóvenes.

Al comparar los datos con los obtenidos en la *I Encuesta sociolingüística* realizada en 1991, cabe destacar que en cinco años:

- Ha aumentado el número de bilingües en unas 3.500 personas y el de bilingües pasivos en más de 20.000.
- Ha disminuido el número de monolingües euskaldunes en unas 1.600 personas y el de monolingües erdaldunes en cerca de 9.000.

En lo que respecta a la competencia lingüística relativa, la cuarta parte de los bilingües de la zona vascófona se expresan con mayor facilidad en castellano que en euskera. En el resto de Navarra esa proporción se eleva casi a los dos tercios.

La proporción de bilingües que se expresan mejor en castellano aumenta a medida que disminuye la edad. Sin embargo, en la zona vascófona se invierte esta tendencia entre los más jóvenes.

Los navarros se encuentran claramente diferenciados en tres grupos de proporciones parecidas ante la promoción del aprendizaje y uso del euskera, si bien quienes están a favor superan ligeramente a quienes están en contra. Estos datos han mejorado de forma sensible en los últimos cinco años, pues en la *I Encuesta sociolingüística* realizada en 1991 los contrarios a la promoción del euskera superaban a quienes se manifestaban a favor.

La quinta parte de los navarros consideran adecuada la política que está aplicando el Gobierno de Navarra en relación al euskera en la enseñanza y en la euskaldunización de la Administración, la tercera parte la critica porque «se ha hecho poco» y solo una minoría (5 por 100) porque «se ha ido demasiado lejos».

En Navarra los euskaldunes utilizan más el euskera que el castellano en la familia, en su entorno social próximo y en diversos ámbitos más formales. En relación con los resultados obtenidos en la *I Encuesta sociolingüística* realizada en 1991, se aprecia, en general, una disminución del uso en la familia (debida principalmente a la incorporación a la muestra en estos cinco años de jóvenes euskaldunberris que tienen que hablar con los padres en castellano) y un aumento del uso en los ámbitos más formales.

El uso del euskera entre los amigos disminuye de forma importante con la edad en el conjunto de Navarra. El descenso del uso del euskera entre los amigos en la zona vascófona es debido sobre todo a que con la edad disminuye la densidad de euskaldunes entre estos. Por el contrario, en la zona mixta mejora sensiblemente la densidad de euskaldunes entre los amigos al disminuir la edad y ello contribuye a que se mantenga constante el uso, a pesar de que la competencia lingüística relativa entre los jóvenes sea menor.

El uso del euskera en casa tiene tendencia a disminuir con la edad de la persona entrevistada, aunque experimente pequeñas oscilaciones. Se puede afirmar que casi en la mitad de los hogares de los euskaldunes mayores de 35 años se habla principalmente en euskera, proporción que desciende en diez puntos, hasta el 40 por 100, en los hogares de los menores de 35 años. Esta disminución está relacionada de forma directa con el hecho de que los euskaldunberris son en su gran mayoría menores de 35 años y tienen un entorno familiar mayoritariamente erdaldún.

LA LENGUA VASCA EN LA ADMINISTRACIÓN

El Título I de la Ley Foral del Vascuence está dedicado al uso del euskera en la Administración; consta de un capítulo I, donde se señalan las «Disposiciones generales», y tres capítulos en los que se legisla su uso, de manera distinta, en función de las tres zonas lingüísticas diferenciadas del territorio navarro:

CAPÍTULO I
Disposiciones generales

[...]

Artículo 6.—Se reconoce a todos los ciudadanos el derecho a usar tanto el vascuence como el castellano en sus relaciones con las Administraciones públicas, en los términos establecidos en los capítulos siguientes.

Artículo 7.—El *Boletín Oficial del Parlamento de Navarra* se publicará en castellano y en vascuence, en ediciones separadas y simultáneas.

Artículo 8.—1. Los topónimos de la Comunidad Foral tendrán denominación oficial en castellano y en vascuence, de conformidad con las siguientes normas:

a) En la zona vascófona, la denominación oficial será en vascuence, salvo que exista denominación distinta en castellano, en cuyo caso se utilizarán ambas.

b) En las zonas mixta y no vascófona la denominación oficial será la actualmente existente, salvo que, para las expresadas en castellano, exista una denominación distinta, originaria y tradicional en vascuence, en cuyo caso se utilizarán ambas.

[...]

Artículo 9.—El Gobierno de Navarra establecerá en Pamplona una unidad administrativa de traducción oficial vascuence-castellano.

CAPÍTULO II

Del uso oficial en la zona vascófona

Artículo 10.—1. Todos los ciudadanos tienen derecho a usar tanto el vascuence como el castellano en sus relaciones con las Administraciones públicas y a ser atendidos en la lengua oficial que elijan.

A tal efecto, se adoptarán las medidas oportunas y se arbitrarán los medios necesarios para garantizar de forma progresiva el ejercicio de este derecho.

2. En los expedientes o procedimientos en los que intervenga más de una persona, los poderes públicos utilizarán la lengua que establezcan de mutuo acuerdo las partes que concurran.

Artículo 11.—Serán válidas y tendrán plena eficacia jurídica todas las actuaciones administrativas cualquiera que sea la lengua oficial empleada.

[...]

Artículo 13.—1. En los Registros públicos, los asientos se extenderán en la lengua oficial en que esté redactado el documento y, en todo caso, también en castellano.

[...]

Artículo 14.—En sus relaciones con la Administración de Justicia todo ciudadano podrá utilizar la lengua oficial de su elección, de conformidad con lo dispuesto en la legislación vigente.

Artículo 15.—1. Las Administraciones públicas y las empresas de carácter público promoverán la progresiva capacitación en el uso del vascuence del personal que preste servicio en la zona vascófona.

[...]

CAPÍTULO III

Del uso en la zona mixta

Artículo 17.—Todos los ciudadanos tienen derecho a usar tanto el vascuence como el castellano para dirigirse a las Administraciones públicas de Navarra.

Para garantizar el ejercicio de este derecho, dichas Administraciones podrán:

a) Especificar en la oferta pública de empleo de cada año las plazas para acceder a las cuales sea preceptivo el conocimiento del vascuence.

b) Valorar como mérito el conocimiento del vascuence en las convocatorias para acceso a las demás plazas.

CAPÍTULO IV
Del uso en la zona castellanófona

Artículo 18.—Se reconoce a los ciudadanos el derecho a dirigirse en vascuence a las Administraciones públicas de Navarra. Estas podrán requerir a los interesados la traducción al castellano o utilizar los servicios de traducción previstos en el artículo 9.

De acuerdo con lo previsto en la Ley Orgánica, la Ley del Vascuence, como ya hemos visto, delimita tres zonas lingüísticas en el conjunto del territorio de Navarra:

a) *Zona vascófona*

En el territorio así declarado se pretende una doble oficialidad del castellano y del euskera por lo que respecta a las Administraciones públicas, reconociéndose a los ciudadanos el derecho no solo a usar la lengua de su elección entre ellos, sino también «a ser atendidos en la lengua oficial que elijan» (art. 10.1) y otorgando plena validez y eficacia a las actuaciones administrativas realizadas en cualquiera de las dos lenguas.

En cuanto a la capacitación lingüística del personal de la Administración, la cuestión se remite a que «en el ámbito de sus respectivas competencias, cada Administración especificará las plazas para las que sea preceptivo el conocimiento del vascuence y, para las demás, se considerará como mérito cualificado, entre otros» (art. 15.2). Resultaría conveniente un desarrollo reglamentario posterior, por parte del Gobierno de Navarra, para, sin invadir ámbitos autoorganizativos ajenos, «fijar los mecanismos para el efectivo cumplimiento de esta provisión legal, máxime teniendo en cuenta que en el Estatuto del Personal al Servicio de las Administraciones Públicas de Navarra no se hace la menor mención a la capacitación lingüística, y la previsión contenida en el artículo 4.3 del Reglamento de Ingreso en las Administraciones Públicas de Navarra, para valorar como mérito el conocimiento del euskera, es meramente potestativa e inespecífica» (E. Cobreros, 1989).

En cuanto a las Entidades locales de esta zona, deberán utilizar las dos lenguas en todas sus disposiciones, publicaciones, rotulaciones de vías urbanas y nombres propios de sus lugares, respetando, en todo caso, los tradicionales (art. 16), si bien, respecto a los topónimos, la denominación oficial será en vascuence, salvo que exista denominación distinta en castellano, en cuyo caso se utilizarán ambas (art. 8.1).

b) *Zona mixta*

La escasa regulación del uso del euskera en la zona mixta (art. 17) se limita al reconocimiento del derecho a su utilización entre las Administraciones públicas; por lo tanto, se reconoce validez y eficacia a lo realizado en euskera por los particulares, pero no se establece la obligación de atender o responder en dicha lengua a los Entes públicos —y a la explicación de que tales Administraciones «podrán» especificar en la oferta pública de empleo de cada año las plazas para acceder a las que sea preceptivo el conocimiento del euskera, así como que «podrán» valorar como mérito el conocimiento de dicha lengua en el acceso a las demás plazas—. «Ciertamente, las previsiones legales establecidas para hacer frente a un uso del euskera que no resulte "penalizado", o de peor condición en la zona mixta de Navarra, no resultan eficaces elementos que garanticen tal efecto y más bien el aleatorio juego de las coyunturales y descoordinadas decisiones e iniciativas políticas será, muy probable, el que marque la impronta de esta cuestión» (E. Cobreros, 1989). Por último, no haber previsto un régimen especial para la capitalidad y para los servicios específicos del Ente foral (incluido su Parlamento) más generoso con el uso del euskera tampoco parece una decisión acertada y oportuna; antes al contrario, resulta uno de los fallos más graves.

c) *Zona no vascófona*

En esta zona, los ciudadanos pueden dirigirse a las Administraciones públicas en euskera, pero estas pueden requerirles la traducción al castellano o utilizar los servicios de traducción situados en Pamplona y previstos en la Ley Foral del Vascuence.

Con posterioridad, pero intensamente ligada con la Ley del Vascuence de Navarra —de hecho, se decía que era «al objeto de coordinar el desarrollo y aplicación» de esta—, en el Departamento de Presidencia e Interior del Gobierno de Navarra se ha creado la Dirección General de Política Lingüística (art. 39 del Decreto Foral 110/1989, de 11 de mayo) con las funciones de realizar las traducciones oficiales euskera-castellano que le sean exigidas, tanto por los poderes públicos como por los particulares, con arreglo a lo dispuesto en la Ley del Vascuence, y prestar asesoramiento a las Entidades locales y demás Administraciones públicas en materia de traducción oficial euskera-castellano.

Se prevé, asimismo, la publicación del *Boletín Oficial de Navarra* y del *Boletín Oficial del Parlamento de Navarra* en ambas lenguas y de forma simultánea, pero en ediciones separadas; previsión esta última que no parece especialmente afortunada desde la óptica de la normalización lingüística.

Como vemos, dado que el conocimiento y uso del euskera está concentrado en determinadas áreas, la presencia de la lengua en el funcionamiento habitual de la Administración es muy escasa y, en ocasiones, casi simbólica. A excepción de la zona vascófona, donde la actividad municipal —sesiones del Ayuntamiento, información al público, etc.— se efectúa, en general, en euskera. «En el resto del territorio navarro su presencia se limita a salvaguardar el derecho de cualquier ciudadano a dirigirse a la Administración en euskera y a recibir en euskera la información solicitada o las resoluciones que le afecten» (M. Siguán, 1992). Para ello existe el Servicio de Traducción, al que ya hemos hecho antes mención, que se encarga de poner en euskera la documentación que se le entregue. Hay que señalar, además, que el Ayuntamiento, y en menor medida la Diputación foral, distribuye información en las dos lenguas.

*Decreto Foral 372/2000 [...] por el que se regula el uso del vascuence
en las Administraciones públicas de Navarra*

La Ley Foral 18/1986, de 15 de diciembre, del Vascuence, en los artículos 2.1 y 6, establece que todos los ciudadanos tienen derecho a conocer y usar el castellano y el vascuence en los estrictos términos que señala, y en el artículo 2.2 reconoce que el castellano es la lengua oficial de toda Navarra, y establece que el vascuence tiene el carácter de lengua cooficial con el castellano en la zona vascófona de Navarra, según los términos establecidos en el artículo 9 de la Ley Orgánica de Reintegración y Amejoramiento del Régimen Foral de Navarra y en los artículos de la citada Ley Foral del Vascuence.

Dicha Ley Foral del Vascuence, en su artículo 5 y concordantes, establece tres zonas lingüísticas en Navarra, a cuyo ámbito se refiere este decreto foral. Una zona vascófona, en la que el vascuence es cooficial juntamente con el castellano, así como otra zona mixta y una tercera no vascófona en las que el vascuence no es lengua oficial. En todas ellas se reconoce a los ciudadanos el derecho a usar el vascuence en sus relaciones con las Administraciones públicas según los términos establecidos en la misma ley foral, e insta a estas a tomar diferentes medidas en cada zona para hacerlo efectivo, en modos y grados distintos.

Por su parte, la normativa vigente en materia de procedimiento administrativo común reconoce el derecho a los ciudadanos, en sus relaciones con las Administraciones públicas, a utilizar las lenguas oficiales en el territorio de sus Comunidades Autónomas en el cual tengan dicho carácter de lengua oficial, y establece que los procedimientos en los que intervengan órganos de la Administración General del Estado con sede en una Comunidad Autónoma se tramitarán en la lengua oficial elegida por el interesado, conforme a sus derechos lingüísticos. A su vez, la Ley Orgánica del Poder Judicial regula esta materia en el ámbito de su aplicación.

Siendo procedente, por lo tanto, regular el uso del vascuence en las Administraciones públicas de Navarra, se promulgó primero el Decreto Foral 70/1994, de 21 de marzo, y posteriormente el Decreto Foral 135/1994, de 4 de julio, algunos de cuyos preceptos se ha considerado conveniente revisar para afianzar el principio de seguridad jurídica, para ponderar el uso del vascuence con los medios necesarios para hacer efectivo su empleo y para responder a la realidad sociolingüística de Navarra después de la experiencia acumulada.

A estos efectos, para cohonestar el imperativo legal que tienen las Administraciones públicas de la zona vascófona de realizar sus actos, comunicaciones y notificaciones de forma bilingüe con el deber de hacer real y efectivo el derecho y el poder de disposición de los ciudadanos que reúnan la condición de interesados, de acuerdo con las normas que regulan el procedimiento administrativo, a practicar las actuaciones administrativas que les correspondan en los procedimientos que se transmitan en cualquiera de los idiomas oficiales, o en ambos a la vez, de conformidad con lo establecido en los artículos 10, 11 y 12 de la Ley Foral del Vascuence, este decreto foral, como complemento indispensable de la ley, prevé la posibilidad de que los órganos competentes de las Administraciones públicas de la zona vascófona, con respeto a su autonomía y a las facultades de autoorganización, puedan dotarse de los elementos materiales necesarios a fin de garantizar tal derecho.

Por lo que respecta a las relaciones de estas Administraciones públicas y organismos dependientes en sus relaciones con otras Administraciones, se distingue, por una parte, las relativas a la Administración del Estado y a la Administración de Justicia, en cuyo caso se estará a lo dispuesto en la legislación de procedimiento administrativo común y en la Ley Orgánica del Poder Judicial.

Las relaciones interadministrativas con las restantes Administraciones públicas de Navarra se regirán por el principio de voluntariedad y autonomía de las partes, salvo en el supuesto en que se ostente la condición de interesadas en el procedimiento, de acuerdo con las normas que regulan el procedimiento administrativo. En este caso se estará a lo establecido en los artículos 10, 11 y 12 de la Ley Foral del Vascuence para el resto de ciudadanos con la condición de interesados.

Por otra parte, de acuerdo con la doctrina constitucional, se ha sustituido la calificación de requisito específico, que la normativa anterior otorgaba al conocimiento del vascuence cuando es preceptivo en el acceso a determinadas plazas, por la de conocimiento preceptivo, más acorde con la literalidad del artículo 15.2 de la Ley Foral del Vascuence, y poder así incluirlo dentro del ámbito de los conocimientos que deben medirse según los principios de mérito y capacidad previstos en el artículo 103 de la Constitución.

Finalmente, esta revisión, por razones de técnica normativa, se hace a través de un nuevo texto, que sustituye al anterior.

El Consejo de Navarra ha emitido su dictamen preceptivo en sesión de 6 de noviembre de 2000, habiéndose adecuado este decreto foral a sus recomendaciones.

En su virtud, a propuesta del consejero de Presidencia, Justicia e Interior, y de conformidad con el acuerdo adoptado por el Gobierno de Navarra en sesión celebrada el día 11 de diciembre de 2000, DECRETO:

TÍTULO I

Disposiciones generales

Artículo 1.—1.   El presente Decreto Foral desarrolla la regulación del uso normal y oficial del vascuence en las Administraciones públicas de Navarra.

El ámbito de aplicación lo constituyen la Administración de la Comunidad Foral de Navarra, las Administraciones locales y las Entidades de Derecho público vinculadas a ellas.

2. Son objetivos esenciales del mismo:

a) En la zona vascófona, posibilitar el empleo indistinto de cualquiera de las dos lenguas oficiales como lenguas de trabajo y servicio al ciudadano.

b) En la zona mixta, organizar y capacitar al personal necesario para posibilitar el ejercicio de los derechos lingüísticos de los ciudadanos en la zona.

c) En los servicios centrales de la Administración de la Comunidad Foral de Navarra, organizar y capacitar el personal necesario para que el usuario pueda ser atendido en vascuence si así lo requiere.

Por servicios centrales de la Administración de la Comunidad Foral de Navarra se entenderán aquellos que, independientemente de su ubicación territorial concreta, atienden al conjunto de la población de Navarra.

3. La aplicación del presente Decreto Foral se llevará a cabo de forma progresiva, siempre de acuerdo con las posibilidades de las distintas Administraciones en cada momento.

Artículo 2.—Las zonas a que se refiere el presente Decreto Foral corresponden, en delimitación y denominación, a las establecidas en el artículo 5 de la Ley Foral 18/1986, de 15 de diciembre, del Vascuence.

Artículo 3.—La aplicación del principio de preceptividad y la valoración del conocimiento del vascuence como mérito en la provisión de los puestos de trabajo de las Administraciones públicas de Navarra se llevará a cabo en los términos y condiciones que se deriven de lo dispuesto en la Ley Foral del Vascuence, en este Decreto Foral y en las disposiciones que lo complementen.

Artículo 4.—El Gobierno de Navarra determinará, para cada una de las actuaciones previstas en este Decreto Foral, el órgano colaborador y, en su caso, coordinador entre los Departamentos de la Administración de la Comunidad Foral de Navarra, especialmente en lo que se refiere a la ejecución de los planes de actuación para el uso del vascuence que, en su caso, apruebe el Gobierno de Navarra.

Asimismo, determinará el órgano colaborador en la elaboración de los planes de actuación para el uso del vascuence en las Entidades locales y otras Administraciones públicas que lo soliciten, dentro de lo previsto en este Decreto Foral.

Artículo 5.—El Gobierno de Navarra y las Entidades de Derecho público vinculadas a la Administración de la Comunidad Foral de Navarra elaborarán y aprobarán los planes tendentes a la progresiva consecución de los objetivos previstos en el artículo 1.2 del presente Decreto Foral.

Asimismo, las Administraciones locales podrán elaborar sus propios planes dentro de su ámbito de actuación.

Artículo 6.—La Administración de la Comunidad Foral de Navarra, las Administraciones locales y las Entidades de Derecho público vinculadas a ellas adoptarán las medidas tendentes a la progresiva capacitación del personal necesario en el conocimiento y uso del vascuence, para dar cumplimiento progresivo a lo establecido en la Ley Foral del Vascuence, en este Decreto Foral y en la normativa que, en su caso, lo desarrolle.

TÍTULO II

Del vascuence en la Administración

Zona Vascófona

Sección I

Disposición general

Artículo 7.—El uso del vascuence y del castellano en las Administraciones públicas de Navarra y Entidades de Derecho público vinculadas a ellas sitas en la zona vascófona se regirá por los criterios que establecen la Ley Foral del Vascuence y el presente Decreto Foral, respetando siempre tanto el derecho de los ciudadanos a elegir libremente cualquiera de las dos lenguas oficiales en la que deseen ser atendidos como el derecho a no ser discriminados por razones de lengua.

Sección II

Usos externo e interno

Artículo 8.—1. Serán válidas y tendrán plena eficacia jurídica todas las actuaciones administrativas, cualquiera que sea la lengua oficial empleada.

2. Las actuaciones administrativas que constituyan actos administrativos propiamente dichos, en los términos que fija el Ordenamiento jurídico, y cuyo conocimiento deba ser notificado a otras personas físicas o jurídicas dentro de la misma zona, deberán ser redactadas en ambas lenguas, salvo que todos los que ostenten la condición de interesados, según las normas que rigen el procedimiento administrativo, elijan expresamente la utilización de una sola, de conformidad con los artículos 10.1, 11 y 12 de la Ley Foral del Vascuence.

3. Los órganos competentes de las Administraciones públicas y Entes dependientes de que se trate podrán establecer la utilización de impresos, modelos de formularios redactados en castellano, en vascuence o en forma bilingüe para la realización de actuaciones por los interesados según lo establecido en el número anterior.

Sección III

Relaciones entre Administraciones públicas

Artículo 9.—1. Los documentos, notificaciones y comunicaciones administrativas que las Administraciones públicas y Entidades de Derecho público vinculadas a ellas sitas en la zona vascófona dirijan a otras de la misma zona deberán redactarse en ambas lenguas oficiales en soporte único o doble, salvo que haya un acuerdo expreso de las partes afectadas para hacerlo solo en una de ellas, conforme disponga el órgano competente de la Administración o de la Entidad respectiva.

2. De conformidad con lo establecido en los artículos 12 y 13 de la Ley Foral del Vascuence y en los términos en ellos contenidos, los funcionarios públicos que tengan atribuida la fe pública administrativa y la función de certificación administrativa deberán, en todo caso, expedir en castellano las copias de los documentos públicos otorgados ante sus respectivas Administraciones que deban surtir efectos fuera de la zona vascófona; asimismo, la expedición de copias y certificaciones de asientos obrantes en los Registros dependientes de las Administraciones públicas la realizarán en cualquiera de las lenguas oficiales.

3. *Las relaciones de las Administraciones públicas de la zona vascófona y sus Entes dependientes con la Administración del Estado y sus Organismos se realizarán en castellano,* salvo cuando se dirijan a órganos con sede en el territorio de Navarra, en cuyo caso podrán utilizar también el vascuence, de conformidad con lo establecido en el artículo 36 de la Ley de Régimen Jurídico de las Administraciones Públicas y del Procedimiento Administrativo Común.

4. En lo relativo a las relaciones con la Administración de Justicia, las citadas Administraciones públicas se ajustarán a lo establecido en la Ley Orgánica del Poder Judicial.

5. En las relaciones interadministrativas las Administraciones públicas de la zona vascófona podrán utilizar el idioma que libremente convengan con las otras Administraciones, salvo que la relación derive de un procedimiento administrativo en el que las otras Administraciones ostenten la condición de interesadas en los términos de la legislación que regula el procedimiento administrativo, en cuyo caso se estará a lo dispuesto en el artículo 11 de la Ley Foral del Vascuence y en el artículo 8.2 de este Decreto Foral.

SECCIÓN IV

Relaciones con los administrados

Artículo 10.—1. Las comunicaciones y notificaciones dirigidas a personas físicas o jurídicas de la propia zona vascófona se harán de forma bilingüe, salvo que los interesados soliciten expresamente la utilización de una cualquiera de las dos lenguas oficiales, de conformidad con lo establecido en el artículo 11 de la Ley Foral del Vascuence.

2. Cuando la relación derive de procedimientos en los que los ciudadanos o las otras Administraciones públicas ostentan la condición de interesados, en los términos previstos en los artículos 8.2 y 9.5 de este Decreto Foral, podrán utilizar impresos, modelos y formularios redactados en castellano, en vascuence o en forma bilingüe.

3. En sus comunicaciones orales los funcionarios podrán atender a los ciudadanos en cualquiera de las dos lenguas oficiales elegida por estos.

SECCIÓN V

Imagen, avisos y publicaciones

Artículo 11.—1. Los rótulos indicativos de oficinas, despachos y dependencias, los encabezamientos o membretes de la papelería, los sellos oficiales y cualesquiera otros elementos de identificación y señalización se redactarán de forma bilingüe.

2. Las disposiciones y su publicación en el *Boletín Oficial de Navarra* como requisito de eficacia, así como la rotulación de vías urbanas y nombres propios de sus lugares, se realizarán en castellano y en vascuence, de conformidad con el artículo 16 de la Ley Foral del Vascuence.

En realidad, de las implicaciones que este decreto pueda tener, la incidencia de este sobre la situación del euskera en Navarra no podemos enjuiciarla, dado que casi acaba de ponerse en marcha.

LA LENGUA VASCA EN LA ENSEÑANZA

Hasta 1990, el sistema educativo en Navarra ha dependido del Ministerio de Educación del Gobierno español; por lo tanto, hasta la fecha mencionada ha sido la Delegación del Ministerio en Navarra la encargada de llevar a cabo la programación de la enseñanza en euskera, de acuerdo con las prescripciones de los Decretos de Bilingüismo. «El Gobierno de Navarra ha creado un Servicio de Enseñanza del Euskera, que ha colaborado con el Ministerio en esta labor ocupándose de tareas variadas, desde la preparación lingüística de los maestros hasta la elaboración de directrices pedagógicas y preparación del material docente» (M. Siguán, 1992).

La ley establece en el Título II la legislación en materia de enseñanza, en los siguientes términos:

TÍTULO II

De la enseñanza

CAPÍTULO I

Disposiciones generales

Artículo 19.—Todos los ciudadanos tienen derecho a recibir la enseñanza en vascuence y en castellano, en los diversos niveles educativos, en los términos establecidos en los capítulos siguientes.

Artículo 20.—El Gobierno de Navarra regulará la incorporación del vascuence a los planes de enseñanza y determinará los modos de aplicación a cada centro, en el marco de lo dispuesto por esta Ley Foral para las distintas zonas.

Artículo 21.—El Gobierno de Navarra llevará a cabo, en el ámbito de sus competencias, las acciones necesarias para que los planes de estudio de los centros superiores de formación del profesorado garanticen la adecuada capacitación del profesorado necesario para la enseñanza del vascuence.

Artículo 22.—Las Administraciones públicas proporcionarán los medios personales, técnicos y materiales precisos para hacer efectivo lo dispuesto en los artículos anteriores.

Artículo 23.—Los planes oficiales de estudio considerarán el vascuence como patrimonio cultural de Navarra y se adaptarán a los objetivos de esta Ley Foral.

CAPÍTULO II

De la enseñanza en la zona vascófona

Artículo 24.—1.   Todos los alumnos recibirán la enseñanza en la lengua oficial que elija la persona que tenga atribuida la patria potestad o la tutela, o, en su caso, el propio alumno.

2.   En los niveles educativos no universitarios será obligatoria la enseñanza del vascuence y del castellano, de tal modo que los alumnos, al final de su escolarización básica, acrediten un nivel suficiente de capacitación en ambas lenguas.

3.   Los alumnos que hayan iniciado sus estudios de Educación General Básica fuera de la zona vascófona, o aquellos que justifiquen debidamente su residencia no habitual en la misma, podrán ser eximidos de la enseñanza del vascuence.

CAPÍTULO III

De la enseñanza en la zona mixta

Artículo 25.—1.   La incorporación del vascuence a la enseñanza se llevará a cabo de forma gradual, progresiva y suficiente, mediante la creación, en los centros, de líneas donde se imparta enseñanza en vascuence para los que lo soliciten.

2.   En los niveles educativos no universitarios se impartirán enseñanzas de vascuence a los alumnos que lo deseen, de tal modo que al final de su escolarización puedan obtener un nivel suficiente de conocimiento de dicha lengua.

CAPÍTULO IV

De la enseñanza en la zona no vascófona

Artículo 26.—La enseñanza del vascuence será apoyada y, en su caso, financiada total o parcialmente por los poderes públicos, con criterios de promoción y fomento del mismo, de acuerdo con la demanda.

Por lo que respecta a la promulgación de esta ley, en materia de enseñanza se distribuye la normativa, de manera diferenciada, en las tres zonas:

a) *Zona vascófona*

Se parte del principio de libre elección (por parte del padre, tutor o, en su caso, del propio interesado) de la lengua en que se recibirá dicha enseñanza (art. 24.1), si bien se dispone como obligatoria la enseñanza de las dos lenguas oficiales, «de tal modo que los alumnos, al final de la escolarización básica, acrediten un nivel suficiente de capacitación de ambas lenguas» (art. 24.2), pudiendo eximirse a los alumnos que hayan iniciado sus estudios de EGB fuera de la zona vascófona o que justifiquen su residencia no habitual en ella (art. 24.3).

Más concretamente, en cumplimiento de lo ordenado por el artículo 20, el Gobierno de Navarra ha regulado la incorporación y uso del vascuence en la enseñanza no universitaria, y por lo que a la zona vascófona se refiere, ha establecido el siguiente diseño, semejante al del País Vasco, basado en tres modelos: el modelo A de enseñanza en castellano, con la lengua vasca como asignatura en todos los niveles; el modelo B de enseñanza en euskera, con el castellano como asignatura en todos los cursos y como lengua en una materia o área de los ciclos inicial y medio, en dos del ciclo superior de EGB y en una o dos materias de BUP, COU y Formación Profesional; y, por último, el modelo D de enseñanza totalmente en euskera, salvo la asignatura de lengua castellana en todos los cursos y ciclos.

b) *Zona mixta*

Por lo que respecta a la enseñanza en esta zona, la Ley del Vascuence (art. 25) indica que la incorporación del euskera se hará de forma gradual, progresiva y suficiente y según las peticiones o solicitudes realizadas, siendo asimismo voluntaria la enseñanza del euskera. Hay que recordar lo señalado en el apartado dedicado a la «zona vascófona», donde se recogía lo dispuesto en el Decreto Foral 159/1988, en el que, para la zona mixta, la implantación de los modelos A, B y D se realizaría de acuerdo con peticiones que garantizasen un mínimo de alumnos.

c) *Zona no vascófona*

Sobre el euskera en la enseñanza, la ley señala que la enseñanza del euskera será apoyada y, en su caso, financiada total o parcialmente por los poderes públicos con criterios de promoción y fomento de su uso, de acuerdo con la demanda (art. 26). Reiterándose en el Decreto Foral 159/1988, ya citado, que en la zona no vascófona la enseñanza del euskera como asignatura se realizará cuando existan peticiones que garanticen un número mínimo de alumnos.

Como ya se ha indicado en lo referente a la Comunidad Autónoma Vasca, las ikastolas surgieron en la década de los sesenta y se fundaron también en Navarra, concretamente en Pamplona, promovidas por una ideología nacionalista. La primera ikastola se creó en 1965, y en los años posteriores se extendieron, especialmente, en la zona vascófona y en Pamplona. El objetivo inicial de las ikastolas era escolarizar a los niños y niñas euskaldunes en euskera. Pero ante la situación minoritaria del euskera, en Navarra y el entorno urbano del que surgieron, se planteó enseguida una nueva necesidad: la de la enseñanza del euskera como segunda lengua, de una manera eficaz. Y para afrontarlo crearon el modelo de «inmersión total temprana». Las ikastolas, al igual que en el País Vasco, instauraron, por lo tanto, los dos modelos educativos de mayor calidad para el aprendizaje de una lengua minoritaria: el modelo de escolarización en la lengua materna minoritaria y el de inmersión total temprana en la segunda lengua minoritaria. Estos modelos de enseñanza en euskera se difundieron, posteriormente, a las escuelas públicas y fueron regulados legalmente en 1988.

«Una década más tarde se difundió otro modelo de enseñanza del euskera como asignatura en las escuelas públicas, cuyos pobres resultados para el aprendizaje de lenguas minoritarias, evidenciados en múltiples investigaciones, han dado pie a su denominación de modelo de bilingüismo restrictivo. Este modelo, conocido como modelo A, goza de poco prestigio y su difusión queda muy por debajo de los modelos de enseñanza en euskera» (F. Zabaleta, 1993 y 1995).

Es, por lo tanto, importante destacar que la mayor parte del alumnado que ha aprendido o aprende euskera, como segunda lengua, en Navarra lo hace en los modelos de enseñanza en euskera. Estos modelos garantizan un buen nivel de aprendizaje funcional del euskera y su uso en el ámbito educativo, y refuerzan el prestigio de la lengua y la cultura vascas.

La falta de profesores preparados en euskera fue, ahora lo es cada vez menos, una de las dificultades mayores para la introducción del euskera en Navarra. «Para solventar esta dificultad el Ministerio estableció el llamado "cupo de bilingüismo", un cierto número de maestros pagados por el Ministerio y encargados de la enseñanza de la lengua vasca en las escuelas que la habían introducido en sus programas. El cupo comprendía unos cincuenta maestros al establecerse y cerca de un centenar al traspasarse las competencias educativas al Gobierno de Navarra. El Gobierno navarro, por su parte, o la Diputación Foral de Navarra para designarlo con su nombre propio, contrata a un cierto número de enseñantes encargados de la enseñanza voluntaria del euskera y fuera del horario escolar en los centros docentes que no lo han incorporado a sus programas pero que desean ofrecer esta oportunidad a sus alumnos» (M. Siguán, 1992).

El traspaso de las competencias educativas al Gobierno de Navarra está aún muy reciente como para poder predecir la incidencia del euskera en el sistema educativo.

En lo que se refiere a la enseñanza universitaria, la recién creada Universidad Pública de Navarra prevé el uso del euskera en sus estatutos, y dentro de ella se ha creado un Servicio de Euskera que ha elaborado un plan de euskaldunización progresiva que dará sus frutos en el futuro.

La lengua vasca en los medios de comunicación social

La mayor parte de las referencias de publicaciones de libros y revistas en euskera, explicados en la parte correspondiente al País Vasco, incluyen los publicados en Navarra, tal y como se ha hecho en el apartado correspondiente a la Comunidad Autónoma Vasca.

A ello hay que añadir que la Diputación Foral de Navarra, e instituciones como Príncipe de Viana, etc., publican en euskera textos de carácter histórico y literario o, incluso, de información turística; asimismo, la Diputación navarra patrocina la edición y publicación de manuales para la enseñanza del euskera y en euskera.

Desde el punto de vista legislativo, la Ley del Vascuence prevé en su Título III:

De los medios de comunicación social

Artículo 27.—1.   Las Administraciones públicas promoverán la progresiva presencia del vascuence en los medios de comunicación social públicos y privados.

A tal fin, el Gobierno de Navarra elaborará planes de apoyo económico y material para que los medios de comunicación empleen el vascuence de forma habitual y progresiva.

2.   En las emisoras de televisión y radio y en los demás medios de comunicación gestionados por la Comunidad Foral, el Gobierno de Navarra velará por la adecuada presencia del vascuence.

Artículo 28.—Las Administraciones públicas de Navarra protegerán las manifestaciones culturales y artísticas, la edición de libros, la producción audiovisual y cualesquiera otras actividades previstas en el artículo 1.3 de esta Ley Foral.

En cuanto a la prensa, existen dos periódicos editados en Pamplona, *Diario de Navarra* y *Navarra Hoy,* que publican una página semanal en euskera y algún que otro texto aislado, en determinadas ocasiones. *Deia* y *Egin,* lo mismo que *Egunkaria* (totalmente en euskera), ya citados al hablar del País Vasco, publican también ediciones especiales para Navarra.

Tres de las cuatro emisoras españolas con programas específicos para Navarra emiten regularmente en euskera: Radio Popular (una hora diaria), Radio Cadena (media hora diaria) y Radio Nacional (cinco minutos).

No existen emisoras de televisión navarras, de carácter autonómico. Por ello, en los informativos regionales de TV2 se emite un brevísimo resumen en euskera. No debemos olvidar, sin embargo, que en la mayor parte del territorio se captan los canales de la televisión autonómica vasca (ETB1 y ETB2).

7

EL ARANÉS, LENGUA DEL VALLE DE ARÁN/VALL D'ARAN

EL ARANÉS: ANTECEDENTES Y SITUACIÓN

El aranés es una variante de la lengua occitana propia del Valle de Arán, donde se habla desde el siglo XI. Este territorio de 620 km² se integró en Cataluña en 1175 por el Tratado de Emparanza, cambió de manos varias veces durante el siglo XIII hasta que en 1313 los araneses decidieron por votación popular la permanencia en la corona catalanoaragonesa, al mismo tiempo que Jaime II otorgó un conjunto de privilegios llamado *Era Querimònia,* verdadera Carta Magna de Arán. En 1411, el valle se integró de forma paccionada en Cataluña.

EL ARANÉS, LENGUA PROPIA DEL VALLE DE ARÁN

La Constitución Española de 1978, después de afirmar que «el castellano es la lengua oficial de España», añade que «las demás lenguas españolas serán también oficiales en las respectivas Comunidades Autónomas de acuerdo con sus Estatutos» y que «la riqueza de las distintas modalidades lingüísticas es un predominio cultural que será objeto de especial respeto y protección».

En realidad, por la situación del valle, la zona está más abierta a Francia que a España, de donde está más aislado; pero, a pesar de su posición, administrativa y territorialmente forma parte de España. En este territorio se habla aranés, variedad del gascón, estrechamente relacionado a su vez con el provenzal. Aunque el volumen de población es pequeño, las características de su situación geográfica han permitido que, gracias a su aislamiento, la lengua propia haya sobrevivido. «Pero en el valle de Arán, desde su incorporación a España, la lengua de la Administración y de la enseñanza ha sido el castellano. Así, se ha producido una situación diglósica clásica en la que casi la totalidad de los habitantes del Valle tenían el aranés como primera lengua y como lengua de relación social, pero conocían también el castellano con mayor o menor competencia y lo utilizaban en determinadas circunstancias» (M. Siguán, 1992).

En los últimos tiempos se ha producido un trascendental cambio sociológico en toda esta zona, que, como otras de alta montaña, se ha convertido en territorio privilegiado para la práctica de deportes de montaña, lo que ha provocado que el valle se haya abierto a un gran número de población flotante turística, además de convertirse en un importante punto de inmigración laboral, procedente en parte de Cataluña y en parte de toda España, lo que probablemente está alterando y alterará más aún la situación sociolingüística de la zona.

Pero además de este cambio sociolingüístico, un hecho político, como es la incorporación del Valle de Arán a la Autonomía catalana, también ha influido en la evolución lingüística del territorio. Así, a partir de la aprobación del Estatuto de Autonomía de Cataluña y, más tarde (1983), de la promulgación de la Ley de Normalización Lingüística de Cataluña, se tuvo en cuenta la peculiaridad lingüística del valle y este hecho se plasmó en el Título V, dedicado a «la normalización del uso del aranés», donde se explicita lo siguiente:

TÍTULO V
De la normalización del aranés

Artículo 28.—1.   El aranés es la lengua propia del Valle de Arán. Los araneses tienen derecho a conocerlo y de expresarse en el mismo, en las relaciones y los actos públicos dentro de este territorio.

2.   La Generalitat, junto con las instituciones aranesas, debe tomar las medidas necesarias para garantizar el conocimiento y el uso normal del aranés en el Valle de Arán y para impulsar su normalización.

3.   Los topónimos del Valle de Arán tienen como forma oficial la aranesa.

4.   El Consell Executiu debe proporcionar los medios que garanticen la enseñanza y uso del aranés en los centros escolares del Valle de Arán.

5.   El Consell Executiu debe tomar las medidas necesarias para que el aranés sea utilizado en los medios de comunicación social en el Valle de Arán.

6.   Cualquier reglamentación sobre el uso lingüístico consiguiente a esta ley debe tener en cuenta el uso del aranés en el Valle de Arán.

Las primeras manifestaciones de política lingüística llevadas a cabo por la Generalidad de Cataluña, y en concreto por la Dirección de Política Lingüística, han cristalizado en:

«*a*)   La realización de la encuesta sociolingüística [...] como base para posibles actuaciones posteriores.

b)   La creación de una comisión encargada de codificar las normas del aranés, que ha dado a conocer una norma ortográfica.

c)   La edición de un libro de lecturas en aranés para su uso en las escuelas» (M. Siguán, 1992).

El Estatuto de Cataluña de 1978 establece que «El habla aranesa será objeto de enseñanza y protección». La Ley 16/1990, de 13 de julio, sobre el Régimen Especial del Valle de Arán, que otorga al valle un régimen de autonomía administrativa, reconoce la adscripción del aranés a la lengua occitana y establece que «El aranés, modalidad de la lengua occitana y propia de Arán, es oficial en el Valle de Arán. También lo son el catalán y el castellano de acuerdo con el artículo 3 del Estatuto de Autonomía».

La misma ley dispone que «la Generalitat y las instituciones de Arán deben adoptar las medidas necesarias para garantizar el conocimiento y el uso normal del aranés» y otorga competencia plena al Consejo General de Arán en todo lo que hace referencia al fomento y la enseñanza del aranés.

Conforme a estas normas, el aranés es impartido en todos los niveles de la enseñanza obligatoria y también se utiliza como lengua vehicular y de aprendizaje, y el Consejo General y los ayuntamientos de Arán lo usan normalmente en su documentación interna y en las comunicaciones con los ciudadanos y ciudadanas de Arán. La Generalidad y el Consejo procuran la enseñanza del aranés al personal al servicio de todas las Administraciones públicas destinado en el Valle de Arán.

Conocimiento del aranés: Padrón de 1996

Veamos a continuación los siguientes datos tomados de los resultados del *Censo de 1996* en cuanto a conocimiento del aranés:

Tabla 89

Población de 2 años y más por conocimiento del aranés

	Lo entienden	Lo saben hablar	Lo saben leer	Lo saben escribir	No lo entienden	Población de 2 años y más
VALL D'ARAN	6.295	4.534	4.145	1.746	696	6.991
Arres	61	46	37	5	2	63
Bausen................	69	63	21	6	0	69
Bòrdes, Les	199	163	144	64	18	217
Bossòst, Les	778	600	544	229	28	806
Canejan	103	97	59	10	0	103
Les.......................	652	490	448	68	9	661
Naut Aran..........	1.215	884	835	344	91	1.306
Vielha e Mijaran .	3.093	2.131	1.966	1.011	530	3.623
Vilamòs	125	60	71	9	18	143

Tabla 90

Población de 2 años y más por conocimiento del aranés (%)

	Conocimientos del aranés				
	Lo entienden	Lo saben hablar	Lo saben leer	Lo saben escribir	No lo entienden
VALL D'ARAN............	90,05	64,65	59,29	24,97	9,95
Arres......................	96,83	73,01	55,73	7,93	3,17
Bausen..................	100	91,30	30,43	8,69	0
Bòrdes, Les...........	91,71	75,11	66,35	29,49	8,29
Bossòst, Les..........	95,53	74,44	67,49	28,41	3,47
Canejan.................	100	94,17	57,28	9,76	0
Les........................	98,64	74,13	67,77	10,28	1,36
Naut Aran	93,04	67,68	63,93	26,33	6,96
Vielha e Mijaran...	85,38	56,61	54,81	27,90	14,62
Vilamòs.................	87,42	41,95	49,65	6,29	12,53

En estudios recientes realizados sobre el territorio de habla aranesa la comprensión y el habla son más elevadas en Canejan, Bausen, Les Bossòts y el Naut Aran, mientras que la capacidad de escritura es relativamente superior en la zona de Mijaran. La edad, el lugar de nacimiento y el nivel de instrucción son variables a tener en cuenta para entender esta distribución.

Encuesta de conocimiento y uso en el Valle de Arán (1984-2000)

En la revista *Llengua y ús,* número 22, del año 2001, publicada por el Departamento de Cultura de la Dirección General de Política Lingüística, se recogen los resultados de «Una encuesta de coneixement i ús de las llengües a la Vall d'Aran. La situació l'any 2000 i el 1984». En él se ofrecen algunos de los datos más importantes obtenidos en una investigación llevada a cabo a través de la encuesta realizada en el año 2000, con las mismas pautas que la llevada a cabo en 1984 por Climent, publicada en 1986 (véase J. Suïls, A. Huguet y C. Lapresta, 2001, págs. 141-164).

Los objetivos de estos estudios —con metodología de encuesta— iban dirigidos a conocer cuál era el grado de competencia lingüística declarada en occitano, lengua propia del territorio, entre la población del Valle de Arán, y también la frecuencia y ámbitos de uso de aquella área territorial.

Como hemos señalado, Climent (1986) aplicó un cuestionario que se fijó en los mismos puntos, atendiendo a las siguientes variables independientes:

• Municipio de residencia.
• Lugar de nacimiento.

- Sexo.
- Edad.

— *Resultados referentes al conocimiento del aranés*
   entre la población aranesa:

Se trata de observar la evolución, en la competencia lingüística de los araneses de 1984 a 2000, atendiendo a los estudios de Climent (1986), Reixach (1997) y Vila (2000).

Tabla 91

Conocimiento del aranés (occitano). Evolución (%)

	Lo entiende	Lo habla	Lo habla y lo lee	Lo lee	Lo escribe
1984.........	93,13	79,19	24,61	—	8,96
1991.........	92,3	60,9	—	51	18,6
1996.........	90	64,9	—	59,3	25
2000.........	92,5	68,16	58,65	—	35,82

Fuente. T. CLIMENT (1986), M. REIXACH (1997), F. X. VILA (2000), y J. SUÏLS, A. HUGUET y C. LAPRESTA (2001), ob. cit. pág. 162.

Tabla 92

Conocimiento del aranés según la edad (1984-2000) (%)

		0-10	11-20	21-30	31-40	41-50	51-60
Lo habla, lee y	1984	6,8	24	11,9	5,2	4,4	3,5
escribe...........	2000	100	91	38,6	32,4	36,1	40,0
Lo habla y lo lee	1984	2,4	10,3	19,6	19,5	21,5	20,1
	2000	0	0	6	21,9	26,4	40
Lo habla............	1984	59,7	50,7	43,3	49,7	51,3	60,4
	2000	0	0	7,2	8,6	12,5	0
Lo entiende.......	1984	4,8	11,2	17,8	20	19,3	12,2
	2000	0	5,4	30,1	31,4	20,8	20
No lo sabe.........	1984	26,3	3,8	7,4	5,6	3,5	3,8
	2000	0	3,6	18,1	5,7	4,2	0

Fuente: T. CLIMENT (1986), y J. SUÏLS, A. HUGUET y C. LAPRESTA (2001), ob. cit., pág. 163.

La conclusión de este apartado referente al conocimiento del aranés en conjunto, y sin entrar en detalles, muestra que en el período de quince años (1984-2000) ha habido un descenso en el número de los individuos que saben hablar, que se sitúa en torno a un 11 por 100, y que en el mismo tiempo ha habido un aumento relativo en el número de los que dicen que saben leerlo. Este conocimiento formal pasivo se ha visto incrementado también, muy claramente, entre los grupos de edad más elevada. El conocimiento formal activo (escribir la lengua) ha aumentado fuertemente entre los más jóvenes, en un porcentaje más bajo. Hay que hacer notar aquí que la escolarización ha tenido un efecto grande en cuanto a la difusión de la lengua escrita, pero tal difusión por otros medios ha tenido que ser también alta y muy activa, tal como lo manifiesta el incremento del conocimiento de la lengua escrita entre grupos de edad que no han seguido esos procesos de escolarización.

El uso del aranés

El occitano ha perdido presencia en los ámbitos de uso, que veremos más adelante, y que tuvo en cuenta Climent (1986). El retroceso más significativo se ha dado en el entorno familiar: el uso en la casa ha bajado en torno a un 20 por 100. También en el ámbito de fuera de la familia, en actividades ligadas al ocio, el porcentaje decreció en torno al 20 por 100. Ha tenido una gran influencia la numerosa inmigración que ha tenido el territorio en poco tiempo:

Tabla 93

Uso del aranés (1984-2000) (%)

	1984	2000
En casa	58,8	36,4
Con los vecinos	60,4	42,5
En el bar, mercado, etc.	60,1	36,9
En el trabajo, etc.	—	22,5

La casilla referente al trabajo no pudo tenerse en cuenta, puesto que no fue considerada en 1984 en el trabajo de Climent.

Tenemos, pues, una sustitución rápida que solamente puede explicarse por la entrada masiva de inmigrantes, que ha producido un doble efecto: por una parte, el cambio drástico en la composición demográfica y el refuerzo de tareas vinculadas al castellano o al catalán. El resultado es que, si atendemos a los números, en estos quince años examinados el aranés se ha convertido, claramente, en una lengua minoritaria en el Valle de Arán. Como suele ser habitual, si examinamos los datos atendiendo al factor edad, la sustitución es más acentuada a medida que baja la edad. En la franja de edad de 21 a 30 años, los porcentajes de los que usan al aranés como primera o segunda lengua desciende en el uso, desde 1984 hasta el año 2000, en torno a un 36,1 por 100; lo mismo entre los jóvenes de 11 a 20 años, con una reducción del 29 por 100 y una del 35 por 100 entre los 0 a los 10 años.

Pues bien: a partir de la información de este trabajo de Suïls, Huguet y Lapresta (2001) y de la comparación de los trabajos de Climent, Reixach y Vila puede decirse que, en primer lugar, el aranés cuenta con una presencia precaria. El uso fuera del entorno familiar está dominado por el castellano, sobre todo en las generaciones más jóvenes. Por el contrario, en cuanto al conocimiento de la lengua, ha aumentado, por efecto de la escolarización en aranés. Lo que muestra que los medios puestos para la enseñanza de la lengua en la escuela han sido muy superiores a las medidas de política lingüística que iban dirigidas a fomentar su uso. Lo que muestra la necesidad urgente de una activación de las medidas destinadas a la promoción y uso de la lengua, que fuera llevada a cabo con la seriedad y el rigor necesarios.

8
ARAGÓN

CARACTERIZACIÓN Y SITUACIÓN

La Constitución Española de 1978, después de afirmar que «el castellano es la lengua oficial de España», añade que «las demás lenguas españolas serán también oficiales en las respectivas Comunidades Autónomas de acuerdo con sus Estatutos» y que «la riqueza de las distintas modalidades lingüísticas es un predominio cultural que será objeto de especial respeto y protección».

A lo dicho hasta aquí, referido a la situación de las Comunidades Autónomas con una lengua propia distinta del castellano que posee, al igual que esta, carácter de lengua oficial, hay que añadir, además, que, en este caso, tal y como se ha indicado antes, en el Estatuto de Aragón se hace también referencia a las peculiaridades lingüísticas de Aragón, con lo que implícitamente se está aludiendo a los restos del antiguo aragonés y a la existencia de una franja fronteriza (Franja Oriental de Aragón, Franja de Ponient) entre Aragón y Cataluña, en la que se mantiene el catalán (véase capítulo 4). Asimismo, la obra titulada *Estudio sociolingüístico de la Franja Oriental de Aragón,* elaborado por M. A. Martín Zorraquino, M. R. Fort, M. L. Arnal y J. Giralt (1995) y publicada en Zaragoza (Seminario de Investigaciones Lingüísticas de la Universidad de Zaragoza, Gobierno de Aragón) en la Colección Grammaticalia, número 2, ofrece, en dos espléndidos volúmenes, un documentadísimo trabajo de investigación que resulta imprescindible, actualmente, a la hora de conocer la situación lingüística y sociolingüística de este territorio. Pues bien: en dicho Estatuto de Autonomía de Aragón (1982) se reconocía en su artículo 7 que «las diversas modalidades lingüísticas de Aragón gozarán de protección como elementos integrantes de su patrimonio cultural», y tras la reforma de 1996 ha sido redactado del modo siguiente:

«Las lenguas y modalidades lingüísticas propias de Aragón gozarán de protección. Se garantizará su enseñanza y el derecho de los habitantes en la forma que establezca una Ley de Cortes de Aragón para las zonas de utilización predominante de aquellas» (Estatuto de Autonomía de Aragón, 1996, artículo 7) (véase M. A. Martín Zorraquino y J. M. Enguita, *Las lenguas de Aragón,* Caja de Ahorros de la Inmaculada de Aragón, Zaragoza, 2000).

VARIEDADES LINGÜÍSTICAS DE ARAGÓN

En este apartado se siguen las propuestas y los datos que proporciona el estudio arriba citado de M. A. Martín Zorraquino y J. M. Enguita (2000) sobre *Las lenguas de Aragón.*

La situación sociolingüística de Aragón, con sus distintas variedades lingüísticas, en el momento actual, responde en buena medida al resultado de la coincidencia, en épocas pasadas, de diversas circunstancias históricas de diferente carácter. «La Reconquista supuso la incorporación paulatina al territorio de Aragón de áreas geográficas ocupadas por gentes que hablaban idiomas diversos y que, en algunos casos, eran de filiación no latina» (M. A. Martín Zorraquino y J. M. Enguita, 2000, págs. 14 y sigs.).

En la época medieval el territorio del antiguo reino de Aragón se configuró como «lugar de encuentro» de diversas culturas y, naturalmente, de diversas lenguas. «Ha de destacarse, primero, el latín, cuyo dominio, tanto en la modalidad escrita como en la hablada, solo podía adquirirse a través del estudio y era empleado habitualmente como la principal lengua de cultura [...], el romance hablado en todo el reino que no era otra cosa que el antiguo aragonés, el árabe que, como es sabido, funcionaba como vehículo de importantes actividades científicas y literarias; sus huellas, progresivamente romanizadas, subsistirán hasta 1610 con mudéjares y moriscos, quienes, instalados [...] en las riberas del Ebro [...] han legado unos interesantes y originales textos aljamiados [...]» como el *Poema de Yuçuf* (primera mitad del siglo XIV) y la lengua hebrea, propia de las comunidades judías, muy hispanizadas ya hacia 1492, fecha de su expulsión, que han conservado hasta hoy «en su peculiar variedad románica (o sefardí) testimonios de aragonesismos léxicos, sobre todo en la zona de los Balcanes» (ibídem, págs. 14 y 15).

Ahora bien: en este momento queremos poner atención especialmente —aun cuando las antedichas lenguas expliquen buena parte de la situación actual de Aragón— en las manifestaciones romances, procedentes del latín, que están vinculadas a la diversidad lingüística actual. Efectivamente, en el período de dominación árabe existieron *hablas mozárabes,* que han dejado su rastro en la toponimia actual; variedades del occitano reflejadas en el *Fuero de Jaca* de 1238 (véanse los trabajos de Buesa, Martín Zorraquino y Enguita, Alvar y otros); el *romance aragonés* y «las *hablas catalanas* de la zona oriental de Aragón en la Edad Media; y no habría que olvidar que, a finales del siglo XV, sobreviene un intenso proceso de castellanización que, en buena medida, explica la realidad lingüística de la Comunidad Autónoma de nuestros días» (ibídem, págs. 15 y 16).

La convivencia de lenguas y culturas diversas en lo antiguo permite caracterizar las variedades lingüísticas aragonesas con arreglo a la siguiente división sociogeográfica:

En primer lugar, *el castellano* (o el español), que es la lengua oficial del territorio y lengua común de todos los aragoneses, por supuesto, con peculiaridades regionales características. Por otro lado, el *catalán* en la *Franja Oriental de Aragón* (capítulo 4). Además están presentes las *hablas altoaragonesas,* cuyo origen se remonta al aragonés medieval y que conviven con el castellano, en situación clara de diglosia, y, por último, existen las hablas de transición *catalanoaragonesa,* localizadas desde Benasque hasta Tamarite de Litera, que son hablas de carácter mixto (M. A. Martín Zorraquino y J. M. Enguita, 2000, págs. 7-13).

HABLAS ALTOARAGONESAS

Como ya se ha indicado, la castellanización del territorio, a partir de finales del siglo XV, fue disminuyendo el espacio geográfico del aragonés medieval, de modo que, con el paso del tiempo, solo sobrevivieron estas variedades altoaragonesas en los valles pirenaicos centrales a través de su transmisión generacional, oral, naturalmente, en forma de hablas locales (fablas) o regionales. Hace unos años, en 1989, una encuesta realizada por Conte, Anchet y otros cifraba en 30.000 personas las que se consideraban capaces de hablar o comprender el aragonés. En opinión de M. A. Zorraquino y J. M. Enguita, no puede deducirse por el recuento de habitantes que todos ellos sean hablantes activos de estas variedades.

En definitiva, en opinión de estos autores, el hecho de que se conserven las hablas locales —más o menos puras— no implica que todos los habitantes de esas localidades las empleen cotidianamente, ni siquiera que las conozcan de manera pasiva. En 1980, F. Nagore indicaba, para el conjunto de hablas pirenaicas, entre 10.000 y 12.000, aunque consideraba que en total el número de hablantes podría aumentar hasta 40.000 o 60.000, al añadir a «los usuarios cotidianos la población que las empleaban esporádicamente o incluso a quienes las utilizaban muy castellanizadas» (M. A. Martín Zorraquino y J. M. Enguita, 2000, pág. 75). El *Censo de Población de 1991* indica que existen 11.824 hablantes activos y 17.653 hablantes pasivos. En 1988, Monge consideraba que estaban «por debajo de los 10.000 hablantes» (véase el capítulo titulado «Aspectos sociolingüísticos», sobre la discusión existente en torno a la caracterización y procedencia de estas hablas, ante el Grupo d'Estudios de Fabla Chesa y el Consello d'a Fabla Aragonesa, recogido por M. A. Martín Zorraquino y J. M. Enguita, 2000, págs. 78 a 83).

HABLAS CATALANOARAGONESAS

Desde el valle de Benasque hasta San Esteban de Litera se producen variedades, resultado del contacto de lenguas, antiguas y actuales, de transición y caracterización lingüística compleja que presentan rasgos propios del antiguo aragonés y del catalán. Atendiendo a estudios monográficos de estas hablas puede caracterizarse el habla de esta área territorial como el «entrecruzamiento» de fenómenos catalanes y aragoneses que da lugar a modalidades de habla de gran interés lingüístico y sociolingüístico. «Tal complejidad puede ilustrarse con algunos ejemplos tomados fundamentalmente del habla del Valle de Benasque, cuyos habitantes designan con el término "patués" a estas hablas [...]. Así, en el patués (o benasqués) pueden enumerarse como rasgos comunes al aragonés y al catalán la persistencia de *f-* inicial ("formiga", "fumo") o la formación del plural mediante la terminación única */-s/,* etc.» (M. A. Martín Zorraquino y J. M. Enguita, 2000, págs. 84-85).

Hay que hacer constar que esta variedad se ha desarrollado como vehículo literario en los últimos años, y que desde 1997-1998 se vienen impartiendo cursos para promocionar su uso y que perviva la variedad con la mayor vitalidad posible sin que se produzca una interrupción en la transmisión generacional del patués.

Hay que señalar, por último, que en 1997 se publicó un *Dictamen elaborado por la Comisión especial sobre la política lingüística en Aragón,* pero no se ha cumplido aún la demanda que figura en el Estatuto de Autonomía en cuanto a la necesidad de elaborar la Ley de Cortes antes citada.

9

PRINCIPADO DE ASTURIAS:
ASTURIANO/BABLE

ANTECEDENTES Y SITUACIÓN

Asturias ocupa un territorio de 10.564 km² con una población en torno a 1.112.000 habitantes; está situada en el norte de la Península, al borde del mar Cantábrico; limita con Galicia y con Cantabria, y por el sur, con León, etc.

Como es sabido, en las montañas de Asturias y León se conformó un bloque lingüístico procedente, como el resto de los romances históricos, del latín, al que Menéndez Pidal denominó astur-leonés, o más bien, leonés, que estaba conformado por una serie de hablas procedentes del latín que se encontraba en tierras del antiguo reino de León y que presentaban rasgos comunes. «De este conjunto de hablas, son las asturianas, lo que se llama *asturiano o bable,* las que tienen mayor vitalidad. Otras son las que se extienden por las tierras más occidentales de León, de Zamora y de Salamanca y cuya influencia se deja sentir en la zona extremeña» (P. García Mouton, *Lengua y dialectos de España,* Arco, Madrid, 1996, pág. 19). Pero, al igual que en otros territorios peninsulares, el surgimiento del castellano y su fortuna social y política lograron imponerse y, poco a poco, este se difundió también por el reino de León, lo que provocó que el asturiano no llegara a «establecerse» lingüísticamente, ni a tener un cultivo propio.

En los siglos posteriores el castellano se afianzó como lengua única de la Administración y de la cultura; a pesar de todo, el asturiano, conocido popularmente como bable, ha mantenido su vigencia, reducido a ámbitos rurales y muy fragmentados en variedades dialectales diversas y «hablas locales» distribuidas por todo el territorio asturiano y por algunas zonas administrativamente leonesas.

Los movimientos sociales que en el siglo pasado llevaron, en otros territorios, a la reivindicación de las lenguas minoritarias no tuvieron suficiente fuerza en el caso asturiano y solo a finales de los sesenta se iniciaron campañas de recuperación y revalorización del bable que encontraron cierto eco, pero que, a la vez, originaron fuertes controversias «entre los que no creen posible hablar hoy asturiano, como una lengua única, y menos todavía pretender codificarla y modernizarla a partir de las variables dialectales existentes» (M. Siguán, 1992).

El hecho cierto es que, a pesar de las campañas que se llevaron a favor de la recuperación del bable, en el Estatuto de Autonomía de Asturias no se sanciona el uso oficial del bable como lengua propia del territorio, y únicamente se dice en el artículo 4 que: «El bable gozará de protección». Se promoverá su uso, su difusión en los medios de comunicación y su enseñanza, respetando en todo caso las variantes locales y la voluntariedad de su aprendizaje. En el artículo 10, al relatar las competencias del Principado, en su párrafo *n),* se dice explícitamente: «Fomento y protección del bable en sus diversas variantes que como modalidades lingüísticas se utilizaran en el Principado de Asturias».

El Gobierno de Asturias, a partir de estas afirmaciones del Estatuto, ha impulsado la normalización y defensa del bable creando en su Consejería de Cultura una Oficina de Política Lingüística con la finalidad de promover y difundir el conocimiento del bable.

La creación de la Academia de la Llingua Asturiana en 1981 supone un paso decisivo en el proceso de recuperación lingüística. Fue creada como institución dependiente de la Consejería de Cultura del Gobierno de Asturias; entre sus objetivos fundamentales se encuentra:

- La normalización de la lengua asturiana.
- Promoción de la literatura en lengua asturiana.
- Expansión y promoción del asturiano entre los maestros.
- Protección de los derechos lingüísticos.

De la tarea realizada por la Academia de la Llingua, actualmente se han publicado las *Normas Ortográficas de l'Academia de la Llingua Asturiana,* que han sido respetadas y empleadas ya por escritores, enseñantes, etc. Mientras que en el dominio de la ortografía la normativa es ya una realidad casi completa, en lo que concierne a la sintaxis y la morfología la normalización no se ha llevado a cabo completamente; falta aún la publicación de una gramática normativa, aunque el trabajo ya está iniciado (R. d'Andrés, 1987).

CONOCIMIENTO Y USO DEL BABLE

Atendiendo a datos de 1987, puede decirse que el número de personas que afirman hablar el asturiano es el 30 por 100 de la población total de Asturias. Esto quiere decir que, al menos, hay unos 360.000 hablantes de asturiano *(Informe so la llingua asturiana,* 1987). La población que habla asturiano no se corresponde con una determinada zona del territorio asturiano, sino que la distribución territorial de la lengua coincide, en la práctica, con la Comunidad Autónoma. La situación es claramente diglósica: la lengua A es el castellano, que es la empleada en situaciones formales; posee, además, un reconocimiento de lengua oficial que la otra, la lengua propia, no posee; es utilizada como lengua de la Administración, de la enseñanza, y es, por lo tanto, vehículo de cultura. El asturiano ocupa las funciones de lengua B restringida al ámbito familiar y a las situaciones menos formales; su presencia en la enseñanza y en los medios de comunicación social es muy limitada, y para la mayor parte de la población su uso es solo oral.

«En cuanto a las opiniones de la población sobre la posibilidad de que se introduzca el asturiano en la enseñanza [...]: un 34 por 100 de la población se declaran partidarios de que en la enseñanza se utilice exclusivamente el castellano y un 66 por 100 partidarios de alguna presencia del asturiano en la enseñanza; más concretamente, un 48,5 por 100 partidarios de que la enseñanza sea predominantemente en castellano pero con enseñanza de asturiano, un 11 por 100 partidarios de una enseñanza en las dos lenguas y un 5,8 por 100 partidarios de una enseñanza en castellano o en asturiano, a elección de los padres» (M. Siguán, 1992).

Según los datos aportados por el *Informe so la Llingua Asturiana* (1987), ya citado, inicialmente, la posición oficial del Gobierno asturiano insistía en la idea de incluir la materia de lengua asturiana como voluntaria y fuera del horario escolar, bajo la denominación de «Actividades diversas» y, por supuesto, sin ninguna obligación por parte de los centros escolares, es decir, de manera voluntaria. Ante las enérgicas protestas de la Academia de la Llingua, la Consejería de Cultura emprendió en diez centros de EGB de Asturias una experiencia piloto, que se inició en 1984, y en los que el asturiano fuera una asignatura optativa dentro del horario escolar, en el ciclo medio y superior. Posteriormente, en los años siguientes, se extendió la experiencia a 54 centros escolares, en las mismas condiciones, siempre que los padres y profesores los propusieran.

Según este informe, la introducción del asturiano en la escuela es un hecho aceptado y bien considerado por la población, y según las últimas encuestas el 71,8 por 100 muestran una opinión favorable a esta presencia.

Por otra parte, en el curso 1985-1986 se creó en la Escuela de Profesorado de Oviedo la asignatura de lengua asturiana como materia optativa en el plan de estudios.

Cabe decir que aunque los logros en la expansión y valoración de la lengua han sido importantes en estos últimos años, aún queda un largo camino por recorrer para «colocar al asturiano, todavía una lengua en recesión, en el lugar que le corresponde en la sociedad» (R. d'Andrés, 1987).

BIBLIOGRAFÍA

PRÓLOGO

APPEL, R., y MUYSKEN, P., *Bilingüismo y lenguas en contacto,* Ariel, Madrid, 1988-1996.

1. DIVERSIDAD SOCIAL Y DIVERSIDAD LINGÜÍSTICA

ABALAIN, H., *Destin des langues Celtiques,* Ophrys, París, 1989.

BAÑERES, J., «El bilingüismo en Europa», en *Repercusiones de la entrada en la CEE desde Euskadi,* Bilbao, 1986, págs. 228-229.

BILBAO, M., y LÓPEZ, J., «El poder de las naciones en la Unión Europea», *Política Exterior,* núm. 40, VII (1994).

CORBEIL, J. C., «Vers un aménagement linguistique comparé», en J. Maurais (ed.), *Politique et aménagement linguistiques,* Conseil de la langue Française, París y Quebec, 1987.

DAUSSET, J., *Interview* (programa de TV), de FR3, París, 5 de diciembre de 1988.

DEUTSCH, K. W., «La tendencia del nacionalismo europeo: el aspecto lingüístico», en *Las naciones en crisis,* FCE, México, 1981.

DURANTI, A., *Antropología social,* Cambridge University Press, Madrid, 2000.

ETXEBARRIA, M., *El bilingüismo en el Estado español,* FBV, Bilbao, 1995.

FISHMAN, J., *Language and Ethnicity in Minority Sociolinguistics Perspectives,* Multilingual Matters, Clevedon, 1989.

— *Reversing language shift,* Multilingual Matters, Clevedon, 1991.

— «Language and Ethnicity, the view of withing», en F. Coulmas (ed.), *The Handbook Sociolinguistics,* Blackwell, Oxford, 1996.

FLEURIOT, L., «Les reformes du breton», en I. Fodor y Cl. Hagège (eds.), *La Réforme des langues: Histoire et Avenir,* Helmut Buske Verlag, Hamburgo, 1983, vol. I, págs. 27-48.

GIORDAN, H., *Les minorités en Europe: Droits linguistiques et Droits de l'Homme,* Editions Kimé, París, 1992.

GORZ, A., «Entretien», en *Le Monde,* París, 14 de abril de 1992.

HAGÈGE, C., *L'Homme de paroles: contribution linguistique aux sciences humaines*, Fayard, París, 1985.

— *La structure des langues,* PUF, París, 1986.

— *L'enfant aux deux langues,* Odile Jacob, París, 1986.

HAGÈGE, C., *No a la muerte de las lenguas,* Paidós, Madrid, 2001.

— (ed.), *La Réforme des langues: Historie et avenir,* Helmur Buske Verlag, Hamburgo, 1983, vol. I.

MASSON, M., «La renaissance de l'hébreu», en I. Fodor y Cl. Hagège (eds.), *La reforme des langues: histoire et Avenir,* Helmut Buske Verlog, Hamburgo, 1983, vol. II, págs. 449-479.

MORENO CABRERA, J. C., *La dignidad e igualdad de las lenguas (Crítica de la discriminación lingüística),* Alianza, Madrid, 2001.

SANMARTÍ, J. M., *Las políticas lingüísticas y las lenguas minoritarias en el proceso de construcción de Europa,* IVAP, Bilbao, 1995.

SAPIR, E., «The Status of Linguistics as a Science», en D. G. Mandelbaum (ed.), *Selected writings of Edward Sapir in language, culture and personality,* University of California Press, Berkeley, 1929, págs. 150-166.

SIGUÁN, M., *La Europa de las lenguas,* Ed. 62, Barcelona, 1995.

— *Bilingüismo y lenguas en contacto,* Alianza Editorial, Madrid, 2001.

STAVENHAGEN, R., «Les conflits éthniques et leur impacté sur la société internationale», en *L'Étude Nationale des Sciences Sociales,* núm. 127, París, 1991, págs. 123-138.

STEPHENS, M., *Linguistic Minorities in Western Europe,* Gomer Press, Cardiff, 1978.

VV.AA., *Lenguas en España. Lenguas de Europa,* Veintiuno, Madrid, 1994.

— *Las políticas lingüísticas a partir de la Declaración Universal de los Derechos Lingüísticos,* CIEMEN, Barcelona, 1998.

2. BILINGÜISMO Y LENGUAS EN CONTACTO

ADLER, K., *Collective and individual bilingualism: A sociolinguistic study,* Helmut Buske Verlag, Hamburgo, 1997.

BAETENS BEARDSMORE, M., *Bilingualism: Basic principles,* Multilingual Matters, Tieto Limited, Clevedon, 1982.

— «Substratum, adstratum and residual bilingualism in Brussels», *Journal of Multilingual and Multicultural Development,* 4: 1 (1983), págs. 1-14.

BAL, W., «Elites africaines face au français et aux langues nationales», en G. Manesy y P. Wald (eds.), *Plurilinguisme,* Harmattan, París, 1979.

BAÑERES, J., «El bilingüismo en Europa», en *Repercusiones de la entrada en la CEE desde Euskadi,* Bilbao, 1986, págs. 228-229.

BARNES, D., «National language planning in China», en J. Rubin, B. H. Jernuda, J. Das Gupta y F. Fishman (eds.), *Language planning processes,* Mouton, La Haya, págs. 255-273.

BLANC, M., *Communal dialects in Baghdad,* Harvard University Press, Cambridge, 1964.

BLOOMFIELD, L., *Language,* Holt, Nueva York, 1933.

BOURHIS, R. Y., y GENESSE, F., «Evaluative reactions to code switching strategies in Montreal», en M. Giles, N. P. Robinson y P. M. Smith (eds.), *Language Social psychological perspectives,* Pergamon Press, Oxford, 1980, págs. 335-343.

BOURHIS, R. Y.; GILES, M., y ROSENTHAL, D., «Notes on the construction of "subjective vitality questionnaire for ethnolinguistic groups"», *Journal of Multilingual and Multicultural Development,* 2: 2 (1981), págs. 145-155.

Breton, R. J. L., *Atlas Géographique des langues et des ethnies de l'Inde et du subconti-nent,* Centre International de Recherche sur le Bilinguisme/Presses de l'Université Laval, Quebec, 1976, pág. A-10.

Browning, R., «Greek diglossia yesterday and today», *International Journal of the Socio-logy of Language,* 35 (1982).

Calvet, J. L., *Linguistique et colonialisme: petit traité de glottophagie,* Payot, París, 1974.

— «L'alphabétisation ou la scolarisation: le cas de Mali», en A. Martin (ed.), *L'État et la planification linguistique,* Éditeur Officiel du Quebec, Quebec, 1981, vol. 2, págs. 163-172.

Carranza, M. A., «Attitudinal research on hispanic language varieties», en E. B. Ryan y M. Giles (eds.), *Attitudes toward language variation. Social and applied contexts,* Arnold, 1982.

Clyne, M. G., *Perspectives on language contact,* Hawthorne Press, Melbourne, 1972.

Corbeil, J. C., «Vers un aménagement linguistique comparé», en J. Maurais (ed.), *Politique et aménagement linguistiques;* Conseil de la langue Française and le Ro-bert, París y Quebec, 1987, págs. 553-566.

Commissaire aux Langues Officielles, *Langues du Monde,* Ministère des Approvision-nements et des Services, Ottawa, 1980.

Commission Royale d'Enquête sur le Bilingualisme et le Biculturalisme, *Rapport de la Commission royale d'enquête sur le bilinguisme et le biculturalisme* (4 vols.), Infor-mation Canada, Ottawa, 1967-1970.

Comrie, B., *The languages of the Soviet Union,* Cambridge University Press, Cam-bridge, 1981.

Cummins, J., «A comparison of reading achievement in Irish and English Medium Schools», en V. Greaney (ed.), *Studies in Reading,* Educational Company of Ire-land, Dublín, 1977.

— «Cognitive/academic language and some others matters», *Working Papers on Bi-lingualism,* 19 (1979a), págs. 197-205.

— «Linguistic interdependence and the educational development of bilingual chil-dren», *Review of Educational Research,* 49: 2 (1979b), págs. 222-251.

Cziko, G. A.; Lambert, W. E., y Gutter, R., «French immersion programs and stu-dents social attitudes: A multidimensional investigation», *Working Papers on Bilin-gualism,* 19 (1979), págs. 13-28.

Das Gupta, J., «Ethnicity, Language demans, and national development in India», en N. Glazer y D. P. Nihan (eds.), *Ethnicity, Theory and Experience,* Cambridge Uni-versity Press, Cambridge, 1975, págs. 466-488.

Dausset, J., «Éloge de la différence», *Le Courier de l'Unesco,* París, 1982.

Desmaies, D., *Le française parlé dans la ville de Québec: une étude sociolinguistique,* Centre International de Recherche sur le Bilinguisme, Serie G-3, Quebec, 1981.

Deutsch, K. W., «The political significance of linguistics conflicts», en J. G. Savard y J. Vigneault (eds.), *Les États Multilingues. Problèmes et solutions,* PUL, Quebec, 1975.

— «La tendencia del nacionalismo europeo: el aspecto lingüístico», en *Las naciones en crisis,* FCE, México, 1981.

Dion, L., «L'État, la planification linguistique et la développement national», en A. Martin (ed.), *L'État et la Planification Linguistique,* Edit. General du Quebec, Quebec, 1981.

DITTMAR, N., *Sociolinguistics. A critical survey of theory and application,* Arnold, Londres, 1976.

DODSON, K., *Language teaching and the bilingual method,* Pitman, Londres, 1967, 1972.

— «Bilingualism, language teaching and learning», *British Journal of Language Teaching,* 21 (1983).

DUNN, L. M., *Peabody Picture Vocabulary Test,* American Guidance Service, Tennessee, 1959.

ERVIN-TRIPP, S. M., «Semantic shift in bilingualism», *American Journal of Psychology,* 1964, págs. 50-60.

— «Language and TAT content in bilinguals», *Journal of Abnormal and Social Psychology,* 60 (1964).

ERVIN-TRIPP, S. M., y OSGOOD, C. E., «Semantic shift in bilingualism», *American Journal of Phsychology,* 74 (1964), págs. 133-241.

ETXEBARRÍA, M., *El bilingüismo en el Estado español,* FBV, Bilbao, 1995.

FERGUSON, C. A., «Diglossia», *Word,* 15 (1959), págs. 325-340.

FISHMAN, J. A., «Language maintenance and language shift as a field of inquiry», *Linguistics,* 9 (1964).

— *Sociolinguistics. A brief introduction,* Newbury House, Rowley (Massachusetts), 1971.

— *The Sociology of Language. An interdisciplinary social science approach to language in society,* Newbury House, Rowley (Massachusetts), 1972.

— «Bilingualism and biculturalism as individual and as societal phenomena», *Journal of Multilingual and Multicultural Development,* 1: 1 (1980), págs. 3-15.

— (ed.), *Language loyalty in the United States,* Mouton, La Haya, 1966.

FISHMAN, J.; COOPER, R., y CONRAD, A., *The spread of English: The Sociology of English as an additional language,* Newbury House, Rowley (Massachusetts), 1977.

FLEURIOT, L., «Les reformes du breton», en I. Fodor y C. L. Hagège (eds.), *La Réforme des Langues: Historie et Avenir,* Helmut Buske Verlag, Hamburgo, 1991, vol. I, págs. 27-48.

GAL, S., *Language shift,* Academic Press, Nueva York, 1979.

GARDNER, R. C., y LAMBERT, W. E., *Attitudes and motivation in second language learning,* Newbury House, Rowley (Massachusetts), 1972.

GARDNER, R. C., y SMYTHE, P. C., «Second language acquisition: A social psychological approach», *Research Bulletin,* 232, Department of Psychology, University of Western Ontario, 1975.

GENESEE, F., *Les programmes d'immersion en français du Bureau des Écoles Protestantes du Grand Montreal,* Études et Documents du Ministère de l'Education du Québec, Quebec, 1979.

— *A comparison of Early and Late Second Language Learning,* McGill University, Montreal, 1980.

— «Bilingualism and biliterary: a study of cross-cultural contact in bilingual communitary», en J. Edward (ed.), *The Social Psychology of Reading,* Institute of Modern Language, Silver Spring, 1981a.

— «Cognitive and social consequences of bilingualism», en R. C. Gardner y R. Kalin (eds.), *A Canadian social psychology of ethnic relations,* Methuen, 1981b.

GILES, M., y POWESLAND, P. F., *Speech style and social evaluation,* Academic Press, Londres, 1975.

GILES, M.; BOURHIS, R., y TAYLOR, D. H., «Toward a theory of language in ethnic group relation», en M. Giles (ed.), *Language, ethnicity and inter-group relations,* Academic Press, Londres, 1977, págs. 307-348.

GIORDAN, H., «Droits des minorités droits linguistiques, droits de l'Homme», en H. Giordan (ed.), *Les Minorités en Europe,* Kimé, París, 1992, págs. 10-36.

GORZ, A., «Entretien», *Le Monde,* París, 14 de abril de 1992.

GUMPERZ, J. J., «Types of linguistic communities», *Anthropological Linguistics,* 4 (1962).

— *Language in social groups,* Stanford University Press, Stanford, 1971.

GUMPERZ, J. J., y HERNÁNDEZ, C. E., «Cognitive aspects of bilingual communication» en N. H. Whiteley (ed.), *Language use and Social change,* Oxford University Press, London, págs. 111-125.

HAMERS, J. F., «Psychological approaches to the development of bilinguality: An overview», en M. Baetens Beardsmore (ed.), *Elements of bilingual theory,* Urije Université Brussel, Bruselas, 1981a.

— «Attitudes envers la langue seconde et les members de ce groupe culturo-linguistique: leur rôle dans les programmes de langue seconde», en J. M. Klinkenberg, D. Racele-Latin y G. Connolly (eds.), *Langues al Collectivités le cas du Québec,* Éditions Lemeac, Ottawa, 1981b, pág. 93-108.

HAMERS, J. F., y BLANC, M., *Bilingualité et Bilinguisme,* P. Mardaga, Bruselas, 1983.

HUDSON, R. A., *Sociolinguistics,* Cambridge University Press, Cambridge, 1980.

HUGHES, E. C., «The linguistic division of labor in industrial and urban societies», *Georgetown Monograph Series on languages and linguistics* (1970).

KHUBCHANDANI, L. M., «Multilingual education in India», en B. Spolsky y R. L. Cooper (eds.), *Case studies in Bilingual Education,* Newbury House, Rowley (Massachusetts), 1978, págs. 88-125.

— «A demographic typology for Hindi, Urdu, Pumjabi speakers in South Asia», en W. C. McCormack y S. A. Wurm (eds.), *Language and Society,* Mouton, La Haya, 1979, pág. 183-194.

KLOSS, M., *Research problems in group bilingualism,* CIRB, Quebec, 1969.

KRASHEN, S. D., *Second Language Acquisition and Second Language Learning,* Pergamon Press, Oxford, 1981.

LABOV, W., *Sociolinguistic Patterns,* Blackwell, Oxford, 1972.

LAMBERT, W. E., «Measurement of the linguistic dominance in bilinguals», *Journal of Abnormal and Social-Psychology,* 50 (1955).

— *Language, Psychology and Culture,* Stanford University Press, Stanford, 1972.

— «Culture and language as factors in learning and education», en F. Aboud y R. D. Meade (eds.), *Cultural Factors in learning,* Western Washington State College, Bellingham, 1974.

— «Bilingualism: Its Nature and significance», en *Bilingual Education Series,* 10, Bilingual Education Clearing House, Center for Applied Linguistics, Washington, 1981, págs. 1-6.

LAMBERT, W. E., y TUCKER, G. R., *Bilingual education of children. The St. Lambert Experiment,* Newbury House, Rowley (Massachusetts), 1972.

LE PAGE, R. B., «Processes of pidginization and creolization», en A. Valdman (ed.), *Pidgin and Creole linguistics,* Indiana University Press, Bloomington, 1977, págs. 222-255.

LEWIS, G., *Multilingualism in the Soviet Union: Language Policy and its implementation,* Mouton, La Haya, 1972.

LEWIS, G., *Bilingualism and Bilingual Education,* Pergamon, Oxford, 1981.

MACKEY, W. F., «The description of bilingualism», *Canadian Journal of Linguistics,* 7 (1962).

— *Bilingual education in a binational school,* Newbury House, Rowley (Massachusetts), 1972.

— *Bilingualisme et contact des langues,* Klinsksieck, París, 1976.

— «L'irrédentisme linguistique: une enquête témoin», en G. Manessy y P. Wald (eds.), *Plurilinguisme,* L'Harmattan, París, 1979, pág. 257-284.

MACNAMARA, J., *Bilingualism and primary education,* Edinburgh University Press, Edimburgo, 1966.

— «The bilingual's linguistic performance: A psychological overview», *Journal of Social Issues,* 23: 2 (1967), págs. 58-77.

MANESSY, G., y WALD, P. (eds.), *Plurilinguisme,* L'Harmattan, París, 1979.

MANSOUR, G., «The dynamics of multilingualism: The case of Senegal», *Journal of Multilingual and Multicultural Development,* 1: 4 (1980).

OMAR, A. M., «Standard language and the standardization of Malay», *Anthropological Linguistics,* 13 (1971).

OSAJI, B., *Language survey in Nigeria,* CIR, Quebec, 1979.

PANDIT, P. B., «Perspectives of Sociolinguistics in India», en N. C. McCormack y S. A. Wurm (eds.), *Language and Society,* Mouton, La Haya, 1979.

PARADIS, M. (ed.), *Aspect of Bilingualism,* South Carolina Hornbeam Press Inc., Columbia, 1978.

PARKIN, D., «Emergent and stabilized multilingualism: Polyethnic peer groups in urban Kenya», en M. Giles (ed.), *Language, ethnicity and intergroups relations,* Academic Press, Londres, 1977.

PATTANAYAK, D. P., *Multilingualism and mother-tongue education,* Oxford University Press, Nueva Delhi, 1981.

PENFIELD, W., y ROBERTS, L., *Speech and brain mechanism,* Oxford University Press, Londres, 1959.

PLATT, J. T., «A model for polyglossia and multilingualism», *Language in Society,* 6 (1977).

POPLACK, S., «Sometimes I'll start a sentence in Spanish "y términos en español"», *Linguistics,* 18 (1980), págs. 581-618.

REIMEN, J. R., «Esquisse d'une situation plurilingue. Le Luxembourg», *La Linguistique,* 2 (1965).

RONDAL, J. A., *Langage et éducation,* P. Mardaga, Bruselas, 1978.

RONJAT, J., *Le développement du langage observe chez un enfant bilingue,* Champion, París, 1913.

ROSS, J. A., «Language and the mobilization of ethnic identity», en M. Giles y Saint-Jacques (eds.), *Language and ethnic relations,* Pergamon, Oxford, 1979.

RUBIN, J., *National Bilingualism in Paraguay,* Mouton, La Haya, 1968.

SAMUDA, R. J., *Psychological testing of American minorities,* Harper and Row, Nueva York, 1975.

SANMARTÍ, J. M., *Las políticas lingüísticas y las lenguas minoritarias en el proceso de construcción de Europa,* IVAP, Bilbao, 1995.

SAVARD, J. G., *Bibliographie analytique des tests de langues,* 2.ª ed., CIRB, Presses de l'Université Laval, Quebec, 1977.

SAVILLE-TROIKE, M., *The ethnography of communication,* Blackwell, Oxford, 1982.

SIGUÁN, M., *Bilingüismo y lenguas en contacto,* Alianza, Barcelona, 2001.

Siguán, M., y Mackey, W. F., *Educación y bilingüismo,* Santillana, Madrid, 1989.

Smolicz, J. J., *Culture and education in a plural society,* Curriculum Development Centre, Canberra, 1979.

Stavenhagen, R., «Les conflits éthiques et leur impact sur la société internationale», en «L'Étude des conflits internationaux», en *Revue Internationale des Sciences Sociales,* 127, París, 1991, págs. 123-138.

Swain, M., *Bilingualism, monolingualism, and code acquisition,* Chicago, 1971.

Swain, M., y Cummins, J., «Bilingualism, cognitive functioning and education», *Language Teaching and Linguistics Abstracts,* 4: 18 (1979).

Tabouret-Keller, A., y Luckel, F., «Maintien de l'alsacien et adoption du français: element de la situation linguistique en milieu rural en Alsace», *Language,* 61 (1981), págs. 65-93.

Taylor, D. M., y Giles, M., «At the crossroads of research in to language and ethnic relations», H. Giles y Saint-Jacques (eds.), *Language and ethnic relations,* Pergamon, Oxford, 1979.

Titone, R., *Le bilinguisme précoce,* Desert, Bruselas, 1972.

Tits, D. D., *Le mecanisme de l'acquisition d'une largue substituant à la langue maternelle chez une enfant espagnole de six ans,* Veldman, Bruselas, 1948.

Trudgill, P., *Sociolinguistics: An introduction,* Penguin Books, Harmondsworth, 1974.

Tucker, G. R., y Cziko, G. A., «The role of evaluation in bilingual dimensions of bilingual education», en J. E. Alatis (ed.), *International dimensions of bilingual education,* Georgetown University Press, Washington DC, 1978, págs. 423-446.

Valdman, A., *Le croître: structure, status et origine,* Klincsieck, París, 1978.

— «La diglossie française-créolle dans l'univers plantocratique», en G. Manessy y P. Wald (eds.), *Plurilinguisme,* L'Harmattan, París, 1979, págs. 173-185.

Van Oberbeke, M., «Entropie et valence de la parole bilingue», en *Aspects sociologiques du plurilinguisme,* Didier, París, 1971.

Weinreich, W., *Language in contact,* Mouton, La Haya, 1953.

Whiteley, W. H., *Swahili: The rise of a national language,* Methuen, Londres, 1969.

Willmyns, R., *La Convention de l'Union de la Lange néerlandaise,* CIRB, Quebec, 1983, H-1.

Wurm, S. A., «Pidgins, creoles, lingue franche and national development», en A. Valdman (ed.), *Pidgin and creole linguistics,* Indiana University Press, 1977.

3. La situación de las lenguas en la España actual

Bustos Tovar, E., «El español y los romances», en M. Seco y G. Salvador (coords.), *La lengua española, hoy,* Fundación Juan March, Madrid, 1995, págs. 11-22.

Cano Aguilar, R., «La historia del español», en M. Seco y G. Salvador (coords.), *La lengua española, hoy,* Fundación Juan March, Madrid, 1995, págs. 23-35.

Centro de Investigaciones Sociológicas, *Conocimiento y uso de las lenguas en España* (Estudio coordinado y dirigido por M. Siguán), Madrid, 1994.

Cobreros, E., *El régimen jurídico de la oficialidad del euskera,* Instituto Vasco de Administración Pública, Bilbao, 1989.

Eusko Jaurlaritza/Gobierno Vasco, *Diez años de enseñanza bilingüe,* Departamento de Educación, Universidades e Investigación, Vitoria/Gasteiz, 1990.

EUSTAT, *Estadística de población y viviendas (1996),* Vitoria/Gasteiz, 1996.

ETXEBARRIA, M., *Sociolingüística urbana: El habla de Bilbao,* Acta Salmanticensia, Salamanca, 1985.

— «La enseñanza de la lengua española en el País Vasco», en *Actas del I Congreso Internacional sobre la Enseñanza del Español,* CEMIP, Madrid, 1993, págs. 269-287.

— *El bilingüismo en el Estado español,* FBV, Bilbao, 1995.

GARCÍA ARIAS, X. L., «La lengua asturiana en la Administración», *Llengua y Dret,* 2 (1983).

— «Informe sobre la lengua asturiana», en *Las lenguas nacionales en la Administración,* Diputación Provincial de Valencia, 1981.

Gobierno de Navarra, *Padrón de Habitantes de 1986* y *Censo de Población y Viviendas 1991,* Dirección General de Política Lingüística, Pamplona, 1992.

Gobierno Vasco, *La continuidad del euskera, I y II,* Servicio de Publicaciones del Gobierno Vasco, Vitoria/Gasteiz, 1993 y 1997.

— *II Mapa sociolingüístico* (tomos I, II y III), Departamento de Cultura, Vitoria/Gasteiz, 1998.

Gobierno Vasco/Eusko Jaurlaritza, *Ley de la Escuela Pública Vasca,* Servicio de Publicaciones del Gobierno Vasco, Vitoria/Gasteiz, 1993.

— *Ley de la Función Pública Vasca,* Servicio de Publicaciones del Gobierno Vasco, Vitoria/Gasteiz, 2000.

GONZÁLEZ OLLÉ, F., «Tradicionalistas y progresistas ante la diversidad idiomática de España», en VV.AA., *Lenguas de España. Lenguas de Europa,* 1994, págs. 129-160.

— «El largo camino hacia la oficialidad del español en España», en M. Seco y G. Salvador (coords.), *La lengua española, hoy,* Fundación Juan March, Madrid, 1995, págs. 37-61.

Instituto Nacional de Estadística, *Censo de Población y Viviendas de 1991,* Madrid, 1993.

— *Censo de Población y Viviendas de 1996,* Madrid, 1998.

Instituto Vasco de Administración Pública, «Estatuto de Autonomía de Cataluña» y «Ley de Normalización Lingüística de Cataluña», en *Normativa sobre el Euskera/Euskarari Buruzko Araubidea,* Servicio de Publicaciones del Gobierno Vasco, Vitoria/Gasteiz, 1986, págs. 396 y sigs.

— «Estatuto de Autonomía del País Valencià» y «Ley de Uso y Enseñanza del Valenciano», en *Normativa sobre el Euskera/Euskarari Buruzko Araubidea,* Servicio de Publicaciones del Gobierno Vasco, Vitoria/Gasteiz, 1986, págs. 387 y sigs.

— «Estatuto de Autonomía de Galicia» y «Ley de Normalización Lingüística de Galicia», en *Normativa sobre el Euskera/Euskarari Buruzko Araubidea,* Servicio de Publicaciones del Gobierno Vasco, Vitoria/Gasteiz, 1986, págs. 379 y sigs.

— «Estatuto de Autonomía del País Vasco» y «Ley de Normalización Lingüística y Uso del Euskera», en *Normativa sobre el Euskera/Euskarari Buruzko Araubidea,* Servicio de Publicaciones del Gobierno Vasco, Vitoria/Gasteiz, págs. 9-13.

— «Ley Orgánica de Reintegración y Amejoramiento del Régimen Foral de Navarra», en *Normativa sobre el Euskera/Euskarari Buruzko Araubidea,* Servicio de Publicaciones del Gobierno Vasco, Vitoria/Gasteiz, 1986, págs. 634 y sigs.

— *Eficacia educativa y enseñanza bilingüe en el País Vasco* [I. Idiazábal y A. Kaifer (eds.)], IVAP, Vitoria/Gasteiz, 1994.

— *Normalización lingüística de las Administraciones públicas vascas: legislación y selección de jurisprudencia,* IVAP, Vitoria/Gasteiz, 1997.

Instituto Vasco de Estadística (EUSTAT), *Euskera 81-91,* Zarauz, 1994.

JARDÓN, M., *La normalización lingüística, una anormalidad demográfica. El caso gallego,* Siglo XXI, Madrid, 1993.

JOVER, J. M., *Carlos V y los españoles,* Sarpe, Madrid, 1985.

LODARES, J. R., *El paraíso políglota,* Taurus, Madrid, 2000.

— *Gente de Cervantes. Historia humana del idioma español,* Taurus, Madrid, 2001.

— *Lengua y Patria. Sobre el nacionalismo lingüístico en España,* Taurus, Madrid, 2002.

LÓPEZ GARCÍA, A., «La unidad del español», en M. Seco y G. Salvador (coords.), *La lengua española,* Fundación Juan March, Madrid, 1995, págs. 77-85.

QUILIS, A., «Le sort de l'espagnol aux Philippines: un problème de langues en contact», *Revue de Linguistique Romane,* 44 (1980), págs. 82-107.

ROYO ARPÓN, J., *Argumentos para el bilingüismo,* Montesinos, Barcelona, 2000.

SALVADOR, G., *Lengua española y lenguas de España,* Ariel, Barcelona, 1987.

— «Panorama lingüístico europeo», en VV.AA., *Lenguas de Europa,* Colección Veintiuno, Madrid, 1994, págs. 17-29.

SIGUÁN, M., *La España plurilingüe,* Alianza, Madrid, 1992.

— *Conocimiento y usos de las lenguas,* CIS, Madrid, 1999.

— *Bilingüismo y contacto de lenguas,* Alianza Editorial, Madrid, 2001.

— (coord.), *Lenguas y educación en el ámbito del Estado español,* Universidad de Barcelona, Barcelona, 1983.

VV.AA., *Las políticas lingüísticas a partir de la Declaración Universal de los Derechos Lingüísticos,* CIEMEN, Barcelona, 1998.

4. LA LENGUA CATALANA

CATALUÑA/CATALUNYA

ARNAU, J.; SEBASTIÁN, N., y SOPENA, J. M., «Estudio experimental del bilingüismo. Revisión histórica», *Anuario de Psicología,* 26, Universidad de Barcelona, Barcelona, 1982.

BALTASAR, L., «History and Language Policy», en D. Schneiderman (ed.), *Language and the State. The Law and Politics of Identity/Langue et état. Droit, politique et identité,* Yvon Blais, Cowansville, 1991.

BOIX, E., *Triar no és trair,* Editorial Empúries, Barcelona, 1993.

BRANCHADELL I GALLO, A., «La política lingüística a Catalunya», en *La llengua catalana al tombant de mil·lenní* (ed. y Prólogo de M. A. Pradilla), Empúries, Barcelona, 1999, págs. 36-66.

CONVERSI, D., «Language or RACE? The Choice of Core Values in the Development of Catalan and Basque Nationalism», *Ethnic and Racial Studies,* 13 (1990), págs. 50-70.

DURAN I LLEIDA, J. A., «Guanyar el nostre future: la segona nacionalització de Catalunya», *Avui,* 30 de julio de 1996.

ESMAN, M., «The State and Language Policy», *International Political Science Review,* 13 (1992), págs. 381-396.

ETXEBARRIA, M., *El bilingüismo en el Estado español,* FBV, Bilbao, 1995.

FARRÀS, J.; TORRES, J., y VILA, F. X., *El coneixement del català,* Generalitat de Catalunya, Departament de Cultura, Publicacions de l'Institut de Sociolingüística Catalana, Serie Estudio, núm. 7, Barcelona, 2000.

Federación de Asociaciones por el Derecho al Idioma Común Español, *Por la normalización del español,* Libros PM, Barcelona, 1997.

FONT, A., y otros, «Els conceptes jurídics fonamentals en materia de dret lingüístic a Catalunya», en *Llengua i dret. Treballs de l'àrea 5 del Segon Congrés Internacional de la Llengua Catalana. Barcelona-Andorra, 1986,* Institut d'Estudis Autonòmics, Barcelona, 1987.

Foro Babel, «Documento sobre el uso de las lenguas oficiales de Cataluña», *El País,* 30 de abril de 1997.

— «Por un nuevo modelo de Cataluña», *El País,* 20 de junio de 1998.

FLAQUER, Ll., *El català, llengua pública o llengua privada?,* Empúries, Barcelona, 1996.

Fundació Barcelona, «Per un catalanisme reenovat», *Avui,* 8 de agosto de 1998.

Generalitat de Catalunya, *El catalán, lengua de Europa,* Servicio de Publicaciones de la Secretaría de Política Lingüística, Consejería de Cultura, Barcelona, 2001.

GINEBRA, J., «La política lingüística al Principat de Catalunya (1980-1992)», en I. Marí (coord.), *La llengua als Països Catalans,* Fundació Jaume Bofill, Barcelona, 1992.

GINARD, J., «Grau de conexeiment del català a les Illes Balears», en *Actas del I Simposi de Demolingüística,* Generalitat de Catalunya, Secretaría de Política Lingüística, Consejería de Cultura, Tortosa, 1993.

JOAN, B., *Un espai per a una llengua,* Edicions 3 i 4, Valencia, 1998.

JOU I MIRABENT, J., *La Ley de Política Lingüística* (Introducción), Generalidad de Cataluña, Dirección de Política Lingüística, Departamento de Cultura, Barcelona, 1998.

KYMLICKA, W., *Multicultural Citizenship. A liberal Theory of Minority Rights,* Clarendon Press, Oxford, 1995. (Versión española: *Ciudadanía multicultural. Una teoría liberal de los derechos de las minorías,* Paidós, Barcelona, 1996.)

— «The New Debate over Minority Rights», *Working Paper,* 26, Robert Harney Professorship Publications in Ethnic Immigration and Pluralism Studies, University of Toronto, 1997.

— «Ethnic Relations in Eastern Europe and Western Political Theory», en M. Opalski (ed.), *Managing Diversity in Plural Societies: Minorities, Migration and Nation-Building in Post-Communist Europe,* Forum Eastern Europe, Ottawa (en prensa).

MANENT, J., «Quotes al cinema? Evidentment!», *Avui,* 18 de julio de 1998.

MARCET, J., «Una reflexió sobre la dimensió territorial de la llengua», *Lengua i ús,* 7 (1996), págs. 68-73.

MCRAE, K. D., «The Principle of Territoriality and the Principle of Personality in Multilingual States», *Linguistics,* 158 (1975), págs. 33-54.

MELIÀ I GARÍ, J., «La situació lingüística a les Illes Balears: estat crític», en *La llengua catalana al tombant del mil·lenní* (ed. y Prólogo de M. A. Pradilla), Ed. Empúries, Barcelona, 1999, págs. 67-103.

MILLER, D., *On Nationality,* Clarendon Press, Oxford, 1995. (Versión española: *Sobre la nacionalidad,* Paidós, Barcelona, 1997.)

Partit dels Socialistes de Catalunya, *Per Catalunya. Ara, un nou federalisme,* 1998.

PRAT DE LA RIBA, E., *La nacionalitat catalana,* Edicions 62, Barcelona, 1978 (1.ª ed., 1906).

PUIG SALELLAS, J. M., «La doble oficialitat lingüística com a problema jurídic», *Revista de Llengua i Dret,* 1 (1983), págs. 53-78.

PUJOL, J., *Què representa la llengua a Catalunya?,* Generalitat de Catalunya, Barcelona, 1995.

PUJOL, J., «CDC: Propostes de pensament i d'acció», *Avui,* 10 de octubre de 1996.

RÉAUME, D., «The Constitutional Protection of Language: Survival or Security?», en D. Schneiderman (ed.), *Language and the State. The Law and Politics of Identity/Langue et état. Droit, politique et identité,* Yvon Blais, Cowansville, 1991.

ROVIRA I VIRGILI, A., *Nacionalisme i federalisme,* Edicions 62, Barcelona, 1982 (1.ª ed., 1917).

SANTAMARÍA, A. (ed.), *Fòrum Babel. El nacionalisme i les llengües de Catalunya,* Ediciones Áltera, Barcelona, 1999.

SARRIBLE, G., «La fecundidad en Barcelona-ciudad en la década del 70 (nativos y migrantes)», *Perspectiva Social,* 24 (1987), págs. 39-57.

SEGARRA, M., *Historia de la normativa catalana,* Enciclopedia Catalana, Barcelona, 1986.

SIGUÁN, M., *La España plurilingüe,* Alianza, Madrid, 1992.

— *Conocimiento y uso de las lenguas,* CIS, Madrid, 1994 y 1999.

— *Bilingüismo y contacto de lenguas,* Ariel, Madrid, 2001.

SOLÉ, J. R., «El concepte de llengua propia en el dret i en la normalització de l'idioma a Catalunya», *Revista de Llengua i Dret,* 26 (1996), págs. 95-120.

STRUBELL I TRUETA, M., «Evolució de la comunitat lingüística», en *El nacionalisme català a la fi del segle XX. II Jornades,* Edicions 62/Edicions de la Magrana, Barcelona, 1989, págs. 103-140.

— «Language and diversity: The case of Catalonia», discurso en el seminario *Launching The Oslo Recommendations on the Linguistic Rights of National Minorities,* Viena, 1998a.

— «Language, democracy and devolution in Catalonia», ponencia en el seminario con el mismo título, Aston University, Birmingham, 1998b.

— «Una llengua sense poble», en *La llengua catalana al tombant el mil·lenní* (ed. de M. A. Pradilla), Empúries, Barcelona, 1999, págs. 9-33.

TAYLOR, Ch., *Multiculturalism and «The Politics of Recognition»,* Princeton University Press, Princeton, 1992.

TORRAS I BAGES, J., *La tradició catalana,* Edicions 62, Barcelona, 1981 (1.ª ed., 1892).

VENY, J., *Els Parlars,* Moll, Palma de Mallorca, 1986.

VERNET, J., «El marc normatiu de les llengües a l'Estat espanyol», en *Actas do I Simpósio Internacional de Línguas Europeas e Lexislacions/Acts of the First International Symposium of European Languages and Legislations,* Bureau Européen pour les Langues moins Répandues/Asociación Sócio-pedagóxica Galega, La Coruña, 1995.

VIDAL-QUADRAS, A., *Amarás a tu tribu,* Planeta, Barcelona, 1998.

VOLTAS, E., *La guerra de la llengua,* Empúries, Barcelona, 1996.

VV.AA., Revista *Llengua i ús,* 22, Dirección General de Política Lingüística, Barcelona, 2001.

WALKER, B., «Plural Cultures, Contested Territories: A Critique of Kymlicka», *Canadian Journal of Political Sciencie/Revue canadienne de sciencie politique,* XXX (1997), págs. 211-234.

WALZER, M., «Comment», en Ch. Taylor, *Multiculturalism and «The Politics of Recognition»,* Princeton University Press, Princeton, 1992.

ISLAS BALEARES/ILLES BALEARS

ALOMAR I CANYELLES, A., «La distribució del coneixement del català a Palma», *El Mirall,* 73 (mayo-junio 1995).

CASTOR BINIMELIS, M. P., «La llengua i els alumnes de l'IES Mossèn Alcover», 1998.

Direcció General de Joventut del Govern Balear/Universitat de les Illes Balears, *Estudi sociològic sobre els joves de les Illes Balears,* Direcció General de Joventut, Palma, 1998.

ETXEBARRIA, M., *El bilingüismo en el Estado español,* FBV, Bilbao, 1995.

GINARD, J., «Grau de coneixement del catalá a les Illes Balears», en *Actas del I Simposi de Demolingüística,* Tortosa, 1993.

IBAE (Institut Balear d'Estadística), *Cens de Poblactó 1991. Vol. VIII: Taules sobre el coneixement de la llengua de la CAIB,* Govern Balear, Palma, 1993.

IEA (Institut d'Estudis Avançats de les Illes Balears), «Enquesta sociolingüística als Països Catalans», Universitat de les Illes Balears, 1991 (inéd.).

J. F. S., «La presencia del català als teatres balears el 97 pujà un 30 por 100 respecte al 96», *Diari de Balears* (2-IV-1998).

MASSOT I MUNTANER, J., *Els mallorquins i la llengua autòctona,* Curial Edicions, Barcelona, 1972.

MELIÀ I GARÍ, J., *Els joves de Mallorca i la llengua. Competències, comportaments i actituds lingüístics dels estudiants d'ensenyament mitjà (curs 1990-1991),* Tesis doctoral dirigida por el Dr. Albert Bastardas, Universitat de les Illes Balears, 1996.

— «El català a l'escola de Mallorca», *Caplletra,* 21 (1997a), págs. 29-46.

— *La llengua dels joves,* Universitat de les Illes Balears, Palma, 1997b.

— «La situació lingüística a las Illes Balears: estat crític», en *La llengua catalana al tombant del mil·llenní* (ed. y Prólogo de M. A. Pradilla), Ed. Empúries, Barcelona, 1999, págs. 67-103.

PEÑARRUBIA I MARQUÈS, I., *Els partits politics davant el caciquisme i la question nacional a Mallorca (1917-1923),* Publicacions de l'Abadia de Montserrat, Barcelona, 1991.

PONS I PONS, D., *Ideologia i cultura a la Mallorca d'entre els dos segles (1886-1905),* Lleonard Muntaner, editor, Palma, 1998.

SIGUÁN, M., *La España plurilingüe,* Alianza, Madrid, 1992.

— *Conocimiento y uso de las lenguas,* CIS, Madrid, 1993 y 1999.

— *Bilingüismo y contacto de lenguas,* Ariel, Madrid, 2001.

TRUYOLS I SUREDA, M., «Comparació de l'ús del català a la premsa per les institucions entre el diari *Balears* (any 1995) y el diari *Última Hora* (any 1996)» (inéd.).

VIVER GARRIDO, Ll., *Digau? Les llengües en contestar al telèfon,* Lluc, 1995.

— «Competència lingüística dels estudiants de 4t d'ESO del municipi de Calvià», Trabajo de fin de carrera, Universitat de les Illes Balears, 1998 (inéd.).

VIVES, M., «La lengua catalana en el sistema de enseñanza de las Baleares», en M. Siguán (coord.), *Lenguas y educación en el ámbito del Estado español,* Universidad de Barcelona, Barcelona, 1983.

VV.AA., Revista *Llengua i ús,* 22, Dirección General de Política Lingüística, Barcelona, 2001.

VALENCIA/PAÍS VALENCIÀ

BERNARDÓ, D., «Introduction méthodologique et documentaire à l'étude socio-linguistique du plurilinguisme en Catalogne-Nord», Tesis doctoral, Universitat Montpellier 3, 1978.

CUMMINS, J., «Linguistic interdependence and educational development of bilingual children», en *RER*, 49 (1979).

DEIXONNE, L., «Loi n° 51-46 du 1 janvier 1951: L'enseignement des langues et les dialectes locaux», Assemblée Nationale, *JO* de 13-I-1951.

ETXEBARRIA, M., *El bilingüismo en el Estado español,* FBV, Bilbao, 1995.

Generalitat Valenciana, *Enquesta sobre coneixement i ús del valencià* (Direcció General de Política Lingüística, SIES), 1989. Dir.: Rafael L. Ninyoles.

— *Enquesta sobre coneixement i ús del valencià* (Direcció General de Política Lingüística, SIES), 1992. Dir.: Rafael L. Ninyoles.

— *Enquesta sobre coneixement i ús del valencià* (Direcció General de Política Lingüística, SIES), 1995. Dir.: Rafael L. Ninyoles.

— *Coneixement del valencià. Anàlisi dels resultats del Padró Municipal d'Habitants de 1986* (Direcció General de Política Lingüística, SIES), Valencia, 1989. Explotació de les dades publicats per la Conselleria d'Economia i Hasenda: Coneixement del Valencià, Padró Municipal d'Habitants, 1986.

— (Institut Valencià d'Estadística), *Cens de 1991. Explotació de dades,* ODEC. Gandia, per encàrrec de la Conselleria de Cultura Educació i Ciencia, Dir. General d'Ordenació i Innovació Educativa i Política Lingüística, SIES, 1998.

GIORDAN, H., *Démocretie culturelle et droit à la différence: rapport au Ministre de la Culture,* La Documentation française, París, 1982.

GUAL, R. I., «El català a l'escola primària», *Terra Nostra,* 25, Prades, 1977, 102 págs.

HERNÁNDEZ DOBON, J., «La llengua al País Valencià: ha començat el redreçament», en R. L. Ninyoles, *Estructura social del País Valencià,* Ed. Bromera, Alzira (en prensa).

IGLÉSIAS, N., *La llengua del Roselló, qüestió d'Estat,* Eumo Editorial, Girona-Vic, 1998.

LAFONT, R., «L'intercesseur de la norme», *Revue de Sociolinguistique, Lengas,* 1, GRDFO, Montpellier, 1977, págs. 21-31.

LARREULA, E., *Situació de l'aprenentatge de la llengua catalana a les escoles de la Catalunya Nord,* en Articles, 7, Edicions Graó, Barcelona, 1996, págs. 107-114.

Média Pluriel Méditerranée, *Rapport sur le Catalan. Practiques et représentations dans les P.O. Résultats et analyse,* Région Languedoc-Roussillon, Montpellier, 1993, 44 págs.

MELIÀ I GARÍ, J., «La situació lingüística a les Illes Balears: estat crític», en *La llengua catalana al tombant del mil·lenni* (ed. y Prólogo de M. A. Pradilla), Ed. Empúries, Tarragona, 1999, págs. 67-103.

MOLLÀ, A., «La política lingüística al País Valencià», en I. Marí (coord.), *La llengua als Països Catalans,* Fundació March, Madrid, 1997.

NINYOLES, R. L., «Sociología de la lengua», en M. García Ferrando (coord.), *La sociología valenciana de los 90,* Ed. Alfons el Magnànim, Generalitat Valenciana, 1992.

PITARCH, V., *Parlar i (con)viure al País Valencià,* Publicacions de l'Abadia de Montserrat, Barcelona, 1992.

PROST, J., y ROBIN, J. (coords.), Actes del Ixè Col·loqui de la FLARED: *Enseyar en llengua regional a l'escola pública,* Publicat per APA Escola Pública, Prada, 1997.

Puig i Moreno, G., *Diglòssia, normalització i ensenyament de la llengua vernacular a la societat nord catalana*, Tesis doctoral, Universitat Paul Valéry, Montpellier III, 1980.

Reixach, M. (coord.), *El coneixement del català. Anàlisi de les dades del Cens Lingüístic de 1991 de Catalunya, les Illes Balears i el País Valencià*, Departament de Cultura de la Generalitat de Catalunya, 1997.

Sanjuán Merino, X., «Evolució del coneixement i ús del català al País Valencià (1986-1995)», en *La llengua catalana al tombant del mil·lenní* (ed. de M. A. Pradilla), Empúries, Tarragona, 1999.

Siguán, M., *La España plurilingüe,* Alianza, Madrid, 1992.

— *Conocimiento y uso de las lenguas en España,* CIS, Madrid, 1993 y 1999.

— *Bilingüismo y contacto de lenguas,* Ariel, Madrid, 2001.

VV.AA., Revista *Llengua i ús,* 22, Dirección General de Política Lingüística, Barcelona, 2001.

5. La lengua gallega

Alonso, X. L., «Situación cultural do galego do 1900 ó 1936», en *I Congreso da Cultura*, Consellería de Educación, Xunta de Galicia, Santiago, 1990, págs. 347 y sigs.

Álvarez, R.; Regueira, X. L., y Monteagudo, H., *Gramatica galega,* Galaxia, Vigo, 1986.

Baetens Beardsmore, M., *Bilingualism: bassic principles*, Multilingual Matters, Tieto Limited, Clevedon, 1982.

Bochmann, K., «Observacións sociolíngüísticas sobre a lingua galega», *I Congreso da Cultura*, Consellería de Educación, Xunta de Galicia, Santiago, 1990, págs. 371 y sigs.

Bourhis, R. Y.; Gilles, M., y Rosenthal, D., «Notes of the construction of a subjetive vitality questionnaire for ethnolinguistic groups», en *Journal of Multilingual and Multicultural Development,* 2: 2 (1981), págs. 145-155.

Calvet, J. L., *Linguistique et colonialisme: petit traité de glottophagie,* Payot, París, 1974.

Centro de Investigaciones Sociológicas (CIS), *Conocimiento y uso de las lenguas en España* (Estudios e investigaciones coordinados y dirigidos por Miquel Siguán), 1993 y 1999.

Consellería de Educación e Cultura (Dirección Xeral de Política Lingüística), *Coñecemento e uso do idioma galega,* en Censo de 1991, Xunta de Galicia, Santiago de Compostela, 1991.

Commisaire Aux Langues Officielles, *Langues du monde,* Ministère des Approvisionements et de Services, Ottawa, 1980.

Etxebarria, M., *El bilingüismo en el Estado español,* FBV., Bilbao, 1995.

— «Panorama sociolingüístico de las lenguas en España», en J. M. Sauca (ed.), *Lengua, Estado y Derecho,* Instituto Fray Bartolomé de Las Casas, Madrid, 2000, págs. 81-190.

Ferguson, C. A., «Diglossia», en *Word,* 15 (1959), págs. 325-340.

Fernández Ramallo, F., «La situación de la lengua inicial en Galicia», en *Actas del I Congreso de Lingüística General,* Universidad de Valencia, Valencia, 1996.

Fernández Rei, F., *Dialectoloxía da lingua galega,* Xerais, Vigo, 1991.

FISHMAN, J. A., «Bilingualism and biculturalism as individual and as societal phenomena», en *Journal of Multilingual Development,* 1: 1 (1980), págs. 3-15.

GARCÍA, C., *Temas de lingüística galega: La Voz de Galicia,* Xunta de Galicia, A Coruña, 1984.

HAMERS, J. F., y BLANCH, M., *Bilingualité et bilinguisme,* Pierre Màrdaga, Bruselas, 1983.

HERMIDA, C., *Os precursores da normalización,* Xerais, Vigo, 1994.

— «The Galizian speech community», en M. T. Turell (ed.), *Multilingualism in Spain,* Multilingual Matters, Clevedon, 2001, págs. 110-140.

Instituto Nacional de Estadística, *Censo de Población y Viviendas 1991,* Madrid, 1993.

Instituto Vasco de Administración Pública, «Estatuto de Autonomía de Galicia» y «Ley de Normalización Lingüística de Galicia», en *Normativa sobre el euskera/Euskerari Buruzko Araubidea,* Servicio de Publicaciones del Gobierno Vasco, Vitoria/Gasteiz, 1986, págs. 379 y sigs.

LE PAGE, R. B., «Processes of pidginization and creolization», en A. Valdman (ed.), *Pidgin and creole linguistics,* Indiana University Press, Bloomington, 1977, págs. 222-255.

LEWIS, G., *Bilingualism and bilingual education,* Pergamon, Oxford, 1981.

MONTEAGUDO, H., «A oficialidade do galego: historia e actualidade», en *Lingua e Administración,* 1, 2; 2, 2-3; 3, 3-4; 4, 2-3 (1984).

Real Academia Gallega, «Datos sobre o mapa sociolingüístico de Galicia», en *Actas del I Simposi de Demolingüística,* Institut de Sociolingüística Catalana, Tortosa, 1993.

— *Lengua inicial y competencia lingüística en Galicia,* Seminario de Sociolingüística, Santiago de Compostela, 1994.

— *Usos lingüísticos en Galicia,* Seminario de Sociolingüística, Santiago de Compostela, 1996.

— *Actitudes y conciencia lingüísticas en Galicia,* Seminario de Sociolingüística, Santiago de Compostela, 1996.

RODRÍGUEZ NEIRA, M., *O galego na Universidade,* Consejo de Cultura, Santiago de Compostela, 1988.

ROJO, G., «La enseñanza del español en Galicia», en *Actas del I Congreso Internacional sobre la Enseñanza del Español,* CEMIP, Madrid, 1993.

SANDE, X. X., «As Irmandades do Fala: Unha aproximación as actitudes lingüísticas», en *O Ensino,* 3 (1981), págs. 35 y sigs.

SIGUÁN, M. *La España plurilingüe,* Alianza, Madrid, 1992.

— *Conocimiento y uso de las lenguas en España,* CIS, Madrid, 1994 y 1999.

— *Bilingüismo y lenguas en contacto,* Alianza, Madrid, 2001.

— (coord.), *Lenguas y educación en el ámbito del Estado español,* Universidad de Barcelona, Barcelona, 1983.

TABOADA, M., *El habla del Valle de Verín,* Annex 15 de *Verba,* Servicio de Publicaciones de la Universidad de Santiago de Compostela, 1979.

TURELL, M. T., «L'Alternanca de llengües y el préstec en una comunidad interétnica», en M. T. Turell (ed.), *La sociolingüística de la variació,* 1995, págs. 259-293.

— (ed.), *Multilinguism in Spain,* Multilingual Matters Ltd., Clevedon, 2001.

6. La lengua vasca en Euskal Herria

Comunidad Autónoma Vasca/Euskal Autonomia Erkidegoa

Arnau, J.; Sebastián, N., y Sopena, J. M., «Estudio experimental del bilingüismo. Revisión histórica», *Anuario de Psicología,* 26, Universidad de Barcelona, Barcelona, 1982.

Arano, R. M., y otros, «Planteamiento discursivo en un proyecto de educación bilingüe», en Pujol y Sierra (eds.), *Diálogos Hispánicos,* 18, Rodopi, Amsterdam-Atlanta (Georgia), 1974.

Aracil, L. V., *Conflicto lingüístico y normalización lingüística/Papers de sociolingüística* La Magrana, Barcelona, 1986.

Baylon, Ch., *Sociolinguistique (Société, Langue et Discours),* Nathan Université, París, 1991-1996.

Baetens Beardsmore, M., *European Models of Bilingual Education,* Avon, Multilingual Matters, Clevedon, 1993.

Baker, C., *Foundations of Bilingual Education and Bilingualism,* Multilingual Matters, Clevedon, 1994. (Hay traducción española.)

Calvet, L. J., *Linguistique et Colonialisme: petit traité de glottophogie,* Payot, París, 1974.

— *La guerre des langues et les politiques linguistiques,* Payot, París, 1987.

Centro de Investigaciones Sociológicas, *Conocimiento y uso de las lenguas en España* (Estudio coordinado y dirigido por M. Siguán), Madrid, 1994.

— *Conocimiento y uso de las lenguas en España* (Estudio coordinado y dirigido por M. Siguán), Madrid, 1999.

Cobreros, E., *El régimen jurídico de la oficialidad del euskera,* Instituto Vasco de Administración Pública, Bilbao, 1989.

Cooper, R. I., *Language Planning and Social Change,* Cambridge University Press, Cambridge, 1996. (Hay traducción española.)

Cummins, J., *Bilingualism and Minority Language Children,* Ontario Institute for Studies in Education, Ontario, 1981.

Cenoz, J., «Adquisición del inglés como segunda o tercera lengua», en I. Idiazábal y A. Kaifer (eds.), *Eficacia educativa y enseñanza bilingüe en el País Vasco,* IVAP-MAEE, Vitoria/Gasteiz, 1994, págs. 11-36.

Etxebarria, M., *Sociolingüística urbana: El habla de Bilbao,* Acta Salmanticensia, Salamanca, 1985.

— «La enseñanza de la lengua española en el País Vasco», en *Actas del I Congreso Internacional sobre la Enseñanza del Español,* CEMIP, Madrid, 1993, págs. 269-287.

— *El bilingüismo en el Estado español,* FBV, Bilbao, 1995.

Etxeberria, F., *Bilingüismo y educación en el País Vasco,* Erein, San Sebastián, 1999.

— «Panorama general y evolución sociolingüística de las lenguas de España», en *Lenguas, Política y Derecho,* coord. por J. M. Sauca, Universidad Carlos III, Madrid, 2000, págs. 29-93.

Eusko Jaurlaritza/Gobierno Vasco, *Sozlinguistikazko Mapa/Mapa sociolingüístico,* Secretaría de Política Lingüística, Vitoria/Gasteiz, 1989.

— *Diez años de enseñanza bilingüe,* Departamento de Educación, Universidades e Investigación, Vitoria/Gasteiz, 1990.

Fishman, J., *Language and Ethnicity in Minority Sociolinguistics Perspectives,* Multilingual Matters, Clevedon, 1989.

FISHMAN, J., *Reversing language shift,* Multilingual Matters, Clevedon, 1991.
— «Language and Ethnicity, the view of within», en F. Coulmas (ed.), *The Handbook Sociolinguistics,* Blackwell, Oxford, 1996.
FISHMAN, J.; FERGUSON, W., y DAS GUPTA, N., *Language Problems of Developing Nations,* Wiley, 1968.
EUSTAT, *Estadística de Población y Viviendas (1996),* Vitoria/Gasteiz, 1996.
FASOLD, R., *The sociolinguistics of Society,* Blackwell, Oxford, 1984.
GABIÑA, B., y otros, *EIFE. La enseñanza del euskera: Influencia de los factores,* Gobierno Vasco, Vitoria/Gasteiz, 1984.
GARMADI, J., *La Sociolinguistique,* PVF, París, 1981.
GENESEE, F., *Learning through languages: Studies of immersion and bilingual education,* Newbury House, Cambridge (Massachusetts), 1987.
Gobierno de Navarra, *Padrón de Habitantes de 1986* y *Censo de Población y Viviendas de 1991,* Dirección General de Política Lingüística, Pamplona, 1992.
Gobierno Vasco/Eusko Jaurlaritza, *Ley de la Escuela Pública Vasca,* Servicio de Publicaciones del Gobierno Vasco, Vitoria/Gasteiz, 1993.
— *La continuidad del euskera II,* Servicio de Publicaciones del Gobierno Vasco, Vitoria/Gasteiz, 1993 y 1997.
— *II Mapa sociolingüístico* (tomos I, II y III), Departamento de Cultura, Vitoria/Gasteiz, 1998.
— *Ley de la Función Pública Vasca,* Servicio de Publicaciones del Gobierno Vasco, Vitoria/Gasteiz, 2000.
HAGÈGE, C., *La Structure das langues,* PUF, París, 1986.
— *L'enfant aux deux langues,* Odile Jacob, París, 1996.
— *No a la muerte de las lenguas,* Paidós, Madrid, 2001.
IDIAZÁBAL, I., y OCIO, B., «Estandarización y escolarización de la lengua vasca: procesos paralelos e interdependientes», en M. Siguán (coord.), *Lengua del alumno,* ICE, Universidad de Barcelona, Barcelona, 1989, págs. 197-210.
Instituto Nacional de Estadística, *Censo de Población y Viviendas de 1991,* Madrid, 1993.
Instituto Vasco de Administración Pública, «Estatuto de Autonomía de Catalunya» y «Ley de Normalización Lingüística de Catalunya», en *Normativa sobre el euskera/Euskarari Buruzko Araubidea,* Servicio de Publicaciones del Gobierno Vasco, Vitoria/Gasteiz, 1986, págs. 357-377.
— «Estatuto de Autonomía de las Islas Baleares» y «Ley de Normalización Lingüística de las Islas Baleares», en *Normativa sobre el euskera/Euskarari Buruzko Araubidea,* Servicio de Publicaciones del Gobierno Vasco, Vitoria/Gasteiz, 1986, págs. 396 y sigs.
— «Estatuto de Autonomía del País Valencià» y «Ley de Uso y Enseñanza del Valenciano», en *Normativa sobre el euskera/Euskarari Buruzko Araubidea,* Servicio de Publicaciones del Gobierno Vasco, Vitoria/Gasteiz, 1986, págs. 387 y sigs.
— «Estatuto de Autonomía de Galicia» y «Ley de Normalización Lingüística de Galicia», en *Normativa sobre el euskera/Euskarari Buruzko Araubidea,* Servicio de Publicaciones del Gobierno Vasco, Vitoria/Gasteiz, 1986, págs. 379 y sigs.
— «Estatuto de Autonomía del País Vasco» y «Ley de Normalización Lingüística y Uso del Euskera», en *Normativa sobre el euskera/Euskarari Buruzko Araubidea,* Servicio de Publicaciones del Gobierno Vasco, Vitoria/Gasteiz, 1986, págs. 9-13.

Instituto Vasco de Administración Pública, «Ley Orgánica de Reintegración y Amejoramiento del Régimen Foral de Navarra», en *Normativa sobre el euskera/Euskarari Buruzko Araubidea,* Servicio de Publicaciones del Gobierno Vasco, Vitoria/Gasteiz, 1986, págs. 634 y sigs.

— *Eficacia educativa y enseñanza bilingüe en el País Vasco* [I. Idiazábal y A. Kaifer, (eds.)], VAP, Vitoria/Gasteiz, 1994.

Instituto Vasco de Estadística (EUSTAT), *Euskera 81-91,* Zarauz, 1994.

INTXAUSTI, J., *Euskera, la lengua de los vascos,* Elkar-Gobierno Vasco, San Sebastián, 1992.

IVAP, *Normalización lingüística de las Administraciones públicas vascas: Legislación y selección de jurisprudencia,* Vitoria/Gasteiz, 1997.

KAPLAN, B., y BALDAUF, R., *Language Planning from practice to theory,* Multilingual Matters, Clevedon, 1997.

LAMBERT, W., «And then add your two carts worth», en Reynols (ed.), *Bilingualism, Multiculturalism, and second language learning,* Lawrence Erlbaun Associates, Publishers, Hillsdale (Nueva Jersey), 1991.

MACKEY, W. F., «Language Diversity, Language Policy and the Severing State», en *History of European Ideas,* 13 (1991).

MARTÍNEZ-MOYA, M. D., *Patrones de uso y actitudes sociolingüísticas en el sistema educativo bilingüe en la CAV,* Tesis doctoral, University of South California, Los Ángeles, 1995.

MEISEL, J. (ed.), *La adquisición del vasco y del castellano en niños bilingües,* Iberoamericana, Madrid, 1994.

MILLA, F., «Variables sociolingüísticas en el dominio morfosintáctico de los escolares del Gran Bilbao», en H. Urrutia y Silva-Corvalán, *Bilingüismo y adquisición del español,* Instituto Horizonte, Bilbao, 1992.

MITXELENA, L., *La lengua vasca,* Leopoldo Zugaza, Durango, 1977.

— «Normalización de la forma escrita de una lengua: el caso vasco», en *Revista de Occidente,* Fundación Ortega y Gasset, Madrid, 1982, págs. 54-75.

— «Sobre el pasado de la lengua vasca» (1962), en *Sobre historia de la lengua vasca* (ed. por J. A. Lakarra, M. T. Echenique y B. Urgell), Excma. Diputación Foral de Guipúzcoa, San Sebastián, 1988, págs. 1-73.

MORENO CABRERA, J. C., *La dignidad e igualdad de las lenguas. Crítica de la discriminación lingüística,* Alianza, Madrid, 2000.

ROTAETXE, K., «La norma vasca: codificación y desarrollo», en *Revista Española de Lingüística,* 17(2) (1987a), págs. 219-244.

— «L'aménagement linguistique en Euskadi», en J. Maurais (ed.), *Politique et Aménagement linguistiques,* Conseil de la langue française, Le Robert, Quebec y París, 1987b, págs. 159-210.

SIERRA, J., «Modelos de enseñanza bilingüe: sus resultados y su futuro», en M. Siguán (ed.), *Las lenguas en la escuela,* Horseri, Barcelona, 1994.

SIERRA, J., y otros, *EIFE 2: La enseñanza del euskera: influencia de los factores,* HUIS-HPIN, Vitoria/Gasteiz, 1989.

— *EIFE 3: La enseñanza del euskera: influencia de los factores,* HUIS-HPIN, Vitoria/Gasteiz, 1990.

— *HINE. Evaluación de la lengua escrita en la escuela,* HUIS, Vitoria/Gasteiz, 1992.

SIGUÁN, M., *Enseñanza en dos lenguas y resultados escolares,* Publications i Edicions de la Universitat de Barcelona, Barcelona, 1985.

Siguán, M., *La España plurilingüe,* Alianza, Madrid, 1992.
— *Las lenguas en la escuela,* Horseri, Barcelona, 1994.
— *La Europa de las lenguas,* Alianza Editorial, Madrid, 1996.
— *Bilingüismo y lenguas en contacto,* Alianza Editorial, Madrid, 2001.
— (coord.), *Lenguas y educación en el ámbito del Estado español,* Universidad de Barcelona, Barcelona, 1983.
— (ed.), *Enseñanza en dos lenguas,* Horseri, Barcelona, 1993.
Siguán, M., y Mackey, W. F., *Educación y bilingüismo,* Santillana, Madrid, 1996.
Swain, M.; Lapkins, S., y Andrew, W., *Evaluating bilingual education: A Canadian case study,* Multilingual Matters, Clevedon, 1991.
Unesco, *Informe mundial sobre la educación,* Aula XXI/Santillana, Madrid, 1993.
Torrealday, J. M., «Euskal liburugintza 2000», en *Jakin,* 128 (2002), págs. 11-119.
Urrutia, H., y otros, *Bilingüismo y rendimiento académico en la CAV,* Jóvenes por la Paz, Bilbao, 1998.
Villa, I., *Bilinguisme i educació,* VOC/Proa, Barcelona, 1998.
VV.AA., *Las políticas lingüísticas a partir de la Declaración Universal de los Derechos Lingüísticos,* CIEMEN, Barcelona, 1998.
Weinreich, U., *Languages in contact,* Mouton, La Haya, 1953.
Zabaleta, F., «El factor educativo en el conocimiento y uso del euskera en Navarra», en *Actas del I Simposio de Demolingüística,* Institut de Sociolingüística Catalana, Generalidad de Cataluña, Consejería de Cultura, Tortosa, 1993.
— *Enseñanza de la segunda lengua en el modelo de inmersión,* Santillana, Madrid, 1995.
Zalbide, M., «Educación bilingüe y planificación lingüística: Posibilidades y constricciones de los esfuerzos de implementación», en *Seminario Internacional sobre Políticas Lingüísticas,* Unesco-Linguapax, 1996.
— «Normalización lingüística y escolaridad: un informe desde la sala de máquinas», *RIEV,* San Sebastián, 1999.

COMUNIDAD FORAL DE NAVARRA/NAFARROA FORU ERKIDEGOA

Centro de Investigaciones Sociológicas, *Conocimiento y uso de las lenguas en España* (Estudio coordinado y dirigido por M. Siguán), Madrid, 1994.
— *Conocimiento y uso de las lenguas en España* (Estudio coordinado y dirigido por M. Siguán), Madrid, 1999.
Cobreros, E., *El régimen jurídico de la oficialidad del euskera,* Instituto Vasco de Administración Pública, Bilbao, 1989.
Eusko Jaurlaritza/Gobierno Vasco, *Diez años de enseñanza bilingüe,* Departamento de Educación, Universidades e Investigación, Vitoria/Gasteiz, 1990.
Etxebarria, M., *Sociolingüística urbana: El habla de Bilbao,* Acta Salmanticensia, Salamanca, 1985.
— «La enseñanza de la lengua española en el País Vasco», en *Actas del I Congreso Internacional sobre la Enseñanza del Español,* CEMIP, Madrid, 1993, págs. 269-287.
— *El bilingüismo en el Estado español,* FBV, Bilbao, 1995.
EUSTAT (Instituto Vasco de Estadística), *Enseñanza universitaria y euskera,* Zarauz, 1994.
— *Estadística de Población y Viviendas de 1996,* Vitoria/Gasteiz, 1996.

Gobierno de Navarra, *Padrón de Habitantes de 1986* y *Censo de Población y Viviendas de 1991,* Dirección General de Política Lingüística, Pamplona, 1992.
— *Euskera en Navarra: Datos sociolingüísticos del Censo de Población y Viviendas de 1991,* Dirección General de Política Lingüística, Pamplona, 1995.
— «Decreto-ley del Vascuence en las Administraciones Públicas», *Boletín Oficial de Navarra* (5-I-2001).
Gobierno Vasco, *La continuidad del euskera I* y *La continuidad del euskera II,* Servicio de Publicaciones del Gobierno Vasco, Vitoria/Gasteiz, 1993 y 1997.
— *II Mapa sociolingüístico* (tomos I, II y III), Departamento de Cultura, Vitoria/Gasteiz, 1998.
Gobierno Vasco/Eusko Jaurlaritza, *Ley de la Escuela Pública Vasca,* Servicio de Publicaciones del Gobierno Vasco, Vitoria/Gasteiz, 1993.
— *Ley de la Función Pública Vasca,* Servicio de Publicaciones del Gobierno Vasco, Vitoria/Gasteiz, 2000.
Instituto Nacional de Estadística, *Censo de Población y Viviendas de 1991,* Madrid, 1993.
Instituto Vasco de Administración Pública, «Estatuto de Autonomía de Catalunya» y «Ley de Normalización Lingüística de Catalunya», en *Normativa sobre el euskera/Euskarari Buruzko Araubidea,* Servicio de Publicaciones del Gobierno Vasco, Vitoria/Gasteiz, 1986, págs. 357-377.
— «Estatuto de Autonomía de las Islas Baleares» y «Ley de Normalización Lingüística de las Islas Baleares», en *Normativa sobre el euskera/Euskarari Buruzko Araubidea,* Servicio de Publicaciones del Gobierno Vasco, Vitoria/Gasteiz, 1986, págs. 396 y sigs.
— «Estatuto de Autonomía del País Valencià» y «Ley de Uso y Enseñanza del Valenciano», en *Normativa sobre el euskera/Euskarari Buruzko Araubidea,* Servicio de Publicaciones del Gobierno Vasco, Vitoria/Gasteiz, 1986, págs. 387 y sigs.
— «Estatuto de Autonomía de Galicia» y «Ley de Normalización Lingüística de Galicia», en *Normativa sobre el euskera/Euskarari Buruzko Araubidea,* Servicio de Publicaciones del Gobierno Vasco, Vitoria/Gasteiz, 1986, págs. 379 y sigs.
— «Estatuto de Autonomía del País Vasco» y «Ley de Normalización Lingüística y Uso del Euskera», en *Normativa sobre el euskera/Euskarari Buruzko Araubidea,* Servicio de Publicaciones del Gobierno Vasco, Vitoria/Gasteiz, 1986, págs. 9-13.
— *Eficacia educativa y enseñanza bilingüe en el País Vasco* [I. Idiazábal y A. Kaifer (eds.)], Vitoria/Gasteiz, 1994.
— «Ley Orgánica de Reintegración y Amejoramiento del Régimen Foral de Navarra», en *Normativa sobre el euskera/Euskarari Buruzko Araubidea,* Servicio de Publicaciones del Gobierno Vasco, Vitoria/Gasteiz, 1986, págs. 634 y sigs.
— *Normalización lingüística de las Administraciones públicas vascas: Legislación y selección de jurisprudencia,* Vitoria/Gasteiz, 1997.
Instituto Vasco de Estadística (EUSTAT), *Euskera 81-91,* Zarauz, 1994.
MITXELENA, L., «Sobre el pasado de la lengua vasca» (1962), en *Sobre historia de la lengua vasca* (ed. por J. A. Lakarra, M. T. Echenique y B. Urgell), Excma. Diputación Foral de Guipúzcoa, San Sebastián, 1988, págs. 1-73.
— *La lengua vasca,* Leopoldo Zugaza, Durango, 1977.
— «Normalización de la forma escrita de una lengua: el caso vasco», en *Revista de Occidente,* Fundación Ortega y Gasset, Madrid, 1982, págs. 54-75.

Rotaetxe, K., «La norma vasca: codificación y desarrollo», en *Revista Española de Lingüística,* 17(2) (1987), págs. 219-244.

— «L'aménagement linguistique en Euskadi», en J. Maurais (ed.), *Politique et Aménagement linguistiques,* Conseil de la langue française, Le Robert, Quebec y París, 1987, págs. 159-210.

Siguán, M., *La España plurilingüe,* Alianza, Madrid, 1992.

— *Bilingüismo y contacto de lenguas,* Alianza Editorial, Madrid, 2001.

— (coord.), *Lengua y educación en el ámbito del Estado español,* Universidad de Barcelona, Barcelona, 1983.

Torrealday, J. M., «Euskal Liburugintza 2000», en *Jakin,* 128 (2002), Urtarrilla, Otsaila 2002, págs. 11-119.

VV.AA., *Las políticas lingüísticas a partir de la Declaración Universal de los Derechos Lingüísticos,* CIEMEN, Barcelona, 1998.

7. El aranés, lengua del Valle de Arán/Vall d'Aran

Alturo, N., «La variació d'haver auxiliar al català nord-occidental», en M. T. Turell (ed.), *La Sociolingüística de la Variació,* PPU, Barcelona, 1995, págs. 221-225.

Bec, P., «Du pluriel en -i des adjectifs en gascon pyrenéen oriental», *Via Dominita,* 3 (1956), págs. 24-32.

Bec, P., *Les Interférences Linguistiques entre Gascon et Languedocien dans les Parles du Commingues et du Couserans. Essai d'Aérologie Systématique,* Presses Universitaires de France, París, 1968.

Centre de Normalisacion Lingüística dera Vall d'Aran (CNLVA), *Prumèr Concurs Literari de France,* 1991.

— *450 Mots que cau Saber entà Començar a Li'eger, Escríuer e Parlar er Occitan dera Vall d'Aran,* Conselh Generau d'Aran, Biela, 1992a.

— *Racondes Bracs,* Pagès editors, Lérida, 1992b.

— *Dusau Concurs Literari de Narración 1992,* Pagès editors, Lérida, 1993.

— *Tresau Concurs Literari de Narración 1993,* Pagès editors, Lérida, 1994a.

— *De quan Panèren un Peishic de País,* Pagès editors, Lérida, 1994b.

Climent, T., *Realitat Lingüística a la Vall d'Aran,* Generalitat de Catalunya, Barcelona, 1986.

Comission entar Estudi der Normativa Lingüística Aranesa (CENA), *Normes Ortografiques der Aranés,* Generalitat de Catalunya, Barcelona, 1982.

Condó, J., *Era Isla des Diamants,* Escòlo deras Pireneos, St. Girons, 1981.

Coromines, J., *El Parlar de la Vall d'Aran,* Curial, Barcelona, 1990.

Estrada, F.; Roigé, X., y Beltrán, O., *Entre l'Amor i l'Interes. El Procés Matrimonial a la Vall d'Aran,* Garsineu edicions, Tremp, 1993.

Etxebarria, M., *El bilingüismo en el Estado español,* FBV, Bilbao, 1995.

Lamuela, X., *Català, Occità, Friülà: Llengües Subordinades i Planificació Lingüística,* Quaderns Crema, Barcelona, 1987.

Reixach, M. (coord.), *El coneixement del català,* Generalitat de Cataluña, Barcelona, 1997.

Rohlfs, G., *Le Gascon. Études de Philologie Pyrénéenne* (1935), Max Niemeyer/Marrimpouey Jeune, Tübirnger/Pua, 1977.

Sarpulet, J. M., «Quatre graphies pour une langue: description diachronique succinte des diferentes graphies de l'aranais», *Garona,* 1 (1985), págs. 155-163.

SEIRA, I., «The Arañese language in pre-primary education (3 to 6 years of age) in Vall d'Aran», en A. van der Gott, W. J. T. Renkema y M. B. Struit (eds.), *Pre-primary Education,* vol. 2, Mercator-Education/Fryske Akademy, Ljouwert/Leeuwarden, 1994.

SIGUÁN, M., *La España plurilingüe,* Alianza, Madrid, 1992.

— *Conocimiento y uso de las lenguas en España,* CIS, Madrid, 1994 y 1999.

SUÏLS, J.; HUGUET, A., y LAPRESTA, C., «The Occitan speech community of the Aran Valley», en *Multilingualism in Spain,* Multilingual Matters, 2001, págs. 141-164.

TURELL, M. (ed.), *Multilingualism in Spain,* Multilingual Matters, Clevedon, 2001.

VERGÉS, F., *Petit Diccionari Castelhan-Aranés-Catalan-Francés; Aranés-Castelhan-Catalan-Francés,* Conselh Comarcau dera Vall d'Aran, Biela, 1991.

VIAUT, A., *L'Occitan Gascon en Catalogne: le Vall d'Aran. Du Vernaculaire au Formel,* Maison des Sciences de l'Homme d'Aquitaine, Burdeos, 1987.

VILA, F. X., *Eth coneishment der aranés ena Val d'Aran. Analisi de Sociolingüística dera enquèsta oficiau de població 1996,* Generalitat de Catalunya, Barcelona, 2000.

— «Lles llengües a la Vall de Aran», en J. Farras, J. Torres y F. X. Vila, *El coneixement del català 1996. Mapa sociolingüístic de Catalunya,* Generalitat de Catalunya, Barcelona, 2000.

8. ARAGÓN

ALVAR, M., *Estudios sobre el dialecto aragonés,* IFC, Zaragoza, 1973 (I), 1978 (II) y 1998 (III).

— *Aragón: literatura y ser histórico,* Pórtico, Zaragoza, 1976.

— *El dialecto aragonés,* Gredos, Madrid, 1983.

— (con la col. de A. Llorente, T. Buesa y E. Alvar), *Atlas lingüístico y etnográfico de Aragón, Navarra y Rioja (ALEANR),* 12 vols., Madrid (Departamento de Geografía Lingüística del CSIC)-Zaragoza (IFC), 1979-1983.

ALDOLZ, R., *Diccionario aragonés,* Mira Editores, Zaragoza, 4.ª ed., 1992.

BADA, J. R., *El debat del català a l'Aragó,* Edicions del Migdia, Calaceit, 1990.

BUESA, T., «Estado actual de los estudios sobre el dialecto aragonés», en *II Jornadas sobre el estado actual de los estudios sobre Aragón,* 2 vols., ICE, Zaragoza, 1980; vol. I, págs. 355-400.

CONTE, A.; CORTÉS, Ch.; MARTÍNEZ, A.; NAGORE, F., y VÁZQUEZ, Ch., *El aragonés: identidad y problemática de una lengua,* Librería General, Zaragoza, 1977.

ENGUITA, J. M. (ed.), *I Curso de Geografía Lingüística de Aragón,* IFC, Zaragoza, 1991.

— *Jornadas de Filología Aragonesa. En el L Aniversario del AFA,* 2 vols., IFC, Zaragoza, 1999.

MARTÍN ZORRAQUINO, M. A., y ENGUITA, J. M., *Las lenguas de Aragón,* CAIA, Zaragoza, 2000.

MARTÍN ZORRAQUINO, M. A.; FORT, M. R.; ARNAL, M. L., y GIRALT, J., *Estudio sociolingüístico de la Franja Oriental de Aragón,* 2 vols., Seminario de Investigaciones Lingüísticas de la Universidad de Zaragoza-Gobierno de Aragón, Col. Grammaticalia, 2, Zaragoza, 1995.

9. Principado de Asturias: asturiano/bable

APAOLAZA, T. X., *Lengua, etnicidad y nacionalismo,* Editorial Anthropos, Barcelona, 1993.

BARTH, F., *Los grupos étnicos y sus fronteras,* Fondo de Cultura Económica, México, 1976.

D'ANDRÉS, R., «La situation sociale de la langue asturienne», en *Informe so la llingue asturiana/Repport sur la llangue asturienne,* Academia de la Llingua Asturiana, Oviedo, 1987.

DORIAN, N., *Language Death: The life cycle of a Scottish Gaelic dialect,* University of Pennsylvania Press, Filadelfia, 1981.

ETXEBARRIA, M., *El bilingüismo en el Estado español,* FBV, Bilbao, 1995.

FERGUSON, C. A., «Diglossia», *Word,* 15 (1959), págs. 325-340.

FISHMAN, J. A., «Bilingualism with and without diglossia: Diglossia with and without bilingualism», *Journal of Social Issues,* 23 (1967), págs. 29-38.

— *Sociolinguistics: A brief introduction,* Newbury House, Rowley (Massachusetts), 1970.

— *Advances in the sociology of language,* Mouton, La Haya, 1971.

GARCÍA ARIAS, X., *Bable y regionalismo,* Conceyu Bable, Oviedo, 1975.

— *Llingua y sociedá asturiana,* Conceyu Bable, Oviedo, 1976.

— «Las lenguas minoritarias de la península Ibérica», en *Introducción a la lingüística,* Alhambra Universidad, Madrid, 1982.

— «El asturiano: evolución lingüística externa», en G. Holtus, M. Metzeltin y C. Schmitt (eds.), *Lexikon der Romanistischen Linguistik,* 6 vols., Nax Niemayer Verlag, Tubingen, 1992; I, págs. 681-693.

GONZÁLEZ-QUEVEDO, R., «Antropoloxia del desaniciu llingüísticu: llingua minoritaria y espacios étnicos», *Lletres Asturianes,* 8 (1983), págs. 7-15.

— «Nueva poesía asturiana», en *El Estado de las Poesías,* Monografías de los Cuadernos del Norte, CAA, Oviedo, 1986, págs. 154-160.

— *Roles sexuales y cambio social en un valle de la Cordillera Cantábrica,* Editorial Anthropos, Barcelona, 1991.

— «Langue, rite et identité», *Letres Asturianes,* 43 (1992), págs. 7-20.

— «Afitar la propia identidá. El Cudoxu, una experiencia de teatro popular», *Lletres Asturianes,* 51 (1994a), págs. 93-98.

— *Antropoloxia Lingüística. Llingua, cultura y etnicidá,* ALlA, Oviedo, 1994b.

— «Respeutu al proyeutu d'una pequena lliteratura», *Lletres Asturianes,* 53 (1994c), págs. 23-28.

— «The Asturian speech community», en *Multilinguism in Spain,* Multilingual Matters, Clevedon, 2001, págs. 165-181.

GONZÁLEZ-QUEVEDO, R., y RODRÍGUEZ, V., «Encuesta so la realidá llingüística: L'Entregu y L'Agüeria», *Lletres Asturianes,* 22 (1986), págs. 123-126.

GONZÁLEZ RIAÑO, X. A., *Interferencia lingüística y escuela asturiana,* ALlA, Oviedo, 1994.

GROSJEAN, F., «The psycholinguistics of language contact and codeswitching: Concepts, methodology and data», *Papers for the Workshop on Concepts, Methodology and Data,* ESF Network on Codeswitching and Language Contact, Basilea, 12-13 de enero de 1990, págs. 105-116.

LLERA, F. J., *Los asturianos y la lengua asturiana,* Conseyeria d'Educación del Principáu d'Asturies, Oviedo, 1994.

McDonald, M., «The exploitation of linguistic mis-match: Toward an ethnography of custom and manners», en R. Grillo (ed.), *Social Anthropology and the Politics of Language,* Routledge, Londres, 1989, págs. 90-105.

Pujadas, J., y Turell, M. T., «Els indicadors sociolingüístics del contacte inter-ethnic», en *Actes del Novè Colloqui Internacional de Llengua i Literatura Catalanes, Alacant-Elx (1991),* Publicacions de l'Abadia de Montserrat, Barcelona, 1993, págs. 301-318.

Sánchez, M. J., «Repesando la identidad étnica», *VI Congreso de Antropología,* Tenerife, 1993.

Siguán, M., *La España plurilingüe,* Alianza, Madrid, 1992.

— *Conocimiento y uso de las lenguas de España,* CIS, Madrid, 1994 y 1999.

— *Bilingüismo y contacto de lenguas,* Ariel, Madrid, 2001.

Turell, M. T., «Beyond Bable: Within and across», en F. Sierra, M. Pujol y H. den Boer (eds.), *Diálogos Hispánicos núm. 15. Las lenguas en la Europa comunitaria,* Rodopi, Amsterdam, 1994, págs. 23-40.

— «L'altermança de llengües i el préstec en una comunitat interètnica», en M. T. Turell (ed.), *La sociolingüística de la Variació,* PPU, Barcelona, 1995, págs. 259-293.

— (ed.), *Multilinguism in Spain,* Multilingual Matters, Clevedon, 2001.

Valle, T. del, *Korrica. Rituales de la lengua en el espacio,* Editorial Anthropos, Barcelona, 1988.

Weinreich, U., *Languages in contact,* Mouton, La Haya, 1953.